Renúncia

Renuncia

Francisco Cândido Xavier

Renúncia

HISTÓRIA REAL. SÉCULO DE LUÍS XIV, EM FRANÇA, ESPANHA, IRLANDA E AMÉRICAS. HEROÍSMO E MARTÍRIO DE ALCÍONE

Ditado pelo Espírito
Emmanuel

FEB

Copyright © 1944 *by*
FEDERAÇÃO ESPÍRITA BRASILEIRA – FEB

36ª edição – 18ª impressão – 4 mil exemplares – 6/2025

ISBN 978-85-7328-700-4

Todos os direitos reservados. Nenhuma parte desta publicação pode ser reproduzida, armazenada ou transmitida, total ou parcialmente, por quaisquer métodos ou processos, sem autorização do detentor do *copyright*.

FEDERAÇÃO ESPÍRITA BRASILEIRA – FEB
SGAN 603 – Conjunto F – Avenida L2 Norte
70830-106 – Brasília (DF) – Brasil
www.febeditora.com.br
editorial@febnet.org.br
+55 61 2101 6161

Pedidos de livros à FEB
Comercial
Tel.: (61) 2101 6161 – comercial@febnet.org.br

Adquirindo esta obra, você está colaborando com as ações de assistência e promoção social da FEB e com o Movimento Espírita na divulgação do Evangelho de Jesus à luz do Espiritismo.

Dados Internacionais de Catalogação na Publicação (CIP)
(Federação Espírita Brasileria – Biblioteca de Obras Raras)

E54r   Emmanuel (Espírito)

        Renúncia: (romance mediúnico) / ditado pelo Espírito Emmanuel; [psicografado por] Francisco Cândido Xavier. – 36. ed. – 18. imp. – Brasília: FEB, 2025.

        376 p.; 23 cm – (Série Romances de Emmanuel)

        "História real. Século de Luís XIV. Em França, Espanha, Irlanda e Américas. Heroísmo e martírio de Alcíone"

        ISBN 978-85-7328-700-4

        1. Romance espírita. 2. Obras psicografadas. I. Xavier, Francisco Cândido, 1910-2002. II. Federação Espírita Brasileira. III. Título. IV. Série.

CDD 133.93
CDU 133.7
CDE 80.02.00

Sumário

Velhas recordações 7

PRIMEIRA PARTE

I - Sacrifícios do amor 13
II - Anseios da mocidade 31
III - A caminho da América 69
IV - A varíola 91
V - Na infância de Alcíone 131
VI - Novos rumos 155
VII - Caminhos de luta 173

SEGUNDA PARTE

I - O padre Carlos 195
II - Novamente em Paris 223
III - Testemunhos de fé 257
IV - Reencontro 277
V - Provas redentoras 317
VI - Solidão amarga 333
VII - A despedida 351

Velhas recordações

Quem poderá deter as velhas recordações que iluminam os caminhos da eternidade?

Lembramo-nos de Alcíone, desde os dias de sua infância. Muitas vezes a vi, com o padre Damiano, num velho adro de Espanha, passeando ao pôr do sol.

Não raro, levantava o semblante infantil para o céu e perguntava atenciosa:

— Padre Damiano, quem terá feito as nuvens, que parecem flores grandes e pesadas, que nunca chegam a cair no chão?

— Deus, minha filha — dizia o sacerdote.

Como se no coração pequenino não devesse existir esquecimento das coisas simples e humildes, voltava ela a interrogar:

— E as pedras? Quem teria criado as pedras que seguram o chão?

— Foi Deus também.

Então, após meditar de olhos mergulhados no grande crepúsculo, a pequenina exclamava:

— Ah! como Deus é bom! Ninguém ficou esquecido!

E era de ver-se a sua bondade singular, o interesse pelo dever cumprido, dedicação à verdade e ao bem.

Cedo compreendi que a família afetuosa de Ávila se constituía de amizades vigorosas, cujas origens se perdiam no tempo.

Os anos — minutos do relógio da eternidade — correram sempre movimentados e cheios de amor. A criança de outros tempos tornara-se a benfeitora cheia de sabedoria. Sua vida não representava um feixe de atos comuns, mas um testemunho permanente de sacrifícios santificantes. Desde a primeira juventude, Alcíone transformara-se em centro de afeições, em fonte de luz viva, em que se podiam vislumbrar as claridades augustas do Céu. Sua conduta, na alegria e na dor, na facilidade e no obstáculo, era um ensinamento generoso, em todas as circunstâncias.

Creio mesmo que ela nunca satisfez a um desejo próprio, mas nunca foi encontrada em desatenção aos desígnios de Deus. Jamais a vi preocupada com a felicidade pessoal; entretanto, interessava-se com ardor pela paz e pelo bem de todos. Demonstrava cuidado singular em subtrair, aos olhos alheios, seus gestos de perfeição espiritual, porém queria sempre revelar as ideias nobres de quantos a rodeavam, a fim de os ver amados, otimistas, felizes.

Minhas experiências rolaram devagarinho para os arcanos do Tempo, a morte do corpo arrastou-me a novos caminhos e, no entanto, jamais pude esquecer a meiga figura de anjo, em trânsito pela Terra.

Mais tarde, pude beijar-lhe os pés e compreender-lhe a história divina. O resultado desse conhecimento vibra neste esforço singelo, que não tem pretensões a obra literária.

Este é um livro de sentimento, para quem aprecie a experiência humana por meio do coração. Em particular, falará a todos os que se encontrem encarcerados, sentenciados, esquecidos daquele amor que cobre a multidão dos pecados, consoante os ensinamentos de Jesus. A maioria dos aprendizes do Evangelho deixa-se tomar, em sentido absoluto, pelas ideias de resgate escabroso, de olho por olho, ou, então, pela preocupação de recompensas na Terra ou no Céu. Aqui, comentam-se reencarnações criminosas; ali, esperam-se tão só prantos amargos; além, existem corações anelantes de remansado e ocioso pousio. A esperança e a responsabilidade parecem tesouros esquecidos. É razoável que se não possa negar o caráter incorruptível da Justiça; porém, não se deverá esquecer o otimismo, a confiança, a dedicação e todas as energias que o amor procura despertar no âmago das consciências.

Para as almas sinceras, que ainda solucem nos laços do desânimo e desalento, a história de Alcíone é um bálsamo reconfortador. Naturalmente que ela própria, qual amorosa visão da Espiritualidade eterna, emergirá das páginas luminosas da sua experiência, perguntando ao leitor que se sinta oprimido e exausto:

— Por que reténs a noção dos castigos implacáveis, quando Nosso Pai nos oferece o manancial inexaurível do seu amor? Por que atribuis tamanha importância ao sofrimento? Levanta-te! Esqueceste Jesus? Já que o Mestre padeceu por todos, sem culpa, onde estás que não sentes prazer em trabalhar, de qualquer forma, por amor ao seu nome?

A psicologia de Alcíone é bem mais complexa do que se possa imaginar ao primeiro exame. Na grandeza da sua dedicação, vemos o amor renunciando à glória da luz, a fim de se mergulhar no mundo da morte. Com seu gesto divino, a Terra não é apenas um lugar de expiação destinado a exílio amarguroso, mas também uma escola sublime, digna de ser visitada pelos gênios celestes. Dentro dos horizontes do planeta, ainda vigem a sombra, a morte, a lágrima... Isso é incontestável. Mas quem seguir nas estradas que Alcíone trilhou converterá todo esse patrimônio em tesouros opimos para a vida imortal.

Aqui, pois, oferecemos-te, leitor amigo, tão velhas recordações.

Crê, no entanto, que, por velhas, não são menos preciosas. São heranças sagradas do escrínio do coração, joias de subido valor que espalharemos a esmo, recordando que, se muita gente presume haver alcançado os êxitos retumbantes e a felicidade ilusória no campo vasto do mundo, em verdade ainda não aprendeu nem mesmo a estabelecer a vitória da paz, na experiência sagrada que se verifica entre as paredes de um lar.

EMMANUEL

Pedro Leopoldo (MG), 11 de janeiro de 1942.

PRIMEIRA PARTE

I
Sacrifícios do amor

A paisagem era formada de sombras, numa região indefinível na linguagem humana. Substâncias diferentes das que compõem o solo terrestre constituíam a sua crosta sulcada de caminhos tortuosos entre arbustos mirrados, à semelhança dos cactos próprios das zonas áridas. Os horizontes perdiam-se ao longe, nas linhas escuras do quadro melancólico, como se aquela hora assinalasse pesado crepúsculo.

Fazia frio, agravado pelas rajadas fortes do vento úmido, que soprava rijo, deixando no espaço vaga expressão de doloroso lamento. O lugar dava a impressão de triste país de exílio, destinado a criminosos condenados a penas ingratas.

Entretanto, ouviam-se vozes que a ventania quase abafava, como de prisioneiros cheios de expectação e de esperança.

Em singular e sombrio recôncavo, pequeno grupo de Espíritos culposos comentava largos projetos de atividades futuras. Suas túnicas exóticas e grandes capuzes pareciam identificá-los como estranhos ministros de um culto ignorado na Terra. Alguns se revelavam inquietos, taciturnos, outros deixavam transparecer nos olhos enorme desalento.

— Agora — dizia um que evidenciava posição de relevo — necessitamos renovar ideais, imprimir novo impulso à nossa volição enfraquecida.

O passado vai longe e faz-se imprescindível arregimentar todas as forças para as lutas que vêm perto. A providência misericordiosa do Todo-Poderoso nos concede ensanchas[1] de novas experiências na Terra. Meditemos em nossas quedas dolorosas no redemoinho das paixões do mundo e firmemo-nos nos santos propósitos de triunfo. Quantos anos temos perdido em amaríssimos sofrimentos, no plano dos remorsos devastadores?... Recordemos as angústias da via expiatória e agradeçamos a Deus o ensejo de voltar às tarefas purificadoras. Esqueçamos a vaidade que nos envileceu o coração; a ambição e o egoísmo que nos torturam a alma ingrata, e preparemo-nos para as experiências justas e necessárias.

A voz do locutor, porém, embargava-se afogada em lágrimas. A lembrança dolorosa do passado empolgava o grupo de antigos sacerdotes desviados do nobre caminho que o Senhor lhes havia traçado.

Iniciara-se a troca de impressões entre todos. Alguns expunham dificuldades íntimas, outros comentavam a intenção de trabalhar devotadamente até a vitória.

— O que mais me impressiona — proclamava um companheiro — é o fantasma do esquecimento que nos obscurece o espírito lá na Terra. Antes da experiência, arquitetamos mil projetos de esforço, dedicação, perseverança; somos nababos de preciosas intenções, mas, chegado o momento de as executar, revelamos as mesmas fraquezas ou incidimos nas mesmas faltas que nos compeliram aos desfiladeiros do crime e das reparações acerbas.

— Mas onde estaria o mérito — explicava o amigo a quem eram dirigidas aquelas observações — se o Criador não nos felicitasse com esse olvido temporário? Quem poderia aguardar o êxito desejável, defrontando velhos inimigos, sem o bálsamo dessa bênção celestial sobre a chaga da lembrança? Sem a paz do esquecimento transitório, talvez a Terra deixasse de ser escola abençoada para ser ninho abominável de ódios perpétuos.

— Entretanto — objetava o interlocutor —, semelhante situação me atemoriza. Sinto enorme angústia só em pensar que perderei novamente a memória, que ficarei quase inconsciente de meu patrimônio espiritual, ao palmilhar as estradas terrestres, qual enterrado vivo a quem fosse subtraída a faculdade de respirar.

---

[1] N.E.: Oportunidades.

— Mas como aprenderias a humildade com as reminiscências ativas do orgulho? Poderias, acaso, beijar um filho, sentindo nele a presença de um inimigo figadal? Conseguirias, de pronto, a força precisa para santificar, pelos elos conjugais, a mulher que manchaste noutros tempos, induzindo-a ao meretrício e às aventuras infames? Não percebes no olvido terrestre uma das mais poderosas manifestações da bondade divina para com as criaturas criminosas e transviadas? Concordo em que a experiência humana, para quem observou, mesmo de longe, como aconteceu a nós outros, as resplendências da vida espiritual, significa, de fato, a reparação laboriosa no seio de um sepulcro; mas nós, meu caro Menandro, estamos desde há muito mumificados no crime. Nossa consciência necessita do toque das expiações salvadoras. A morte mais terrível é a da queda, mas a Terra nos oferece a medicação justa, proporcionando-nos a santa possibilidade de nos reerguermos. Renasceremos em suas formas perecíveis e, em cada dia da experiência humana, morreremos um pouco, até que tenhamos eliminado, com o auxílio da poeira do mundo, os monstros infernais que habitam em nós mesmos...

O amigo pareceu meditar aqueles conceitos profundos e, dando a entender que se convencera, interrogou com atenção, encaminhando a palestra para outros rumos:

— Quando se verificará nossa localização definitiva nos fluidos terrestres, com vistas à nova experiência?

— A qualquer momento. Como sabes, muitos dos nossos já partiram. Os benfeitores de nosso destino, que advogaram a concessão de novas oportunidades ao nosso esforço remissor, já nos enviaram a mensagem derradeira, desejando-nos realizações felizes nos trabalhos futuros.

Nesse instante, sucedeu qualquer coisa que o grupo de almas sofredoras e esperançosas não conseguiu perceber. Uma forma luminosa descia do plano constelado, semelhante a uma estrela desprendida do imenso colar dos astros da noite, que agora se caracterizava pela sombra mais envolvente e profunda. Quase ao tocar no centro da paisagem escura, tomou a forma humana, embora não se lhe pudesse determinar os traços fisionômicos, tal a sua auréola de ofuscante esplendor. No entanto, como acontece no círculo das impressões humanas condicionadas às necessidades de cada criatura, nenhum dos circunstantes lhe registrou, de maneira absoluta, a presença generosa, senão mediante uma íntima alegria, permeada de santas esperanças.

Ninguém poderia definir o sentimento de bom ânimo que se estabelecera de modo geral. Elevada perspectiva de vitória no porvir palpitava, agora, nas conversações. Alguém declarou que naquele instante, por certo, estavam descendo novas bênçãos de Deus sobre o grupo antes receoso e abatido.

Menandro e Pólux, os dois amigos cuja palestra foi particularmente registrada, salientaram a sublime alegria que lhes inundava o coração, e o mais santo entusiasmo perdurou, entre todos, até que a pequena assembleia se dissolveu em meio a comovedoras despedidas e compromissos sagrados.

Pólux, todavia, ainda ali ficou longos minutos a meditar na magnanimidade do Altíssimo e na magnitude do porvir. Não percebia a presença da sublime entidade envolta em luz, que se conservava a seu lado, em atitude carinhosa, mas profundas emoções se lhe apoderaram do espírito, conduzindo-o às reminiscências do pretérito remoto. Naquele instante, sentia-se tocado por sentimentos intraduzíveis. Por que razão havia caído tantas vezes ao longo dos caminhos humanos? Numerosas lutas sustentara, a fim de unir-se a Deus para sempre, por intermédio do amor purificado e divino. Experiências laboriosas havia empreendido no Evangelho de Jesus, para servi-lo em espírito e verdade; contudo, na luta consigo mesmo, as paixões subalternas sempre saíam vencedoras, em sinistros triunfos. Em que constelação permaneceria Alcíone, a alma de sua alma, vida de sua vida? E recordava as renúncias e sacrifícios dela em prol da sua redenção, lembrando que, se a sua alma de santa estava sempre repleta de abnegação, ele, por si, fora quase invariavelmente frágil e vacilante, agravando os próprios fracassos. Principiara, de alguns séculos, a tarefa de resgate e aperfeiçoamento sob as claridades do Evangelho de Jesus Cristo; procedera nobremente até certo ponto, mas, no instante de coroar a obra para a vida eterna, caíra miseravelmente, como criminoso comum. Desesperara-se. Chafurdara-se no lodo cruel. A revolta, porém, agravara-lhe as penas íntimas, compelindo-o a ceder ante o cerco apertado de novas tentações. Rememorava, agora, a figura da alma bem-amada, com lágrimas de amarguroso enternecimento. Sua memória parecia mais lúcida. À sua retina espiritual, desenhavam-se os séculos transcorridos. Alcíone sempre pura e devotada, ele sempre incorrigível e cruel. Nas últimas experiências havia pedido o hábito de sacerdote do Catolicismo romano, desejoso de entregar-se ao ascetismo regenerador. Preferira tentar o esforço de abster-se das comodidades santas de um lar, a fim de sofrer o insulamento e as necessidades profundas do coração, buscando gravar no espírito, com o ferrete de padecimentos íntimos, o amor acrisolado e fiel. Mas, nas recapitulações perigosas, tal propósito falhara sempre. Conspurcara os santuários, traíra os deveres santos, esquecera os compromissos sagrados e saíra novamente do mundo como criminoso revel. Pólux considerou os erros do passado execrável e, premido pelas angústias da consciência, começou a chorar.

Onde estava Alcíone, que parecia estranha às suas desventuras? Muitos anos haviam decorrido sobre as suas peregrinações, como espírito desolado, entre remorsos acerbos, e nunca obtivera a dita de lhe beijar as mãos carinhosas e benfeitoras. De quando em quando, recebia-lhe as mensagens de incitamento e conforto sagrado; no entanto, não conseguia saciar a saudade torturante, nem evitar o próprio desalento do espírito caído no resvaladouro das amarguras cruéis.

Em palestra com os amigos, Pólux encontrava sempre poderosos argumentos para convencer os mais rebeldes ou consolar os mais tristes. Suas vastas reservas de conhecimento conferiam-lhe recursos espirituais que os demais não possuíam.

Contudo, naquela hora da sua eternidade, sentia-se profundamente só e desventurado.

Sob o jugo de atrozes recordações, sentindo que o instante de retorno ao orbe terráqueo estava próximo, procurou o refúgio caricioso da oração e murmurou baixinho, de olhos erguidos para o alto:

— Jesus, Mestre querido e generoso, concedei-me forças ao coração enfermo e perverso!... Dignai-vos cerrar os olhos para as minhas fraquezas e vede, Senhor, quanto sofro!... Fortalecei minha vontade vacilante e, se possível, meu Salvador, dai-me a graça de ouvir Alcíone, antes de partir!...

Mas, a essa evocação direta da bem-amada, o pranto lhe embargou a prece comovedora e dolorosa. Em atitude humilde, baixou os olhos nevoados de lágrimas e soluçou discretamente, como se estivesse envergonhado da própria dor.

Nesse instante, a entidade amorosa que o assistia pareceu orar intensamente, despendendo notável esforço para se lhe tornar visível. Gradualmente, extinguiram-se os raios de luz que a envolviam em reflexos divinos. A sombra da paisagem cercou-a inteiramente, e uma jovem de singular beleza tocou o penitente nos ombros, num gesto de ternura encantadora.

— Pólux! — murmurou com indizível doçura.

Ele ergueu a fronte e soltou um grito de inefável surpresa.

— Alcíone! Alcíone!... — respondeu com júbilo incoercível, postando-se de joelhos ao mesmo tempo em que lhe osculava as mãos reconhecidamente. — Há quanto tempo me vejo privado dos teus carinhos?! Meus dias são milênios de inenarráveis angústias. Vieste atender ao mísero que sou?... Ah! sim, Deus sempre envia seus Anjos aos desgraçados, como enviou Jesus aos pecadores...

— Levanta-te para o testemunho de amor ao Altíssimo — disse ela com angélica ternura —; não te julgues abandonado nos caminhos da regeneração. O Senhor está conosco, como estou sempre contigo. Anima-te para novas experiências! Jesus não desampara nossos propósitos elevados. Sofre e trabalha, Pólux, e, um dia, nos reuniremos para sempre na radiosa eternidade. Deus é a fonte da alegria imortal, e, quando houvermos triunfado de toda a imperfeição, banhar-nos-emos nessa fonte de júbilos infinitos.

— Ai de mim! — replicou, revelando amargurosa desesperança.

— Não lamentes! — tornou a entidade generosa. — Não perseveres em lastimar, quando o Todo-Poderoso nos faculta o direito de renovar o esforço para as divinas conquistas. Novas tarefas te aguardam no seio amigo da Terra generosa. Solicitaste uma oportunidade nova de consagração a Deus, e a Providência te concedeu esse precioso ensejo.

— Sim — esclareceu Pólux, desfeito em lágrimas —, roguei a recapitulação do esforço dos sacerdotes devotados ao labor divino. Uma vez mais, quero tentar as provas da abnegação e do ascetismo, na exemplificação do amor ao próximo. Mobilizarei todas as minhas energias para avançar alguns graus na distância imensa que nos separa na escala evolutiva. Quero viver sem lar e sem filhos carinhosos, quero conhecer a solidão que muitas vezes já experimentaste no mundo, nos estrênuos sacrifícios por mim. Minhas noites hão de ser desertas e tristes, caminharei junto dos que caem e padecem sobre a Terra, no propósito de servir a Jesus, através da sua seara de amor e perdão.

Alcíone contemplou-o embevecidamente, olhos mareados de pranto, numa doce emoção de júbilo e reconhecimento. As afirmativas e promessas do amado penetravam-lhe o coração como brandas carícias. De há muito trabalhava com fervor pela obtenção daquele minuto divino, em que Pólux conseguisse compreender e sentir o Mestre no coração antes de interpretá-lo intelectualmente apenas.

— Jesus abençoará nossas esperanças — exclamou afetuosa. — Nós que saímos juntos do mesmo sopro de vida, chegaremos juntos aos braços amoráveis do Eterno.

Pólux soluçou convulsivamente.

— Esperar-te-ei — disse ela — através dos caminhos do Infinito. Lutarei ao teu lado nos dias mais ásperos, dar-te-ei as mãos sobre os abismos tenebrosos.

— Perdoaste-me, como sempre? — interrogou Pólux, voz entrecortada pela emoção do encontro.

— Os que se amam fundem as almas no entendimento recíproco. Deus perdoa, concedendo-nos a oportunidade da redenção, e nós nos compreendemos uns aos outros.

E, evidenciando o desejo de restaurar as energias do amado, continuou:

— Quantas vezes também caí nas estradas longas e ríspidas. Acaso tenho um passado sem mácula?!... Não és o único a padecer nos resgates justos e penosos. Milhões de almas, neste mesmo instante, clamam as desventuras do remorso e invocam as bênçãos do Altíssimo para o trabalho retificador. E não será razão de infinita alegria a certeza da concessão divina para recomeçar? Já recebeste a permissão do Senhor para o reinício da luta, avizinha-se o instante bendito do retorno à tarefa, e pensaste, acaso, nas torturas imensas de quantos, neste minuto, se sentem oprimidos e amargurados, na expectativa ansiosa de alcançar a dádiva que já obtiveste?

Pólux contemplou-a reconfortado, mas objetou melancolicamente:

— Ah! sinto que poderia atingir culminâncias nas necessárias reparações; entretanto, Alcíone, precisava para isso da tua constante assistência. Sei que preciso recorrer a provas difíceis de abnegação e de ascetismo, mas... se pudesse, ao menos, ver-te na Terra... Serias, para a minha tarefa, a radiosa estrela-d'alva e, à noite, quando fluíssem do Céu as bênçãos da paz, lembrar-me-ia de ti e encontraria nessa recordação o manancial da coragem e dos estímulos santos!

Ela pareceu meditar profundamente e redarguiu:

— Implorarei a Jesus me conceda a alegria de voltar à Terra a fim de atender ao meu ideal, que se constitui, aos meus olhos, de sacrossantos deveres.

— Tu! Voltares? — perguntou o precito, ébrio de esperança.

— Por que não? — explicou Alcíone com meiguice. — O planeta terrestre não será um local situado igualmente no Céu? Esqueceste o que a

Terra nos tem ensinado qual mãe carinhosa, na grandeza de suas experiências? Muitas vezes, nós, na qualidade de filhos dela, manchamos-lhe a face generosa com delitos execráveis e, entretanto, foi em seu seio que o Mestre surgiu na manjedoura singela e levantou a cruz divina, encaminhando-nos ao serviço da remissão.

— Ah! se Deus permitisse ao mísero penitente que sou — disse Pólux, dominado por indisfarçável alegria — a ventura de ouvir-te no estreito círculo terrestre, acredito que nada teria a temer na senda reparadora...

Alcíone notou-lhe o surto de alegria transbordante e, ponderando-lhe as observações, palavra por palavra, obtemperou:

— Antes da minha, precisarás ouvir a voz do Cristo, e se Ele com sua infinita bondade permitir minha volta à Terra, jamais olvidemos que vamos lá regressar não para auferir gozos prematuros, mas para sofrer juntos no caminho redentor, até podermos desferir o voo supremo de felicidade e união, em demanda de esferas mais altas. Na obra de Deus, a paz sem trabalho é ociosidade com usurpação. Não afastes os olhos do quadro de sacrifícios que nos compete fazer a favor de nós mesmos!

— Sim, Alcíone, tu és o meu anjo bom — murmurou ele entre lágrimas. — Ensina-me a percorrer as estradas depuradoras. Não me desampares. Dize-me como devo proceder na Terra. Repete que te não afastarás do meu caminho. Inspira-me o desejo santo de resgatar meus pesados débitos, até o fim...

Sentado, em atitude humilde, o mísero sofredor guardava a cabeça entre as mãos, enxugando as lágrimas copiosas.

Alcíone afagou-lhe os cabelos com ternura e falou docemente:

— Não temas a prova de purificação que te conduzirá ao júbilo na senda eterna. O cálice do remédio deve ser estimado por sua virtude curativa, não pelo travo do conteúdo, que apenas produz a penosa sensação de alguns segundos. Sê reconhecido a Deus nos sacrifícios, Pólux! Não desejes nem esperes regalias na escola de edificação, onde o próprio Mestre encontrou a bofetada e a cruz do martírio. Não escutes as falsas promessas nem atendas aos caprichos perniciosos que nascem do coração. Obedece ao Pai e toma Jesus por cireneu de todas as horas. A porta estreita, ainda e sempre, é o maravilhoso símbolo para a divina iluminação. Foge das fantasias envenenadas que trabalham contra as santificantes aspirações do espírito. Recorda as angustiosas experiências que tantas vezes empreendemos na Terra, para a conquista de nossa perpétua união. Não temos sede de enganosas satisfações. Temos sede de Deus, Pólux! O infinito amor que nos transfunde as almas tem sua origem sagrada em sua misericórdia paternal. Quero-te eternamente, como sei que a união comigo é a tua sublime aspiração; entretanto, seria justo encerrar nosso júbilo num círculo egoístico tão somente? Amamo-nos para sempre, a eternidade nos santifica os destinos, mas o Pai está acima de nós. Entreguemo-nos ao seu amor, no santo trabalho de suas obras. Em suas mãos augustas, meu querido, palpita a luz que enche os abismos. Haverá maior glória que lhe praticar a divina vontade, que se traduz em amor, dedicação e alegria? Nos caminhos novos a percorrer, lembra o Pai amado e atende-o em todas as circunstâncias. Não acalentes no coração os germes da vaidade e do egoísmo. Sacrifica-te. Dá combate a ti mesmo. Os triunfos exteriores são aparentes e podem ser mentirosos. A vitória espiritual pertence à alma heroica que soube unir-se ao Céu, atravessando todas as tempestades do mundo, trabalhando por burilar-se a si própria.

Pólux chorava compungidamente, mas rogou com expressão comovedora:

— Compreendo-te as palavras sábias e afetuosas! Farei tudo por unir-me a Deus e a ti, eternamente. Pede por mim a Jesus para que eu tenha reflexão e bondade no mundo...

No entanto, como se experimentasse um choque inesperado, levou as mãos ao peito, calou-se por momentos, para depois retomar a palavra, espantado e hesitante:

— Alcíone, querida, não sei se a emoção desta hora divina abalou minhas energias mais profundas; contudo, sinto que algo me envolve a fronte, uma força incoercível parece ameaçar o cérebro vacilante; experimento penosas sensações, como quando perdemos as forças devagarinho, antes de cair...

E, após outra pausa ligeira, voltava a exclamar, revelando amarga estranheza:

— Chamam por mim... ouço vozes que me chegam de longe... Que vem a ser isto?!...

O rosto se lhe cobrira de intenso livor, de profunda palidez, e, deixando perceber que escutava interpelações de um mundo diferente, interrogou entre atemorizado e surpreendido:

— Como interpretar estes apelos?! É este o triste momento? Ah! não, não pode ser!...

Mas, nesse instante, a jovem sentou-se a seu lado; carinhosa, tomou-lhe a fronte cansada no regaço generoso e, afagando-lhe os cabelos com extrema ternura, esclareceu:

— Acalma-te. Chamam-te da Terra. Vais adormecer para despertar na experiência nova, nos círculos da vida humana. Partirás de meus braços para o seio da afetuosa mãezinha que Jesus te destinou.

Pólux experimentava estranhas sensações, caracterizadas por súbito abatimento, mas, sentindo-se conchegado ao amoroso regaço de Alcíone, tinha a impressão de ser a mais venturosa das criaturas. Impressões dominadoras de sono senhoreavam-no; no entanto, lutava desesperadamente contra elas, tentando dilatar a ventura daqueles momentos sublimes, obtemperando carinhosamente:

— Não desejaria outra mãe senão tu mesma. Reúnes, para mim, todos os sagrados requisitos de mãe, de irmã, de companheira e noiva bem-amada...

Ela, que também demonstrava grande emoção nos olhos rasos d'água, acrescentou com meiguice:

— Sim, somos dois corações numa só alma, sob os desígnios do Altíssimo!

Pólux, agora, evidenciava intraduzível angústia. Os olhos moviam-se inquietos, obedecendo às ansiosas expectativas do seu mundo interior. O peito arfava dolorosamente, como se o coração tentasse romper o tórax, causando-lhe indefinível angústia. Seu estado geral dava a impressão de um moribundo na Terra, nas vascas da morte. Fixou os olhos inquietos na bem-amada, tal qual criança necessitada de carinho, e falou com dificuldade:

— Alcíone, não será este padecimento igual ao da morte que conhecemos no mundo?!...[2]

— Sim, meu querido, tua angústia de agora é outra crise periódica.

— Reconheço — disse ele completando o raciocínio — e estou certo de que terei crises semelhantes na Terra, ou noutros planos, até que me

---

[2] Nota de Emmanuel: Os fenômenos da reencarnação, como aqueles que assinalam o desprendimento do Espírito no mundo, abrangem as mais variadas formas e se verificam de acordo com as necessidades de cada um.

liberte da morte no pecado... Um dia encontrarei a ressurreição eterna, a harmonia sem-fim... Permanecerei a teu lado para sempre!

A jovem aconchegou-o ao coração, com mais ternura.

— Alcíone — murmurou dificilmente —, não sei se me perdoaste a ponto de permitir ao meu espírito miserável a solicitação de uma dádiva celestial...

Ela adivinhou-lhe os pensamentos mais secretos; todavia, com a delicadeza de quem não deseja parecer superior, retrucou carinhosamente:

— Dize, Pólux! Que não farei por tua felicidade?

— Desejava... que me beijasses... ao menos uma só vez, antes de partir...

Lágrimas ardentes repontaram nos olhos da noiva espiritual, que, estreitando-o ternamente de encontro ao coração, como se atendesse a tenra criança, replicou cheia de brandura:

— Antes disso, elevemos a Jesus nosso beijo de amor e reconhecimento. Roguemos ao seu coração magnânimo proteção e amparo ao nosso ideal divino.

O interlocutor fixou no seu rosto angélico os grandes olhos atormentados e murmurou:

— Acompanharei tuas preces...

Alcíone ergueu o olhar lúcido ao céu constelado, que esplendia além das sombras que envolviam aquela região de amargura, e orou fervorosamente:

— Mestre amado...

Depois da pausa natural, Pólux repetiu comovedoramente:

— Mestre amado...

A jovem sentiu que o pranto quase lhe embargava a voz, mas, seguida por ele, continuou:

— Com veneração e carinho, nós, meu Jesus, desejamos oscular vossos pés. Recebei no santuário de vossas glórias divinas a pobre lembrança dos servos humildes e necessitados. Nossas almas estão cheias de gratidão à vossa bondade. Permiti, meu Salvador, que possamos honrar o vosso nome trabalhando na seara de perdão, de verdade e de amor, com a vossa doutrina. Abençoai nossas lutas salvadoras, dai-nos a força para vos testemunhar eterna fidelidade, amparai nossos espíritos até o dia em que nos possamos unir em vosso seio, na claridade sem-fim da eternidade luminosa!...

Alcíone interrompeu a oração, que se assemelhava a um cântico divino fragmentado por doce *staccato*.[3] Na paisagem desolada, fizera-se luz intensa, que Pólux não conseguia perceber. Generosos emissários acercaram-se dos dois filhos de Deus, que imploravam, de todo o coração, o amparo de Jesus.

A jovem, nesse momento, inclinou-se para o bem-amado e, na compostura de mãe carinhosa e desvelada, beijou-o longamente nos lábios com infinita ternura.

Pólux desejou proclamar seu precioso júbilo, dizer da suave emoção que lhe banhava o espírito, suplicar a dilação daquela hora gloriosa do caminho eterno, mas não conseguiu articular palavra. As lágrimas ardentes, porém, que lhe rolavam dos olhos qual lúcido colar de pérolas divinas, diziam bem alto da sua comoção indefinível. Olhar fixo em Alcíone, qual agonizante na Terra que desejasse guardar para sempre o quadro mais querido, cerrou as pálpebras cansadas e rendeu-se ao grande sono.

Foi aí que os mensageiros do Cristo se aproximaram da comovida jovem, que lhes entregou o bem-amado com profundo desvelo, falando-lhes brandamente:

— Irmãos, não esqueçais de que vos confio um tesouro!

Em seguida, tomou sua roupagem de luz e afastou-se da paisagem nevoenta, dando a impressão de uma estrela solitária que regressava ao paraíso.

Pouco depois, ei-la que aporta em portentosa esfera, inconfundível em magnificência e grandeza. O espetáculo maravilhoso de suas perspectivas excedia a tudo que pudesse caracterizar a beleza no sentido humano. A sagrada visão do conjunto permanecia muito além da famosa cidade dos santos, idealizada pelos pensadores do Cristianismo. Três sóis rutilantes despejavam, no solo arminhoso, oceanos de luz mirífica, em cambiâncias inéditas, como lampadários celestes acesos para edênico festim de gênios imortais. Primorosas construções, engalanadas de flores indescritíveis, tomavam a forma de castelos talhados em filigrana dourada, com irradiações de efeitos policromos. Seres alados iam e vinham, obedecendo a objetivos santificados, num trabalho de natureza superior, inacessível à compreensão dos terrícolas.

Alcíone penetrou num templo de majestosas proporções, dominada por pensamentos intraduzíveis. Muito acima da nave radiosa, elevava-se

---

[3] N.E.: Em música, tipo de articulação que resulta em notas muito curtas.

uma torre translúcida, trabalhada em substância sólida e transparente, semelhante ao cristal, de cujo interior jorravam melodias harmoniosas.

O santuário augusto era uma vasta colmeia de trabalho e oração.

Alcíone passou por companheiros muito amados, atravessou compartimentos repletos de luz nitente e, aproximando-se de Antênio — a entidade angelical que, por sua excelsa posição hierárquica, ali cumpria as ordenações de Jesus — falou com humildade:

— Anjo amigo, deliberei suplicar ao Senhor a permissão de voltar temporariamente às tarefas terrenas.

— Como assim? — inquiriu Antênio, admirado. — Acaso todos nós permanecemos aqui impossibilitados de auxiliar o planeta terrestre? Não estamos a serviço do Cristo, no afã espiritual de reerguer esse orbe?

— Explico-me — disse a recém-chegada timidamente —: rogo a concessão de um corpo carnal, caso Jesus me conceda essa dádiva.

O generoso mentor contemplou-a com amoroso respeito, compreendeu-lhe as intenções mais íntimas, esboçou um sorriso de bondade e perguntou:

— Mas teus trabalhos no sistema de Sírius? Não estás cooperando com os benfeitores da Arte terrestre? Acredito não vir longe a época de serem levados ao mundo terreno os necessários elementos de inspiração, depois do resultado de tantos esforços para a solução de certos problemas do ritmo e da harmonia.

— Se possível — acrescentou a jovem com emoção — desejaria interromper essas pesquisas que me falam gratamente à alma, para retomá-las no porvir.

— Mas, Alcíone — obtemperou o orientador, dando força às palavras —, por que um novo e arriscado compromisso? Compreendo as razões que interferem na tua súplica; entretanto, pondero que podes trabalhar aqui mesmo, a favor daqueles a quem amas, encorajando-os e assistindo-os da esfera em que te encontras.

— Confesso-te, porém, bondoso Antênio, que profundas saudades me lancinam rudemente o coração. Será condenável o desejo firme de alcançar a felicidade por meio das renúncias do amor e nos propósitos de semear o bem?! Perdoa-me se a presente rogativa causa estranheza à tua alma carinhosa, que tanto me tem amado no glorioso caminho para Deus. Releva-a, recordando que o próprio Jesus teve saudade de Lázaro e, ainda agora, na majestade da sua glória divina, experimenta cuidados pelos discípulos caídos, que padecem e choram!...

A bondosa e sábia entidade ouviu-a comovida, em afetuoso silêncio.

— Além disso — prosseguiu mais animada — não desejo regressar à forma estruturada em poeira tão somente para seguir o amado Pólux, a quem me permitiste advertir e consolar. Quase todos os meus companheiros bem-amados, no esforço evolutivo de outras eras, estão atualmente no planeta, mas, em sua generalidade, envenenados por consequências sinistras de oportunidades menosprezadas e perdidas. Às vezes, suas queixas dolorosas e aflitivas me repercutem penosamente na alma, ouço-lhes as preces ansiosas e nossos cooperadores nos fluidos pesados do orbe me enviam mensagens que são verdadeiros brados de socorro, aos quais não posso ficar insensível, por mais que me procure confugir à perfeita confiança no Todo-Poderoso.

— Sim — atalhou Antênio, sensibilizado —, conheço os teus motivos sacrossantos.

E, como quem desejava ministrar todos os esclarecimentos possíveis ao seu alcance, continuou:

— Apesar de nossos bons desejos, querida Alcíone, não creio que Pólux obtenha desta vez o êxito imprescindível. Seu esforço de agora será uma experiência proveitosa, mas, possivelmente, ainda não logrará a coroa da vida. Embora a dedicação que me compele a falar-te em termos tão sinceros, devo acrescentar que essa é a verdade clara aos nossos olhos. Entretanto, também sei que outros velhos amigos teus caíram em tenebrosos desvios de impiedade, traindo sagradas obrigações. Os que te foram pais, algumas vezes, perderam-se na embriaguez da autoridade e nas fantasias da fortuna; os que te foram irmãos e familiares tombaram vencidos no despotismo e na desvairada ambição. E o mais lamentável é que se complicaram mutuamente, alimentando a fornalha do ódio com a lenha do egoísmo, carbonizando intenções generosas e anulando estrênuos esforços de quantos os auxiliam com abnegação e nobreza. Nenhum cedeu em caprichos, ninguém perdoou nem esqueceu o mal. As ervas daninhas invadiram o campo de tuas esperanças divinas. Teus compromissos com o Senhor sofrem pesadas ameaças. Justifico, desse modo, as tuas razões, embora não possa aplaudir a extensão dos sacrifícios que pretendes fazer.

A jovem demonstrou, no olhar, sincero reconhecimento por semelhantes palavras de compreensão e exclamou:

— Anjo amigo, tenho tanto desejo de acariciar aquela que me foi mãe desvelada em outros tempos!... Não será justo procurar assistir os que, noutras eras, me auxiliaram a penetrar as sendas da redenção?

— Ouve, porém, Alcíone — observou Antênio solenemente —, tuas rogativas são louváveis e tuas aspirações são mais que justas, mas, assim como te aconselhei advertir Pólux, devo também exortar-te por minha vez. Deves saber o volume dos trabalhos e responsabilidades que solicitas do Mestre.

— Sim — replicou a jovem sem hesitação —, estou disposta a procurar minhas dracmas perdidas, se mo permitires em nome do Senhor.

— Já ponderaste nos obstáculos imensos? Lembra que o próprio Jesus, penetrando na região terrestre, foi compelido a se aniquilar em sacrifícios pungentes. Recorda que as leis planetárias não afetam somente os Espíritos em aprendizado ou reparação, mas também os missionários da mais elevada estirpe. Experimentarás, igualmente, o olvido transitório e, embora não tanto agravados em virtude das tuas conquistas, sentirás o mesmo desejo de compreensão e a mesma sede de afeto que palpitam nos outros mortais. Para esclarecimento desses problemas, minha querida, o Mestre deixou à comunidade dos discípulos profundos ensinamentos no Evangelho. O mundo, representado por maus sacerdotes e falsos doutores, buscou tentar o próprio Jesus. Já meditaste na tua aproximação de Pólux, investida num corpo de carne? Sabemos que Pólux parte com deveres de suma importância, em função de coletividade; e tu te sentes preparada para neutralizar a poderosa lei da atração das almas? Não o digo no sentido de preocupações subalternas, mas ponderando a grandeza dos teus sentimentos afetivos, em relação à grandeza mais sublime das obrigações assumidas para com Deus. Terás ânimo para lhe ouvir no mundo os rogos amorosos, mantendo-o no seu posto, incólume e sobranceiro à solidão de si mesmo? Sem dúvida, a lei terrestre te encherá de desejos e te induzirá a considerar a possibilidade de proporcionar-lhe filhos afetuosos, em obediência aos seus princípios naturais. Além disso, teus afetos de outras épocas, como, por exemplo, os que te foram pais amorosos, receberão a palma de lutas ásperas e agudas provações. A senda de quase todos os teus amigos está semeada de espinhos, que eles próprios plantaram no seu desapego à misericórdia do Todo-Poderoso. Sentes-te bastante forte para assumir tão grave compromisso? Conheço numerosos irmãos que, depois de pedirem missões arriscadas como esta, voltaram onerados de mil problemas a resolver, retardando assim preciosas aquisições.

— Conheço a gravidade da minha decisão — esclareceu a jovem com muita humildade —, mas, sabendo-me fraca pelo muito que amo, espero que o Senhor me fortaleça nos dias de sombra e aflição. Pela cruz que sua magnanimidade aceitou em nosso benefício na Terra, rendo-me à sua augusta vontade, mantendo, contudo, minha sincera rogativa!

Antônio contemplou-a tomado de nobre admiração e sentenciou:

— Louvo os teus propósitos firmes e sei que tua poderosa confiança no Cristo é penhor sagrado de vitória, mas devo ainda lembrar-te de que a situação terrestre dos que se propõem ao serviço legítimo da virtude — ainda e sempre — é inçada de sofrimentos atrozes. Não desconheces que, nessas missões sublimes, a criatura disputa o direito de acompanhar o Mestre em seus passos divinos. O discípulo da verdade e do amor, no mundo, é alguma coisa de Jesus e de Deus, e a massa vulgar não lhe perdoa tal condição sobrecarregando-o de pesados amargores, porque seus sentimentos não são análogos àqueles que a conduzem a incoerências e desatinos. Não poderá haver acordo entre a virtude e o pecado. E como o pecado ainda domina o mundo, a tarefa apostólica em seus trâmites será sempre um doloroso espetáculo de sacrifício para as almas comuns. Todos os que seguiram Jesus foram obrigados a identificar o destino com o sinal do martírio. Os que se não desprendem da Terra crucificados nas dores públicas retiram-se ao desamparo, esmagados pelos opróbrios humanos, caluniados, humilhados, encarcerados, feridos. Raros triunfaram, conservando a serenidade e o amor imaculado até o fim!... Ponderaste semelhantes experiências em que tua alma peregrinará por algum tempo, retalhada de angústias?!...

— Sim, querido amigo, refleti em tudo isso e estou resolvida ao testemunho, por mais cruel que seja o meu roteiro.

— Venturosa serás se puderes aceitar o sofrimento na Terra, dentro desse conceito — exclamou o Mentor com grande tranquilidade. — O homem comum, nos seus interesses mesquinhos, não considera a dor senão como resgate e pagamento, desconhecendo o gozo de padecer por cooperar sinceramente na edificação do Reino do Cristo.

— Jesus, que vê o meu coração, ensinar-me-á a transformar a tortura em cântico de graças e me auxiliará a esquecer as cogitações menos dignas, de que me possam cercar os Espíritos vulgares, relativamente ao trabalho porfiado e difícil da redenção e do engrandecimento da vida.

Antênio comoveu-se profundamente em face de tão valorosa resolução e respondeu, afinal:

— Pois bem, já que te firmas em propósitos tão altos e guardas todos os preceitos justos e imprescindíveis à situação, permito o teu regresso à Terra, em nome do Senhor.

Alcíone transbordava de júbilo santo. A suave emoção daquela hora abria-lhe portas resplandecentes de esperança e alegria inexcedíveis.

— Considerando — disse o amoroso Instrutor — que partirás não mais ocasionalmente, e sim para uma transformação sacrifical, que exigirá muito trabalho e renúncia, ficas desde já desligada de tuas obrigações nesta esfera, a fim de te adaptares, vencendo as situações adversas das regiões inferiores que nos separam do mundo, no que, pressinto-o, deverás gastar quase dez anos terrestres.

Alcíone, vertendo lágrimas de alegria e gratidão, aproximou-se, tomou a destra de Antênio e murmurou:

— Deus te recompense!

— Que a sua misericórdia te abençoe! — exclamou o instrutor, acariciando-lhe os cabelos. — Seguir-te-ei daqui com as minhas preces e esperar-te-ei confiante na vitória futura!

A criatura amada de Pólux ainda se conservou no templo, até o fim do dia.

Ao crepúsculo, quando se despediam no espaço os raios dos três sóis diferentes, em deslumbramento de cores, Alcíone reuniu-se a numeroso grupo de amigos e orou com fervor, suplicando as bênçãos do Pai misericordioso.

O firmamento enchia-se de claridades policrômicas e deslumbrantes. Satélites de prodigiosa beleza começavam a surgir na imensidade, envolvendo a paisagem divina num oceano de luz.

A carinhosa benfeitora osculou a fronte dos companheiros de serviço divino e partiu.

Daí a instantes, chegava ao templo pequena caravana de entidades jubilosas. Era a reduzida expedição que operava nas esferas de Sírius. Um dos seus componentes, depois de fitar a vastidão do céu, entrou no templo e dirigiu-se a Antênio, interrogando:

— Quem é o viajor que vai seguindo na direção das Faixas Negras?

— É Alcíone, que se propôs novo trabalho entre os Espíritos encarnados na Terra.

— Que dizes? — indagou tomado de espanto. — Alcíone beberá novamente o cálice amargo de tamanha renúncia?

— São os sacrifícios do amor, meu filho! — respondeu o preposto do Cristo, evidenciando compreensão e serenidade. — Só o amor poderia compeli-la a permanecer ausente do nosso amado lar.

Então, saíram todos para o jardim resplendente que rodeava o santuário, e, contemplando a figura luminosa que se afastava rumo às zonas obscuras, enviaram à abnegada companheira, que partia para tão longa e perigosa viagem, seus votos de confiança e amor, em preces sinceras.

II
Anseios da mocidade

No dia 7 de junho de 1662, Paris em peso não comentava outro assunto senão as esplêndidas festas populares do *Carrousel*, que Luís XIV havia improvisado em frente às Tulherias. Dizia-se que o Rei estava perdidamente apaixonado por Louise de La Vallière, e a festividade não obedecera a outro motivo senão homenagear a favorita, não obstante a reserva com que ambos se entregavam ao culto das relações afetivas.

As duas noites precedentes haviam assinalado ruidosas alegrias populares e animadas reuniões elegantes nos salões mais ricos da Corte. Grande massa de forasteiros invadia os hotéis, principalmente as famílias abastadas procedentes do Norte e das cidades vizinhas, atraídas pelo espetáculo inédito do grande feito.

Dizia-se que o soberano mostrava-se agora mais acessível e generoso. Paris estava farta de guerras externas e recordava-se, com temor, das gigantescas lutas internas pelas atividades da Fronda. Terminara o período de influência do cardeal Mazarini e o espírito popular banhava-se nos boatos de elevadas perspectivas e supremas esperanças. A cidade inteira aguardava, ansiosamente, largos benefícios públicos e novas instituições.

Na tarde desse dia, compartilhando a alegria geral, dois jovens passeavam de carro, nas imediações da Porta de São Dinis, entre os enormes movimentos da antiga *Ville*, comentando as deliciosas emoções da véspera.

A viatura, muito leve, seguia harmoniosamente o trote de soberbo cavalo normando, cujas rédeas eram manejadas com mestria por Cirilo Davenport, tendo ao lado a jovem Susana Duchesne, sua prima, graciosamente trajada ao sabor da época. O pequeno veículo tinha o interior ornado de soberbas azáleas, colhidas pela jovem num jardim de Montmartre. O jovem par havia empreendido a excursão desde o meio-dia. Susana visitara duas famílias importantes, de suas relações, buscando rever antigas amizades. Entregara-se às mais alegres expansões junto do primo, que, embora correspondesse fraternalmente às suas manifestações afetivas, denotava agora preocupação inabitual, enquanto a jovem tagarelava, obedecendo aos costumes e caprichos de futilidade de todos os tempos:

— Não concordei com os adornos escolhidos para os salões de Madame de Choisy. A festa perdeu muito com aqueles enfeites coloridos e esvoaçantes.

— Não reparei bem — respondeu Cirilo, mergulhado noutras reflexões.

— Fiquei cansadíssima de tanto ouvir confabulações atinentes à vida alheia. Sou avessa à maledicência, mas, como sempre acontece, não podemos ficar indiferentes aos eventos do ambiente social. Por isso mesmo, estou ansiosa de regressar à nossa paz de Blois.

E, como o primo não respondesse, muito vivaz e palradora, continuou:

— Já sabes como se processou a aventura amorosa do Rei?

— Não.

— Luís[4] não havia destacado a humilde descendente dos Le Blanc entre as mulheres que frequentam a Corte, mas o fato é que começou a dispensar muitas simpatias a Henriqueta.[5] Iniciaram-se os idílios carinhosos, mas a cunhada tratou de salvaguardar, quanto antes, a sua reputação de honestidade e começou a encontrar-se com o Rei em companhia de Mademoiselle de La Vallière, que era, então, do grupo de damas do seu séquito. Desse modo, afastava qualquer suspeita direta. Contra qualquer impressão menos digna, poder-se-ia dizer que Luís lhe frequentava o ambiente doméstico não com o propósito de avistá-la, mas para encontrar-se com a pobre menina. Foi nesse jogo que apareceu a mortificante situação que Henriqueta não poderia esperar.

---

[4] N.E.: Luís XIV.
[5] Nota de Emmanuel: Henriqueta Anna, de Inglaterra.

Depois de breve gargalhada irônica, Susana rematava o comentário impiedoso:

— Luís apaixonou-se desvairadamente e temos agora o escândalo, que constitui o prato do dia para a voracidade das más línguas. Não conheces todos esses detalhes, porventura?

— Ah! — exclamou o jovem Davenport, revelando propósito de modificar os rumos da conversação. — O que não ignoro é que o soberano é casado com a rainha.

— Ora! ora! A pobre dona do cetro é apenas uma vítima da política espanhola.

Observando, todavia, que o rapaz se calava, Susana timbrou outra tecla das críticas sociais para chamar-lhe a atenção, dizendo:

— Reparaste a Henriqueta lá no baile? As suas convidadas estavam escandalosamente vestidas...

O moço fez um gesto de enfado e replicou:

— Quase não me detive no exame dos trajes.

— Entretanto dançaste todos os números.

Renovando a apreciação acerada, prosseguiu:

— Henriqueta coloca em dificuldade a todos nós que temos alguma ligação com as ilhas. O que posso afirmar é que seu temperamento seria outro, se tivesse alguns princípios da educação irlandesa.

— Mas a pobre princesa muito sofreu na infância — atalhou Cirilo, advogando-lhe a causa.

— Essa circunstância, contudo, não deveria ser uma razão para conduzi-la a tantas leviandades. Julgo que o sofrimento deve servir para temperar o caráter de outro modo...

— Todavia — observou o rapaz —, ela é atualmente casada. A análise de suas atitudes deve ser tarefa privativa do marido.

— Ora essa! E supões, acaso, que *Monsieur* Filipe[6] está aparelhado para impor-lhe a educação espiritual de que precisa?

— Quem sabe?

Esta resposta, dada em tom de profundo desinteresse, desautorizava qualquer discussão nesse particular. Reconhecendo-o, Susana fez longa pausa e absteve-se de novos comentários.

---

[6] Nota de Emmanuel: Filipe de Orléans, irmão de Luís XIV.

A elegante viatura voltou do seu longo trajeto, dirigiu-se para a rua Barillerie, na Ilha, onde estacionou por minutos à frente de uma casa comercial, e depois tomou rumo da antiga rua de São Dinis, levada ao trote do magnífico animal.

Decorrido algum tempo, a moça retomou a palavra, dando conta da sua inquietação feminina:

— Não desejarias ir conosco, mais logo, ao Teatro de Petit-Bourbon?

— Não, não; hoje não me sinto disposto a aderir ao programa do Sr. Molière.

A carruagem aproximara-se da velha ponte de São Miguel, sobre um braço do Sena.

O crepúsculo ia um tanto adiantado, mas estava embalsamado de perfumes primaveris. Ventos suaves farfalhavam a copa florida de duas grandes árvores próximas. Impressionado, talvez, com a sugestiva beleza da tarde que se vestia no imenso anil do céu, o jovem Davenport fitou a companheira com expressão diferente e falou:

— Susana, tenho a alma de tal modo repleta de sensações ignoradas para mim que muito desejaria abrir o coração a quem me compreendesse. Não quero, porém, comentar os assuntos da Corte nem do teatro. Necessito de palestra espiritual, que traduza o que sinto, encontrando quem me entenda. Que me interessa o desvio do rei ou a comédia que conquista a atenção dos mais fúteis?

A companheira ruborizou-se. Apertou disfarçadamente o seio, onde o coração batia descompassado. Há quanto tempo esperava aquele minuto adorável, que lhe permitisse examinar com Cirilo a intensidade do seu afeto? De muito cedo habituara-se a admirá-lo como a personagem dos seus sonhos de mulher, e não era segredo, em família, o projeto de uma união pelos elos conjugais. Ambos haviam nascido na Irlanda, mas sua mãe, que era francesa, obrigara o genitor a transferir-se para o país de origem, havia muitos anos. Susana, porém, nunca perdera o contato com a terra do seu berço. Não obstante as dificuldades naturais da época, visitava, periodicamente, a terra que a vira nascer.

Acabava de atingir os 20 anos, enquanto Cirilo orçava pelos 25. Não seria, então, o momento azado para realizar o sublime ideal? É verdade que sempre aguardara, ansiosamente, do primo as primeiras declarações de amor, a fim de entreter, com mais segura esperança, os seus deliciosos projetos de ventura. Cirilo, todavia, jamais se manifestara a tal respeito. Ela sabia, contudo, justificar-lhe as reservas expansivas, pelas singularidades de temperamento que o caracterizavam. Embora jovial e sincero, enérgico e impulsivo, era muito discreto nas questões da palavra. Raramente prometia, porque, após o compromisso, materializava as declarações fosse como fosse, pelo mal ou pelo bem.

Susana passou em revista todas as conjeturas e julgou-se dona de uma situação favorável. Aliás, estava certa de que o primo, após desligar-se dos serviços que o retinham em Sorbonne, demandaria a Irlanda, onde a família o aguardava, cheia de esperança, para os enormes trabalhos da propriedade rural, de que seus pais e irmãos se mantinham.

De olhos fulgurantes, a jovem respondeu entre satisfeita e comovida:

— Acaso poderias supor que te não compreendo? Fala, Cirilo!... Não desejarias gozar um pouco desta amenidade vespertina? Paremos o carro. Sentemo-nos ali perto da ponte, alguns minutos, vendo deslizar as águas mansas.

O rapaz obedeceu sorridente e satisfeito. Abrigou a carruagem num posto próximo e, dando o braço à companheira graciosa, dirigiu-se para os bancos de pedra que se localizavam nas extremidades da construção muito antiga. Tinha os olhos escuros mergulhados numa onda de paixão dominadora.

— Susana — disse, tomando-lhe a destra em atitude fraternal, como quem busca um refúgio —, nunca experimentei no coração o que sinto agora. Minha alma está cheia de sonhos e esperanças sublimes. Ah! o amor é o generoso vinho da vida!...

A jovem fizera-se muito pálida. Deveria ser aquele o minuto decisivo do seu destino. Certamente, Cirilo lhe revelaria os propósitos mais íntimos, falaria do sonho dourado de suas esperanças de moça. Casar-se-iam muito breve... Buscariam a felicidade, abandonariam a França pela Irlanda, a fim de cultivarem a ventura conjugal no âmbito de cariciosas tradições familiares. Mergulhada em formosas visões, seus olhos brilhavam de intenso júbilo, enquanto o jovem Davenport continuava:

— Edificar um ninho doméstico, ter filhos que nos acariciem e garantam a ventura, não será o ideal mais nobre da vida?

Susana Duchesne apertou-lhe a mão com mais carinho, desejou, com ânsia, enlaçar-lhe o busto no impulso de sua afeição desvairada, beijar-lhe repetidamente a formosa cabeleira. Sentia-se estonteada de alegria e de esperança, mas ainda não havia acordado de sua visão fantástica, quando ele perguntou, fraternalmente, depois de uma pausa mais longa:

— No entanto, dar-se-á que ela me corresponda com igual paixão?

Ela? A pergunta vibrou estranhamente aos ouvidos da jovem, que se esforçou por dominar as primeiras impressões de assombro. Outra mulher, então, disputava com ela o mesmo sonho de amor? Monstruoso ciúme corrompeu-lhe as emoções mais gratas. O coração fechara-se-lhe de súbito. Não suportaria semelhante afronta. Lutaria pela posse de Cirilo, até o crime ou até a morte. Para isso, seguira-lhe os passos como sentinela fiel, desde a infância, e, aos seus olhos, o título de esposa deveria pertencer-lhe como patrimônio inconteste. Verificando, contudo, que o primo observava com estranheza a demora da resposta, cobrou alento em situação tão difícil e replicou:

— Ela? Ignoro a quem te referes, querido. Explica melhor para que te possa compreender.

— Madalena Vilamil — esclareceu o rapaz, arroubadamente.

Ah! agora tinha na modulação daquelas duas palavras a chave da questão que se lhe figurava aos olhos um profundo enigma. Identificara a grande e natural inimiga. Não lhe perdoaria nunca. Subjugada por enorme desespero íntimo, recordava que fora ela própria quem apresentara ao primo a jovem amiga, em vésperas das famosas festividades parisienses. Notou que ambos haviam demonstrado recíproco interesse; que, desde então, palestravam animadamente em todas as oportunidades, mas jamais pudera imaginar a possibilidade de uma aproximação afetiva de tamanhas consequências. Somente aí percebeu o interesse de Cirilo pela companhia de Madalena, nos bailados da véspera. Tinha a impressão de ainda a estar vendo com aquela atraente fantasia espanhola, que chamara a atenção de pessoas eminentes da Corte. No quadro da imaginação superexcitada, não mais a considerava associada fraternal de passeios e diversões, mas adversária perigosa que urgia afastar do caminho... Conhecera-a numa visita que Madalena fizera, em companhia do pai, velho fidalgo espanhol arruinado, ao formoso e tradicional palácio da antiga Corte francesa, em Blois. Simpatizara com os seus dotes de inteligência e com as maneiras simples que lhe assinalavam as atitudes; e seu genitor, Jaques Duchesne Davenport, manifestara pela jovem espontânea admiração e sincera amizade. Não somente pelas afinidades naturais, mas também no intuito de agradar o coração paterno, dedicado e carinhoso, Susana afeiçoara-se a Madalena com singular interesse. Ela e sua irmã Carolina, nas constantes viagens a Paris, visitavam-na frequentemente em sua residência de Santo Honorato, e sentiam prazer na sua companhia alegre e inteligente. Desde aquele instante, porém, a moça Vilamil estava condenada à sua aversão cruel. A amizade nobre convertia-se em ódio instantâneo e perigoso. É verdade que Madalena não podia saber das cogitações do seu íntimo, mas Susana não conseguia deter a onda de pensamentos ultrizes[7] que, num instante, lhe invadiam a mente, apossando-se impiedosamente do seu coração. Não toleraria tal preferência do primo, mesmo porque lhe doía na alma como insulto feroz.

— Recordas, acaso, daquela derradeira melodia aragonesa que Mademoiselle Vilamil executou ao cravo com tanta graça? — perguntou o jovem, alimentando as próprias reminiscências.

Excessivamente pálida, esforçando-se por disfarçar a intensa emoção que a dominava, a moça fixou em Cirilo o olhar enérgico, orgulhoso e replicou:

— Mas isso é infantilidade da tua parte. Francamente, sempre considerei refinado o teu senso artístico; Madalena, de maneira alguma, pode corresponder às exigências do teu nome e da tua posição.

— Exigências do nome? — respondeu o rapaz, mostrando-se agitado. — Julgas, então, que me case em obediência aos outros, em desacordo com as minhas inclinações?

— Não é bem isso — retrucou a moça, compreendendo a firmeza de resolução que defrontava —; não quero dizer que ela desmereça inclinações afetuosas, mas não concordo que seja a criatura indicada a tomar-te a mão de esposo.

— Por quê? — perguntou o jovem, mal-humorado.

— Desejarias, porventura, que te aprovassem o casamento com uma pobretona espanhola, nascida nos confins de Granada?

— E se alguém afirmasse que somos irlandeses dos confins de Belfast, seríamos por isso menos respeitáveis?

Susana mordeu os lábios, revelando cólera profunda, e respondeu:

— Cirilo, onde colocas o altar sagrado da família? Que há para te mostrares tão desinteressado em face de nossas tradições familiares?

---

[7] N.E.: Vingadores.

Apresentei-te Madalena, há poucos dias, mas não podia acreditar se engendrassem em teu espírito laços tão perigosos e detestáveis. Adotei-a como amiga íntima, em vista da profunda simpatia do papai, a quem nunca cessarei de agradar, em obediência ao amor e gratidão que lhe consagro. Nossas afinidades, no entanto, não vão além disso, porquanto não lhe reconheço qualquer destaque justo para o quadro de nossas relações. Como afirmei, trata-se de uma predileção de papai e...

Mas não terminou, porque o rapaz, emitindo um olhar mais duro, cortou-lhe a palavra nestes termos:

— Não acuses, Susana. Sempre atendi a meu tio, antes que a meus próprios pais. Conheço-lhe o bom senso e não posso permitir...

Desta vez, no entanto, foi a jovem que, ponderando a inconveniência da discussão acalorada, aproveitou-se da pausa espontânea, sentenciando contrafeita:

— Ora, Cirilo, acalma-te. A irritação impede qualquer entendimento mútuo.

Fixou-o com disfarçada angústia. Agora que sentia tão profundamente ameaçados os seus sonhos de felicidade, achava-o mais belo que nunca. Em outras ocasiões, conservava a esperança, mas não experimentava tantos zelos. Não era Cirilo o seu ideal? Que poderosa atração a retinha encarcerada no seu sonho de ventura, sem energias para renunciar a favor da outra que lhe ocupava o coração sincero? Sentiu que forte emoção lhe afetava as fibras mais íntimas e com dificuldade afogava o pranto no peito opresso, receando chorar diante do primo engolfado em graves pensamentos.

— Cirilo — disse com entono mais delicado na voz —, não te agastes comigo. Quero auxiliar-te fraternalmente.

O rapaz comoveu-se com a mudança súbita e respondeu:

— Sim, conto com a tua boa vontade de sempre. Ajuda-me a refletir. Necessito orientar e fortalecer meu espírito.

— Não posso dizer que esteja absolutamente certa nas minhas apreciações — exclamou fundamente modificada em sua primeira atitude —, mas precisarás refletir com mais calma. O pai de Madalena é um nobre espanhol arruinado, que se incompatibilizou com os elementos mais influentes da Corte de França. Aqui está, em Paris, há muito tempo, em sérias dificuldades financeiras, não obstante ter vindo no séquito da rainha.

— Já conheço D. Inácio Ortegas Vilamil — esclareceu o rapaz, solícito —; estivemos juntos no *Carrousel* anteontem, à noite. Não duvido que se trate de um homem pobre, mas é bastante simpático e portador de temperamento expansivo, que me agradou muitíssimo.

— Mas é um fidalgo sem fortuna, cuja situação é francamente condenável, pois perdeu-a nas dissipações da vaidade e do jogo, segundo consta em nossas rodas mais íntimas.

— Quanto a isso, precisamos ampliar nossa compreensão da vida — obtemperou o rapaz convictamente. — Meu pai, como não ignoras, não fez excessos nem arriscou dinheiro em aventuras; entretanto, conta hoje com reduzidíssimos recursos, devido a perseguições religiosas desencadeadas na Irlanda.

Susana compreendeu que toda argumentação naquele momento lhe desfavorecia as pretensões e propósitos mais ardentes.

— D. Inácio — acrescentou com velada ironia — não poderia nem mesmo cogitar da concessão de um dote à filha...

— Nunca me casarei visando a um dote, Susana!

A moça escondia a muito custo o seu rancor, mas ponderou ainda:

— Pois trata-se de questão muito importante, e talvez venha a ser por isso mesmo que Madalena recuse aceder aos teus caprichos juvenis...

— Como assim? — interrogou, impressionado pela maneira como foram pronunciadas tais palavras.

— Talvez ignores — disse ela, resoluta, como quem guarda os trunfos do jogo para o fim — que a tua eleita está prometida, por decisão dos pais, ao seu primo Antero de Oviedo Vilamil, que cresceu a seu lado como irmão.

Desta vez foi Cirilo a esboçar atitude de entranhado assombro. Sem poder dominar-se, profundo rancor se apossou dele. O ciúme que devastava a jovem Duchesne apuava-lhe agora o coração.

— Será crível? — perguntou lívido.

— Sim — disse a moça, gozando com a sua amargura íntima —, D. Inácio, dizem, há quase dois anos vive à custa do rapaz, que não se entregou a tal sacrifício sem um propósito deliberado. É sabido que a prima constitui o seu sonho de amor, não obstante Madalena pareça insensível a esse afeto. O fato incontestável, todavia, é que a família Vilamil está totalmente empenhada nesse débito de graves proporções.

Cirilo Davenport submergiu-se num mar de reflexões profundas. Não cederia a qualquer obstáculo. Madalena lhe tocara o coração como nenhuma outra mulher. Guardava nos ouvidos o som das suas últimas palavras. Aspirava ainda o perfume da sua mão muito leve, entre as harmoniosas vibrações do último bailado. Ouvia, enlevado, as músicas aragonesas que ela havia dedilhado no cravo, ainda na véspera. Seus sentimentos mergulhavam na mesma ansiedade experimentada ao ouvi-la falar da Espanha distante. Os temas castelhanos jamais o haviam preocupado a qualquer tempo; no entanto, aquela afeição imensa despertava-lhe interesses novos, abrasava-lhe a alma, qual vulcão ardente. Estava convicto de que Madalena fora igualmente sensível ao seu amor. Apertara-lhe a mão, apaixonadamente, nos bailados. Seus olhos fulgiam de sublime afeto. Onde estava ele, que não houvesse de lutar com o rival até nos confins da Terra? Era indispensável afastar Antero de Oviedo a qualquer preço. Sua presença tornava-se indesejável no caminho. De olhos fixos no espaço, desvairado pela emoção que o dominava, o jovem Davenport parecia não mais ver a prima ao lado, nem mesmo a beleza silenciosa do crepúsculo, que se despedia com o fulgir das primeiras estrelas.

— Não desistirei! — bradou em voz alta, como se dialogasse com uma sombra importuna.

Ouvindo-lhe a exclamação estranha e inesperada, Susana experimentou intenso choque. Aquela sentença, em voz estridente, assustou-a. Tomou-se de justificado receio e exclamou:

— Vamos, Cirilo. É noite quase fechada e esperam-me para o espetáculo.

O moço Davenport, seguido da jovem que lhe acompanhava o profundo silêncio, procurou o veículo, tomou as rédeas quase maquinalmente e deu o sinal de partir. Susana atirou ao solo algumas azáleas murchas, em atitude de enfado, e, enquanto ambos se engolfavam em penoso mutismo, a viatura rodou celeremente na direção de uma casa residencial de nobre aspecto, em frente da ponte do Câmbio, onde a prima se hospedava.

Em vão, a jovem Duchesne insistiu para que Cirilo fosse ao teatro; debalde rogou que a acompanhasse até ao interior doméstico. Ele recusou todos os convites afetuosos e, imprimindo ao carro nova direção, seguiu a galope para o seu hotel em São Germano.

De quando em quando o chicote estalava no dorso do belo animal que, então, parecia sofrer a mesma inquietação do dono.

Depois de recolher o veículo a enorme galpão destinado às carruagens da época e conduzir o cavalo à estrebaria próxima, Cirilo Davenport, sufocado por angustiosos pensamentos, saiu à rua, ansioso por banhar a fronte atormentada nos carinhosos ventos da noite. Atravessou ruas e praças engolfado em vastas meditações, alheio ao grande movimento de pedestres e viaturas ao longo dos caminhos. Não se deteve senão no mundo íntimo, inquieto por conchavar e resolver os problemas torturantes.

Chegara à conclusão de que a existência se lhe transformaria em breve tempo. Não podia suportar, sem graves danos, a continuidade das estroinices da juventude, e o conhecimento de *Mademoiselle* Vilamil induzia-o a pensar seriamente no matrimônio. No entanto, como encontrar a equação justa? Depois de certo período de estudos em Paris, prosseguia em serviço em Sorbonne, onde a sua remuneração era regular, sem, contudo, permitir quaisquer perspectivas de futuro financeiro. Seu pai, Samuel Davenport, chamara-o mais de uma vez, aguardando-lhe a presença na Irlanda do Norte, onde possuía valiosa propriedade rural, apesar dos golpes sofridos. Como resolver a situação? Deveria casar e partir para as ilhas, ou visitar antes o lar paterno para consorciar-se depois? Na primeira hipótese, sua atitude poderia ocasionar sérios atritos com a família; na segunda, o intruso Antero poderia sair vencedor e anular-lhe os planos de felicidade. Recordou a simpática figura do tio, que sempre lhe entendera e amparara o coração nos momentos difíceis, e considerou a possibilidade de ir a Blois, a fim de ouvi-lo. Concluiu consigo mesmo que, tendo combinado com Madalena um encontro na igreja de Nossa Senhora, na noite seguinte, faria a viagem logo após o novo entendimento com a jovem, que lhe enchera o coração de sonhos miríficos.

Após atravessar imenso labirinto de reflexões, voltou ao hotel, muito depois da meia-noite, recolhendo-se ao quarto extremamente nervoso, só conseguindo dormir alta madrugada.

No dia seguinte, atirou-se ao trabalho comum, de alma inquieta, pensamento voltado para a noite, quando teria o júbilo de rever a bem-amada e renovar as doces emoções do espírito.

Muito antes da hora marcada, Cirilo postava-se à frente da majestosa catedral, andando de um lado para outro. A fim de evitar a curiosidade de transeuntes audaciosos, penetrou no santuário, em cujo interior magnífico permaneceu por instantes. Seus olhos eram indiferentes aos tesouros artísticos que o cercavam. Os capitéis preciosos, os arabescos dourados, os baixos-relevos, as estátuas maravilhosas diluíam-se numa atmosfera de sonho. Os sacerdotes e os nichos, as flores e os objetos do culto não lhe falavam ao coração. Quando surgiam no alto os primeiros astros da noite, Davenport regressou ao adro, passeando nervosamente ao lado dos belos degraus que davam acesso ao interior do templo, e que o progresso de Paris fez desaparecessem com a elevação do solo.

Entre aflições singulares, observou, atento, uma carruagem que parou nas proximidades, dela saltando três galantes criaturas em demanda ao santuário.

Madalena Vilamil, com efeito, junto de Colete e Cecília, duas amigas da juventude, chegara com o pretexto de participar dos ofícios religiosos da noite, mas, em breves minutos, favorecida pela conivência das companheiras, insulou-se da romaria devocional, em companhia do jovem Davenport, ansiosos ambos pela permuta de impressões afetivas.

Enquanto a viatura permanecia à espera, e ciente de que as amigas se entregavam às práticas religiosas, *Mademoiselle* Vilamil tomava prazerosamente o braço que o rapaz lhe oferecia, afastando-se alguns passos ao longo da praça extensa que se rodeava, então, de casas velhas.

Cirilo sentia-se o mais ditoso dos homens. Por surpreendente e misterioso mecanismo que seu espírito não conseguia compreender, resumia, agora, na jovem todos os sonhos centrais da existência. Falou-lhe, com desembaraço, dos seus ideais mais íntimos, revelando-lhe profundas impressões de sua alma ardente. Ele próprio estava surpreendido com o manancial de espontânea confiança que lhe brotava do espírito pouco afeito a grandes expansões.

Madalena Vilamil, em identidade de circunstâncias, tocava-se de sublimes emoções. Não era temperamento que confiasse sentimentos íntimos ao primeiro sinal de afeição. Sua mãe, descendente de nobres famílias no sul da França, e seu pai, antigo fidalgo espanhol, haviam educado a filha única habituando-a a rigoroso critério no capítulo da vida social. Pela primeira vez a jovem atendia a um apelo afetivo, em lugar público, consagrado, no seu modo de entender, às exteriorizações das criaturas vulgares e sem títulos de maior nobreza moral. O convite de Cirilo fora um tanto chocante para a sua vaidade feminina; entretanto, obedecendo a indefiníveis anseios do coração, acedera em palestrar com o jovem num recanto da via pública, desejando um entendimento recíproco, longe da multidão maliciosa. Além disso, sentia-se receosa de recebê-lo na própria casa, dado o rigorismo da genitora, há muito enferma, e às ruidosas expansões do pai, desligado de qualquer encargo nas esferas políticas e por isso mesmo sempre pródigo de afirmativas chocantes para os costumes franceses.

Mademoiselle Vilamil julgou imprescindível explicar ao jovem Davenport suas dificuldades domésticas, antes que o rapaz pudesse agasalhar conjeturas menos dignas a respeito dos pais, a quem amava de todo o coração. Somente por isso, e incapaz de resistir ao suave magnetismo que sobre ela exerce o moço irlandês, encontrava-se ali sob o céu estrelado às primeiras horas da noite, trocando confidências.

Cirilo começou por comentar a beleza das melodias que ela arrancara do cravo, toda sentimento e vibração, e Madalena relatava ao jovem, muito admirado, os encantadores costumes da sua terra natal, assinalando as palavras com as interessantes características de quem se não achava absolutamente senhora da língua francesa.

Tudo, porém, que constituía alguma coisa de sua personalidade, era graça e leveza aos olhos e aos ouvidos do moço Davenport, que se sentia transportado a um plano de felicidade divina em sua companhia.

A certa altura do amoroso colóquio, Cirilo exclamou, algo perturbado por trazer à tona a súmula de suas cogitações mais íntimas:

— Madalena, ocioso é dizer-te da minha infinita afeição. Saberás entender o sentido de minhas palavras. Nunca me conformei com as atitudes superficiais, nem posso aprovar os desvarios da juventude contemporânea. Digo-o, a fim de que não vejas laivos de leviandade nas minhas palavras. Amo-te muito e estes poucos dias de convivência bastam para que reconheça tua suserania no meu coração, onde ocupas lugar insubstituível. Mas poderei contar com o teu amor para sempre?

A essa pergunta direta, a jovem respondeu extremamente confundida:
— Sim!

— Sempre idealizei uma criatura que me compreendesse inteiramente e, agora que nos encontramos, tenho a esperança de poder edificar um castelo de suprema ventura. Desde a noite em que nos vimos pela primeira vez, sonho contigo e antevejo as alegrias de um lar povoado de flores e de filhinhos.

Ela, toda ruborizada, elevava-se nas asas do amor, de emoção em emoção, aos páramos do sonho. Aquelas palavras representavam a deliciosa música que os seus ouvidos esperavam de há muito. O moço Davenport era o cavalheiro do seu ideal. Sua voz cariciosa e dominadora penetrava-lhe o íntimo, como perfumado sopro de vida. Queria falar, exprimindo seus sentimentos mais nobres; a emoção, contudo, embargava-lhe a voz, enquanto o coração desejava prolongar ao infinito aquele instante divino. Compreendendo-lhe o silêncio, o rapaz recordou as advertências de Susana, fez um gesto significativo e acentuou:

— No entanto, Madalena, tenho o coração repleto de presságios tristes!... Dizem que o sofrimento é comum aos que se amam; trago o espírito ansioso por esclarecimentos mais amplos...

— Como? — indagou a jovem no impulso instintivo de anular qualquer dúvida.

Revelando funda preocupação, ele acrescentou como que medindo a responsabilidade de cada palavra:

— Ninguém disputa comigo o tesouro do teu coração?

— Que dizes? — retrucou a moça com grande surpresa.

— Sinto que tua alma se dirige ao meu coração como fonte cristalina de verdade — acrescentou Davenport, acentuando as palavras —, acredito na tua sinceridade e nem seria lícito duvidar dos teus sentimentos; mas, quem sabe, Madalena, teus pais te destinam a outrem que te mereça pela fortuna que não possuo, ou por títulos que também me faltam?

A essa altura, sua voz tornou-se enternecida e comovedora, qual a de uma criança disposta a resignar-se com os obstáculos, não obstante seu violento desejo.

A jovem, por sua vez, como se despertasse de um sonho, começou a chorar convulsivamente. A imagem do primo torturava-lhe agora o pensamento, como se recordasse um verdugo cruel. Lembrava as lutas domésticas, os enormes débitos do genitor para com Antero de Oviedo, as combinações de ambos para o futuro matrimônio, com sacrifício dos seus ideais, e não conseguia dissimular a imensa dor que lhe avassalava o coração sensível, ante a possibilidade de perder Cirilo, compelida pelas humanas convenções a renunciar à sua união com o jovem em cujo espírito adivinhava a fonte de todas as sublimes compreensões de que sua alma necessitava para ser feliz.

Entregava-se assim a copioso pranto, enquanto o moço irlandês, comovidíssimo, tomava-lhe a cetínea mão, cobrindo-a de beijos.

— Não chores, Madalena! O amor confia sempre, e acreditas, acaso, que sou de todo inútil?

Recordando as palavras impiedosas de Susana, que aquelas lágrimas confirmavam, assumiu atitudes decisivas e acrescentou:

— Ninguém poderá impor-te um casamento contra os teus desígnios. Se me amas, saberei defender-te até os confins do mundo. Não pertencerás a qualquer miserável truão,[8] apenas por circunstâncias mesquinhas de mil francos[9] a mais ou a menos. O dinheiro jamais entrará em nossos planos de felicidade!

A filha de D. Inácio enxugou as lágrimas depois de ouvir-lhe as ponderações consoladoras e afetuosas e, atendendo-lhe aos apelos, relatou minuciosamente as dificuldades da família desde os tempos de Granada, assinalados por grandes lutas. Nascera nessa famosa cidade espanhola, onde o pai desempenhava cargos políticos de certa relevância. Tivera uma infância risonha, mas, desde a fase dos primeiros estudos, vivera quase que absolutamente reclusa num convento de Ávila, onde o genitor procurava enriquecer-lhe os dotes intelectuais. Nos poucos dias do ano, quando feriava no ambiente doméstico, seguia de perto os sofrimentos da genitora, que recrudesciam de tempos em tempos, em vista das extravagâncias paternas. Quando abandonou definitivamente o educandário religioso, seus pais já se encontravam em Madri, para onde se mudaram com enorme dificuldade. No vórtice de acerbos tormentos morais, sua mãe encontrara arrimo único em Antero — sobrinho do marido, criado com toda a dedicação e ternura maternais. Seus pais haviam adotado o rapaz, de pequeno, como próprio filho. Antero era um homem de psicologia difícil, em virtude dos sentimentos condenáveis que sabia dissimular com habilidade, mas que, em sua ausência nos estudos e nos desvios constantes de seu pai, apresentava dotes apreciáveis aos olhos de sua mãe, de quem se fizera sustentáculo e consolação. Permaneciam em Madri, completamente arruinados, quando o casamento da filha de Filipe IV com Luís XIV deu ensejo a que o genitor e o primo se colocassem otimamente em funções de natureza política. Desde 1660, estavam em Paris cheios de esperança numa vida nova. D. Inácio, no entanto, não conseguira permanecer no cargo senão por alguns meses, porque se incompatibilizara com a Corte, em vista da sua crítica franca aos atos de Sua Majestade. Leal amigo da infanta espanhola, não conseguia suportar calado as humilhações penosas infligidas à

---

[8] N.E.: Indivíduo inconveniente, que diz coisas de mau gosto; bobo.
[9] N.E.: Nome da moeda usada na França até a adoção do euro.

rainha, que se socorria da Religião, com santificada paciência, de modo a tolerar e esquecer os desvarios amorosos do real esposo. Ciente dos seus firmes protestos, o soberano demitira-o do cargo e Antero de Oviedo só foi conservado em suas obrigações remuneradas por influência dos amigos de Maria Teresa, que lhe mantiveram os proventos com alguma dificuldade. Havia quase dois anos, a família vivia a expensas do rapaz, não obstante a tristeza que semelhante situação lhe causava.

Seu pai, continuava Madalena de olhos molhados, era um generoso coração, mas alimentava inveterada paixão pelo jogo. Tal obsessão acarretara o desbarate de todos os bens que possuíam e, após lamentáveis aventuras, nada lhes ficara do passado feliz. A genitora resistira heroicamente aos reveses da vida, mas sofria agora do coração, passando os dias na expectativa angustiosa da existência que se extingue e da morte que se aproxima.

Mademoiselle Vilamil fez longa pausa a fim de enxugar as lágrimas abundantes, enquanto Cirilo acariciou-lhe a mão comovidamente.

Em seguida, evidenciando grande embaraço por ver-se constrangida a versar tão delicado assunto, começou a falar com mais enleio dos propósitos paternos de casá-la com o primo e contou que este, por vezes, já lhe havia falado de amor, ao que se esquivava ela, sempre com enorme repugnância. Alimentava o desejo ardente de lançar-lhe em rosto a negativa formal, com o desprezo que essa união lhe inspirava, mas continha-se a custo, considerando o reconhecimento da mãe enferma e a situação do pai, que devia ao pretendente alguns milhares de francos.

Nesse ínterim, o jovem Davenport, mal disfarçando o ciúme que o devorava, interpelou-a, exclamando:

— Mas teu pai, a quem consagras tão grande veneração, teria coragem de vender a felicidade da filha por um punhado de miseráveis escudos?[10]

— Não creio — disse a moça convictamente, demonstrando a sinceridade de sua confiança filial nos grandes olhos, onde esplendia a candura das suas dezenove primaveras —; meu pai, apesar das estroinices, tem sido o meu maior e melhor amigo.

Cirilo guardou-lhe a destra entre as mãos, com infinito carinho, ansioso por confortá-la. Depois de alguns instantes em que o silêncio de ambos

---

[10] N.E.: Nome da moeda usada em Portugal até a adoção do euro.

era mais eloquente que as expressões verbais, a jovem Vilamil, como se fosse arrebatada a longínqua impressão do passado, perguntou inesperadamente:

— Cirilo, acreditas nos adivinhos?

— Ora essa! Por que perguntas? — exclamou intrigado.

— É que, ainda em Granada — disse Madalena com muita simplicidade —, numa de minhas rápidas visitas ao lar, estava à porta do Alhambra com algumas colegas de estudo quando fomos atraídas por um ancião que lia o destino dos transeuntes interessados em sua estranha ciência. Atendendo à brincadeira geral, aproximei-me e dei-lhe a mão. Ele pareceu meditar um momento e falou: "A menina é bem-nascida, mas não é bem-fadada". E depois de fixar-me nos olhos com expressão inesquecível, não mais sorriu e continuou aconselhando-me: "Prepara-te, minha filha, e une-te à fé em Deus, porque teu cálice, no mundo, transbordará de amargura. Não vivemos apenas esta vida. Temos existências várias e a tua existência atual é promissora de tempos afanosos, para a redenção". Suas palavras me impressionaram a ponto de me fazerem chorar copiosamente. Senti enorme abalo e foi preciso que as amigas me reconduzissem a casa, onde fui compelida a acamar-me.

— E onde estava D. Inácio que não repeliu o estúpido? — indagou o jovem Davenport bruscamente, cortando-lhe a palavra.

— Meu pai ficou furioso e, depois de repreender-me severamente, tomou as providências devidas, mandando que o feiticeiro fosse levado ao Tribunal da Inquisição, que lhe aplicou disciplinas por uma semana e o deteve encarcerado mais de três meses. Mais tarde, o Geral dos Jesuítas cientificou ao papai que se tratava de um peregrino demente, de origem egípcia, que penetrara no reino por Marrocos.

— E admitiste suas afirmativas? — interrogou Cirilo, evidenciando ansiedade por apagar qualquer resquício de impressão dolorosa no espírito da jovem.

— Apesar de muito impressionada — esclareceu *Mademoiselle* Vilamil —, não acreditei nos sombrios vaticínios, mas não posso deixar de reconhecer que, até hoje, Cirilo, minha vida tem sido tormentoso mar de preocupações infinitas. Tenho a impressão de que atingirei os 20 anos com um peso sufocante de velhice prematura.

Depois de ligeira pausa, acrescentou:

— Não desejo fraquejar, deixar-me vencer pelos presságios de um peregrino desconhecido. Sinto-me forte na fé em Deus e estou convicta de que o poder celestial me auxiliará nas lutas humanas; entretanto, um detalhe houve, na conversação do velhinho, que nunca poderei esquecer: é o que se refere a outras vidas. O destino está cheio de circunstâncias misteriosas. Nossa vida não terá começado no instante de nascermos no mundo. Devemos ter existido em outra parte. Creio que temos amado e odiado, e o esforço em que nos achamos se destina ao trabalho de redenção das nossas culpas. Não me detenho em tais ideias tão só por haver ouvido as advertências do adivinho errante, mas tenho tido sonhos significativos...

O companheiro, que lhe seguia as palavras com indisfarçável mal-estar, apertou-lhe a mão e sentenciou:

— Que é isso, Madalena? Desvairas? Não te quero ver entregue a filosofias abstrusas. Se encontrasse esse feiticeiro infame, reforçaria as penas que lhe foram impostas pelos inquisidores.

Ansioso por libertá-la dos pensamentos amargurosos, continuou:

— Casar-nos-emos e encontraremos a ventura sem-fim. Ficaremos em Paris ou onde quiseres. Lutarei por ti, tenho braços laboriosos e enérgicos. Futuramente, rir-nos-emos desses temores infantis, provocados por um mendigo irresponsável. Os egípcios, como os orientais, foram sempre grandes imbecis. Caso seja do teu agrado, fixaremos residência na Irlanda, junto dos meus. Levar-te-ei, mais tarde, a Londres; excursionaremos até à Escócia e hás de ver que, em toda parte, o amor sincero será a chave de nossa ventura imortal. As almas que se adoram movimentam-se nos caminhos resplandecentes de luz.

A jovem, que o ouvia dominada pela emoção, pareceu olvidar as ideias transcendentes e profundas, e respondeu enlevada:

— Sim, seremos felizes para sempre. Seguir-te-ei para onde fores. Anseio por conhecer terras novas, onde possamos sentir a felicidade unida a nós!

— Terras novas? — perguntou Cirilo, revelando-se iluminado por ideia súbita. — Não será bom experimentarmos os largos horizontes da América?

— Ah! isso tem sido um longo sonho meu — disse a jovem de olhos coruscantes. — Tenho sede inexplicável do mundo novo que nos acena a distância. Nossas grandes cidades, corrompidas, consternam e sufocam! Granada, Ávila, Madri e Paris não diferem bastante umas das outras. Em todas vejo os homens como loucos, disputando realizações que lhes agravam os padecimentos espirituais. Tenho sonhado sempre com as enormes florestas escuras, com os rios caudalosos, com as campinas verdes e sem-fim...

— Edificaremos por lá o nosso ninho de amor — rematava o rapaz apaixonadamente.

E falaram longamente da América, como duas crianças ansiosas, permutando compromissos sagrados.

Ao termo da palestra, o moço Davenport, ciente de todas as preocupações íntimas da sua amada, prometeu visitar-lhe os pais na noite seguinte, na casa de Santo Honorato, de maneira a criar o ambiente propício ao culto de suas esperanças em flor.

Depois que Colete e Cecília procuraram a companheira para a volta, Cirilo fixou o olhar no vulto da carruagem até que se confundisse de todo com as sombras espessas. Largo tempo levou ainda a meditar, sentado junto aos nichos externos, escassamente iluminados no bojo silente da noite.

No dia imediato, ao entardecer, tomou o seu carro ligeiro, dirigindo-se à residência dos Vilamil e fazendo o possível por apagar os receios que lhe tumultuavam na alma inquieta. Como se comportaria na hipótese de lá encontrar Antero de Oviedo? Teria força bastante para tratá-lo fraternalmente? Como o compreenderiam, por sua vez, os pais de Madalena? Engolfado em vastas cismas íntimas, parou à porta da casa indicada. Tratava-se de antigo edifício, dos que comumente eram alugados a famílias de tratamento, mas de reduzidos recursos financeiros. Extenso gradil, no centro um grande portão pintado de azul, cercava gracioso jardim onde as flores disputavam o beijo da primavera; ao fundo, a residência de aspecto antiquado, com as características exteriores da época de Luís XIII.

Cirilo bateu discretamente, sendo atendido com presteza por um lacaio que lhe deu acesso ao interior, onde era aguardado com certa curiosidade.

D. Inácio trajava corretamente, como se fora convocado a assistir a uma cerimônia solene, enquanto a esposa, muito pálida, acomodava-se em espaçosa poltrona de repouso, dando a impressão de que ali se conservava não por impulso espontâneo, mas por inevitável obrigação da vida em família. Ambos estavam envelhecidos e alquebrados prematuramente; ele, talvez por extravagâncias de toda sorte; ela, por certo devido aos constantes desgostos. Junto aos dois, na sala que se caracterizava por linhas monótonas, Madalena, com a sua radiosa juventude, parecia um raio de claridade afugentando as impressões tristes.

D. Inácio acolheu o rapaz com ruidosas manifestações de simpatia.

— Não terá, nesta casa, as designações devidas aos moços de tratamento em Paris — disse satisfeito —; chamá-lo-emos Dom Cirilo, em homenagem à nossa Espanha distante.

— Desse modo ficará mais íntimo — acrescentava D. Margarida Fourcroy de Saint-Megrin e Vilamil com um sorriso. — Desejamos que este lar seja também seu.

Enquanto os jovens se alegravam, experimentando a certeza da condescendência dos velhos generosos, D. Inácio acrescentava:

— E pode estar certo, D. Cirilo, de que sua estrela deve ser muito brilhante, porque minha esposa não acolhe qualquer um na primeira visita.

Riso geral coroou essas afirmativas, ao mesmo tempo que a palestra descambava para as recordações das pátrias distantes. O jovem Davenport falou de suas lembranças da Irlanda e, depois de bordar inúmeros comentários acerca das relações entre espanhóis e irlandeses, D. Inácio acentuou:

— Nossas afinidades religiosas com a Irlanda sempre foram estimáveis e confortadoras. Aliás, fui eu quem teve a honra de acender a primeira vela enviada pelos devotos do santo arcebispo de Armagh, em Dublin, na fogueira em que foram castigados, em Granada, alguns hereges do Longford, num de nossos maiores autos de fé.

Cirilo franziu o cenho como quem se desagradava do assunto e acrescentou:

— A psicologia da gente irlandesa é muito difícil e complicada.

— Tal como a nossa, na Península — atalhou o velho fidalgo —; é impossível esqueçamos nossas tradições para acompanhar o surto de loucuras e novidades que terminará projetando os povos no abismo. Não podemos confundir liberdade com licenciosidade e seria falta grave aplaudir essa onda de tolerância criminosa que varre atualmente o mundo. Temos de ser exóticos em qualquer parte da Terra. Será lícito estabelecer a desordem e dizer que se progride? Então, a Espanha toleraria o chamado Edito de Nantes? Nunca! Julgo que a fogueira deve cercar os hereges e os apóstatas onde quer que estejam. Pelo menos, isso constitui elevada instrução de nossos santos padres. Se o traidor da pátria deve ser condenado, muito mais criminoso é o traidor da fé.

O rapaz esboçou um gesto de leve desacordo, obtemperando delicadamente:

— De acordo, no que se refere à política. A administração desordenada é sintoma de desagregação e ruína. O mesmo, porém, não ocorre quanto a crenças. Considero que, em matéria de manifestações religiosas, outras seriam as circunstâncias se todos entendêssemos o valor do perdão.

— O senhor é muito moço — replicou D. Inácio, sereno —, só mais tarde poderá compreender que o perdão dissolve a família.

O jovem fez menção de espanto e respondeu instintivamente:

— Mas Jesus perdoou sempre, D. Inácio.

O velho fidalgo, entretanto, como quem se habituara a interpretar os textos evangélicos *pro domo sua*,[11] esclareceu sem qualquer preocupação de espírito:

— Esse problema foi estudado por mim com o Inquisidor-mor de Granada. Depois de algum tempo, chegamos à conclusão de que se o Cristo suportou os algozes, mandou também que o homem orasse e vigiasse incessantemente. E o senhor já observou alguém vigiando sem armas? Em que lugar do mundo a sentinela pode abraçar o inimigo?

Cirilo não estava acostumado a discussões religiosas e, ouvindo tal argumento, silenciou com profunda estranheza, ao passo que o interlocutor, observando a desaprovação que lhe transparecia dos olhos, tratou de mudar de assunto, acrescentando:

— Não poderíamos nunca aplaudir uma Corte desordenada e indiferente, como a de França.

Neste ponto da conversação, D. Margarida, considerando que as expansões do marido poderiam melindrar o rapaz, advertiu calmamente:

— Ora, Inácio, não generalizes. Suponho que, na tua idade, qualquer pessoa deve examinar acontecimentos e fatos sem a paixão que sói envenenar as melhores fontes do caminho. Por que acusar a Corte, quando a culpa não pode cair indistintamente? Todos os governos são ótimos quando somos jovens.

O velho fidalgo empertigou-se, cofiou os bigodes, fitou a esposa sobranceiramente e sentenciou:

— A senhora acha, então, que falo por ouvir dizer? Há três anos, com a mesma velhice de hoje, assisti à assinatura do nosso tratado com a França, na Ilha dos Faisões, acompanhando D. Luís de Haro, e não sentia qualquer

---

[11] N.E.: Expressão latina que significa "em defesa de seus interesses".

desalento. Aos meus olhos, as águas do Bidassoa estavam belas como nunca. Mas não posso repetir semelhantes emoções nesta terra de polifrontes.

— Consideras, então, que os franceses devem pagar pelo teu abatimento de agora? — perguntou a nobre senhora serenamente. — Há tanta gente sem juízo em Paris, como em qualquer grande cidade espanhola. Além do mais, cada região tem seus costumes próprios e, naturalmente, um francês não se sentiria tão bem se fosse compelido a viver sob o ritmo das tradições espanholas.

— Ah! sim — replicou D. Inácio sem conseguir disfarçar a irritação —, para os franceses todos os descalabros podem ficar bem. Mas eu sou um homem antigo e é preciso não esquecer que minha família descende de parentes colaterais da rainha católica.

E, depois de um gesto significativo, rematou orgulhoso:

— Minha filha e eu não fomos nascidos nas margens do Garona, tampouco ao pé das águas sujas do Sena.

Nesse instante, contudo, antes que Cirilo pudesse interferir com alguma observação afetuosa e conciliadora, ouviu-se o ruído de um carro que parecia trazido por cavalos resfolegantes.

D. Margarida, como se já estivesse alheada do pequeno atrito doméstico, fez um sinal à filha, revelando maternal preocupação, e falou:

— Madalena, previne lá dentro. Antero deve estar regressando de Versalhes.

Enquanto a jovem se dirigia para a sala da copa, o moço Davenport prestava atenção, a fim de observar o recém-vindo, cujas passadas fortes se faziam ouvir quase junto à porta da entrada.

Ia, finalmente, conhecer o rival. A presença do sobrinho de D. Inácio, em plena sala, não lhe deu oportunidade a mais vastas considerações íntimas.

Antero exibia dotes singulares de beleza física, nos seus 30 anos bem formados. Alto, elegante, cabelos negros e ondulados, tez levemente amorenada, peninsular, olhos argutos e indefiníveis, deixava transparecer nas maneiras polidas um quê de intencional. Dir-se-ia que suas atitudes delicadas não eram sinceras, mas oriundas do profundo artificialismo de quem não se deixa conhecer tal qual é. Apresentado ao rapaz irlandês, cumprimentou-o cordialmente, embora seus olhos parecessem interrogar a razão de sua presença ali, e, depois de se encaminhar para o interior, enquanto a palestra prosseguia suavemente, regressou à sala, onde prestou singular atenção aos olhares significativos trocados entre a prima e o visitante inesperado, compreendendo que o seu campo afetivo fora invadido por influências estranhas. Embora não manifestasse o mal-estar que, aos poucos, se lhe apossava do espírito, de quando em vez dirigia o olhar indagador para a tia e mãe adotiva, como a interrogar sobre as pretensões desconhecidas do intruso.

A uma pergunta direta do velho fidalgo, quanto à marcha dos trabalhos que lhe competiam, respondeu cortesmente:

— Todas as obrigações obedecem ao ritmo normal, e o senhor pode crer que, em breves dias, Versalhes reunirá toda a Corte e será o centro da vida política da nação francesa.

— E o rei? — perguntou D. Inácio, exprimindo certa inquietação nos olhos. — Expediu a ordem de pagamento da minha disponibilidade?

— Por enquanto, não — esclareceu o interpelado. — Ainda hoje, porém, pude avistar-me com Sua Majestade quando procurei o Sr. Colbert, trazendo-lhe hoje a boa notícia de que o soberano pede o seu comparecimento em palácio.

— Para quê? — rosnou o nobre espanhol quase colérico. — Amanhã, farás o favor de dizer ao rei dos franceses que, se me chama para me despojar de algum bem, os seus ministros já me usurparam as dignidades; se pretende conferir-me honras, agradeço-as; e se me oferece algum favor, não necessito de suas esmolas.

Após uma pausa que ninguém ousava interromper, rematou com esta afirmativa:

— E, se Sua Majestade manda buscar-me visando a fins mais ásperos, podes afirmar-lhe que não será necessária minha presença em palácio para que me mande ao pelourinho. Bastará uma ordem...

Madalena, muito acanhada, observava Cirilo, que acompanhava o diálogo do tio e do sobrinho com alguma estranheza.

Esperava-se que D. Margarida viesse à discussão com interferência conciliatória, mas foi Antero que desfez o silêncio, ponderando com calma:

— No entanto, meu tio, é possível que as coisas sejam conciliadas em seu favor. Como sabemos, o Sr. Fouquet já não permanece à testa dos negócios públicos.

— E achas porventura que o soberano é melhor do que o ex-ministro? Um remendado não poderá condenar um andrajoso. Fouquet não se retirou do cargo pela sua prodigalidade nas despesas. A causa de tudo, no capítulo da sua demissão, foi o escândalo dos ciúmes por *Mademoiselle* La Vallière.

Antero ia exprimir um gesto de desacordo, mas o fidalgo continuou:

— Não permito que me contradigas. Acaso, não estás farto de saber que aqui, em França, são as mulheres que fazem os ministros?

D. Margarida, desejosa de imprimir novo rumo à conversação, a fim de que o esposo não incidisse nos comentários apaixonados, aventurou:

— Suponho, Inácio, que deves ir. Ainda que não consigas um acordo para o recebimento do que te é devido, essa visita dar-te-á ensejo a qualquer combinação com a rainha.

— Eu?! — bradou ele com energia. — Que me poderia dar a desventurada infanta, necessitada de quase tudo em seu ambiente doméstico? Poderei procurar a filha do meu soberano para chorar as desditas, mas nunca alimentando o propósito de pedir qualquer coisa.

— Em todo o caso, seria útil alguma tentativa — exclamou Cirilo Davenport timidamente, receoso de ser tomado como indesejável nas combinações familiares.

D. Inácio Vilamil, porém, carregou mais expressivamente o semblante e sentenciou:

— Mas eu sou um homem da velha têmpera.

O rapaz, compreendendo-lhe a resistência inquebrantável, baixou os olhos e calou-se.

A palestra chegou ao fim, com as expressões conciliatórias de todos, ante a intransigência do velho fidalgo. Nenhum argumento lhe modificou a atitude.

Nas despedidas, notando a ternura dos olhares e gestos da prima e do jovem Cirilo, Antero sentiu que mortal ciúme lhe envenenava para sempre o coração.

Duas semanas passaram, repetindo-se diariamente a visita de Davenport, as ideias intransigentes de D. Inácio e a perplexidade do sobrinho dos Vilamil, que vinha de Versalhes a Paris de três em três dias.

O par venturoso continuava tecendo, carinhosamente, os fios dourados de seus sonhos de felicidade, enquanto Antero dissimulava habilmente o profundo rancor que lhe dilacerava o espírito. Apesar da mágoa odiosa, tratava Cirilo com maneiras cativantes. No íntimo, detestava o rival, que lhe triturava devagarinho as esperanças; no entanto, buscava conquistar-lhe a confiança, intencionalmente maquinando projetos sutis e terríveis de vingança, a seu tempo. O próprio Cirilo estava surpreso. A amizade que Antero de Oviedo lhe demonstrava era mais um obstáculo transposto. A certeza de que o companheiro da infância de Madalena lhe compreendera os propósitos sinceros constituía fonte de tranquilidade para o seu coração. Andava, por isso mesmo, plenamente satisfeito. Respirava os ares de Paris a longos haustos. O serviço diuturno fizera-se-lhe leve e doce, o novo estado de espírito descortinava-lhe profundos horizontes no entendimento justo da vida. Aguardava a noite ansiosamente, e, quando em companhia da jovem amada, renovavam, os dois, os votos afetuosos, os juramentos sublimes, as promessas de eterno amor.

Surgiu a ocasião em que Madalena se preocupou com a atitude da família Davenport e insistiu para que o rapaz comunicasse aos parentes de Belfast o projeto de casamento. Cirilo prometeu escrever, mas alegou que, antes mesmo da consulta aos pais, procuraria ouvir o tio Jaques, em Blois, que lhe consagrava paternal afeição desde os primeiros dias da sua vida. *Mademoiselle* Vilamil demonstrava cuidados justos; contudo, no espírito de resolução que lhe era característico, Cirilo considerava semelhante zelo de somenos importância, pois, ao seu ver, casar-se-ia ainda que não obtivesse para isso a aprovação da família. Todavia, dada a insistência da jovem nas conversações confidenciais, Davenport dirigiu-se, certo dia, a Blois, com o fim de aconselhar-se com o tio, antes de assumir o compromisso desejado.

Durante toda a viagem, Cirilo entregou-se a singulares devaneios. Susana, havia muitos dias, voltara de Paris para o ninho doméstico e o rapaz lembrava o seu olhar inesquecível quando se despediram. Sua expressão traduzia um misto de frieza e dor, de ressentimento e crueldade. Por quê? Ignorava a violência das suas intenções, procurava, em vão, atinar com a causa da sua tristeza. Debalde procurava aproximá-la de Madalena, convidando-a a segui-lo em alguma de suas habituais visitas ao bairro de Santo Honorato. A prima recusara sempre, em termos ásperos que lhe feriam o coração. Além disso, emagrecera, tornara-se irascível. Nunca mais se aproximou da sua eleita, nem mesmo para as cortesias comuns. Em suas cogitações íntimas, ponderou mais seriamente aquele procedimento da prima. Certo, ela dera ouvidos, na infância, a possíveis projetos familiares de casar-se com ele.

Relacionou, em suas reminiscências, os pequeninos detalhes dos planos paternos e compadeceu-se da companheira de infância. Contudo, em breves instantes, buscou desvencilhar-se de semelhantes impressões. Afinal de contas, refletia, as inclinações da prima não passariam, por certo, de anseios transitórios da mocidade. Ela encontraria afetos novos. Era senhora de vultoso dote, não lhe seria difícil encontrar um partido rico que lhe pudesse satisfazer os caprichos de moça. Se possível, falar-lhe-ia pessoalmente, assegurando-lhe o penhor da sua amizade constante.

Buscando desfazer-se das preocupações que não coadunavam com os seus propósitos do momento, Cirilo penetrou nas ruas da velha cidade, ansioso agora por atirar-se nos braços do fiel amigo e confiar-lhe as mais íntimas esperanças.

O professor Jaques Duchesne Davenport residia em antigo parque, que adquirira para a localização da sua escola, de proporções vastas, destinada à preparação de crianças de ambos os sexos, antes do acesso aos monastérios do tempo, consagrados ao serviço educativo. Viúvo já de alguns anos, o bondoso amigo da infância, com a cooperação de dois professores dedicados, ali vivia entre os meninos de Blois como se estivesse esquecido das cogitações mais fortes do mundo. Não era propriamente um velho, na expressão justa do termo; entretanto, os fios grisalhos destacavam-se na cabeleira, e as rugas povoavam-lhe o rosto, embora estivesse tão somente próximo dos 60 anos. Muito raramente dispensava a bengala, que lhe completava a feição de patriarca junto dos petizes, e as crianças adoravam-no como a um pai. Não obstante as profundas experiências da vida, que suas atitudes demonstravam, seus olhos eram vivazes e amorosos, dando a impressão de que no peito palpitava um coração de grande criança, afetuosa e compreendedora.

As famílias de Blois encontravam nele um arrimo forte para solução de todos os problemas relativos à infância. "Mestre" Jaques era um ponto de referência de magna importância entre todas as classes sociais. Os brasonados[12] amavam-no pelo seu nobre entendimento das coisas práticas, e os desfavorecidos da fortuna encontravam no seu carinho fraternal a proteção prestigiosa de um benfeitor. Os padres católicos estimavam-lhe as preciosas qualidades de cooperação, e os protestantes admiravam-lhe o respeito às crenças e opiniões alheias. E no seu pequeno mundo de amigos leais e crianças amadas, Jaques Duchesne Davenport sentia-se confortado e quase feliz.

---

[12] N.E.: Que possuem brasão; que possuem título de nobreza.

Anoitecia quando Cirilo bateu num largo portão cercado de trepadeiras e madressilvas. As árvores vetustas e acolhedoras do grande jardim faziam da paisagem um trecho de paraíso, pela sua paz ao sussurro do vento leve. A casa, muito antiga, dava ideia de vasta mansão de repouso, no seio da tarde amiga.

Susana veio atender prestemente e não pôde disfarçar a surpresa com a chegada do primo, sem aviso prévio. Entretanto, longe de perder sua feição voluntariosa, cumprimentou-o quase friamente, conduzindo-o ao interior e abstendo-se das expansões afetivas com que o recebia de outras vezes.

O mesmo não aconteceu, porém, lá dentro, onde Jaques abraçou o sobrinho, transbordante de alegria. O velho educador quase carregou Cirilo nos braços, como se recebesse a mais adorada de suas crianças no caminho da vida.

— Como te demoraste, meu filho! Há muitos dias te procuro, debalde, entre todos os cavaleiros que passam por Blois.

Cirilo sensibilizava-se fundamente com tais expressões de carinho.

Em doce aconchego familiar, jantaram juntos.

Depois de trocadas as primeiras impressões e quando a noite amortalhara a paisagem, de manso, o estimado educador, notando que Susana e Carolina se afastavam deliberadamente, chamou o sobrinho ao gabinete particular e exclamou, batendo-lhe carinhosamente no ombro:

— Vamos Cirilo, acendamos o velho candelabro. Teus olhos indicam que tens alguma coisa importante a dizer-me.

O rapaz acompanhou-o enternecidamente e respondeu hesitante:

— É verdade, meu tio...

Sentados em poltronas confortáveis, junto de ampla janela que lhes descortinava o céu pontilhado de estrelas, foi Jaques quem iniciou a palestra dizendo ao rapaz das novas impressões que nutria a seu respeito.

Atendendo a uma interrogação direta, o moço esclareceu:

— Sim, encontrei uma jovem que resume as minhas esperanças.

— Conheço-a? — interrogou afetuoso.

— É Madalena Vilamil.

— Ah! muito bem! Ainda nisso as nossas afinidades se manifestam e as tuas inclinações me alegram a alma. Conhecia-a quando de sua visita ao antigo palácio de Luís XII, e isso bastou para que a estimasse infinitamente. Como tudo isso é interessante, meu filho! Não mais me esqueci dessa jovem, tanto que, quando Carolina e Susana vão a Paris, recomendo-lhes que não regressem sem notícias dela.

— Essa circunstância constitui enorme alegria para mim — disse o rapaz assaz comovido.

— Não podias fazer melhor escolha — concluiu Jaques, convicto. — Quando pretendem casar-se? Não seria lógico adiar tão feliz evento. Além disso, quando amamos, é natural que o coração seja atendido.

Amparado por semelhante compreensão, Cirilo Davenport não conseguiria definir o júbilo que lhe inundou a alma.

— Seu parecer, meu tio, nobilita os meus propósitos; entretanto, estou francamente indeciso quanto à data dos esponsais, visto não ter ainda comunicado a meus pais os meus desígnios.

— E pretendes ir a Belfast com esse fim?

— Se fosse possível...

Jaques meditou alguns instantes e, como pessoa habilitada a aconselhar com perfeito conhecimento de causa, voltou a dizer:

— Não vás à Irlanda antes do casamento.

— Por quê? — indagou Cirilo um tanto surpreso.

— Não estou fazendo apologia da desobediência ou da anarquia familiar, mas recordo o meu casamento e não posso deixar-te ao desamparo. Em nossa ilha costuma-se colocar o interesse acima das inclinações naturais. Quando conheci Felícia — a santa companheira que me aguarda no Céu —, nossos parentes moveram-me guerra permanente e foi-me indispensável um ato de força para desposá-la. Se fores a Belfast, começarão a malsinar tua escolha e cada amigo envenenará teu espírito com superstições descabidas. Serás flechado de tantos apelos estranhos, entre missas e promessas, que talvez fiques por lá, carregando para sempre um sonho morto. Samuel permanece distante de nossa compreensão da vida. Tua mãe é sensível e amorosa, mas está presa aos excessos devocionais. Teus irmãos são afetuosos, mas são espíritos muito irrequietos. Talvez a isso devam a difícil situação em que se encontram.

— Como proceder, então?

— Escreverei a teu pai dizendo que, de há muito, me incumbiste de pleitear a devida permissão, mas, devido a trabalhos imperiosos, protelei o assunto, obrigando-o a assumir comigo o compromisso de anuir a teus desejos e explicando que a futura nora é minha filha de coração. Samuel, naturalmente, ficará preocupado, a princípio, mas cederá satisfeito, estou certo. Quanto à adesão de tua mãe, sabemos, por antecipação, que estará de acordo conosco, em todos os sentidos.

Cirilo estava tão contente que não sabia como agradecer.

— E não te detenhas em conjeturas inúteis — continuou o bondoso educador. — Madalena é digna de teus carinhos e ambos serão meus filhos, com a obrigação de povoar de netos a minha estrada, para que não me falte um raio de luz na noite da decrepitude, que todos os homens devem esperar.

No gabinete que se atulhava de cadernos e livros esparsos, havia uma atmosfera de felicidade indefinível. Ondas de perfume do jardim próximo penetravam pela janela aberta, como se a Natureza incensasse o entendimento afetuoso de duas almas afinadas no mesmo idealismo.

Observando que o sobrinho prosseguia calado, Jaques interrogou:

— Sentes alguma dificuldade para executar meus conselhos?

— Reconheço, meu tio, que os meus ordenados mensais são exíguos — explicou o jovem algo tímido.

— Não digas isso. Os melhores tempos da minha vida conjugal foram justamente quando Felícia e eu lutávamos contra todos os obstáculos para assegurar nossa felicidade. Minha família, na Irlanda, contrariava os nossos sonhos, enquanto os parentes de Blois hostilizavam as minhas pretensões. Casamo-nos sem apoio de ninguém. Meu salário, como professor, era irrisório, mas as barreiras, aparentemente intransponíveis, pareciam valorizar nossa união. Com as lutas intensas de cada dia, as horas de convivência doméstica tornavam-se mais preciosas. No entanto, meu filho, quando Felícia me compeliu a vir para este país, onde nos esperava a valiosa herança deixada por sua mãe, o júbilo perfeito pareceu fugir do alcance de nossas mãos. A vida de Blois tornou-se muito diferente da de Belfast. Na Irlanda possuíamos um ninho; na França encontramos uma casa. No ninho, vivíamos de amor e paz; na casa, a existência obedeceu às imposições dos cuidados numerosos pelas muitas convenções sociais. Não quero dizer com isso que as casas sejam organizações dispensáveis, e sim que devem ser ninhos simples e acolhedores, onde cada membro da família experimente a tranquilidade devida. Minha pobre Felícia, porém, não soube resistir ao peso do bem-estar e fomos, finalmente, menos felizes, desde que as posses de Blois nos compeliram a numerosos esforços de manutenção e defesa. Minhas filhas, habituadas de início à simplicidade, cresceram entre exigências de toda sorte. Susana é um coração inquieto, insatisfeito, resistindo sempre aos meus paternais conselhos, e Carolina, contra as minhas tendências, vai casar-se por simples questão de dinheiro com o Sr. de Nemours. Mas que fazer? Minha inolvidável companheira acreditou mais na sociedade humana que nas leis simples da vida, e a sua ansiedade segregou as pequenas do nosso antigo ideal.

Jaques Davenport pareceu meditar um minuto, deixando perceber que voltava, em espírito, aos tempos da sua mocidade distante. Depois de prolongado silêncio, como que despertando de profunda divagação, interrogou:

— Compreendeste?

— Sim, meu tio, e agradeço a preciosidade dos seus ensinamentos; no entanto, há considerar que Madalena descende de fidalgos, enquanto eu sou muito pobre.

— Pobre? — tornou o educador, sorridente e otimista. — Convém manter acima da classificação comum, de pobres e ricos, a tábua de valores reais, que define os homens como trabalhadores ou ociosos. Há indigentes no seio de tesouros inapreciáveis e pessoas há de reduzidos recursos financeiros, singularmente ricas de esperanças e de ideal. Por isso, meu filho, o perigo está em que o homem seja ocioso. Quem trabalha deve esperar sempre o melhor, mas quem perde o tempo alcançará a miséria.

Os ensinamentos do bondoso velho caíam na alma do rapaz como um bálsamo.

Atentando no efeito benéfico dos seus conceitos, Jaques continuou:

— O trabalhador possui o tesouro da paz de cada dia; o ocioso encontra em cada noite o padecimento da insatisfação; um vive na claridade da esperança, outro na tormenta da ambição. Uma casa sem lacaios é um refúgio de repouso espiritual, nestes tempos de devassidão. Muitas vezes, o homem que dispõe de muitos servos paga-lhes por supostos serviços, mas o que recebe, em verdade, é calúnia e ingratidão.

Cirilo, radiante ao ouvir tão sábios conceitos, exclamou:

— Suas palavras, meu tio, confortam-me profundamente. Sendo assim...

— Declaremos guerra às reticências — atalhou ele bondosamente —; já que não és ocioso, podes casar quando bem quiseres.

E, como se fizesse uma conta mental, após pequena pausa, acentuou:

— Os esponsais de Carolina estão marcados para novembro próximo. Debalde tentei induzi-la a fixá-los para o Natal. Desse modo, Cirilo, designaremos tuas núpcias para o futuro 25 de dezembro.

— Tão perto? — perguntou o moço assaz admirado. — Isso é quase impossível, pois nem mesmo solicitei aos pais de Madalena o necessário consentimento.

— Estou convencido de que hão de ceder para felicidade da filha.

— Mas as providências indispensáveis?

— Serão atendidas — murmurou o tio com significativo contentamento. — Guardo-te dois mil escudos, a título de cooperação afetuosa no teu sonho de amor.

O jovem Davenport estava repleto de júbilo, mas, depois de pensar alguns momentos, advertiu:

— Meu tio, tanta generosidade é demais. Contento-me com o seu apoio moral, porque, relativamente ao auxílio material, minhas primas seriam capazes de opor alguma objeção.

— Não dês guarida a tais desconfianças. Deus me livre de contender com a família por questões de dinheiro. Quando Felícia morreu, renunciei espontaneamente a todos os direitos que me competiam, em favor das filhas, que dividiram entre si a legítima[13] materna. Apenas desejei ficar com a minha liberdade e com a minha escola. A contribuição, portanto, é de meu próprio pecúlio e não temos nenhuma satisfação que dar a Susana ou Carolina.

O jovem não cabia em si de contente. A oferta preciosa vinha solucionar o melindroso problema econômico que o perturbava. Não queria casar-se sem uma base de recursos a cultivar. Supinamente reconhecido, tomou a destra do tio, apertou-a com carinho e exclamou:

— Não sei como traduzir minha gratidão.

— Ora essa! Nem eu desejo que te perturbes por manifestar reconhecimento. Acreditas, acaso, que o dinheiro seja definitiva propriedade nossa? Todo o cabedal financeiro é de Deus, que o distribui consoante as necessidades de cada um, por intermédio dos próprios homens.

A palestra afetuosa entrou pela noite adentro, até que um velho relógio bateu as onze horas. Jaques lembrou que necessitava da sua beberagem habitual para o estômago, e o sobrinho se despediu agradecido e venturoso.

— Meu tio, dormirei hoje um dos sonos mais tranquilos de minha vida.

— E devê-lo-ás só a Deus — exclamou o generoso amigo, afastando-se ao toque-toque da bengala, como a dispensar o rapaz de novos agradecimentos.

---

[13] N.E.: Porção da herança reservada por lei aos herdeiros necessários (ascendentes ou descendentes) e correspondente à metade dos bens do espólio.

Enquanto Cirilo se recolheu, ditoso, ao quarto de dormir, Jaques foi abordado por Susana em copioso pranto, quando buscava o remédio da noite no velho armário da copa.

— Ouvi tudo, meu pai! — exclamou debulhada em lágrimas, evidenciando fundo rancor.

— Mas de que se trata? Que ouviste?

— Suas combinações com Cirilo.

— E por que não foste participar da nossa conversação no gabinete? — indagou o genitor muito admirado. — Tratávamos, porventura, de assuntos secretos que justificassem a curiosidade de alguém atrás das portas?

A moça não respondeu, limitando-se a soluçar convulsivamente.

— Mas que significa tudo isso, minha filha? — obtemperou o bondoso velho, abraçando-a.

— Meu pai, amo Cirilo e não me conformo com a sua decisão.

Jaques Davenport inclinou-se para a jovem, profundamente preocupado. Agora chegava a compreender suas amarguras secretas, suas inquietações aparentemente injustificáveis dos últimos dias. Sentou-se pausadamente, contendo a custo a própria aflição, e fê-la aquietar-se a seu lado, murmurando depois:

— Filhinha, tem calma e fortaleza, porque este é um desejo que teu velho pai não pode satisfazer.

E o amoroso Jaques, com o seu espírito eminentemente conciliador, fez-lhe ver a necessidade de retificar as inclinações afetuosas, falando longamente da delicadeza da situação, salientando a escolha do sobrinho e os méritos inegáveis de Madalena Vilamil.

Desenganada em seus dissabores cruéis, Susana reprimia com dificuldade as expressões de ironia e ciúme que lhe explodiam no coração. Diante do amoroso pai, a cujo espírito se sentia ligada por irresistível magnetismo, não fazia mais que chorar comovedoramente, ansiosa por desabafar o misto de cólera e angústia que lhe empolgava a alma caprichosa.

O genitor carinhoso, reconhecendo que a filha lhe ponderava as palavras em silêncio, prosseguiu nos conselhos:

— Não se desespere. O coração tem mil caminhos para a felicidade, quando procuramos aceitar a vontade de Deus. E por tudo que temos de sagrado, não demonstres rancor à escolhida de teu primo. Precisas compreender que a resolução de Cirilo é respeitável, e que Madalena é também minha filha pelos laços divinos do Espírito. Naturalmente que em seu noivado estarão nesta casa, quando se verificarem as solenidades do próximo consórcio de tua irmã, e eu espero, Susana, que a educação recebida no lar te confira comedimento às atitudes. Há ocasiões em que precisamos esmagar os sentimentos cultivados com excessivo carinho, na precipitação das expectativas injustas.

A jovem desejava apresentar furiosas objeções, desacatar o pai muito amigo, pela primeira vez; continha-se, todavia, com esforço imenso, mordendo os lábios em fúria e dando a impressão de que soluçava de dor infinita, sem qualquer outro sentimento menos digno. Sinceramente condoído daquelas lágrimas, Jaques considerou:

— Avalio tua mágoa; contudo, seria falta grave aplaudir-te. Procura afagar outros sonhos, renova os pensamentos. Acredito que tuas inclinações não podem obedecer senão a caprichos procedentes da infância.

— Meu pai, não mais poderei ser feliz — disse no auge da desesperação.

— Só os criminosos podem assim falar — acrescentou o genitor sempre melífluo.

— Não tenho forças para assistir às núpcias de Cirilo — continuava Susana, enxugando as lágrimas.

O velho professor contemplou-a compungidamente e redarguiu depois de um minuto de meditação:

— Fortalece tua vontade enfraquecida. Após o casamento de Carolina, poderás espairecer na Irlanda por alguns meses. Retemperarás as energias na paisagem da tua infância e acredito que a providência ser-te-á imensamente benéfica ao coração. A época será imprópria para a viagem, mas eu permito que satisfaças semelhante desejo. Encontraremos embarcação e companhia adequada. Por hoje, minha filha, recolhe-te à paz da noite e não chores mais. Tua desesperação não é justa e deves rogar a Deus te conceda a cura da enfermidade espiritual que te atormenta a alma inquieta.

Susana quis revidar asperamente, declarar que semelhantes afirmativas a humilhavam em excesso, mas dissimulou a cólera, calou-se e obedeceu em silêncio.

Quando a viu retirar-se, o pai carinhoso levou a destra ao peito, tentando aliviar o sofrimento íntimo, em face da angustiosa revelação da filha, e demandou a alcova silenciosa, sem conseguir explicar o triste pressentimento que lhe travava o coração.

No dia seguinte, Cirilo regressou a Paris, transbordando esperanças. Se o tio bem lhe orientara o espírito quanto ao que lhe competia fazer, ele melhor executou seus conselhos. Depois de dividir com Madalena o júbilo que o empolgava, dirigiu cerimoniosa carta a D. Inácio Vilamil e esposa, expondo suas pretensões.

A nova produziu grande sensação na vivenda de Santo Honorato. Os pais de Madalena não esperavam semelhante surpresa. Cuidadosamente, sondaram o espírito da filha, verificando-lhe a aquiescência e a resolução, no cometimento que condizia com a sua felicidade futura. Entretanto, havia alguma coisa a considerar e que representava amargo aborrecimento para os velhos fidalgos. Era o implícito compromisso familiar com Antero de Oviedo. D. Margarida e D. Inácio sentiam, sinceramente, o fato de serem compelidos a apresentar ao sobrinho uma negativa inesperada e demolidora de todos os seus sonhos de rapaz. Ambos o consideravam qual outro filho adotivo. No entanto, não seria possível contrariar as inclinações de Madalena, que nunca lhes causara o menor pesar. Altamente preocupados, os bondosos velhos esperaram a primeira oportunidade para conversarem a sós com o sobrinho, o que se verificou dois dias após o recebimento da carta de Cirilo. Madalena ausentara-se, e essa circunstância dava ensejo a entendimentos desejáveis e justos.

D. Inácio, nessa noite, tratou o rapaz com maior compreensão, não sabendo como abordar o assunto. D. Margarida, muito carinhosa, observando que o marido titubeava e vacilava, fixou os olhos serenos no sobrinho e falou:

— Meu filho, hoje temos uma notícia a dar-te: Madalena foi pedida em casamento por D. Cirilo Davenport.

Antero fez-se pálido e respondeu rudemente:

— Coisa estranhável, na verdade, porque espero minha prima desde a infância.

— No entanto — continuou D. Margarida, com voz pausada —, Madalena está de acordo e não podemos nem devemos contrariá-la.

Antero levantou-se, passeou nervosamente pela sala e observou exaltado:

— É uma ingratidão! Onde está meu tio que não lhe faz sentir a sua autoridade, capaz de varrer do seu caminho esse irlandês audacioso, sem títulos e sem dinheiro?

Nominalmente citado, D. Inácio respondeu:

— Madalena nunca me deu o mais leve aborrecimento, e a autoridade apenas se exerce com aqueles que a desrespeitam.

— Esse casamento, porém, é um absurdo — exclamou Antero fora de si.

— Quem poderá decifrar os mistérios do coração, meu filho? — atalhou D. Margarida afetuosamente.

E a discussão acendeu-se. A custo o rapaz sentou-se ao lado da velha tia, atendendo-lhe aos apelos carinhosos. Mas tanto manifestou seus pensamentos de inconformação e de ironia que D. Inácio foi dominado por violenta irritação. Ouvindo certas palavras mais ásperas do tio, o rapaz retrucou com acrimônia:

— Não posso conferir tamanho direito às suas opiniões. Afinal de contas, o senhor tem débitos bem pesados para comigo, antes de considerar qualquer privilégio ao irlandês miserável que me anula as esperanças.

D. Inácio Vilamil esboçou um gesto de justa indignação e revidou:

— Sei que te devo dinheiro, mas não desconheces que nos deves os cuidados da educação. Supões, acaso, que te criaste em nossa casa a poder de brisas e votos brilhantes? Se reclamas aquilo que te devo em escudos, como te poderia pagar com as coisas privativas do coração de minha filha?

O rapaz recebeu a reprimenda ríspida, mal se contendo para não agredir o velho tutor, que lhe falava e gesticulava grandemente irritado.

A boa senhora, todavia, interveio amorosa, e como o sobrinho chorasse de raiva, tomou-lhe as mãos com muito carinho e procurou consolá-lo:

— Não te encolerizes, Antero! És nosso filho pelo coração, antes de tudo! Considera, pois, que Madalena é tua irmã. Poderias estimá-la tão somente a título de esposa? Recorda que não podemos dispensar tua afetuosa companhia... Quem nos há confortado o coração em tempos tão duros de provação e de esperanças desfeitas? Não guardes rancor, modifica os sentimentos a respeito de tua irmã. Há de surgir, por certo, em teu caminho, um matrimônio feliz. És moço, ativo, trabalhador. Não te faltará uma noiva carinhosa, que encha o teu caminho de luzes novas. Tudo será uma questão de tempo e boa vontade...

O rapaz, apesar da paixão doentia que lhe enchia o cérebro de odiosas preocupações, amava singularmente a velha tia — a única alma que lhe havia proporcionado na orfandade carinhos e afagos maternais. Ouvindo-a, desabafou. Não podia saber se chorava de amargura ou de despeito, mas, fosse como fosse, aquele pranto convulsivo aliviava-lhe o coração.

D. Inácio lançou ao sobrinho um olhar de ironia e, depois de um gesto de enfado, abandonou a sala, enquanto D. Margarida continuou, olhos também marejados de pranto:

— Desanuvia o espírito, meu filho! Insisto para que continues junto de nós. Pediremos a D. Cirilo resida nesta casa após o consórcio e, quando te resolvas a organizar tua casa, permanecerás, igualmente, em nossa companhia, até que me feches os olhos para sempre. Se Deus me der vida, Antero, consagrarei minha velhice aos teus filhinhos, que serão meus netos pelo coração. Acostuma-te, pois, a encarar Madalena de outro modo. Não odeies D. Cirilo, a quem os sonhos de moça de Madalena elegeram noivo amado, neste mundo. Não será melhor que se unam e vivam junto de mim, como irmãos carinhosos e dedicados? Além do mais, é indispensável consideres, em tudo, a execução dos desígnios santos de Deus. Naturalmente que a tua felicidade não será esquecida pelo Céu. Rogarei ao Altíssimo te conceda uma esposa devotada e afetuosa, a fim de que, mais tarde, possa eu acariciar os teus filhinhos, em cada dia.

Ante aquelas manifestações carinhosas, Antero pareceu lavar o coração, expulsando para longe do espírito as mágoas mais fortes; contudo, no recesso do ser guardava rancor indefinível e profundo, que lhe arruinaria a existência. Sentia-se sem forças para alijar a figura da prima do quadro das idealizações mais íntimas. Conformar-se-ia com o inevitável, mas não renunciaria aos seus desejos. D. Margarida repetia os conceitos carinhosos, que lhe caíam na alma como anestésicos suaves, mas, à medida que enxugava os olhos, ele recolhia, no âmago do espírito, propósitos de vingança, como venenos sutis. Depois de largos minutos de meditação, tinha os olhos fixos, como alucinado por ideia terrível. Permaneceria, sim, junto da velha tia, cuja afeição o preparara na vida com infinita ternura, mas, sentia-se inclinado a disputar Madalena até o fim de seus dias. Recordava, rancorosamente, as observações frias e ásperas do tio, e refletiu que D. Inácio lhe pagaria as objeções, a seu ver, audaciosas e ingratas. Não lhe cobraria os débitos contraídos com ele próprio, mas o velho fidalgo tinha outros credores, cujos títulos ele endossara confiadamente. Buscaria, desse modo, retirar as garantias dadas, logo que julgasse a medida oportuna. Quanto ao atrevido Davenport, esse teria de experimentar, cedo ou tarde, o peso de sua vindita cruel. O tortuoso caminho do mundo estava cheio de surpresas. Conservar-se-ia ao lado da prima, qual sentinela, sem repouso.

O afeto que lhe votava, a seu ver, não admitia condenáveis substituições. Continuaria amando-a por toda a vida. Não podia pensar noutra mulher que lhe tomasse o lugar no coração. Quem adivinharia o futuro? Madalena poderia não casar e, se o fizesse, era possível que sobreviesse o desencanto conjugal, ou que enviuvasse algum dia. Se tal acontecesse, estaria, pois, a seu lado, a fim de lhe atender ao primeiro sinal.

Após o incidente doméstico, dissimulou com habilidade o odioso rancor que lhe anuviava o espírito e pareceu resignado com a marcha dos acontecimentos.

Cirilo e Madalena estavam longe de pensar nas maquinações sombrias do primo, que lhes presenciava o romance de amor, entre sorrisos indefiníveis e complacentes.

E as semanas corriam formosas e calmas, enfeitadas de projetos deliciosos para o porvir.

Susana, por sua vez, em virtude da influência paterna, ocultou o ódio mortal que lhe intoxicava o coração e, nas festividades com que foi solenizado o casamento de Carolina, na pacata cidade de Blois, procurou reaproximar-se de Madalena, com hipocrisia surpreendente. No baile, exibira preciosa fantasia, tranquilizando o velho Jaques pelo ruidoso prazer e acolhimento carinhoso que dispensava aos noivos vindos de Paris.

Tudo, afinal, parecia concorrer para a felicidade dos jovens, que não cabiam em si de contentamento e esperança.

Longa carta dos pais de Cirilo dava conta de seu assentimento ao matrimônio, em vista das afetuosas observações de Jaques. Endereçavam ao filho e à futura nora votos de felicidade e paz e lamentavam a impossibilidade de uma excursão à França, para abraçá-los pelo auspicioso acontecimento. Madalena sentiu-se mais tranquila após essa carta, desvanecendo os derradeiros resquícios de inquietação.

O jovem Davenport, plenamente identificado com os futuros sogros, sem maior experiência do mundo, concordou, satisfeito, com a solicitação para morarem todos juntos. D. Inácio Vilamil foi o primeiro a tanger o assunto, alegando a moléstia da esposa e o seu demasiado apego à filha. A jovem sempre constituíra o amparo de sua casa e o conforto de seus dias. Filha única, Madalena resumia para os genitores amorosos o ponto central de seus interesses afetivos. D. Margarida andava sempre enferma, e quanto a ele, de há muito não se sentia menos abatido. A ausência da filha sepultaria o ambiente doméstico em tristeza irreparável. Consentindo em casá-la, não desejavam pensar no seu afastamento, e sim na aquisição de mais um filho, que seria o genro, a dilatar-lhes o patrimônio de santas esperanças. Não somente os aspectos espirituais foram lembrados. Semelhante decisão pouparia aos cônjuges a laboriosa montagem de uma casa com todos os requisitos da vida comum. D. Inácio ponderou as mínimas conveniências de fundo econômico, imprimindo às palavras a força poderosa de suas convicções íntimas. Cirilo ouviu-lhe os pareceres com atenção, acedendo, comovido, aos seus pedidos e, compreendendo as dificuldades de ordem material, procurou aplanar todos os obstáculos defrontados pela família da noiva.

E foi assim que, numa atmosfera de profunda simplicidade e simpatia, realizaram-se as núpcias de Madalena com o rapaz irlandês, no modesto templo consagrado à memória de Santa Genoveva, em Paris.[14]

Carolina e o esposo, que passaram a residir em remoto vilarejo do norte, não se abalançaram a viajar com o frio intenso, e Susana, depois de ligeiras providências na capital francesa, partira, dias antes, para a Irlanda, em companhia de uma família amiga, de Alençon, mas o generoso Jaques tomara um carro em Blois, a fim de assistir à cerimônia modesta, trazendo carinhosas lembranças do seu velho parque para os noivos queridos.

Com exceção de três amigas dedicadas da jovem, inclusive Colete e Cecília, a solenidade foi apenas acompanhada pelo tio de Blois, pelos pais da noiva e por Antero de Oviedo, que dissimulava dificilmente o ódio que lhe corroía a alma ardente.

Cirilo e Madalena, porém, naquele instante, ignoravam que houvesse perversidade na Terra e não queriam saber de homenagens mundanas. Unidos no seu imenso amor, perante o altar dedicado à padroeira de Paris, foi com sublime enlevo que receberam a bênção do sacerdote, em nome de Deus. Contemplaram-se reciprocamente, em seus votos de imperecível aliança, como se estivessem atravessando, naquela hora, as portas brilhantes do Paraíso, e, entre os amplexos afetuosos que os cercaram em doce vibração de carinho, o jovem par, fremente de alegria, acreditou haver encontrado o ninho da felicidade perpétua.

---

[14] Nota de Emmanuel: Não nos referimos à Abadia de Santa Genoveva, que se localizava, antigamente, ao sul de Paris.

III
A caminho da América

A chegada de Susana à herdade dos Davenport, nos primeiros dias de dezembro, em Belfast, assinalou acontecimentos de importância no ambiente doméstico.

Samuel e Constância, sua esposa, receberam a sobrinha com satisfação inexcedível.

A moça, no entanto, não conseguiu disfarçar a surpresa que lhe causavam as modificações ali havidas. A propriedade ia em franca decadência. Os apartamentos da casa haviam perdido a formosa ornamentação de outros tempos. Samuel dava a impressão de profundo desalento, enquanto a esposa, de olhos encovados, parecia refugiar-se na paciência, ao torvelinho de amarguras que lhe feriam o coração. Guilherme, Patrício, Jaques, Carlos, Doroteia e Helena, os seis irmãos menores de Cirilo, estavam pálidos e malnutridos.

Susana percebeu que os golpes do infortúnio continuavam vibrando naquele lar amoroso, que vinha arrostando as perseguições religiosas durante muitos anos. Procurou, contudo, dissimular a decepção e passou o primeiro dia de permanência na graciosa vivenda próxima de Belfast, em doce relembrança de episódios familiares, cumulando a bondosa Constância de cariciosas consolações.

Mas, após o jantar muito simples, procurou isolar-se com os tios na varanda ampla que dava para um trato de terra empobrecida, buscando sondar-lhes os pensamentos relativamente à penosa situação que atravessavam.

— Infelizmente — declarava Samuel, evidenciando enorme desânimo — nada mais temos a esperar do torrão que nos viu nascer. As crueldades iniciadas aqui pelos mensageiros de Cromwell foram completadas pela criminosa ambição de Lawrence Morrison, que nos arrebatou as derradeiras migalhas, apenas por uma questão de inflexibilidade religiosa.

— É horrível — disse a moça impressionada —, mas sinto aqui um esquecimento lastimável. Acredito que Cirilo não está informado deste quadro de tamanhas necessidades.

— Ah! sim — disse Constância resignada —, nosso filho tem seus ideais, Susana, e não nos parece justo arrancá-lo de suas esperanças e atividades em Paris, apenas por egoísmo do lar.

— Aqui, porém, não se trata de egoísmo — revidou a jovem. — Francamente, não esperava encontrá-los em pobreza tão crua. E dizer-se que Cirilo casará ignorando tudo isso!

— Não seria razoável incomodá-lo, minha filha — atalhou Samuel conformado. — A carta de Jaques notificava-nos o acontecimento com profunda certeza de sua felicidade. Constituiria falta grave, de nossa parte, desviá-lo do destino venturoso junto da jovem escolhida.

A moça esboçou um gesto de ciúme que passou despercebido e voltou a insistir:

— Considero, entretanto, que para todas as coisas há tempo adequado. Cirilo precisa conhecer esta angustiosa situação.

Constância, muito carinhosa, lembrou comovidamente:

— Ora, Susana, creio não devermos perturbar nosso filho senão em circunstâncias extremas. Quem sabe terás algum meio de nos socorrer, sem que tenhamos de mandar a Paris qualquer notícia torturante? Muito poderíamos obter de tuas valiosas relações na Inglaterra.

Muito sensibilizada com o apelo comovente, a jovem acrescentou com afetuoso interesse:

— Sem dúvida que não voltarei a Blois sem haver atendido às vossas necessidades. Tenho recados de Henriqueta para Londres e espero que as coisas sejam conciliadas a nosso favor. Não me conformo com essas crianças quase ao desamparo, no quadro de infortúnio que estou a ver.

E, num gesto expressivo para Constância, perguntou com o seu orgulho ferido:

— Onde está o cravo que tanto a distraía nas noites de inverno? Que é feito das tapeçarias, da baixela de prata?

A bondosa senhora explicou num sorriso humilde:

— Foram vendidos ao Sr. Gottfried, quando Patrício e Doroteia estiveram atacados pela febre.

— O Sítio do Linho foi alugado? — interrogou a moça com decisão.

— Lawrence Morrison moveu uma ação contra nós e fomos despojados desse terreno — explicou Samuel contristado.

— E os rebanhos?

— Não temos mais recursos em pastagens. Conservamos apenas alguns bois de serviço e algumas cabras.

— Isso é insuportável — exclamou a jovem assaz irritada.

Em seguida a uma pausa mais longa, em que os três se sentiam em face de sério problema, Susana inquiriu com firmeza:

— Que sugerem para que eu possa começar o trabalho de reivindicação de tantas injustiças?

Samuel Davenport parou os olhos no horizonte embaciado do crepúsculo, meditou longamente e respondeu:

— Minha filha, não desejaria acabar minha existência aqui, onde a lembrança da mocidade venturosa me agrava os terríveis desgostos. Nossa ilha está dilacerada pelas perseguições e nossa fé religiosa é irredutível. Não me sinto capaz de bajular os protestantes impiedosos e, por este motivo, devo contar com as humilhações de toda sorte, enquanto viver. Não suporto os ímpios ingleses e morrerei no seio de nossa amada Igreja. Neste caso, venho sonhando ultimamente com uma vida nova, na grande colônia da América, para onde se transferiram muitos dos nossos amigos espoliados.

E, como experimentando outro ânimo, imaginando a soberba visão do Novo Mundo, continuou:

— Lá se encontram os Taylor, os Dalton, os Harrison, os Richmond. Todos prosperam vertiginosamente e acreditam em Deus como entendem. Erguem capelas nos montes, criam rebanhos fortes, à margem de rios fartos e de pastagens sempre verdes. Dizem, Suzana, que, por lá, o céu é muito azul e que as flores povoam as estradas, quase a todo tempo, favorecidas pela bênção constante de um sol ardente e amigo. Arquimedes Taylor, que voltou a Belfast o mês passado, a fim de procurar alguns documentos importantes, visitou nossa granja e muito me animou a partir com a família. Informou-nos de que, na América, protestantes e católicos se unem, fraternalmente, na faina dos trabalhos comuns, em atitude muito diversa da adotada por velhos companheiros irlandeses que se bandearam para a política dos senhores poderosos e nos deixaram em abandono. Com exceção do velho Gordon, que pretende transferir-se também para a colônia, no ano próximo, ninguém mais nos procura. Por ocasião da grave moléstia das crianças, eu e Constância lutamos com a enfermidade completamente desamparados. Estamos cansados de sofrer injustiças. O padre Bernardo, que nos confortava nas fadigas diárias, foi banido há duas semanas. Por tudo isso, venho afagando a ideia de buscar outras terras.

A moça anotava, em silêncio, as alegações do tio, procurando tirar as suas conclusões a respeito das providências sugeridas. À medida que Samuel Davenport expunha seus planos e sofrimentos, ela considerava o assunto, calculando por antecipação as consequências.

A seu ver, a partida para a colônia era ideia aproveitável. Buscaria envolver Cirilo no projeto. Não seria interessante vingar-se de Madalena Vilamil, obrigando o marido a partir para regiões tão distantes? Se pudesse, compeliria o primo a partir só, sem a companheira. Detestava a filha de D. Inácio, que lhe arrebatara o sonho da juventude. Ainda, porém, que não conseguisse o principal objetivo com a ausência só do primo, de qualquer modo gozaria vendo-os partir como exilados da Europa, deixando-a livre da visão de sua felicidade.

Obcecada pela recordação de Cirilo, de quem não conseguia esquecer-se, ponderou com atenção no socorro indispensável aos tios de Belfast, concluindo mentalmente que seria fácil ir a Londres e obter as providências políticas para que se lhes fizesse justiça na própria terra que os vira nascer, mas, segundo suas convicções íntimas, não encontraria oportunidade mais adequada para vingar-se. Madalena conheceria o peso da sua força cruel. Dominada por semelhantes sentimentos, a jovem de Blois sentenciou:

— Seus planos, meu tio, são louváveis e lastimo sinceramente não poder acompanhá-los à colônia distante. As terras novas sempre me empolgaram a imaginação por sua riqueza e grandiosidade, de acordo com as notícias trazidas pelos corajosos conquistadores.

Após um momento, em que Constância e o esposo lhe seguiam atentamente os mínimos gestos, continuou:

— Quais as providências iniciais para realizar nossos propósitos?

— Bastaria que alguém se interessasse por nós, na Corte — acentuou o tio com imensa esperança a rebrilhar nos olhos. — Lorde Arlington é hoje uma autoridade incontestável na política nova e, com a sua influência, poderá facultar-nos um título de propriedade agrícola na colônia. Isso conseguindo, venderíamos o que nos resta e escolheríamos a chamada região de Connecticut, onde pretende fixar-se o nosso generoso Gordon, no próximo ano.

— Pois irei a Londres para esse fim — exclamou a jovem resolutamente. — Não existe também um auxílio financeiro aos que partem? O governo da França costuma amparar as famílias que se dirigem para as regiões inexploradas.

— Na Inglaterra, os prestigiados por pessoas influentes também conseguem, às vezes, idêntico auxílio.

— Insistirei com as autoridades competentes para que recebamos o benefício. Se Lorde Arlington não dispuser de elementos com que me possa atender, recorrerei à própria Coroa.

Os tios carinhosos entreolharam-se com viva satisfação, como quem recebia o socorro longamente esperado.

— Resta saber — prosseguia a sobrinha, resoluta — como e quando se dará a partida de Abraão Gordon com os seus.

Visivelmente confortado, Samuel Davenport explicou:

— Creio que a viagem se fará na segunda quinzena de julho do ano próximo, e o capitão Clinton fornecerá passagem nos seus barcos a preços módicos; entretanto, em suas experiências do mar, ele exige que cada família apresente três homens válidos para cooperar nos trabalhos da travessia. Acredito, pois, que encontraremos certas dificuldades tão só para atender a essa exigência, porque não me sinto muito bem de saúde, e o Guilherme agora é que vai completar os 18 anos.

— E Cirilo? — interrogou Susana admirada. — Naturalmente não será possível isentá-lo do cumprimento desse dever.

Constância careteou como quem não desejava perturbar o filho, mas Samuel obtemperou:

— Pensei mesmo em convidá-lo a partir conosco, mas o casamento talvez lhe haja imposto outros projetos definitivos para o futuro.

Susana refletiu um instante, ocultou os verdadeiros sentimentos que nutria sobre a rival e murmurou:

— Madalena Vilamil é boa moça e compreenderá as nossas necessidades prementes. Sem dúvida, acompanhará o marido, e dado que o não possa fazer, nem por isso o impedirá de cumprir o dever filial. Tenho certeza de que conseguirei os títulos de posse, em Londres, e, enquanto iniciamos as providências, poderão escrever a Cirilo expondo-lhe a situação com franqueza, dizendo-lhe convir aqui esteja em abril, para inteirar-se do assunto e preparar-se convenientemente para a viagem, em julho. Até a primavera, terá gozado bastante a sua lua de mel e não é muito se lhe peça o comparecimento em Belfast daqui a três ou quatro meses.

Depois de ligeira pausa, acentuava:

— E é justo não esqueçamos de escrever igualmente para Blois.

Em seu profundo potencial psicológico, estava certa de que Cirilo não deixaria de aconselhar-se com o tio e concluía:

— Conhecemos o ascendente de papai sobre a índole caprichosa do primo e faz-se necessário que ambos conheçam o caráter urgente das decisões a tomar.

Constância, jubilosa, admirada com o poder de resolução da sobrinha, falou satisfeita:

— Deus nos ouça, porque já comentamos o assunto como se tudo estivesse providenciado com inteira segurança.

— A senhora não duvide — esclareceu a jovem —, não descansaremos até que todas as coisas se resolvam. Estas crianças — e designou com um gesto o interior da casa, onde os meninos brincavam em alvoroço — hão de crescer numa vida nova. É impossível que dobremos a cerviz ante o cerco da miséria. Em muitos casos a resignação deixa de ser virtude para tornar-se inimigo cruel.

Em seguida, quando o véu da noite se fechara de todo, transferiram a conversação para a sala espaçosa do fogão de inverno, onde Samuel, muito depois de se haverem recolhido a sobrinha e a esposa, ainda permaneceu largo tempo a meditar, como se conversasse com as achas ardentes daquela amada lenha do Ulster, que encerrava para o seu espírito um escrínio sagrado de inesquecíveis tradições.

*

Renúncia

Somente após o ano-bom Susana se dirigiu para Dublin, onde tomou uma embarcação que saía do Canal de São Jorge com destino aos portos da Mancha. Partia em busca das concessões de Londres, interessada e esperançosa, depois de haver orientado os tios com relação às missivas endereçadas a Paris e Blois.

E, assim, em fevereiro de 1663, as cartas de Belfast mudavam as perspectivas entre os cônjuges venturosos.

Cirilo leu, emocionado, a carta paterna que lhe falava dos enormes prejuízos e infortúnios experimentados e da resolução de partir para a América, à procura de valores novos, suplicando o seu amparo filial em tão graves circunstâncias. Insistia para que o acompanhasse na viagem, ainda que não pudesse transferir-se definitivamente com a jovem esposa para o Novo Mundo. Calculava que bastariam alguns meses de cooperação e poderia voltar a reassumir as obrigações que o retinham na capital da França. Samuel sugeria, carinhosamente, que a esposa o acompanhasse na longa viagem, empreendida para tranquilidade de todos. Quanto aos encargos de ordem material, esperava compensá-lo, doando-lhe parte do produto da venda do resto de sua propriedade rural na Irlanda do Norte.

Madalena, por sua vez, mostrava-se fundamente sensibilizada. Constância enviou-lhe carinhosa carta na qual lhe rogava assistência e auxílio moral para a transferência desejada, destacando o obséquio que a nora lhes prestaria favorecendo a partida de Cirilo, de maneira a lhes atenuar o rigor dos inúmeros trabalhos. Enviava-lhe, com afagos maternais, delicada folha de trevo como lembrança da missa a que assistira em intenção da sua ventura conjugal, na véspera das núpcias; relatava — mãe afetuosa — as enxaquecas do marido, as necessidades dos filhinhos. Procurava, enfim, convencer a nora de que deveria partir também com eles e fazia-lhe sentir que sua casa era igualmente da nora, a qualquer tempo.

A jovem esposa de Cirilo chorou, emocionada, ao receber as confidências da sogra. Se fosse possível, teria partido para Belfast naquele mesmo dia, a fim de confortá-la, mas não podia considerar sequer a possibilidade de uma visita ao Ulster nos meses próximos, porque D. Margarida piorara muito do seu velho mal cardíaco. Prostrada, palidíssima, não arredava pé da cama, reclamando assistência carinhosa e constante. Por vezes, as dispneias sobrevinham noites seguidas, agravando-lhe os padecimentos atrozes.

Que fazer em face de tão angustiosos obstáculos?

Ao crepúsculo desse dia de notícias singulares, em que as emoções agradáveis se haviam misturado largamente com a dor, Cirilo e Madalena encaminharam-se ao templo de Nossa Senhora (Notre-Dame), ansiosos por uma inspiração que lhes aliviasse a alma inquieta.

Madalena desejava sinceramente ir a Belfast, atendendo aos apelos afetuosos da sogra, mas a precária saúde de sua mãe a impedia de formular qualquer projeto a respeito.

— Afinal de contas — dizia a Cirilo sob o manto estrelado do céu, que sempre lhe enchia de encantamento o espírito sonhador —, não devemos sofrer tanto, antecedendo fatos que se desdobrarão segundo a vontade do Pai Celestial. Somente partirás em março e, até lá, quem sabe?

Ele, porém, não lhe acatava os argumentos afetuosos, com o habitual bom humor. Sem poder explicar o que lhe ocorria no íntimo, permanecia taciturno, alheio às suas costumeiras características de resolução.

— Não posso compreender, Madalena, por que essa viagem forçada a Belfast me ensombra o espírito, enchendo-me de preocupações.

— Viagem forçada? Não digas — redarguia a esposa com bondade. — Para nossos pais todos os trabalhos constituem motivo de satisfação espontânea. Não tens feito o possível pela tranquilidade do papai e pela saúde da mamãe? É indispensável não esquecer que temos igualmente dois velhos amorosos à espera de nosso auxílio na Irlanda do Norte.

Visivelmente nervoso, o rapaz obtemperou:

— Sim, mas os meus trabalhos em Paris? E se não me puderes acompanhar a Belfast? E se D. Margarida piorar a ponto de ser forçado a assumir compromissos com os meus, partindo sozinho para esse longo itinerário até a América?

— Quantas interrogações prematuras! — opugnou ela, esforçando-se por manter um sorriso menos pessimista. — Se nos acontecesse o pior, não deveríamos, ainda assim, inclinar o coração à vontade de Deus? Se nos separarmos por alguns dias, não será por motivos frívolos, mas por atender a necessidades imperiosas de nossos amoráveis "velhinhos".

Procurando desfazer as penosas impressões do esposo, a filha de D. Inácio continuou:

— Relativamente aos teus trabalhos comuns, acredito não seja difícil obter uma licença sem remuneração; e se mamãe piorar, impedindo minha partida, estaremos juntos nas preces sinceras ao Céu para que todas as dificuldades cessem logo. Além disso, não devemos contar com a assistência do tio Jaques? De Blois a Paris não é longa a distância. Precisamos coragem, Cirilo, pois Jesus não nos deu a felicidade somente para a satisfação pessoal, e sim para que aprendamos a estendê-la a outros seres. Nossos pais estão cansados e doentes, é justo lhes ofereçamos nossa disposição para o trabalho e o socorro de nossa mocidade sadia.

O moço ponderou aquelas palavras, deixando perceber que havia encontrado a desejada solução, e enlaçou-a com mais ternura.

Embebidos na cariciosa contemplação da noite amiga, falaram ainda longo tempo de suas esperanças e projetos de futuro, regressando ao ninho doméstico, cada qual fazendo o possível por se mostrar mais otimista, visando ao conforto recíproco. Mas, quando foi atender a genitora doente, Madalena contemplou o crucifixo de madeira que D. Margarida conservava no quarto, pendente do leito, e, fixando o olhar na imagem de Jesus, pediu-lhe com fervor lhe desse paz ao coração atormentado por infindos receios. Depois de verificar que a matrona repousava em profundo sono, ajoelhou-se, beijou aquele símbolo de sua fé e limpou uma lágrima, cuidadosamente, para que o esposo não lhe surpreendesse os amargos presságios.

As semanas voavam ao ritmo das renovadas preocupações.

Após uma consulta ao tio Jaques, que fora igualmente informado da precária situação de Samuel em Belfast, Cirilo Davenport decidiu-se à viagem, a fim de auxiliar os pais no que fosse possível. Preparou seu desligamento temporário dos serviços, tomou as providências necessárias, mas D. Margarida piorava devagarinho, impossibilitando, de qualquer modo, a ausência da filha.

À vista disso, o rapaz foi obrigado a partir sozinho para a Irlanda, em fins de março.

Informado de que Susana permanecia no torrão natal, Madalena dirigiu-lhe carinhosa carta, junto da que escrevera, com muito afeto, à bondosa sogra, explicando a impossibilidade de visitá-la e solicitando-lhe que, como prima devotada, a representasse na família, orientando Cirilo em suas necessárias decisões de auxílio aos pais.

Desse modo, o filho de Samuel partiu deixando a esposa no círculo habitual, constituído por D. Inácio, sempre nervoso, D. Margarida, gravemente enferma, e Antero, que rodava de Paris a Versalhes e vice-versa, como quem perseverava nos mesmos propósitos, esperando as oportunidades.

A chegada de Cirilo foi um acontecimento de larga repercussão no lar paterno.

Susana, dias antes, havia regressado da capital inglesa com todos os documentos legais concernentes à emigração de Samuel e família para a colônia longínqua. Depois de uma visita pessoal a Carlos II, em que fizera questão de alardear o valor de suas relações prestigiosas na Corte de França, todas as portas se lhe abriram com facilidade surpreendente. Além de conseguir as dotações necessárias, inclusive sementes e outras utilidades, solicitou também um auxílio financeiro para o velho Gordon, que lhe recebeu a gentileza profundamente sensibilizado. Ao júbilo das concessões obtidas, acrescentava-se, agora, a alegria da vinda do rapaz, reforçando as esperanças dos perseguidos irlandeses.

Constância não sabia como exprimir seu contentamento maternal. Reuniu todos os recursos humildes da despensa doméstica e ofereceu um jantar muito simples, nesse dia em que, acima de tudo, falava o sincero carinho do coração. À noite, reuniu a família em preces a Deus, agradecendo à Providência os favores da sua misericórdia, e, após as orações comuns, expressou um voto de reconhecimento a São Patrício, pela feliz chegada do filho, o que, feito em voz alta na espontaneidade do seu afeto, arrancou muitas lágrimas ao rapaz, que permanecia igualmente de joelhos, em obediência à tradição familiar.

Conforme acontecera à prima, Cirilo impressionara-se fortemente com os quadros de infortúnio resignado e de velada pobreza que viera encontrar na paisagem querida de sua infância, e fazia o possível por não repetir as expressões de espanto quando procurava esse ou aquele local, em busca de velhas impressões da sua meninice. Não conseguiria explicar a emotividade que lhe envolvia a alma inteira. A humildade com que Samuel patenteava a necessidade da sua proteção, os olhares amorosos da mãe, a doce delicadeza dos manos penetravam-lhe o espírito com indefinível intensidade. Lera à Constância a terna missiva de Madalena e reparara, emocionadíssimo, como a genitora enxugava as lágrimas copiosas com as dobras do avental muito branco. Guardava a impressão de haver ingressado num sonho bom, em que, no maravilhoso tapete das lembranças suaves, voltava a ser menino.

Quanto à Susana, recebera as letras delicadas de Madalena, lendo-as a sós, depois de cerrar cuidadosamente a porta do quarto e reprimindo intensa cólera. Frase alguma daquela mensagem fraternal conseguira modificar suas disposições. Não constituía atrevimento da rival endereçar-lhe semelhante apelo? Num ímpeto de ciúme e despeito, fez menção de estraçalhar o documento carinhoso, mas, como se fora advertida pelas ideias criminosas que lhe passavam, por vezes, na imaginação sobre-excitada, disse consigo mesma: "Não será melhor conservar esta carta para algum dia da vida? Quem poderá saber o futuro?" E, modificando a primitiva atitude, guardou a missiva com cuidado, na bolsa reservada aos objetos mais íntimos.

Abraão Gordon, à noite, viera participar das alegrias familiares, abraçando jubiloso o recém-chegado de Paris, a quem amava como próprio filho, desde o dia em que Samuel e Constância o haviam chamado para levá-lo à pia batismal.

Às ocultas, o pai de Cirilo, acanhado por ter de incomodar diretamente o rapaz, solicitara ao antigo companheiro de lutas endereçasse ao filho o apelo final para os acompanhar no longo cruzeiro transoceânico.

Gordon aproveitou o encanto do momento, cheio de intimidades cariciosas, e, quando terminaram as preces de louvor a Deus, dispôs o grupo familiar em torno da larga mesa dos Davenport, que recordava os antepassados numerosos, devotados a tradições domésticas. Aplaudido com calor por Susana, que entrava na conversação com apartes sagazes e inteligentes, o notável ancião, depois de exaltar as grandiosidades do Novo Mundo, que conhecia pessoalmente, em virtude duma visita aos parentes exilados na Virgínia, notificou ao rapaz a necessidade do seu apoio ao grande cometimento.

— Contamos contigo, Cirilo — afirmava o velho irlandês bondosamente —, e nem poderia ser de outro modo. Samuel e Constância esperam o teu amparo imprescindível. Somos velhos, e o capitão Clinton necessita de moços para a travessia, que não é tão fácil como parece à primeira vista. Já enviei instruções a Oxford para que Carlos e João estejam em Belfast no mês de junho. Não podemos dispensar o esforço dos filhos na execução da empresa.

— Entretanto — murmurou Cirilo um tanto esquivo, dado o seu problema de natureza sentimental, refletindo na esposa e nas suas fadigas domésticas —, ignoro se poderei partir na época prevista.

— Não há mais tempo para hesitações — obtemperou o velho Gordon, depois de bater com o cachimbo na mesa, num gesto muito seu —; a questão não é de possibilidade, é de imperiosa necessidade. Entre pais e filhos não há consultas, há compromissos. O capitão Clinton exige a contribuição dos mais fortes e não será razoável dispensar teus esforços.

O rapaz corou em face da observação direta que lhe era dirigida e, ocultando suas recônditas preocupações sentimentais, receando ser tido à conta de covarde, considerou:

— Não me furto ao que constitui para mim um grato dever, mas, como sabem, meus serviços intelectuais, em Paris, são bastante expressivos e não sei se me permitirão uma ausência prolongada.

— Meu filho — exclamou Abraão, convicto —, não guardes ilusão sobre pretensas realizações intelectuais dos nossos tempos. Isso é um miserável engano, Cirilo. Os espíritos vulgares alardeiam conquistas mentirosas, enquanto escondem a consciência vestida de andrajos. Semelhantes fantasias vão conduzindo os homens mais sábios à confusão e à ruína total. As lutas religiosas, que nos expulsam do berço, não serão resultantes da desordem do pensamento? Por que motivo os protestantes, e mesmo os católicos eminentes, se empenham em lutas de morte? Será porque trabalharam com as mãos, ou porque se desviaram do caminho de Deus pelo abuso de raciocínios? As mãos não se equilibram sem o impulso orientador das ideias, como as ideias não se materializam sem o concurso das mãos; no entanto, suponho que os homens vão esquecendo o dom do serviço pelos excessos do pensamento em desvario.

Todos acompanhavam com atenção os argumentos profundos, enquanto o rapaz fixava os olhos brilhantes no rosto simpático do bondoso velhinho. Estava tocado nas fibras mais sensíveis e contemplava o antigo mentor, em respeitoso silêncio, ansioso por não perder um só de seus elevados conceitos.

— Em diversas regiões do Sul — continuava Gordon, percebendo o poderoso efeito de suas palavras — existem católicos que assassinam os hereges barbaramente; e aqui no Ulster os partidários da chamada Reforma nos invadem as terras e desonram os lares. Enviados prepotentes da política de Londres nos insultam e assaltam nossas propriedades laboriosas e honestas. Se toda essa gente trabalhasse mais e discutisse menos, não acabaria estabelecendo a certeza de que todos somos filhos do mesmo Deus? As legítimas renovações, Cirilo, não se destinam apenas à operosidade e aos feitos da inteligência, mas também ao esforço de arrotear com amor a terra dadivosa. Que tem sido a existência da Europa senão uma guerra incessante? Todos os povos progridem para dominar os mais fracos, prosperam a fim de ganhar a força e exercer a opressão. Tudo isso significa que o homem não necessita ser mais arguto para explorar o próximo, e sim que compreenda e ame a vida. E ninguém, meu filho, entenderá o próprio caminho sem trabalho intenso por concretizar um ideal de virtude, na marcha para Deus.

Susana reparava o velho amigo de sua infância, manifestando a transbordante satisfação que suas alegações lhe causavam, e o marido de Madalena, seduzido pelos argumentos, sentia a renovação de antigo idealismo. Aquelas palavras vibravam estranhamente em sua alma, tinha a impressão de que lhe ressurgira no imo alguma coisa ofuscada e quase perdida, que era o imenso amor à gleba, a dedicação ao solo a que se acostumara a querer todo o bem, pelas lições vigorosas recebidas na infância. Por disposições maravilhosas do pensamento, sentia-se transportado à meninice distante, atravessava descalço as pastagens orvalhadas em busca dos bois que mugiam longe. Revia as grandes árvores tratadas amorosamente e desejava tosquiar, de novo, os carneiros gordos e mansos. O ambiente social de Paris eclipsara-lhe o gosto pelas manhãs chuvosas, com o ruído da charrua sulcando a terra macia. Subitamente, experimentava a ansiedade de tornar a beber a luz das paisagens campestres, na companhia dos cavalos árdegos e resistentes. A inclinação do homem consagrado ao esforço da terra triunfava de todas as preocupações de ordem puramente intelectual. Agora, lembrava que a França estava repleta de silogismos inúteis. Padres e filósofos disputavam esterilmente, redundando as suas cogitações numa comédia ridícula, em que cada qual permanecia mais vaidoso, ao lado das aflições dos mais fracos, no seio do povo prejudicado e iludido. A guerra constituía, invariavelmente, o produto sutil desses excessos dos condutores da multidão. Eram raros os propósitos sérios, os impulsos enobrecedores, isentos de vaidade ou egoísmo. Cirilo estava magnetizado pela grandeza dos conceitos emitidos: Abraão Gordon tinha razão. Era necessário voltar à terra e escolher a flor da paz em seu seio acolhedor.

— Compreendo agora — exclamou, deixando entrever que descobrira a equação indispensável. — Não posso perceber como andava tão esquecido...

Vendo-o passar a mão pela fronte, os presentes entreolharam-se satisfeitos. A rendição de Cirilo, com respeito ao assunto, causava-lhes enorme prazer.

— Ainda bem — continuava Gordon encorajado —, estávamos certos de que não falharias na inclinação justa.

— As suas opiniões são incontestáveis.

— E já chegou a refletir nesse Novo Mundo que os navegadores nos trouxeram?

— Sem dúvida — exclamou o filho de Samuel, assaz impressionado —, terá uma finalidade muito mais importante que a de simples colônia, que lhe possamos atribuir.

Abraão Gordon sorriu e continuou:

— Eu, que lhe conheço a grandeza insondável, posso afirmar que a América é uma região destinada por Deus aos flagelados e desiludidos da Europa. Suas florestas assemelham-se a um oceano de verdura. Seus rios fartos chamam as criaturas para trabalhos promissores de paz e esperança, seus horizontes iluminados prometem a coroa da liberdade e da vida. Estou convencido de que o novo continente representa uma dádiva de Deus aos homens trabalhadores e corajosos. Deve ser a realização da promessa aos corações de boa vontade. Acredito que, lá, os nossos descendentes hão de amar os valores legítimos da vida e farão cessar a cadeia de ruína e destruição, que ameaça sempre a prosperidade europeia, nas guerras famulentas. Aos que se encontram cansados de tolerar a criminosa influência do demônio insaciável que domina os nossos príncipes, a Providência enseja a possibilidade de um lar entre as flores de uma natureza diferente e livre, cuja paz é garantida pelos abismos das águas.

Cirilo, ouvindo as palavras ardentes do velho amigo, sentia-se transformado. Começava a admitir que, por certo, sua felicidade residia do outro lado do grande mar. Num minuto, chegava a esquecer os livros, os pergaminhos, as controvérsias infindáveis dos filósofos do tempo, os princípios expostos pelos teólogos da universidade. Imaginava o futuro lar, onde Madalena e ele cuidariam da ventura de filhinhos amados, no país maravilhoso cuja grandeza parecia contemplar por intermédio das descrições vivas do ancião de Belfast. Recordou que seus ideais eram idênticos aos da esposa, relativamente à América distante. Madalena também tinha sede daqueles horizontes largos, daquela terra fecunda e perfumada. Sentindo que podia falar igualmente em seu nome naquela assembleia familiar, assumiu o compromisso de transferir-se definitivamente para o Novo Mundo.

Depois de afirmar sua decisão, que despertou enorme e geral contentamento, a palestra se desdobrou nas realizações futuras. Susana e Constância emprestavam à conversação a mais vibrante alegria, terminando as combinações iniciais da viagem com expressivas demonstrações de júbilos sinceros.

Diariamente, agora, repetiam-se as reuniões afetuosas na casa acolhedora, delineando-se todos os projetos em lide.

Para que Cirilo partisse justamente tranquilo, ficou assentado que ainda voltaria a Paris, não obstante as dificuldades das viagens de então, a fim de consultar a esposa quanto à possibilidade de sua partida. Na hipótese de ela continuar impedida pela moléstia da genitora, ele acompanharia os pais até à América, cuidaria das instalações iniciais e voltaria à França para buscar a companheira. Estava certo de que a esposa lhe aprovaria as decisões e compartilharia das suas esperanças. Ela também amava, de longe, aquelas florestas desconhecidas, onde haveriam de fundar a casa venturosa e farta para a sua prole.

No curso de uma quinzena, todas as deliberações estavam assentadas. Abraão Gordon fez a Samuel espontâneo empréstimo de dinheiro, para que o filho pudesse deixar à esposa alguns recursos, uma vez verificada a impossibilidade de sua partida. Dentro de algumas semanas, Constância e o marido venderiam a parte restante da propriedade e resgatariam o compromisso.

Desse modo, nadando em esperança de maravilhoso porvir, Cirilo regressou à França com a promessa de tornar a Belfast no fim de junho.

Seu regresso ao lar foi acolhido entre carinhosos contentamentos da esposa; contudo, os planos traçados na Irlanda causaram a Madalena certa estranheza, sem que ela mesma pudesse explicar o motivo das dolorosas angústias que lhe assaltavam o coração.

O marido tratou de organizar numerosas providências, à pressa, destacando-se a do seu desligamento da universidade, em caráter definitivo, com as veladas preocupações da esposa. Deliberou ir a Blois, sem que a companheira pudesse participar da excursão, dado o estado grave da sogra.

Estava ansioso por abraçar o velho Jaques. O tio amigo o acolheu com a satisfação habitual, ouviu com interesse o relatório verbal da visita ao Ulster e concordava, em tese, com as alegações de Abraão Gordon sobre a mudança para regiões tão distantes. O rapaz inteirava-o, entusiasmado, das menores decisões tomadas, ao mesmo passo que o professor de Blois o considerava um tanto mudado. Cirilo referia-se com muito calor a terras vastas, a fazendas prósperas, comentando, por antecipação, o valor dos rebanhos e das lavouras que manteriam o equilíbrio econômico das organizações rurais e das ricas plantações de fumo, que garantiriam o dinheiro do exterior, na dilatação do patrimônio futuro. Em toda a sua conversação, não havia uma referência aos religiosos inteligentes, como se verificava de outras vezes. Não mais comentava os autores romanos e gregos ou a sabedoria desse ou daquele documento antigo, enriquecendo a palestra de observações elevadas e úteis. Jaques escutava-o admirado, disfarçando a custo a impressão de estranheza. Concordava com a ida do sobrinho para o novo continente, mesmo porque Cirilo estava muito moço e à sua frente desdobrava-se radioso porvir, mas não podia aplaudir-lhe a atitude de centralizar todos os interesses em problemas de absoluta feição material.

Depois de ouvi-lo por algum tempo em silêncio, o austero professor, como quem não pode omitir as coisas essenciais, perguntou:

— Como ficam teus trabalhos em Sorbonne?

— Desliguei-me definitivamente da universidade.

— E Madalena?

— Dentro de um ano voltarei a buscá-la, após instalar nossa nova casa. A saúde precária de D. Margarida, presentemente, não nos permite partir juntos.

Em vista da resposta formal, o velho educador compreendeu, hábil psicólogo, que era inútil tentar demover o rapaz das decisões tomadas; todavia, como advertência velada, limitou-se a dizer:

— Nunca me separei de Felícia senão quando o poder de Deus nos fez curvar diante da morte.

Cirilo, porém, dominado pela visão dos interesses imediatos, não pôde perceber a sutileza do aviso e passou a fundamentar os motivos de sua resolução, recordando os apontamentos de Abraão Gordon relativamente ao panorama das lutas estéreis da Europa, acusando os gabinetes políticos como focos de chacina e destruição. Jaques escutou-o novamente mergulhado em silêncio, dominado por singular impressão. Por fim, convencido por seus pareceres mais claros, Cirilo manifestou-se desejoso de que o tio os acompanhasse a breve tempo, de maneira a se reunirem todos na América, para a continuação feliz dos empreendimentos sadios e realistas.

O bondoso professor fixou o olhar no velho parque que se vestia com a roupagem deliciosa da primavera, escutou o rumor das crianças que brincavam sob as grandes árvores e respondeu:

— Não conheço o futuro, meu filho, mas, por enquanto, não me seria possível examinar semelhante hipótese. Quem sabe pensarei nisso amanhã? Ao presente, sinto que não devo abandonar meus velhos livros e meus alunos novos.

— Contudo — insistiu o rapaz —, estou certo de que o senhor se reunirá a nós, mais tarde ou mais cedo. Não é possível continue suportando o ambiente europeu, envenenado de lutas odiosas e seculares. Daqui a um ano, ao regressar para levar Madalena, é bem possível o encontre modificado.

Enquanto fazia uma pausa, o tio esclareceu:

— Concordo contigo, mesmo porque ignoro se residirei em Blois até o fim dos meus dias.

— Mas por que não assume conosco o compromisso de partir? Não posso esquecer as observações do nosso velho amigo de Belfast, com relação às lutas desta nossa Europa, em cujo seio tudo é ilusão precedendo ruínas.

— Não posso desaprovar a argumentação de Gordon, mas por agora ficarei, como alguém que deseja permanecer numa casa incendiada, nutrindo a intenção de salvar alguma coisa.

O sobrinho, que se referira insistentemente às dificuldades do Velho Mundo, experimentou certo choque ao ouvir aquela afirmativa; contudo, não respondeu, preferindo calar, de modo a não alterar os fundamentos do seu compromisso.

Entretanto, apesar da manifesta divergência entre ambos, despediram-se de olhos molhados, como pai e filho obrigados a suportar as amarituras de uma longa separação.

As contrariedades penosas do educador de Blois eram iguais às de Madalena, que as experimentava com muito maior intensidade no ambiente doméstico. Em casa, tudo se resumia a movimento célere de providências precipitadas. D. Inácio encorajava o genro, estimulando-lhe o espírito empreendedor e chegando mesmo a declarar que, não fora a grave moléstia da velha companheira, partiriam todos para o Novo Mundo, em busca das experiências mais elevadas. Discutia às vezes, acaloradamente, por demonstrar que a Humanidade devia o benefício aos corajosos navegadores espanhóis, e comentava com inveja a possibilidade conferida aos católicos irlandeses. Antero, igualmente, mantinha uma atitude de alegre aprovação aos projetos de Cirilo, e expunha seus desejos de procurar, mais tarde, diversos parentes castelhanos localizados no sul do continente novo.

A única pessoa a compreender as angustiosas preocupações de Madalena era justamente a enferma, que trocava significativos olhares com a filha, acusando-se intimamente como empecilho de sua partida em companhia do marido.

A jovem companheira de Cirilo, contudo, buscava não trair sua amargura, nos menores gestos, e beijava a genitora com mais carinho, ansiosa por fazer-lhe sentir a satisfação com que ficaria a seu lado, no desempenho de sublime dever.

Decorrido um mês, chegou a véspera da viagem para a Irlanda, consoante as obrigações assumidas.

Nesse dia, Cirilo e a esposa entreolhavam-se como duas crianças extremamente afetuosas, despertadas de um sonho encantador para realidades dolorosas.

À noite, não obstante a dispneia de D. Margarida, ambos saíram para a contemplação da Natureza, ansiosos por alguns minutos de plena solidão, que lhes facultasse permutar as impressões mais íntimas.

O céu de Paris fulgurava como nunca, pintalgado de estrelas, e cada jardim exalava os perfumes doces da primavera.

Os jovens esposos recordaram que havia decorrido justamente um ano do seu primeiro encontro. Falaram no *Carrousel* de junho de 1662, entre caridosas evocações. Certamente, a maioria dos amigos não mais se recordava dos folguedos populares, mas os pequeninos encantos da festividade representavam para eles poderosos motivos de reminiscências gravíssimas. Um ano passara com a rapidez de uma semana breve. A certa altura da palestra amorosa e confidencial, Cirilo tomou com mais vivacidade as mãos da esposa e considerou:

— Querida, não sei o que tenho, minha coragem parece diminuir à medida que se aproxima o instante da separação.

— Não te deixes abater por emoções contrárias aos teus compromissos, Cirilo — murmurou ela, esforçando-se por manter atitude de extrema fortaleza moral, de modo a encorajá-lo, sem lhe demonstrar a própria dor —; mais um ano, apenas, estaremos juntos, acima de todas as contingências materiais. Até lá, mamãe terá melhorado e partiremos todos. Em primeiro lugar, seguirá nossa família de Belfast e, depois, nós, os de Paris.

— Reconheço tudo isso e não me faltam esperanças — disse o rapaz —; entretanto, mortificantes pensamentos me dilaceram o coração.

Ela, que lhe falava de alma opressa, não conseguiu esconder por mais tempo a emoção e deixou cair uma lágrima, embora fizesse o possível por ocultá-la.

— Choras, Madalena? — perguntou o rapaz penosamente surpreendido. — Sofres também, assim?

— Não, Cirilo, minha lágrima é de esperança, pois que a saudade significa a própria esperança chorando de ansiedade e alegria.

O filho de Samuel compreendeu que necessitava controlar as próprias forças, a fim de levantar o ânimo da companheira abatida por graves provações domésticas e, enlaçando-a com muito carinho, procurou consolá-la:

— Não chores, Madalena... Breve regressarei a buscar-te e seremos venturosos para sempre. Edificarei nossa casa nalguma encosta cheia de verdura, de onde possamos, todas as noites, contemplar o céu. Abraão Gordon me esclareceu os detalhes da paisagem do nosso futuro *habitat* e creio saber de antemão o local em que teceremos o nosso ninho. Havemos de admirar a beleza e a imensidade dos horizontes. Um grande rio banha nossas terras. Logo que conclua a casa, rodeá-la-ei de jardins. Quando lá chegares, tudo há de ser primavera, vida e alegria. E mais tarde, querida, criaremos nossos filhinhos sob a umbela de um firmamento luminoso e livre.

A filha de D. Inácio enxugou as lágrimas com sincera conformação e falou comovida:

— Cirilo, não desejo que partas sem me ouvires...

Essas palavras eram ditas com inflexão de voz indefinível e, no entanto, como que se perdiam em tímidas reticências.

— Dize, Madalena! De que se trata?

— É que, nestes últimos dias, venho sentindo comoções estranhas e mamãe acredita que se prendam ao nosso primeiro sonho...

Ele abraçou-a sensibilizado.

— Como sou feliz! — murmurou, transbordante de júbilo.

— Não ficarei tão sozinha — concluiu com resignado sorriso.

E assim permaneceram longas horas, na contemplação da noite, permutando promessas de infinito amor e mútua compreensão. Cirilo arquitetava mil castelos para o porvir, enquanto a esposa escutava-o enlevada, olhos luzindo de esperança, acompanhando-lhe o idealismo ardente. Discutiram os detalhes da futura residência na América; falaram dos filhinhos que Deus lhes mandaria ao lar e que seriam educados distante dos centros do despotismo e da ambição. Em dados momentos, a voz da jovem embargava-se de lágrimas, mas fazia o possível por demonstrar paciência e energia, em tão amargosas circunstâncias. Ante a nova perspectiva, o rapaz prometia esforçar-se para voltar antes de um ano. Assim, afagando mútuas esperanças, passaram a última noite, ansiosos por dilatá-la ao infinito.

No dia seguinte, de manhã, a família Vilamil, exceto D. Margarida, estava congregada em pequeno conselho. Antero, com a sua expressão artificial, justificava a preocupação de Cirilo quanto à construção do lar no seio agreste da Natureza, pois também ele, segundo afirmava, a qualquer situação destacada em Paris preferiria o recanto simples e calmo de Versalhes; e enquanto D. Inácio fazia ao genro as suas alegres e derradeiras recomendações, Madalena contemplava angustiadamente o esposo, desejando repetir-lhe as observações do amor infinito. Tinha sede de redizer-lhe no ouvido os mil pequeninos cuidados do coração, mas a presença de Antero e do genitor lhe tolhia as carinhosas expansões. O velho fidalgo encarava o seu estado de espírito com vereditos ruidosos, que a filha era obrigada a receber com humildade e complacência, esforçando-se por ocultar a amargura indefinível que lhe cortava o coração.

Nesse momento, Cirilo fez a D. Inácio a entrega de dez mil francos para que fossem atendidas as despesas de ordem imediata, em sua ausência, prometendo trazer quantia mais vultosa no seu regresso. O sogro agradeceu e guardou a dádiva com carinho, sem que ninguém notasse a expressão diferente que se fizera no olhar de Antero de Oviedo.

Em seguida, o viajante buscou um pretexto para falar a sós com o primo da esposa e, com toda a sua ingenuidade e boa-fé, recomendou-lhe com interesse:

— Antero, pode crer que parto absolutamente confiado no seu espírito de iniciativa e generosidade. Espero que sua dedicação vele por Madalena e por nossos velhos amados, com a mesma disposição sincera de auxílio que me há dispensado desde que nos abraçamos pela primeira vez.

O moço espanhol detestava-o bastante para não gozar com os seus sofrimentos, mas esboçou uma atitude exterior de fraternidade, concordando:

— Podes partir tranquilamente. Compreendo as contingências imperiosas que te obrigam a tamanho sacrifício. Para mim, Madalena é qual irmã a quem consagro minha melhor estima; quanto aos tios, são eles, de fato, os pais que encontrei na vida.

Depois de outras considerações afetivas, Cirilo apertou-lhe a mão confiante e agradeceu o compromisso, de olhos úmidos. Recomendações finais, derradeiros abraços e, sob o olhar despeitado de Antero, o filho de Samuel beijou a esposa pela última vez. Madalena enxugou as lágrimas que não pôde conter, e Cirilo, de alma torturada, aboletou-se no pequeno carro de um amigo, que deveria conduzi-lo até ao porto de Brest.

O casal Vilamil-Davenport tinha o espírito angustiado por perspectivas atrozes. Madalena, porém, elevava orações ardentes ao Céu, suplicando à Mãe de Jesus lhe balsamizasse o cérebro torturado por martirizantes presságios.

Na Irlanda, desde a chegada de Cirilo, tudo constituiu um torvelinho de providências e decisões de últimos dias. Naturalmente, a maioria dos retirantes mantinha-se em expectação amargurosa, considerando que iam abandonar a paisagem que os vira nascer, mas cada qual trabalhava por demonstrar contentamento e coragem, com esforço heroico. Susana, que aguardava a partida dos parentes para voltar à França, cooperou nos mínimos problemas, proporcionando-lhes solução justa.

A nau do capitão Clinton era de construção reforçada e largas proporções, mas não podia conter tudo que Constância desejava levar como recordação do Ulster; entretanto, a boa senhora organizou pequenos pacotes com sementes de árvores e flores ao seu alcance, no intuito de cultivar as lembranças irlandesas nas terras fecundas da América. No dia do embarque, Susana chegou a afirmar, de cara alegre, que o navio de Clinton assemelhava-se à Arca de Noé, em miniatura.

Na praia, a jovem de Blois contemplou a embarcação até que desaparecessem, ao longe, as velas enfunadas. Recolhida em sua imaginação doentia, Susana pensava consigo mesma: "Estou satisfeita, a vitória me pertence".

Enquanto a embarcação atravessava o Canal do Norte, tudo era um desdobrar de adeuses e entretenimentos cariciosos. Aqui e acolá, sinais da costa acenando ao ânimo patriótico dos viajores, mas, quando o navio se afastou no segundo dia, a situação tornou-se muito diversa. Chegada a noite, com o vento favorável, a embarcação achava-se em pleno mar. O dia havia mergulhado num manto de indefinível tristeza. O próprio Abraão, segurando calmamente o cachimbo, fixava, olhos nevoados de lágrimas, o rumo da costa que ficava a distância. Em todos os espíritos a saudade eclipsando a esperança. Quando a escuridão noturna se fez de todo sobre a imensidade móvel das águas, o ancião de Belfast acendeu um archote e abriu o Novo Testamento.

— Esta noite — disse ele com voz grave e pausada — leremos o Livro ajoelhados.

Os presentes o acompanharam com singular interesse, genuflexos.

O velho Gordon, abrindo as páginas amareladas sobre mesinha tosca, onde se espalhava a luz bruxuleante, leu em voz alta todo o capítulo 27 dos Atos, que relaciona as notícias da viagem de Paulo de Tarso para Roma. Isso feito, voltou às páginas, deteve-se no versículo 15 e repetiu em solene atitude:

— *E sendo o navio arrebatado e não podendo navegar contra o vento, dando de mão a tudo, nos deixamos ir à toa.*

Depois da pequena repetição, o velhinho bondoso olhou para o alto e exclamou:

— Senhor, o navio de nossos bens foi arrebatado às nossas mãos, na terra em que nascemos. Nossa existência na Irlanda sofria inutilmente o golpe dos ventos contrários ao vosso amor e sabedoria. É por isso, ó divino Salvador, que aqui nos encontramos nesta casca de noz, esperando que se cumpram os vossos insondáveis desígnios!

O capitão Clinton, antigo corsário habituado a espoliar para não ser espoliado e a matar para não morrer, ao ritmo das leis rudes que imperavam no oceano, cercado por homens numerosos, armados de mosquetes, sabres e punhais, murmurou compungidamente:

— Louvado seja nosso Senhor Jesus Cristo!

Terminaram as orações e a luz foi apagada, a fim de evitar qualquer desperdício. Foi então que Cirilo, mais altamente tocado no coração, abraçou a velha genitora no seio das sombras, como a única pessoa indicada a lhe compreender a alma ferida. Constância percebeu a angústia do rapaz e falou-lhe com brandura:

— Deus sabe, meu filho, que é por seu amor que enfrentamos os abismos oceânicos.

Cirilo, contudo, não conseguia suportar por mais tempo as ondas de dor que se lhe represavam no peito. Afastando-se para um recanto escuro, onde sopravam as brisas favoráveis da noite, contemplou o céu estrelado e chorou amargamente...

IV
A varíola

Regressando à França, Susana demorou-se em Paris duas semanas, preenchidas com pequenas excursões e passeios ociosos.

Podia notar-se-lhe, agora, certa mudança de atitudes, tanto que se aproximou da casa de Madalena, a pretexto de lhe ser útil, de alguma sorte, nos dias aziagos da enfermidade de sua mãe.

A esposa de Cirilo, enfrentando heroicamente as dificuldades da situação, recebeu a visita com afeto e reconhecimento. A filha de Jaques lhe satisfez às mínimas perguntas sobre o embarque, o navio, as disposições do companheiro. Susana tinha uma resposta pronta a cada pergunta, em sua afabilidade artificiosa. A nota mais interessante, contudo, é que Antero de Oviedo, incumbido de trabalhar algum tempo em Paris, na transferência de importantes documentos para Versalhes, aproximou-se da moça de Blois de maneira surpreendente. A própria prima notou com simpatia semelhante atração, encorajando-lhes os sentimentos afetivos, pois Madalena sempre se preocupara com a sorte do rapaz, que crescera a seu lado, como irmão. A noite saíam, por vezes, a sós, frequentando o teatro ou excursionando ao luar, sobre as águas do Sena.

A filha de D. Inácio enganava-se, porém. Antero de Oviedo deleitava-se na sua companhia, porque Susana parecia possuir a chave que lhe abria o coração onusto[15] de paixões secretas e violentas. Ela começou a conquistar-lhe o espírito, revelando suas inclinações pelo filho de Samuel Davenport, discretamente, sondando-lhe os pensamentos. Retribuindo essas provas de confiança, o rapaz iniciou igualmente as suas palestras confidenciais, compreendendo que defrontava a primeira inimiga do venturoso casal. Na quinta noite de conversação solitária, entendiam-se francamente. Ambos estavam satisfeitos com o ensejo de um desabafo. Suas observações convergiam, invariavelmente, para os caprichos do destino. Antero teimava em afirmar que não conseguiria esquecer a prima, enquanto a jovem irlandesa confessava abertamente que não renunciaria aos seus propósitos e continuaria aguardando o ensejo de provar a Cirilo a intensidade do seu amor. Aquilo que a família Vilamil apreciava como afeição entre os dois era um desvairamento sem limites, oriundo do ódio que ambos alimentavam.

Afinal, Susana regressou a Blois, deixando na casa de Santo Honorato alegres e confortadoras impressões sobre o futuro do sobrinho de D. Inácio. Ao despedir-se, Madalena abraçou-a confiante e lhe pediu rogasse a Deus pela paz e saúde de Cirilo na América. Enviou ainda, por seu intermédio, breve mensagem a Jaques Davenport, lembrando-lhe que teria imenso consolo e justo prazer com a sua visita a D. Margarida, a quem parecia restar poucas semanas de vida, concluindo com votos afetuosos e protestos de nímia[16] dedicação e desvelado carinho.

Dois meses decorridos sobre a partida de Cirilo e a vida na casa dos Vilamil seguia monótona e repassada de expectativas amargurosas. Antero sentia-se quase feliz, achando-se como dantes, na qualidade de único rapaz a conviver com Madalena sob o mesmo teto, entre as vibrações fraternais do ambiente doméstico. Horas a fio, mirava-lhe o semblante que a dor espiritualizava, seguia-lhe o movimento das mãos, como se atendesse a determinação de poderoso ímã. Experimentava imensos desvelos pela prima, no entanto não se furtava ao ciúme violento, à paixão rude que o torturava de rijo, desde o dia em que ela se lhe escapara dos braços esperançosos. Alimentava o secreto desejo de que Cirilo se perdesse para sempre nos caminhos desconhecidos das terras inexploradas, a fim de conquistá-la devagarinho, entre amarguras, tormentos, dificuldades. Confiava em que o rival não tornaria à Europa e que a prima, fatigada na luta, se lhe rendesse

---

[15] N.E.: Muito cheio; repleto.
[16] N.E.: Excessiva, demasiada.

aos caprichos, aceitando-lhe o amparo, mais tarde ou mais cedo, nas reviravoltas do destino.

Atendendo a tais desígnios, depois de procurado certo dia por um dos credores mais exigentes de D. Inácio, recordou a soma que o marido de Madalena confiara ao fidalgo e recomendou-lhe consultasse o devedor, em sua própria casa, quanto às possibilidades do pagamento. Ouvindo-lhe o parecer, o inflexível Sr. Aurincourt dirigiu-se ao bairro de Santo Honorato, onde o antigo fidalgo lhe recebeu a visita, em companhia da filha.

Sem mais preâmbulos, o credor atacou diretamente o assunto, em presença da jovem senhora, acrescentando com alguma aspereza:

— Como o senhor não ignora, seu título vencido há muitos meses tem-me esgotado a paciência.

O tio de Antero corou, não somente em virtude da cobrança, como pelo modo por que era tratado naquela sala, diante da filha, que ele desejava manter alheia às suas dificuldades e que acompanhava o desdobramento do assunto, vexada e compungida.

— Compreendo a exigência, Sr. Aurincourt — retrucou o velho espanhol, perdendo o bom humor natural —; no entanto, continuo em disponibilidade, aguardando apenas uma determinação de Sua Majestade para me serem pagos os devidos vencimentos.

— Sinto muito — tornou o credor —, mas nada combinei com o soberano, e sim convosco. Não lhe podia emprestar dinheiro confiando em pessoas alheias. Confiei meus recursos à sua honra de fidalgo e não posso aceitar estes seus argumentos. Além do mais, espero as suas oportunidades há quanto tempo?

A última frase, pronunciada em tom sarcástico, pairou no ar, enquanto D. Inácio, confuso, buscou em vão um novo motivo para justificar-se. Muito pálida, reconhecendo a perturbação do genitor, Madalena interrogou com serenidade e nobreza:

— Qual é a importância do título?

— Oito mil francos — respondeu o visitante.

E a jovem senhora, com a expressão confortada de quem se achava em condições de atender à dignidade ferida, acentuou:

— Será razoável, meu pai, que o senhor resgate o título hoje mesmo.

— Entretanto... — resmungou D. Inácio indeciso, refletindo se devia aceitar o oferecimento da filha.

— Cirilo e eu — continuou Madalena solícita — teremos prazer em que o senhor se utilize dos nossos recursos.

D. Inácio, que sempre encontrava um dito chistoso no seu proverbial bom humor para enfrentar as situações mais difíceis, não sabia como dissimular a inquietação do sentimento paternal, mas, ante as palavras resolutas da filha e observando o cúpido olhar do credor, demandou o interior doméstico, extremamente desapontado, e trouxe a quantia, recebendo o título, de mãos trêmulas, depois de lançar à filha um olhar de sincero reconhecimento.

Ao fim de quatro meses após a partida de Cirilo, a situação doméstica era das mais penosas. Cresciam as obrigações forçadas, dos aluguéis do velho prédio, as despesas com o lacaio e duas servas, os dispêndios com o tratamento da enferma, as inadiáveis aquisições de gêneros e utilidades domésticas. Não obstante o auxílio de Antero, o quadro íntimo era formado de amargas apreensões. A saúde de D. Margarida ia de mal a pior, impondo à filha profundos desgostos e dolorosas vigílias.

Certa vez em que mãe e filha comentavam as aperturas do lar, D. Margarida lembrou duas velhas amigas da infância, em ótima situação financeira. Eram as senhoras Josefina Fourcroy de Falguière e Alexandrina de Saint-Medard, que lhe haviam sido companheiras de meninice, nos dias formosos do pretérito, em Toulouse. Quem sabe estariam dispostas a auxiliá-las com o empréstimo de algumas centenas de francos? Essa ideia acendeu muitas esperanças no cérebro cansado da enferma. Certo, ouvir-lhe-iam o apelo, ajudando-a naquelas angustiosas circunstâncias, com a desejável discrição. Madalena ouviu as sugestões da genitora, que lhe pediu as procurasse em particular, consultando-as em seu nome, para que fossem atendidas as necessidades mais urgentes. A esposa de Cirilo, no íntimo, revoltava-se contra os propósitos maternais; todavia, como proceder ante a insistência da enferma querida, de cuja ternura sempre havia recebido os mais doces carinhos? D. Margarida não desejava importunar o sobrinho em coisas mínimas e supunha que o expediente seria bem-sucedido. Madalena não podia desatender aos seus desejos afetuosos.

Um dia, pela manhã, demandou a rua das Nonnains-d'Hyères e parou diante da Abadia dos Celestinos, em cuja vizinhança se levantava a residência aristocrática de Madame Falguière, que a recebeu depois de largo movimento de criados arrogantes, em face dos seus trajes modestos.

Expôs, humilhada e receosa, o motivo da visita, mas as maneiras tímidas e sinceras não comoveram a dona da casa, que respondeu altivamente:

— Lamento muito não poder servi-la, pois há de reconhecer que sua mãe é apenas minha conhecida de tempos remotos e não existe entre nós credenciais de intimidade que justifiquem qualquer apelo a meu marido em seu favor.

— Ah, sim! Compreendo... — murmurou Madalena, afogando as lágrimas no peito.

— Diga a Margarida — prosseguiu a velha dama com rigorosa austeridade — que se resigne com a situação. Quanto a mim, é preciso que ela saiba que, se fui bafejada por um casamento feliz, tenho a vida repleta de grandes dissabores. Se os pobres padecem com as necessidades, os abastados sofrem muito mais com as obrigações.

E, depois de um olhar impiedoso e severo para com a visitante humilhada, acentuou:

— Além disso, você está moça e não será difícil arranjar trabalho. Que quer, minha filha? São as contingências da sorte. Há muitas casas nobres à procura de governantas.

A moça ruborizou-se. Não saberia dizer se a emoção lhe provinha da dignidade ofendida, se da extrema vergonha que lhe cobriu o coração. Quis lançar-lhe em rosto a repugnância que sua descaridosa atitude lhe causava, mas limitou-se a responder:

— De qualquer modo, senhora, minha mãe e eu lhe ficamos reconhecidas. Deus permita que nunca venha a experimentar nossa angústia.

A senhora Falguière esboçou um sorriso intraduzível e Madalena saiu, tomada de repulsa, quase em desesperação. Em plena rua enxugou as lágrimas e refletiu se deveria procurar a Senhora de Saint-Medard, à vista do insucesso da primeira tentativa. Experimentou sincero desejo de furtar-se a nova humilhação, mas recordou as lágrimas da mãezinha doente quando rememorava os antigos tempos de alegria com as inolvidáveis companheiras da infância, em Toulouse. D. Margarida estava tão confiada na sua afeição sincera que a esposa de Cirilo considerou praticar uma falta se deixasse de ir até o fim. Mergulhada em profundas cismas, concluiu que tudo deveria fazer por amor à genitora. Possivelmente, a outra amiga seria mais condescendente e razoável. Nessa esperança, procurou outra casa elegante nas proximidades do mesmo local. Anunciada por lacaios solícitos, foi recebida, numa antessala luxuosa, por velha senhora que, pelos modos, parecia mais rígida e protocolar que a primeira. Só então a filha de D. Inácio pressentiu que a experiência, ali, talvez lhe fosse mais dolorosa.

No seu natural acanhamento, expôs o motivo da visita, mas a Sra. de Saint-Medard, fixando-a com estranheza, falou com ar escarninho:

— Ah! recordo-me sim; você é Madalena, pois não?

— Para servi-la, minha senhora.

— Você já leu, porventura, uns versos do Sr. La Fontaine[17] sobre a cigarra e a formiga?

Madalena estranhou a pergunta, mas, na ingenuidade de quem repousa com boa-fé, guardando no coração sinceridade cristalina, retrucou sem a menor preocupação:

— Sim; mas que deseja dizer com isso?

— Pois diga a D. Margarida — continuou a Sra. de Saint-Medard, com profunda ironia — que ela e D. Inácio muito cantaram em Granada e que é justo dançarem agora em Paris.

Madalena ficou lívida. Na primeira porta, encontrara fria altivez; na segunda, escárnio cruel. Contemplou a interlocutora com o pranto a lhe saltar dos olhos e exclamou:

— Passe bem, senhora.

Desceu a escada, à pressa, com as ideias em torvelinho. Atravessou o jardim e viu-se em plena rua, sem se deter na observação de coisa alguma. As lágrimas molhavam-lhe o rosto, ao passo que, em seu coração, furiosa tempestade de revolta abafava-lhe os sentimentos. Onde guardara as forças morais para não revidar o insulto execrável? Percorria ruas e praças, a pé, automaticamente, engolfada na repulsa que lhe dominava o espírito. Na imaginação exacerbada via a velha genitora quase agonizante, a confiar nas afeições falazes, e o pai decrépito, sem energias para defender o lar da ironia dos ingratos. Se as suas lágrimas eram de amargura, originavam-se muito mais na humilhação dos melindres filiais.

Ao dobrar uma esquina, porém, num recanto solitário, deparou-se-lhe um nicho da tradicional devoção popular, que lhe chamou a atenção. Inexplicavelmente, sentiu súbita necessidade de orar, de maneira a afugentar

---

[17] Nota de Emmanuel: As Fábulas de La Fontaine, em seu conjunto, surgiram entre 1668 e 1693, mas, como trabalhos isolados, algumas já eram conhecidas em Paris no ano de 1663, que assinalou justamente a entrada do poeta para a Academia.

os pensamentos de revolta e amargor. Encaminhou-se ao oratório da fé pública e viu a imagem de Jesus Crucificado, simples, sem adornos, apenas encimada por minúsculo teto de madeira, que resguardava a obra de arte das intempéries. Contemplou, enlevada como nunca, a relíquia do povo e orou, através do véu de lágrimas, pelas chagas sangrentas e pela coroa de espinhos que pendia da fronte dilacerada. Como simples criatura anônima, ajoelhou-se no pó da via pública, invocando a proteção do "Cordeiro de Deus que tira o pecado do mundo". Nesse momento em que se humilhava, qual jamais fizera em ato de contrição religiosa, a filha de D. Inácio experimentou uma sensação de consolo que jamais conhecera em tempo algum. Dir-se-ia que sua alma sofredora assinalava a presença de um Anjo, invisível aos olhos mortais, a passar-lhe as mãos pela fronte com suavidade cariciosa. Doces emoções da maternidade elevaram-se-lhe do coração ao cérebro. A consciência parecia dilatada a uma esfera de compreensão divina. Ao bafejo da energia desconhecida, chegava a conclusões rápidas e profundas. A dor não mais a humilhava, antes lhe engrandecia o coração. Sentia algo semelhante a uma voz falando-lhe no imo da alma, em vibrações de suave mistério. Teve a impressão indefinível de que alguém lhe tomava o braço com afagos brandos, convidando-a a erguer-se. Nunca soubera pensar em Cristo como naquela hora inesquecível. Em poucos momentos, os olhos estavam enxutos. O profundo e carinhoso nome de mãe ressoava-lhe no peito como incompreensível e sublime esperança. Quem era o homem da Terra, e quem era Jesus? Essa pergunta que se lhe apoderara da mente, como se fora sugerida por alguém, de plano mais alto, proporcionava-lhe infinita consolação à alma ferida. As angústias do dia se desvaneceram como incidente fugaz. Os algozes do Cristo deviam ter sido muito mais cruéis que as senhoras de Falguière e Saint-Medard, que não passavam, aliás, a ajuizar por sua conduta, de duas mulheres ignorantes e orgulhosas, a abusarem das possibilidades do mundo. E que era a sua mágoa comparada à do Mestre que se imolara pelos pecadores? Sofria muito naquela hora, em retribuição aos carinhos e dedicações maternais, mas Jesus aceitara o madeiro por amor aos bons e aos maus, aos justos e aos injustos. Beijou então, comovidamente, a pequena cruz e encaminhou-se para casa, sentindo-se amparada por uma força invisível que jamais conseguiria definir.

Abraçando a mãezinha doente, sentiu que era indispensável mentir para confortar; esconder a verdade dura, de modo a não abrir chagas mais cruéis. Sentindo-se forte e bem-disposta ao influxo das forças desconhecidas que a amparavam, beijou a enferma com muito carinho, enquanto esta a interrogou com um sorriso de confiança:

— Chegaste a obter pelo menos mil francos, minha filha?
— Infelizmente, minha mãe, as nossas amigas não estavam em casa.
— Oh!... — exclamou a doente sem disfarçar a tristeza súbita.

E começou a lembrar outros nomes, desejosa de encontrar um recurso pronto para a situação. Mas a filha, percebendo que seu espírito, cheio de boa-fé, voltaria a renovar as solicitações afetuosas, procurou confortá-la, dizendo:

— O essencial, mamãe, é que a senhora fique tranquila, sem preocupações. De outro modo, não alcançará as melhoras desejadas. Jesus não nos esquecerá. Além disso, o tio Jaques não tardará a chegar. Amigo de nossa confiança, sentir-nos-emos mais à vontade para tratar desse empréstimo.

— Ah! sim, será mais prático... Esperaremos — disse D. Margarida, resignada.

E Madalena tinha razão, porque Jaques Davenport daí a três dias batia-lhe à porta em visita afetuosa. A sobrinha sentiu imensa alegria apertando-lhe as mãos benfazejas. Depois de palestra cordial com D. Inácio Vilamil, o bondoso amigo entrou a ver a querida enferma, considerando muito grave a situação, pelo seu penoso abatimento.

Psicólogo profundo, o educador de Blois leu no semblante de Madalena a expressão do velado martírio doméstico.

D. Margarida, altamente confortada com a visita, contava, em detalhes, seus padecimentos diuturnos. Dormia pouquíssimo em vista das aflições ininterruptas; alimentava-se com extrema dificuldade, por ter o estômago ferido, intoxicado pela multiplicidade das drogas em uso; as pernas muito inchadas impediam-lhe os movimentos livres, forçando a filha a exaustivos esforços. Jaques reanimou-a, sinceramente comovido, comentando a situação de outros doentes em situação mais precária, afirmava ter visto casos idênticos, com sintomas mais graves e que, no entanto, não passavam de fenômenos orgânicos passageiros, em certas fases de desequilíbrio físico. A doente sorria, quase satisfeita, a demonstrar novo ânimo no semblante abatido, mas, na intimidade, quando se retirou do aposento, Jaques chamou a sobrinha de parte, mudou de semblante e falou penalizado:

— Minha filha, Deus te conceda forças para a luta, porque tua mãe está vivendo os derradeiros dias.

— Compreendo... — murmurou ela, enxugando uma lágrima.

— Apega-te à fé, Madalena. Em tais instantes, o socorro humano, por mais eficiente que o consideremos, é sempre precário. Devemos estar certos, porém, de que Deus tem um bálsamo para todas as angústias do coração.

A sobrinha não conseguiu responder, sentindo que a emoção lhe constringia a garganta, mas, penetrando as necessidades mais sutis, e, longe de ferir o coração da filha, com expressões menos generosas, o carinhoso amigo acrescentou:

— Madalena, Cirilo me recomendou, no último encontro em Blois, te trouxesse mil e quinhentos francos, que representam velha dívida minha para com ele. Guarda-os. Neste transe, não faltará ensejo de os empregar utilmente. E na hipótese de necessitares mais alguma coisa, não te esqueças, filha, que me encontro a teu lado para todas as providências que se façam precisas.

A filha de D. Inácio recebeu os 1.500 francos da lembrança generosa, imensamente comovida. Consoladora satisfação inundou-lhe a alma, porquanto era possível atender agora aos pequenos caprichos da enferma, a quem encheu de mimos, entre doces ternuras do coração.

Jaques esperou no dia seguinte o Dr. Dupont, com quem se manteve em demorada conferência. Aquelas manchas violáceas, que a doente apresentava à flor da pele, não o enganavam. O médico reafirmou-lhe a convicção, declarando, discretamente, que D. Margarida não podia viver mais de uma semana. À vista do prognóstico, o educador de Blois adiou o regresso, na intenção de ser útil aos Vilamil em alguma coisa.

Com efeito, a matrona piorava dia a dia, dando a todos impressão dolorosa de lenta agonia. Não permitia que a filha se afastasse nem um minuto sequer. Falava-lhe, comovedoramente, do futuro e pedia-lhe que embarcasse para a América, a reunir-se ao esposo, tão logo lhe fechassem a cova. Nada obstante, rogava-lhe igualmente por Antero, por quem sempre experimentara desvelos maternais. A situação de D. Inácio era também objeto de suas conversações *in extremis*.[18] A pobre senhora não sabia como alvitrar soluções a Madalena, que a ouvia, olhos marejados de pranto. O velho fidalgo acompanhava os sofrimentos físicos da esposa, com o coração angustiado, enquanto o sobrinho, que lhe consagrava imensa afeição,

---

[18] N.E.: Expressão latina que significa "nos últimos instantes de vida".

desdobrava-se em atenções e sacrifícios para que fossem satisfeitos os seus menores desejos. Jaques Davenport ali estava cabisbaixo e silencioso, aguardando o fim daqueles padecimentos, que parecia muito próximo.

Na derradeira noite, D. Margarida confessava-se aliviada e mais lúcida. Tal circunstância alegrava a todos, enchendo os parentes de sinceras esperanças. Os homens e as servas recolheram-se mais cedo; Madalena, porém, conservando no espírito sombrios presságios, manteve-se vigilante ao lado da genitora, que parecia mais calma e repousada.

Sentindo-se só com a filha, D. Margarida mirou as unhas roxeadas, levou a mão ao peito como a examinar o próprio coração e falou compassadamente:

— Madalena, esta melhora é a primeira visita da morte. Não nos devemos iludir.

— Ora, mamãe — turturinou a esposa de Cirilo depois de um beijo afetuoso —, não fales assim. O médico retirou-se hoje muito satisfeito e papai ficou tão contente!...

A enferma ouviu-a atenta, patenteando grande comoção nos olhos rasos de lágrimas.

— O Dr. Dupont poderá ter falado com otimismo a Inácio, mas também ouço uma voz que me fala aqui dentro do coração. Minhas horas estão contadas. Dou graças a Deus por levar-me deste mundo sem ódio a ninguém. Levo comigo tão somente as mágoas justas de mãe, por deixar-te na Terra, à mercê de lutas bem ásperas, mas rogarei a Jesus para que te reúnas a Cirilo em breves dias. Penso, também, em Antero, que criei como filho querido. Quanto a Inácio, espero em Deus nos possamos reunir brevemente, na eternidade!

Sua voz tinha entonações lúgubres, e Madalena soluçava baixinho, angustiada, incapaz de responder.

— Não chores, filha. Curvemo-nos resignados aos sagrados desígnios de Deus. Certamente, o futuro ainda te reservará muitos dissabores. Vais ser mãe também e compreenderás a montanha de sacrifícios que importa escalar por amor aos filhos; no afã das lutas e sofrimentos, não te esqueças da confiança sincera no Todo-Poderoso. Toda as mulheres, e mormente todas as mães, precisam compreender o valor da renúncia, da caridade, do perdão. O caminho do mundo está cheio de malfeitores. Aqui ou ali, a ingratidão insulta e o egoísmo calunia. Somente a fé pode proporcionar o escudo indispensável à alma ansiosa e ferida. Nunca percas a fé, minha filha, ainda que os padecimentos sejam os mais duros. Recorda a mãe de Jesus em seus martírios e resiste às tentações.

Depois de longa pausa para tomar fôlego, continuou com visível emoção:

— Deus é testemunha de que eu muito desejava recuperar a saúde para esperar o fruto do teu amor, envolvendo-o nos meus carinhos de avó, mas o Senhor, certamente, tem outros desígnios.

Ouvindo a terna observação, Madalena murmurou entre lágrimas:

— O Céu nos restituirá a alegria, minha mãe. Ficarás junto de mim por todo o sempre.

— Ainda esta noite — prosseguiu D. Margarida com ternura — sonhei que minha mãe vinha buscar-me. Apareceu como nos meus tempos de criança, a brincar descuidada às margens do Garona. Ela chegou, muito meiga, tomou-me nos braços e perguntou, depois de um beijo, por que me havia demorado tanto, longe dos seus carinhos. Ah! Deve haver uma estância além desta, onde nos encontremos com os mortos bem-amados. A vida é mais bela e infinita do que supomos. Deus, que nos uniu nas estradas do mundo, não poderá separar-nos para sempre...

A voz tornava-se melancólica, arquejante. A evocação do sonho pareceu transportá-la a divagações diferentes. Nos olhos muito brilhantes pairavam reflexos de luz extraterrena. A filha acompanhava-lhe a mutação fisionômica, com um misto de ternura e dor indescritíveis. Recordava-lhe os sacrifícios domésticos e o heroísmo maternal, que o mundo não conhecera. Lembrava suas cartas afáveis e consoladoras ao tempo do internato. Ela, que conhecia as leviandades do pai e as dificuldades em que viviam, sempre notava que a genitora nunca tivera uma palavra de blasfêmia ou falsa virtude, em toda a sua vida.

— Madalena — continuou D. Margarida, com a mesma emotividade —, se Deus te mandar uma pequenina, dá-lhe o nome de Alcíone, em memória de minha mãe. Não sei por que mistério a sinto aqui ao nosso lado, esperando-me talvez no limiar do sepulcro. Desde ontem, sinto-me impressionada por deixar-te sem recursos monetários que te garantam a tranquilidade, até te reunires definitivamente a teu marido. À noite passada, muito refleti sobre isso, porque nem mesmo as minhas velhas joias puderam escapar no sorvedouro de nossas economias domésticas. Mas, agora, minha filha, ouço no íntimo a voz de minha mãe, que me sugere deixar-te nosso velho crucifixo de madeira, confidente de nossas lágrimas.

Apontou para o pequenino oratório e acentuou:

— Guarda-o bem contigo, porque não haverá maior tesouro que o do coração unido ao Cristo.

Madalena chorava discretamente. D. Margarida, porém, continuou falando, mas, agora, parecia responder a interpelações de uma sombra. Debalde, a filha tentou desviar-lhe a atenção para outro assunto. Seus olhos, imensamente lúcidos, davam a impressão de contemplar outros horizontes, muito além das quatro paredes do quarto lúgubre. Madalena alarmou-se, mas procurou manter-se calma, sem chamar os que repousavam de longa vigília. Todavia, de manhã despertou as criadas e chamou D. Inácio para comunicar o agravamento da situação. D. Margarida, após a última conversação, caíra em coma. Raiara a manhã em dolorosas perspectivas. Antero segurava as mãos da agonizante e D. Inácio buscou um sacerdote para ministrar os últimos sacramentos à enferma. O professor de Blois assistiu ao traspasse, em silêncio, procurando confortar a cada qual.

À tarde, sem mais palavra, D. Margarida entregara a alma a Deus, perfeitamente tranquila. A esposa de Cirilo não saberia definir a própria dor, mas, amparada na fé, amortalhou o cadáver entre flores e orações tão doridas quão fervorosas.

No dia seguinte, Jaques acompanhou o funeral e, após as cerimônias lutuosas, insistiu com Madalena para que o acompanhasse a Blois, de modo a descansar alguns dias. A jovem, entretanto, reconhecendo o extremo abatimento do pai, recusou o oferecimento carinhoso, apresentando delicadas escusas. D. Inácio, de fato, mostrava-se profundamente acabrunhado. Não seria razoável deixá-lo em Paris, em tal estado. O tio de Cirilo estendeu o convite aos demais. Partiriam todos em sua companhia e, depois de algum repouso em seu velho parque, voltariam à capital, retomando as preocupações e os misteres. Intimamente, Madalena desejou aceitar a proposta generosa, mas D. Inácio se opôs. Alegava que seria muito mais difícil consolar-se da perda que acabava de sofrer se partisse com a obrigação de regressar mais dia, menos dia. A seu ver, deveria enfrentar as impressões amargas, combatê-las até o fim, mesmo porque, depois da volta de Cirilo, pretendia tornar a Granada, a fim de aguardar a morte, já que a viuvez nunca lhe permitiria completa felicidade na colônia distante. Nem os pareceres de Antero, nem as propostas afetuosas da filha conseguiram modificar-lhe as intenções.

Foi assim que Jaques Davenport regressou ao lar, daí a dois dias, com a promessa de Antero de conduzir a prima a Blois, tão logo chegassem a um acordo com D. Inácio. O velho educador, na intimidade, foi mais explícito com o rapaz. Insistia nos seus propósitos, porque desejava que Madalena tivesse a criança em casa dele. Antero demonstrou acatar-lhe o desejo, nada obstante o ciúme feroz que lhe roía o coração, e assumiu o compromisso de acompanhá-la daí a dois meses.

Sentindo-se profundamente só após o falecimento da mãe, Madalena Vilamil repartia a existência entre os deveres domésticos e as orações, na casa enlutada e silenciosa.

Entretanto, não havia decorrido um mês sobre o triste desenlace quando a residência de Santo Honorato passou a partilhar das angústias imensas que começavam a pesar sobre a população parisiense.

Reboara na cidade a notícia alarmante. Alastrava-se um surto variólico de enormes proporções. Toda a cidade esfervilhava em rebuliço. Segredava-se à surdina que a moléstia irrompera entre os imundos prisioneiros da Bastilha, conquanto alguém afiançasse que o boato fora lançado adrede pelas personalidades eminentes, de modo a desviar a atenção pública de alguns fidalgos recém-chegados da Espanha, atacados do mal, e que haviam procurado socorro em Paris, sem qualquer preocupação pela saúde do povo.

A terrível moléstia, trazida à Europa pelos sarracenos no século VI, era, então, o terror das cidades populosas. A capital francesa já conhecia as suas características execráveis e, por isso mesmo, suas colmeias humanas permaneciam desoladas e inquietas. Enquanto a moléstia circunscrevia-se às moradas confortáveis dos mais abastados, houve meios de ocultar os quadros mais tristes. Em poucos dias, no entanto, a população experimentava os penosos efeitos da epidemia fulminante.

Ninguém mais se preocupava com os jogos da pela,[19] da malha ou da argola. Véu espesso de sinistras apreensões cobriu a coletividade, de um dia para outro. Os casos positivos e dolorosos não mais ficavam ocultos pelo insulamento nos palacetes de luxo das ruas aristocráticas. As habitações burguesas da Cité e da Ville povoavam-se de cenas angustiosas. A Universidade tomava medidas extremas, em face dos imprevistos. Os doentes numerosos

---

[19] N.E.: Jogo da pela é um jogo muito praticado outrora, que consistia em atirar uma bola (a pela) de um lado para o outro, com a mão ou com o auxílio de um instrumento (raquete, bastão, etc.), em local aparelhado para esse fim.

surgiam da rua São Dinis, da Plâterie, da Tixanderie. Criaturas míseras tombavam, sem recursos, junto do antigo local da Cruz Faubin. Arrabaldes como Santa Genoveva, Santo Honorato e Montmartre começaram a exibir quadros dolorosos. No bairro de São Dinis, ao longo da região tradicional da cerca de São Ladres, davam-se óbitos numerosos. As aldeias que se erguiam nos arredores não eram menos devastadas; Issy, Montrouge e Vincennes participavam em larga escala dos padecimentos em curso. Improvisavam-se cemitérios nas grandes planícies, embora a autoridade eclesiástica ordenasse a abertura de um local isolado, no velho Cemitério dos Inocentes, para os mortos cujas famílias pudessem custear as despesas do sepultamento.

Ninguém mais se atrevia aos passeios de barca no Sena, cujas águas inspiravam temor.

Em Courtille e Vanvres, organizavam-se socorros apressados, mas eram raras as pessoas dispostas aos serviços de assistência.

O êxodo foi iniciado com penosas características.

A Corte de Luís XIV, desde os princípios da epidemia, recolhera-se ao conforto de Versalhes, rodeada de sentinelas alertas. As correntes de retirantes, porém, marchavam com enorme dificuldade nas estradas de Évreux, de Compiègne, de Auxerre, de Blois, assomadas de contagioso pavor.

É que o surto epidêmico não se constituía de simples sintomas passageiros, com características benignas. Tratava-se da varíola negra, hemorrágica, com um coeficiente de mortalidade apavorante. Quem escapasse da morte não fugiria à horrível deformação do rosto.

Numerosas casas religiosas abriram, caridosamente, suas portas aos enfermos. Havia postos de socorro nos templos de Nossa Senhora, de São Jaques do Passo, de São Germano dos Prados. Abrigos generosos foram instalados pelas "Filhas de Deus", na rua Montorgueil. As autoridades concentravam a maior parte dos trabalhos de providência. O preboste desenvolvia medidas enérgicas, com a colaboração da Universidade, mas, dado o terror que se instalara no ânimo popular, agravavam-se o descuido e a indiferença pelos doentes, o que fazia aumentar o obituário para vinte e trinta por cento, em vez de dez, como de outras vezes, em epidemias anteriores. Ninguém, todavia, desejava arriscar a pele ou a vida. Eram bexigas[20] negras, e, por detrás das pústulas repelentes, estava a deformação ou a morte. Não se encontravam

---

[20] N.E.: Nome dado à varíola ou às marcas deixadas por essa doença.

médicos nem outros serventuários de enfermagem. Apenas alguns sacerdotes abnegados visitavam os lares cheios de pranto e luto, levando o conforto de suas experiências ou as palavras carinhosas da extrema-unção.

Cada casa atingida era marcada com um grande sinal vermelho na porta de entrada, por ordem dos superintendentes do serviço.

O povo fazia oferendas espetaculosas nos altares dos templos. A igreja de Santa Oportuna estava repleta de devotos, dia e noite, a reclamarem milagres. A plebe parecia alucinada. Os homens de ideias liberais eram acusados de provocadores da peste, então havida como castigo do Céu, e a multidão pedia que eles fossem queimados no forno do Mercado dos Porcos. Sucediam-se procissões e exorcismos. Numerosas famílias dispunham dos bens a qualquer preço e dirigiam-se para os portos do Atlântico, a caminho da América do Norte.

Nas ruas, todas as cenas de funerais eram pungentes e dolorosas. De quando em quando surgiam mulheres loucas, em penosa algazarra, obrigando os gendarmes[21] a medidas mais violentas.

Entretanto, o mais monstruoso, em tudo isso, é que alguns agonizantes estavam sendo sepultados antes do derradeiro sopro de vida. Quase todas as atividades da ordem pública, nessas lamentáveis circunstâncias, estavam afetas a homens indignos, que assalariavam o esforço de truões sem escrúpulos. Não eram poucas as casas nobres depredadas em seus tesouros. Valia-se, então, do terror para extorquir e abusar. Muitos crimes, nessas condições, foram perpetrados na sombra, com plena segurança de impunidade.

Nos cemitérios improvisados nas planícies e nas aldeias próximas, não era difícil ver um que outro moribundo atirado à vala comum, entre gemidos.

O soberano dera ordens para que fossem contratados homens honestos para os serviços, mas os operários mais honrados não haviam acorrido, permanecendo na tarefa gigantesca de salvação da própria família. Trabalhadores boçais e embriagados tinham permissão de invadir as residências marcadas com o sinal fatídico a fim de remover cadáveres ou doentes graves para os núcleos da rua do Forno.

Essa vaga imensa de provações coletivas abrangeu a residência de Santo Honorato num véu de tristezas e preocupações infinitas. Madalena, mal se refizera do golpe sofrido com a perda de sua mãe, mantinha-se em

---

[21] N.E.: Militares pertencentes a um tipo especial de corporação, que têm o encargo de velar pela ordem e segurança pública na França e em alguns outros países.

atitude quase indiferente, incapaz de ponderar a gravidade do perigo que os ameaçava, mas D. Inácio e Antero estavam aflitíssimos.

Como acontecera ao grosso da população, os Vilamil só vieram a conhecer a terrível realidade quando já sitiados por numerosos casos na vizinhança. Depois de muito confabular, tio e sobrinho resolveram a mudança para os subúrbios de Versalhes, sem perda de tempo. Era inútil procurar a zona de arrabaldes parisienses. A moléstia espalhara-se por todos os recantos. Apenas Versalhes poderia oferecer alguma segurança, pelo grande número de guardas que obrigavam os retirantes a tomar o rumo de Évreux, para não infestar a zona destinada às figuras mais importantes da Corte. Antero poderia obter concessões, em vista de suas ligações com os funcionários de relevo. Não havia como hesitar nas medidas urgentes.

O sobrinho de D. Inácio saiu à tentativa, mas tamanhos eram os obstáculos que só conseguiu o que pretendia após esfalfantes trabalhos de cinco longos dias. Conseguida a casinha modesta que os poria a salvo, o rapaz voltou a Paris para conduzir os familiares, mas a primeira surpresa dolorosa esperava-o qual espectro de amarguras inevitáveis.

Na véspera, uma das antigas servas de D. Margarida, de nome Fabiana, caíra de cama, com febre alta e todos os sintomas graves da epidemia.

D. Inácio sentiu imenso alívio com o regresso do sobrinho, a fim de assentarem as medidas salvadoras, indispensáveis.

Em vão Madalena rogou que encarassem a situação sem pavor, insistindo mesmo para que Fabiana fosse guardada, discretamente, sob seus cuidados. D. Inácio divergia da filha, ao mesmo tempo que Antero retrucava:

— É impossível, Madalena. A situação e o momento não comportam tergiversações e condescendências, a título de generosidade. Chamarei os encarregados do serviço de saúde pública a fim de remover a rapariga para os centros de socorro, mesmo porque só nos falta o carro para Versalhes.

Ela esboçou um gesto de mágoa e sentenciou:

— Mas esses funcionários são homens insensíveis e cruéis.

— Que fazer, filha? — atalhou D. Inácio, tentando convencê-la de vez. — Antero tem razão e, além de tudo, se esses homens são, por vezes, grosseiros e intratáveis, representam o contingente único de que dispomos e não seria lícito desprezá-los.

— E se fosse um de nós o necessitado? — interrogou subitamente a jovem, num ímpeto de salvar a antiga serva de sua mãe.

Os dois perceberam o alcance e significação da pergunta, entreolharam-se admirados, mas D. Inácio, dando a entender que não podia aprovar qualquer indecisão naquele momento, exclamou para o sobrinho resolutamente:

— Não podemos divagar. Vai chamar os homens para a remoção da enferma e, se possível, traze contigo a carruagem que nos leve.

O rapaz não vacilou. O velho fidalgo, agora só com a filha, fazia-lhe sentir a gravidade do perigo e frisava a nobreza da sua intenção. Madalena concordou. Era o genitor que falava e não seria justo menosprezar suas afirmativas e determinações. Entretanto, não podia conter as lágrimas copiosas.

Antero não se demorou muito. O serviço de assistência mandaria os homens naquela mesma tarde. A carruagem, essa é que não foi possível encontrar. Depois de leve refeição, saiu novamente num esforço supremo. Necessitava de um veículo que comportasse quatro a cinco pessoas. Todavia, a condução desejada não foi obtida em parte alguma.

Quase à tardinha, voltou profundamente descoroçoado. O tio, que se contaminara de lastimável pavor, procurou confortá-lo, mas alvitrou que se retirassem a cavalo no dia seguinte. D. Inácio, profundamente impressionado com as cenas tristes da rua, suspirava por um meio de abandonar a cidade, de qualquer modo. A princípio, refletiu mesmo na possibilidade de partirem a pé, mas isso seria muito arriscar. Os caminhos estavam cheios de doentes sem lar, de fisionomias deformadas, estendendo as mãos horrendas e sujas à caridade dos fugitivos sãos.

Antero aceitou a nova sugestão. Arranjaria cavalos para o dia imediato. Mal terminavam as combinações, chegaram os assalariados da assistência, a fim de removerem Fabiana para a rua do Forno. A primeira medida foi lançar o tremendo sinal vermelho na porta. D. Inácio sentiu-se mal com o atrevimento dos rudes enfermeiros, mas, por outro lado, considerou que partiriam no dia seguinte para Versalhes.

— Por que essa identificação na porta quando vamos afastar daqui a única doente? — interrogou Antero sem disfarçar a contrariedade que o assaltara.

— Sim — foi-lhe respondido —, retiramos a enferma, mas não sabemos se estamos afastando a enfermidade.

D. Inácio acolheu a resposta ao sobrinho com irreprimível espanto, mas calou-se na suposição de que, em breves horas, estaria respirando outros ares.

Foi muito comovedora a despedida entre a esposa de Cirilo e a velha serva, que a havia acalentado quando menina. O genitor e o primo impediram

Madalena de abraçá-la pela última vez quando passava pela sala, carregada por grosseiros condutores. A filha de D. Inácio, no entanto, confortou-a com palavras amorosas, ditas em voz alta. Sensibilizada com aquela manifestação de carinho, Fabiana fez um esforço e falou com doloroso acento:

— Não chore, minha menina. Se eu sarar, voltarei da rua do Forno para seguir seus passos; e, se morrer, hei de encontrar minha senhora na eternidade.

A jovem Madalena mal podia conter o pranto, apesar das observações quase ásperas do pai.

A noite caiu, pesada e angustiosa.

Logo depois de sair a serva, o velho fidalgo começou a queixar-se de prostração geral com sensações dolorosas em todo o corpo. Daí a horas, explodia a febre devoradora, do período de incubação da enfermidade. Madalena e o primo rodearam-lhe o leito penosamente surpreendidos. Ante as lágrimas da filha e as preocupações do rapaz, D. Inácio ponderava com firmeza:

— Fiquem tranquilos, filhos! Estes sintomas não podem ser os da moléstia execranda. Acredito que a modificação do nosso alimento habitual, imposta pelas circunstâncias, tenha-me prejudicado o estômago. Esta febre é natural.

Mas os gemidos abafados, a transformação fisionômica devido à febre não podiam enganar.

A filha não conseguira dormir. O doente não conseguia acalmar a sede abrasadora. Em vão recorrera a calmantes e tisanas outras, próprias da época. A manhã surgiu com alarmantes perspectivas. Depois de ouvir a prima, Antero procurou o quarto do enfermo, notando-lhe o profundo abatimento.

— Não te impressiones comigo — dizia D. Inácio num esforço heroico para conseguir a retirada de Paris. — Creio que não poderei sair a cavalo, mas é possível que encontremos algum carro, ainda hoje...

O sobrinho, comovido, procurou confortá-lo, prometendo acelerar as providências.

Retirando-se, tratou de trocar ideias com a prima sobre o que poderiam fazer. Madalena não conseguia ocultar o pessimismo. Para ela não havia dúvidas. Era positivamente a varíola em fase de incubação. E para que D. Inácio não fosse transportado aos grandes centros de socorro, onde a promiscuidade parecia convocar a morte mais depressa, era imprescindível o máximo cuidado, em vista da identificação da porta. Aquele sinal vermelho era inexorável. Preocupadíssimo, Antero voltou novamente a procurar condução para Versalhes. Tinha a impressão de que a moléstia seria benigna se tratada noutro ambiente, longe da pesada atmosfera de Paris. Todos os esforços foram vãos. Ansioso por atenuar os rigores da situação doméstica, procurou um médico que se devotasse ao tratamento do velho tio, mas debalde buscou valer-se dos seus conhecimentos e relações. Os que não estavam foragidos estavam prostrados, sem esperança. Disposto a alcançar qualquer recurso, demandou o templo Magloire, onde antigo sacerdote atendia aos pobrezinhos.

O padre Bourget recebeu-lhe a solicitação com muito carinho. Já tivera bexigas, noutros tempos, sentindo-se à vontade entre os doentes numerosos.

Antero respirou. Era a primeira pessoa que lhe falava com sincera tranquilidade. O abnegado irmão dos sofredores acompanhou-o à casa cheia de inquietação, examinou detidamente o enfermo que lhe seguia os menores movimentos com angustiosa desconfiança e acabou dirigindo-lhe palavras confortadoras, filhas do seu hábito de consolar todos os aflitos. Em particular, contudo, dirigiu-se à jovem senhora e ao rapaz, dizendo-lhes:

— Em casos como este há que encarar os acontecimentos com o máximo de resignação e fé em Deus. Não devo ocultar-lhes que o doente inspira sérios cuidados. Além da varíola, perfeitamente caracterizada, há outros sintomas graves.

Madalena quis inteirar-se de tudo, conhecer os pormenores, mas sentia-se impossibilitada de falar como desejava.

— Aqui virei duas vezes por semana — concluiu o bondoso sacerdote.

Antero e a prima queriam implorar que viesse mais vezes, que ficasse em sua companhia, mas, considerando que a cidade quase inteira estava ao abandono, calaram-se comovidos, certos de que seria pedir muito.

A situação doméstica prosseguiu torturante. Quando menos se esperava, surgiam os rudes auxiliares do serviço de saúde, compelindo Antero a maior vigilância, para que D. Inácio continuasse em casa, às ocultas. Madalena desdobrava-se em sacrifícios silenciosos. Desvelada e carinhosa, quase não arredava pé do leito do genitor, que piorava a olhos vistos. O velho fidalgo passava longas noites em franco delírio. Tinha frases estranhas, desconexas, induzindo a filha e o sobrinho a graves reflexões.

Ao fim de uma semana, caiu a outra serva dos Vilamil e, no dia seguinte, o lacaio apresentou os mesmos sintomas. Antero não vacilou e mandou remover ambos.

Agora, como acontecia em grande número de casas nobres, ele e a prima eram obrigados a executar os mínimos serviços caseiros.

Durante quatro dias, os problemas domésticos foram solucionados satisfatoriamente, apesar dos sacrifícios que se impunham; no quinto dia, porém, Madalena experimentou os primeiros sintomas do mal devastador. Aflitíssima, comunicou ao primo o seu penoso mal-estar. O rapaz inquietou-se vivamente. Dispôs o apartamento contíguo ao do enfermo, buscou tranquilizá-la, afiançando que, sozinho, se incumbiria dos trabalhos da casa. Ela aceitou o oferecimento, de olhos molhados. Havia dois dias que experimentava impressões orgânicas muito angustiosas e desejava repousar; todavia, abstivera-se de falar-lhe a respeito, obediente ao imperativo de suas tarefas pesadíssimas. O rapaz, entretanto, não só por cavalheirismo como pelo muito amor que lhe consagrava, consolou-a com as melhores mostras de carinho, que ela levou à conta de fraternidade sem mácula.

— Antero — disse preocupada —, não ignoramos a gravidade do estado de papai e não sei se chegarei ao mesmo estado...

— Não te acabrunhes — murmurou o rapaz solícito —, havemos de vencer a batalha. Tenhamos esperança nos dias que hão de vir.

— Tenho orado com fervor e não perderei a fé em Deus — acentuou a esposa de Cirilo, convicta. — A Providência Divina saberá a razão de nossas provas agudas, e somos bastante pequeninos para discutir os desígnios do Pai Celestial. Duas coisas, porém, te peço...

Nesse ínterim, a voz se lhe embargara em soluços.

— Dize, Madalena! Que não faria por ti? — exclamou o primo, ansiando por confortá-la com toda a ternura que lhe vibrava na alma.

— Não me deixes à mercê dos carregadores de doentes, caso a febre me transtorne os sentidos — disse comovidamente —, pois ignoro o que seria de mim na confusão das casas de assistência pública; e o outro favor é que mandes um emissário à Blois, chamando o tio Jaques de minha parte.

— Nunca te levarão para a rua do Forno — disse o rapaz com firmeza. — Ainda que eu também venha a adoecer, haveremos de encontrar um recurso. Quanto ao portador para Blois, é possível que não encontremos um mensageiro que vá e volte a Paris, mas poderei enviar uma carta ao professor Jaques, por algum fugitivo conhecido.

Madalena enxugou as lágrimas num gesto triste e sentenciou:

— Deus recompensará teus sacrifícios fraternais. Quanto a despesas, espero que Cirilo regresse da América mais breve do que penso, e então...

O rapaz cortou-lhe a palavra, murmurando:

— Não fales em despesas. O dinheiro não deve entrar nos problemas condizentes à nossa paz e saúde.

Naquele mesmo dia, Antero de Oviedo encontrou alguém que abandonava a cidade, rumo de Blois, e a carta a Jaques Davenport foi encaminhada com boa remuneração e especial carinho.

Daí por diante, o sobrinho de D. Inácio multiplicou as energias próprias para atender às necessidades dos dois enfermos, que lhe recebiam as demonstrações afetivas com profundo reconhecimento no olhar enternecido.

O padre Bourget, em suas visitas periódicas, meneava negativamente a cabeça diante do velho fidalgo, cujo estado se agravava com prenúncios de morte. Na segunda visita à Madalena, o generoso sacerdote chamou o rapaz, ao despedir-se, e disse:

— Meu filho, todos os meus deveres nesta calamidade pública têm sido amargos e dolorosos. Eis que devo, agora, cumprir mais um.

Antero fez-se lívido. A solidão angustiava-lhe o espírito. A princípio, esperou que Jaques ou Susana aparecessem dispostos a conduzir a enferma para Blois, mas oito dias já haviam passado da expedição da carta. Atormentado, procurou inutilmente as palavras com que pudesse alinhavar uma resposta ao sacerdote, quando este, notando-lhe a palidez, prosseguiu:

— Não te deixes abater pelo desânimo. Deus conhece os filhos que o amam na tempestade de amarguras, e é preciso amar o Todo-Poderoso, acatando-lhe a vontade justa. Apesar de nossos esforços, meu filho, não creio que teu velho tio possa viver mais de dois dias. Quanto à jovem, somente se salvará, porque Deus concede forças, que não compreendemos, aos corações maternos; seu estado, porém, é melindroso e difícil. Tenho quase certeza de que ela se curará da moléstia terrível, mas não sabemos quando poderá levantar-se da cama.

Antero de Oviedo sentiu funda revolta naquele penoso instante da vida. Embora reconhecido à boa vontade do sacerdote, experimentou um desejo forte de enxotá-lo com violência. Não haveria outras novas senão aquelas de angustiados vaticínios? Em outra ocasião, se estivesse diante de um médico, dir-lhe-ia pesados impropérios, mas a verdade é que ali estava rodeado pela varíola sinistra, sem amigos, sem ninguém. Mesmo assim, não disfarçou um gesto de profundo rancor e falou revoltado:

— Está bem, padre Bourget. Fico ciente de que o senhor nada mais tem a fazer aqui.

O velho ministro da Igreja contemplou o rapaz compadecidamente e saiu.

Quando se viu novamente só, o moço espanhol entrou em funda meditação e chorou desesperado. Tinha dinheiro, dispunha de relações prestigiosas; no entanto, via-se privado das coisas mínimas da vida. De um lado, o velho tio, a quem considerava como pai, a franquear os umbrais da morte, sem o conforto de um médico à cabeceira; de outro lado, a prima muito amada, a eleita da sua juventude, na febre intensa que a fazia delirar, delindo-lhe o coração. D. Margarida, amiga maternal de sua infância risonha, partira para sempre. Os servos da casa haviam saído, um a um, aos golpes da impiedosa enfermidade. D. Inácio estava moribundo, conforme o afirmava o padre Bourget. E se Madalena também partisse para as regiões ignoradas do sepulcro? A esse pensamento, um frio cortante lhe dominou o coração. Ela era sua derradeira esperança. Por que suportar a permanência na França senão por ela? A Espanha tinha outros muitos encantos que o chamavam com insistência. Entretanto, sentia quase prazer nos trabalhos pesados de Paris e Versalhes, porque isso lhe dava a oportunidade de vê-la todos os dias. Não fosse a ternura da mãe adotiva, teria aniquilado Cirilo Davenport, antes que ele desposasse Madalena. Tolerara o ato de suas núpcias com o rapaz irlandês, mas nunca renunciaria aos seus propósitos. Por último, perseverava em afrontar a situação perigosa da capital francesa tão somente por seu amor. No íntimo reconhecia-se capaz de todos os sacrifícios por D. Inácio; entretanto, verificava que ainda isso seria por causa de Madalena. A ideia de que ela pudesse sucumbir no torvelinho das provações amargas amedrontava-o tenazmente. O coração, ferido pelos cuidados, começou a perturbar-lhe os raciocínios. Passou a pensar fortemente na situação de Cirilo. Era possível que o rival nunca mais regressasse da América distante. Se tal acontecesse, consagrar-se-ia ao único tesouro da sua vida. Buscaria cativar a prima pelas maneiras generosas. Acolheria o fruto do seu enlace ao outro com desvelos paternais. E, quem sabe, talvez Madalena lhe reconhecesse a dedicação e cedesse aos seus rogos. Os maus pensamentos rondaram-lhe a mente. E se fugisse com ela para a colônia do sul, seduzindo-a com a promessa de encontrarem o marido na América do Norte? Não faltariam pretextos para isso, principalmente depois que D. Inácio Vilamil expirasse. O único empecilho a considerar, na realização do execrando projeto, seria a presença de Jaques Davenport; mas quem podia saber o que acontecia lá em Blois? Antero de Oviedo passou as mãos pela fronte como se quisesse expulsar os planos criminosos que o assediavam.

Diariamente quase, atendia os carregadores de variolosos, que vinham à cata de informações, atraídos pelo sinal fatídico:

— Aqui não há mais enfermos — declarava invariavelmente.

Certa ocasião, todavia, um deles interrogou:

— Por que, então, teima em permanecer numa casa tão triste?

— Tenho razões para proceder assim — sentenciou sem se dar por achado.

As lutas prosseguiam acesas, mas, na segunda noite após as declarações do padre Bourget, Antero tinha confirmados os dolorosos prognósticos. Corrido o dia de longos sofrimentos, o velho tio caiu em funda prostração, agonizando aos poucos. De quando em quando, Antero corria ao quarto de Madalena e voltava para junto do moribundo, que, ao romper d'alva, entregou a alma ao Criador. Absolutamente só, Antero tomou as providências imediatas, aguardando o clarear do dia para atender a outras que se tornavam imprescindíveis. Doloroso pensamento acudiu-lhe ao cérebro cansado. Deixaria Madalena sozinha, febril, quase inconsciente de si própria? E os enfermeiros abomináveis? Consolou-se com a ideia de que sempre vinham à tarde, e que sairia a providenciar sepultura mais ou menos condigna para D. Inácio, pela manhã, no Cemitério dos Inocentes. Deixaria a porta bem fechada. Tomaria providências à pressa e, antes do crepúsculo, tudo estaria liquidado para que continuasse enfrentando a nova fase da penosa situação.

Mergulhado nessas dolorosas cogitações, Antero repousou alguns minutos.

*

A carta do sobrinho de D. Inácio chegou às mãos do destinatário, em Blois, três dias depois de escrita. O boníssimo educador alarmou-se, embora estivesse igualmente de cama, atacado pela mesma enfermidade, posto que de forma assaz benigna. Impossibilitado de atender ao chamado, consultou Susana a propósito e a jovem acedeu corajosamente:

— Logo que o senhor esteja melhor — disse resoluta —, irei a Paris para atender às ocorrências.

— Mas não tens qualquer receio? — perguntou o genitor bondosamente. — Porque, nessa hipótese, poderei enviar algum amigo daqui, já provado pela moléstia e indene de contágio.

— Não, meu pai — insistiu a jovem, afetando generosidade —, estes casos devem ser resolvidos pelos próprios parentes. Levarei Pierre comigo e é quanto basta. Nossa vizinha conhece remédios preventivos de primeira ordem e não devo temer.

Jaques Davenport endereçou à filha um olhar de agradecimento sincero.

Logo que se acentuaram as melhoras do pai, Susana tomou as providências, chamou Pierre, empregado de sua inteira confiança, e encaminhou-se a Paris, conduzindo no pequeno veículo todos os reduzidos objetos de socorro de que poderia precisar, tanto em remédios como em armas.

À medida que avançava nos caminhos, mais se espantava com a mendicância e a desolação de morte espalhadas por toda parte. Não obstante o esforço despendido, foi obrigada a pernoitar num dos postos de muda, próximo da cidade, para chegar às portas parisienses apenas no dia seguinte de manhã.

Em frente à casa dos Vilamil, em Santo Honorato, Susana entregou as rédeas ao companheiro e encaminhou-se à porta assinalada, algo comovida. Bateu inutilmente. Que teria acontecido? Forcejou debalde a porta, que parecia hermeticamente fechada. Não se conformou com isso. Deu alguns passos buscando o ângulo lateral da casa, que dava para o jardim. Preocupada, empregou toda a força na janela mais próxima, até que esta cedeu, oferecendo fácil passagem. Logo de entrada, pareceu-lhe tudo deserto e tomou-se de assombro, embora a coragem de que dava testemunho. Conhecia o perigo que enfrentava, mas não vacilou. Depois de alguns passos, entrou no quarto onde o cadáver do velho fidalgo jazia deformado sobre o leito. Não pôde evitar um gesto de espanto. Tinha a impressão de haver ingressado num túmulo. Conteve as emoções mais fortes e avançou para o quarto contíguo, ocupado por Madalena. A situação da esposa de Cirilo impressionou-a fundamente. A filha de D. Inácio repousava num sono cheio de abatimento singular. Não obstante a fase eruptiva, quando se atenuam os dolorosos fenômenos do período de incubação, Madalena Vilamil estava prostradíssima, sob a pressão de altíssima febre. As moscas terríveis pousavam-lhe no rosto lacerado, sem que ela reagisse de leve. Susana inclinou-se para a rival, profundamente impressionada. Onde estaria Antero de Oviedo? Intuitivamente, chegou à conclusão de que o rapaz estaria no Cemitério dos Inocentes, providenciando sepultura digna para D. Inácio. A desolação da casa inquietava-lhe o espírito. Sentia necessidade de alguém para repartir a aflição própria. Voltou à janela e dirigiu-se à rua, desejosa de consultar a vizinhança.

— Pierre — disse ao servo, resoluta —, tenho necessidade de colher informes nas casas próximas e recomendo-te muito cuidado na vigilância do animal e também desta morada. Logo que chegue alguém, busca-me sem tardança.

Enquanto o serviçal fez um sinal de obediência, Susana bateu os arredores, mas todas as portas estavam silenciosas e impenetráveis. A epidemia alastrara o terror, despovoara os lares e, além disso, os moradores de Paris não conhecem a camaradagem fraternal da pacata Blois. A moça, porém, não desanimava: esmurrava portas, chamava, insistia. Ao parar à porta de uma casa mais distante, prosseguindo na diligência inútil, eis que surge Pierre, ofegante, chamando-a:

— Apressai-vos, porque um grupo de cinco homens, depois de observar o sinal vermelho, arrombou a porta, penetrando na casa.

Susana retrocedeu aos saltos. Algumas carriolas fechadas permaneciam na via pública. Num ápice compreendeu que os execráveis veículos coletavam os mortos da manhã.

Grandemente revoltada pela desenvoltura com que agia a turma de socorro, a prima de Cirilo penetrou afoitamente no interior.

Dois homens musculosos começavam a deslocar o cadáver de D. Inácio Vilamil, enquanto três outros tentavam erguer Madalena, desalojando-a do leito.

— Que é isto? — bradou enérgica e estridente.

Os invasores tremeram ouvindo-lhe a voz impulsiva. Imediatamente se detiveram na lúgubre tarefa e acercaram-se da jovem, como se atendessem a uma voz de comando. Num relance de olhos, Susana percebeu que eram operários rudes e avinhados.

— Senhora — exclamou um que parecia o chefe da turma —, por ordem do preboste, auxiliamos a remoção e sepultamento dos cadáveres.

— Mas estão enterrando pessoas vivas em Paris?

A essa pergunta formulada em tom enérgico, os míseros encarregados dos serviços fúnebres entreolharam-se receosos.

— Mas aqui há dois mortos — respondeu o interpelado timidamente.

Susana nesse instante foi assaltada por um pensamento sinistro. E se permitisse que a rival detestada seguisse como cadáver nas miseráveis ambulâncias? Não seria um modo prático de se desvencilhar de tão odiada inimiga? Madalena estava coberta de moscas, sem a mais leve reação. Seu corpo, abrasado pela febre, parecia insensível. Não teria testemunhas do ato trágico do seu negro atentado. Mas a ideia do crime lhe repugnou.

Lutou contra a tentação dos instintos inferiores e bradou em voz alta, estentórica, como se quisesse afugentar o gênio perverso que pretendia empolgá-la:

— Para trás, corvos malvados! Não vedes, então, que esta mulher está viva?

Essa exprobração foi gritada de maneira tão violenta que os infelizes tremeram, humilhados.

— Cumpríamos ordens, senhora — aventurou o chefe titubeante —; já que reagis contra nós...

— Rua! Todos... — bradou Susana indignada. — Esta casa tem dono. Não arredarão daqui uma palha. Se retirarem um objeto, mandarei encerrá-los na Bastilha.

Quando ouviram falar no cárcere e diante daquela resistência imprevista, ainda não encontrada em outros lares, onde as famílias pareciam ansiosas por se libertarem dos cadáveres e dos doentes graves, a qualquer preço, os cinco trabalhadores regressaram à via pública, retomando com timidez a lúgubre tarefa.

Uma vez só, a filha de Jaques entendeu que não devia ficar inativa. A ideia de que poderia ter afastado Madalena do seu caminho perseguia-a agora horrivelmente. Se a filha de D. Inácio tivesse morrido, estaria livre para conquistar Cirilo, na América. Convenceria o pai de que deveriam partir para a colônia distante e buscaria substituir a rival junto do primo, que não conseguiu esquecer. Experimentando imenso receio das ideias que lhe surgiam no cérebro com fortes apelos ao crime, refletiu que era preciso encontrar Antero para assentar as providências que a situação exigia. Se o rapaz não tivesse fugido de Paris, estaria, por certo, no Cemitério dos Inocentes. Era a única explicação que lhe ocorria para justificar sua ausência naquele ambiente de dor infinita. Urgia encontrá-lo. Poderia enviar Pierre ao seu encalço, mas o servo não o conhecia. Deliberou procurá-lo pessoalmente.

Ordenando ao rude auxiliar se conservasse de guarda à porta dos Vilamil, de arma em punho, Susana concluiu:

— Não te afastes daqui para coisa alguma.

E depois de dar os sinais de Antero como a única pessoa autorizada a transpor aquela porta, tomou a viatura e fustigou o animal a galope, em direção ao Cemitério dos Inocentes.

A prima de Cirilo não se enganava. Logo na portaria encontrou o sobrinho de D. Inácio, que esperava a vez de ser atendido por gordo abade, chegado de poucos instantes.

Antero acolheu a jovem com infinita alegria. Era alguém que chegava para compartilhar de seus trabalhos e angústias. Susana contou-lhe o feito terrível da manhã e, observando-lhe a inquietação justa, informou que a porta de entrada estava agora sob a guarda de um servidor fiel. O rapaz relatava as lutas e amarguras experimentadas, até que o eclesiástico, velhinho amável e bonacheirão, de rosto marcado pela varíola impiedosa, o chamou para anotar as devidas declarações.

Aproximara-se.

— Muito trabalho, reverendo? — perguntou a moça, desejando amenizar a triste situação.

— Ah! Sim, minha filha, aqui estou a postos há três longos dias, sem companheiros que me substituam. Ainda bem que já sofri a pérfida enfermidade que nos tem castigado com tanto rigor.

E o abade Montreuil abriu um caderno de notas provisórias. Susana contemplou curiosamente a nominativa das últimas pessoas sepultadas. Entre os mortos da véspera, leu um nome que constituía a seus olhos impressionante coincidência: "Madalena Villar, espanhola, procedente do arrabalde de Santo Honorato, com 20 anos de idade".

Susana não mais ouviu as declarações de Antero ao superintendente do grande estabelecimento funerário, para só pensar nas ideias extravagantes que lhe acudiam ao cérebro atormentado. Defendera a rival contra os carregadores infames, mas também não queria perder a sua oportunidade em renovar a grande tentativa de suas paixões inferiores. Reagira ao impulso criminoso de incluir a esposa de Cirilo entre os cadáveres destinados à vala comum e agora estava considerando que, se o plano constituísse uma falta, esta não seria tão grave aos seus olhos. O nome da morta, ali registrado fortuitamente, sugeria-lhe um rol de projetos nefandos. A rival poderia passar, doravante, por morta, se Antero de Oviedo aderisse aos seus propósitos. Bastaria modificar o nome Villar para Vilamil. Além disso, a seu ver, no quadro da sua paixão mesquinha, a providência seria uma retificação do destino. Jamais poderia amar outro homem a não ser Cirilo Davenport. O sobrinho de D. Inácio Vilamil, por sua vez, segundo lhe confessara, jamais se uniria a outra mulher que não fosse Madalena. A ideia a estonteava. O veneno sutil da tentação empolgou-a por completo. Esperou ansiosa que o rapaz terminasse o diálogo com o abade Montreuil e, quando ele se dispunha a regressar, pediu-lhe um minuto de atenção para assunto de grande importância para ambos. O moço atendeu curioso e solícito.

Afastando-se alguns passos, até à sombra de velho muro, Susana começou discretamente:

— Nunca pensei tanto na sua situação, como agora: D. Margarida já não é deste mundo, seu tio acaba igualmente de partir e Madalena exige os seus cuidados. Não considera, porventura, as lutas que o esperam? Desde que me confiou seus padecimentos íntimos em troca da minha confiança fraternal, reflito na insatisfação da sua alma generosa.

— Sim, tudo isso é verdade — confirmou ele num suspiro.

— Esta situação me impressiona e comove, porque suas aspirações irrealizadas são gêmeas das minhas. Sofro ainda mais, porque estou certa de que Cirilo se casou com Madalena mais por um capricho. Meu primo não poderá amá-la nunca, e, reconhecendo tudo isso, vejo-o, por outro lado, incapaz de eleger outra mulher.

A jovem de Blois ia percebendo o profundo efeito das suas palavras. Mostrando-se sumamente reconhecido ao seu cuidado, o sobrinho de D. Inácio acrescentou:

— Estamos de perfeito acordo.

Ela aproveitou a brecha e lançou a grande interrogação:

— Não será justo retificar tão avaro destino por nossas próprias mãos?

O rapaz, que há dois dias vinha refletindo no melhor meio de subtrair Madalena ao marido emigrado, embora a luta íntima por se desembaraçar de semelhante sugestão, perguntou atônito:

— Retificar... mas como?

— Não será tão difícil — murmurou ofegante, a jovem.

E passou a expor o plano que lhe acudia ao cérebro apaixonado. Pagariam ao abade Montreuil o trabalho de emendar a grafia do nome da enterrada da véspera. Madalena Vilamil e não Villar, para todos os efeitos. Identificariam o sepulcro com adornos preciosos, antes que eventuais interessados pretendessem descobrir qualquer engano. Em casa, contudo, tratariam a enferma com desvelado carinho e, logo que melhorasse, notificá-la-iam por carta — que ela, Susana, se incumbiria de expedir em Blois — que Cirilo havia perecido em naufrágio, antes de chegar às terras americanas. Naturalmente, grande desgosto lhe adviria, mas Antero buscaria distraí-la levando-a para a Espanha ou mesmo para a colônia sul-americana, onde já tinha parentes. Ela, Susana, compeliria o velho pai a partir e procuraria renovar seus ideais amorosos junto do homem amado, enquanto ele, Antero, conquistaria a prima acenando-lhe com risonho porvir.

O moço castelhano estava enlevado. Afinal de contas, não era isso mesmo que tentara, em vão, descobrir? Procurara ardentemente uma fórmula sutil, que somente agora lhe aparecia por inspiração de Susana, ali, junto dos sepulcros, onde não havia olhos nem ouvidos humanos capazes de recolher o segredo terrível. Olhar fixo, abstraído de quaisquer outras cogitações, ele experimentava a renovação dos recalcados impulsos. A sugestão dava-lhe a vitória. Sentiria prazer em comunicar a Madalena que o marido se abismara no torvelinho das águas insondáveis. Levá-la-ia à Espanha e, de lá, se possível, demandariam a América do Sul, cheia de lendas fantásticas. Daria largas ao espírito aventureiro que lhe palpitava nas veias. A prima, em breve, se escapasse à varíola, teria uma criancinha necessitada de proteção paternal. Dar-lhe-ia essa proteção. E aos seus olhos afigurava-se incrível que Madalena lhe repelisse a afeição em tão duras circunstâncias. A filha de Jaques acompanhava-lhe a expressão fisionômica, visivelmente satisfeita.

Como a despertar de um sonho, o moço acentuou:

— Magnífica inspiração! Há dois dias buscava, em vão, um meio de reconstituir minha tranquilidade. Realizando esse plano, já não serei o mais desgraçado dos homens.

— Ainda bem! — retrucou a jovem em tom de alegria.

— Mas... os detalhes? — volveu Antero ansioso. — E o servo que te acompanha e lá está à nossa porta?

— Não te incomodes — esclareceu resoluta. — A título de preservar-lhe a saúde, mandarei que me espere no posto de muda, próximo de

Paris. Quanto ao resto, é muito fácil para nós ambos. Amanhã mesmo aqui voltarei para providenciar um mausoléu adequado a D. Inácio e filha. Logo que Madalena melhore, regressarei a Blois, onde cientificarei a meu pai do seu falecimento. Sabendo quanto ele a estima, convirá que te mudes para algum bairro distante, ou para Versalhes, porque naturalmente desejará visitar-lhe o túmulo e rever a casa onde ela se finou. Um mês depois do meu regresso, escreverei de Blois comunicando-te, bem como à tua prima, o naufrágio de Cirilo e a nossa resolução (minha e de papai) de seguir para a América. Deste modo, a meu ver, tudo ficará bem concluído.

Antero mal escondia a grande surpresa. A jovem arrazoava[22] tão clara e naturalmente que as providências mais se assemelhavam a velho projeto apenas dependente de oportuna aplicação. De qualquer modo, entretanto, a satisfação do moço espanhol era enorme e intraduzível. Depois do solene juramento de sigilo perpétuo, dirigiram-se ao oratório do abade superintendente, a quem Susana falou nestes termos:

— Reverendo Montreuil, desejamos um grande obséquio da sua parte.

— Dizei sem receio — respondeu o interpelado com benevolente sorriso.

Antero parecia hesitante, a jovem prosseguiu:

— Por nossa infelicidade, perdemos ao mesmo tempo um tio e uma prima e desejaríamos que seus túmulos ficassem fronteiros.

— Isso não é difícil — retrucou o eclesiástico —, mas, como talvez não ignorem, as autoridades religiosas ordenaram a abertura de certa zona do cemitério aos que possam concorrer para as nossas obras pias com os óbolos mais vultosos. Assim sendo, poderemos atender ao vosso desejo, mas isso custará mais 50 francos.

— Pagaremos de bom grado — declarou o sobrinho de D. Inácio, mais animado.

— Agora, reverendo, ainda um outro favor — acrescentou a filha de Jaques resolutamente —, precisamos ver o local em que foi sepultada Madalena Vilamil, nossa prima, na data de ontem.

O abade tomou maquinalmente o caderno e perguntou:

— Madalena Villar?

---

[22] N.E.: Argumentava.

— Há evidente equívoco — interpôs a moça, acompanhando a leitura —; o nome de família é Vilamil. Rogo-lhe o obséquio de uma corrigenda.

O superintendente esboçou um sorriso e explicou:

— A retificação, porém, custa mais 50 francos. Não vos admireis, filhos, a caridade da Igreja assim exige.

— Do melhor grado — redarguiu Susana sem vacilação.

O abade Montreuil retificou o nome, mas Susana ainda não se dava por satisfeita.

— Agora — disse ela com naturalidade — desejo uma certidão ou cópia dos registros.

O reverendo não teve dificuldade em atender ao novo pedido, depois de exigir mais umas dezenas de francos.

A prima de Cirilo, não obstante a paisagem fúnebre do momento, não dissimulava a satisfação que lhe ia na alma. Ao retirar-se, depôs nas mãos do superintendente surpreso a quantia de cem escudos, assim dobrando as exigências da sua tabela.

O sepulcro destinado ao fidalgo espanhol foi escolhido junto ao presumido túmulo da filha. Consumara-se o passo decisivo para a dolorosa modificação do destino de nossas personagens.

Com energia incrível, Susana cooperou em todas as providências necessárias ao sepultamento de D. Inácio, valendo-se de Pierre nesse sentido. Em seguida, mandou que o servo a esperasse no posto de muda, a poucos quilômetros de Paris, e auxiliou Antero até que Madalena convalescesse. Para o sobrinho dos Vilamil, essa colaboração foi preciosa, permitindo-lhe reparar a fadiga imensa. Desejosa de captar-lhe uma simpatia cada vez mais profunda, a jovem irlandesa tudo fez pelas melhoras da enferma, esforços esses que Antero acompanhava com um sorriso de sincero reconhecimento.

Ao fim de uma semana, Madalena estava em vias de franca convalescença. A morte do genitor causara-lhe profunda consternação, mas a esperança de reunir-se, em breve, ao esposo renovava-lhe as energias.

Ante suas perguntas afetuosas, Susana explicava que o pai não pudera vir a Paris, por ter sido igualmente empestado, mas haveria de o fazer tão logo lhe permitissem as forças restauradas.

— E Cirilo? — perguntou, logo que voltara a si do estado delirante. — Não há em Blois notícias de sua chegada à América?

— Por enquanto, nada de positivo — esclarecia a outra.

Mas, ensaiando a trama do criminoso drama, acentuava:

— Amigos recentemente chegados do Ulster afirmaram-nos que duas embarcações do capitão Clinton haviam naufragado no litoral da colônia distante, mas, até agora, temos esperado, ansiosamente, informes detalhados do sinistro.

A pobre senhora considerou, muito pálida:

— Como isso me assusta! Espero em Deus nada haja acontecido de mal, pois de há muitos meses venho entregando Cirilo à proteção da Virgem Santíssima.

— Também eu — ajuntou a jovem — estou certa de que a Providência Divina não nos esquecerá.

*

Decorrida a semana que assinalara as melhoras promissoras de Madalena Vilamil, entre conversações afetuosas no domínio das palavras, Susana Duchesne Davenport regressou ao lar, levando ao pai a notícia das dolorosas ocorrências.

O generoso Jaques teve um profundo abalo. Ao saber que os Vilamil haviam desaparecido em circunstâncias tão trágicas, sentiu-se inconsolável. Revia ainda, na imaginação, a resignação silenciosa de Madalena por ocasião da morte de D. Margarida e lembrava, com espanto, o modo pelo qual insistira para que ela o acompanhasse a Blois. Tinha a impressão de ouvir as negativas reiteradas de D. Inácio e sua oposição irredutível ao convite afetuoso. Concluía, então, que, certamente, interferiram nos fatos os ascendentes da Vontade Divina, que lhe não eram dado conhecer ou investigar. Durante um mês, não deixou um só dia de confugir-se em dolorosas recordações. E estava, na verdade, exausto. Enfraquecido pela enfermidade cruel, a convalescença parecia prolongar-se indefinidamente, pela sua invariável tristeza. À retina dos olhos fatigados, desdobrava-se a fila dos alunos mortos. Muitas crianças de Blois haviam sucumbido, nada obstante a relativa benignidade do mal nos ambientes campesinos. O bondoso educador pensava na reabertura das aulas, grandemente apreensivo. Um dia a filha se aproximou do seu banco, entre as árvores farfalhantes do parque, e dirigiu-lhe a palavra comovidamente:

— Papai, tudo tenho feito para que seus sofrimentos sejam atenuados e suas lágrimas menos abundantes.

— Ah! Minha filha, não te incomodes por mim — exclamou em tom de suprema resignação —; as lágrimas que menos dilaceram a alma devem ser as que nos caem dos olhos aliviando o coração.

— Hoje, porém, noto que o senhor está mais triste — acrescentou afetiva.

— A resposta do Sr. Antero de Oviedo, descrevendo-me os derradeiros sofrimentos de Madalena, muito me comoveu. A pobrezinha deveria ter padecido muito antes de entregar a alma a Deus. De qualquer modo, porém, essa carta veio encerrar o capítulo das minhas preocupações, pois nutria certas dúvidas relativamente à criança. Agora, fico sabendo que a primeira flor do matrimônio de Cirilo não chegou a desabrochar. E enquanto ele enxugava uma lágrima, Susana acrescentava:

— Meu pai, nunca experimentei tanta angústia em França como agora. Em cada canto tenho a impressão de contemplar fantasmas de amarguras a perseguirem-nos sem tréguas. Não lhe parece razoável a ideia de nos juntarmos aos nossos parentes lá na América? Aqui, em Blois, desapareceram com a peste devastadora os alunos que mais o compreendiam. Carolina parece não se lembrar mais de nós, e quanto aos laços que prendiam Cirilo a Paris, restam apenas dois túmulos tristes no Cemitério dos Inocentes.

Jaques Davenport fitou a filha lacrimosa e exclamou:

— Tens razão.

Olhou o recinto enorme e silencioso, pareceu escutar atento o sussurro das frondes balouçadas pelo vento e falou:

— Quando Cirilo partiu, outros eram meus planos, mas agora meu velho parque também está morto. O frio mais doloroso é o da desilusão e da saudade, minha filha...

Susana não insistiu. Compreendeu que aquelas palavras equivaliam a compromisso firmado para o futuro.

Daí a dois meses, pai e filha realizavam uma romaria ao túmulo de Madalena. Providenciaram para que fossem as sepulturas assinaladas por lousas preciosas. Sobre a de D. Inácio, o professor de Blois mandou colocar uma cruz, mas identificando a campa onde supunha descansar aquela a quem amara como filha, elegeu para ornamentá-la formosa figura de Anjo trazendo na destra um róseo coração atravessado por um punhal, ignorando a extensão do grandioso símbolo. Também mandaram gravar epitáfios de saudade e fé, em frases afetuosas. Jaques fez ainda questão de visitar a casa de Santo Honorato, onde se haviam desenrolado os lutuosos acontecimentos. Encontrando-a fechada, indagou da vizinhança relativamente aos criados, uma vez que Antero de Oviedo, na missiva que lhe enviara para Blois, datada de Versalhes, participava a decisão de regressar à Espanha dentro de poucos dias. Fabiana havia falecido, mas a outra serva e o lacaio haviam conseguido escapar à morte. O professor também procurou visitá-los na residência de Santa Genoveva, onde trabalhavam, sendo que ambos se diziam informados, por Antero, do falecimento da jovem senhora e do velho patrão, cuja perda recordavam chorosos.

Em Paris, após o regresso de Susana para Blois, a situação continuou muito mais triste e estranha para Madalena, incapaz de avaliar toda a trama dolorosa que lhe negrejava o destino.

Seu estado geral melhorou; no entanto, segundo previra o padre Bourget, os pés lhe ficaram inertes, quase paralíticos. Enquanto se mantinha imóvel, as dores se atreguavam, mas se tentasse soerguer-se e andar, logo reapareciam as sensações estranhas, forçando-a a sentar-se no leito. O primo, porém, desfazia-se em atenções e desvelos. Tão logo voltou Susana à casa paterna, ele providenciou a mudança para Versalhes, com assentimento da enferma, ela mesma ansiosa por outro ambiente e crente de que isso lhe atenuaria o mal-estar orgânico. O sobrinho de D. Inácio ainda notificou às relações mais íntimas dos Vilamil — como, por exemplo, as famílias de Colete e Cecília — o passamento do velho fidalgo e da filha, acrescentando informações sobre a situação dos respectivos túmulos no Cemitério dos Inocentes. Aos vizinhos fez constar os mesmos informes com mensagens verbais aos velhos servos, caso escapassem dos martírios da rua do Forno.

Asseguradas todas as providências de conformidade com a sua argúcia psicológica, tratou da mudança para Versalhes, efetuando-a alta noite e valendo-se da confusão ainda reinante no bairro desorganizado pelas consequências da epidemia devastadora. Ao raiar de um lindo dia, Antero chegou com a convalescente à pequena cidade da Corte, onde se instalou numa casa confortável dos arredores.

A necessidade de uma serviçal de confiança era o que mais se impunha. Um amigo indicou-lhe uma órfã castelhana, de nome Dolores, que havia perdido a mãe, única pessoa da família que lhe restava na vida, entre os mortos de Vincennes. A pobre criatura fora apanhada semimorta, na estrada de Évreux, quando tentava fugir dos tristes quadros parisienses.

Estava quase restabelecida e podia prestar ótimos serviços. O sobrinho de D. Inácio procurou-a e de fato encontrou nessa jovem de 20 anos, de tez amorenada — pois descendia de pai outrora escravo —, uma companheira abnegada para Madalena, que a recebeu de braços abertos, num verdadeiro transporte de consolação e de alegria.

Sob o guante das provações que a sitiavam, a esposa de Cirilo não conseguia dissimular a estranheza que lhe causava a falta de notícias do professor de Blois. Debalde escrevera-lhe duas longas cartas, mal podendo imaginar que haviam de ser consumidas pelo primo, encarregado de as expedir, e assim se mantinha de coração pressago.

Ao fim de algum tempo, nasceu-lhe a filhinha sob a assistência carinhosa de Dolores, que se revelou irmã dedicada e fiel, nas mínimas circunstâncias. O advento encheu a casa de brando conforto, e Madalena, guardando a recém-nascida nos braços, com infinito carinho, chamou-lhe Alcíone pela primeira vez. Longa missiva foi escrita a Jaques e entregue ao primo, mas este, que a reduziria a cinzas instantes depois, já se encontrava sumamente preocupado com a demora da mensagem de Blois, anunciando o suposto desaparecimento de Cirilo.

Somente um mês depois do nascimento da menina, chegava a Versalhes longa carta de Susana, participando, em nome de Jaques, o suposto falecimento de Cirilo Davenport. A missiva desdobrava-se em considerações dolorosas, ao mesmo tempo em que procurava confortar a viúva na sua grande dor. A jovem comunicava igualmente que havia resolvido mudar-se para a Irlanda, onde o pai desejava juntar-se a alguns parentes e lá esperar o seu termo de vida. Prometia escrever-lhe futuramente, dando informes mais minuciosos da nova situação.

Antero, fingidamente comovido, leu a carta à pobre moça — que não desejava outra coisa senão morrer, ali mesmo, na imensidade da sua desdita. Quase paralítica, Madalena Vilamil era obrigada a chorar diante do primo e de Dolores, que, em vão, procuravam consolá-la.

Sentia-se só e desamparada no mundo. Cirilo era a sua derradeira esperança na Terra. Coração sufocado de angústia, rememorou a infância, a primeira juventude cheia de cuidados por sua mãe e lembrou a figura do mendigo de Granada, que lhe predissera dissabores e amarguras no porvir. Estava doente, sem o arrimo afetuoso de ninguém, sentia-se a mais desditosa das criaturas. Debalde a nova serva rodeou-a de gentilezas carinhosas.

À noite, Antero aproximou-se fundamente sensibilizado e falou-lhe com brandura:

— Madalena, nem tudo está perdido.

— Nada mais me resta — murmurou entre lágrimas. — Tenho lutado corajosamente contra a adversidade, mas agora...

O primo sentou-se ao seu lado e continuou:

— És moça e Deus não te negará saúde para reconquistares a felicidade que parece destruída. Poderás contar comigo em todas as circunstâncias. Também sou um homem e não me faltam energias para vencer nas lutas mais ásperas.

A prima contemplou-o através do véu de pranto, para verificar a diferença de expressão magnética daquelas palavras em confronto com as vivas recordações do esposo. Cirilo também lhe falava assim, nas horas tristes, mas seus gestos e mesmo a entonação da voz eram profundamente diversos. Num instante, compreendeu até onde Antero desejava chegar, reconhecendo que poderia estimá-lo como a um irmão; jamais, porém, poderia aceitar-lhe o velho sonho conjugal de outros tempos.

— Não duvido da sua amizade valiosa — esclareceu a suposta viúva com delicadeza fraternal —, mas a morte de Cirilo deixa-me aniquilada para sempre.

— Mas tens uma filha a exigir teus desvelos — advertiu algo enciumado, apelando para os seus sentimentos de mãe.

Madalena tomou Alcíone ao colo, como a buscar o derradeiro motivo do seu apego ao mundo, enquanto o rapaz continuou:

— Não te deixes abater por impressões transitórias. A luz volta do céu diariamente, a alegria se renova sempre. A ventura tornará depois dos dias amargosos de adaptação aos novos hábitos. Tenho pensado nas muitas dores que nos provaram na França e também estou ansioso por mudar de vida. Dize uma palavra e levar-te-ei aonde quiseres. Não desejarias ir à nossa Espanha muito amada? Se te prouver, tornaremos a Granada, a fim de recordar nossa infância feliz e descuidosa. Veremos de novo o céu da pátria e Alcíone crescerá à sombra do nosso afeto.

A tais palavras comovedoras, Madalena quis dizer que desejava ir para Blois imediatamente, a fim de ajoelhar-se aos pés de Jaques, implorando-lhe não a abandonasse com a criancinha. Suplicar-lhe-ia que a levasse consigo para a Irlanda, depois de confiar-lhe suas grandes mágoas.

Poderia, então, esperar tranquilamente a morte, confiando-lhe Alcíone como sua própria filha. No entanto, lembrou que o educador e Susana haviam sido muito reservados na sua mensagem dolorosa. Ambos deviam conhecer a enormidade da sua angústia, os apuros em que se via e, nada obstante, não lhe haviam mandado sequer um convite para acompanhá-los na Irlanda. Não seria justo perturbá-los. Além disso, guardava nítidas as reminiscências da fase difícil, enfrentada por ocasião da longa moléstia de sua mãe. Possivelmente, o tio de Cirilo havia de acolher-lhe as súplicas com a sua bondade inata, mas ponderou que Susana talvez lhe respondesse como a senhora de Saint-Medard. Depois de muito refletir, voltou a dizer:

— Compreendo que minha filha necessita da minha assistência constante e que não devo desanimar, mas a verdade é que me sinto desorientada e doente. Como encarar a possibilidade de mudanças se nem posso me locomover?

— E para que servem os carros? — disse ele enternecido. — Poderemos partir quando quiseres. Alcíone terá minha afeição paternal, e, quando te restabeleceres, hás de reconhecer que a ventura tem modalidades infinitas.

Madalena concentrou-se um instante e declarou:

— De nada valem as mudanças quando padecemos de males incuráveis, mas, se fosse possível, partiria para Connecticut, a fim de colher as derradeiras notícias de Cirilo. A carta de Blois conta que o naufrágio ocorreu nas costas da colônia. Quem sabe se foram salvos alguns náufragos? A família Davenport compunha-se de várias pessoas. Minha sogra parecia uma criatura virtuosa e santa. É bem possível que lá esteja e me receba com carinho. É verdade que não me conhecem, mas tenho as cartas afetuosas que me escreveram de Belfast, elas me identificariam.

Assim discorrendo, tinha os olhos brilhantes nessas evocações.

— Quem sabe os sobreviventes foram recolhidos por mãos piedosas? — prosseguia mais animada. — Talvez ainda encontre o túmulo de Cirilo para cobri-lo de flores.

Antero, que a ouvia atencioso, obtemperou:

— De pronto não podemos cogitar de viagem tão longa, mas poderemos regressar à Espanha e lá tentá-la a qualquer tempo. Não faltam por lá embarcações seguras e confortáveis.

— Rogarei a Deus nos conceda essa graça.

— E eu não descansarei enquanto não tiveres essa alegria — concluiu o rapaz, revelando extrema dedicação.

Mais algumas palavras fraternais e Madalena ficou só, novamente entregue às suas penosas recordações. Apagado o candelabro, a sombra como que lhe aumentava a angústia. Não obstante as afirmativas animadoras do primo, fazia questão de examinar a extensão de sua mágoa inconsolável. Ainda que atingisse a América, que encontrasse o túmulo do marido e conhecesse todos os pormenores da catástrofe, não deixaria de padecer com a sua viuvez e a orfandade da filha. Se chegasse a abraçar Constância, seria para chorar, sem esperança de júbilos novos. Sentia-se doente, abatida, desesperançosa. E se não mais conseguisse caminhar com agilidade? Não seria um espectro acorrentado à cama, um fardo sacrificante para outrem? Em vão, tentava coordenar planos. Por outro lado, não acreditava no absoluto desinteresse do primo. Cedo ou tarde, ele talvez lhe viesse falar de amor. Não seria temeridade aumentar sua dívida de gratidão? Poderia receber-lhe os favores, aceitar-lhe a dedicação; mas se um dia ele resolvesse exigir o impossível?

A filha de D. Inácio sentia-se morrer. Enquanto se debulhava em lágrimas silenciosas, sinistra ideia se lhe embutia no cérebro atormentado. Não era preferível morrer? Acariciou a sugestão, alucinada. Viúva, reconhecia-se desamparada e inútil. Sabia de mulheres que haviam procurado a morte por motivos fúteis. A intenção sinistra avolumava-se-lhe no cérebro. Recordou o vidro minúsculo no qual o pai sempre guardara um tóxico fulminante. Bastariam algumas gotas num cálice d'água. Se não fosse possível arrastar-se alguns passos, pediria a Dolores que lho trouxesse como simples calmante para conciliar o sono. Dessarte, não seria pesada a ninguém, não precisaria temer a influência indefinível de Antero, nem suplicar a piedade dos Davenport.

Presa da tentação que a empolgava sutilmente, ia chamar a serva em voz alta a fim de consumar o sinistro desejo, quando Alcíone chorou de mansinho, reclamando-lhe os cuidados.

Assustou-se como a despertar de um pesadelo. Fez um movimento instintivo com os braços para atender a criancinha, mas a destra que se movia na sombra esbarrou no crucifixo que lhe fora dado por sua mãe na véspera de morrer. A pequena cruz caiu-lhe sobre o coração, como se valesse advertência indireta e profunda. Pareceu compreender a magnitude do apelo, pensou sinceramente em Jesus, tal como fizera um dia na via pública de Paris, e dispôs-se a confortar a filhinha. Nesse gesto, porém, aguardava-a uma surpresa ainda mais singular. Alcíone tinha os bracinhos em movimento, como se a buscasse com ânsia, e, tão logo se viu envolvida na sua ternura, agarrou-se-lhe ao pescoço, comprimindo-o com as delicadas mãozinhas. A pobre mãe teve a impressão de que a recém-nascida lhe pedia socorro e buscava um doce refúgio no seu seio de mãe. Compreendeu a silenciosa mensagem de Deus, no imo do coração. A emoção que lhe timbrava nas fibras mais íntimas fê-la dobrar-se em lágrimas e beijos sobre a pequenina.

Assim foi que a filha de D. Inácio, singularmente comovida, murmurou aos ouvidos de Alcíone:

— Não chores mais, filhinha! Jesus compadeceu-se da minha alma atormentada... Ficarei contigo até o fim!...

V
Na infância de Alcíone

Estabelecido o acordo de transferência para a Espanha, na expectativa de possível viagem à América do Norte, Antero de Oviedo resolveu os negócios pendentes, conseguindo apurar consideráveis recursos para encetar vida nova.

Madalena Vilamil, mantendo rigoroso luto, aguardava paciente o curso dos acontecimentos. A dedicação de um médico da Corte restituíra-lhe, em parte, o movimento dos pés, sem poder, contudo, caminhar muitos passos. Mesmo em casa, era, não raro, obrigada a se arrimar em Dolores, sempre que teimava em permanecer de pé por mais tempo. A dor constante dos tornozelos havia desaparecido e isto já representava grande consolo. Continuava usando as fomentações receitadas, com enorme esperança de completa cura, e encarava a partida, resignadamente, como providência inevitável na sua condição de viuvez. Interpelada por Antero relativamente à cidade espanhola em que preferia residir e tratar-se, até que pudessem visitar a América distante, escolheu Ávila pelo doce atrativo que essa cidade sempre exercera em seu espírito. O sobrinho de D. Inácio concordou satisfeito, alegando que a região de Castela a Velha lhe facultaria bom emprego de capitais; e, mais por temor de conhecidos que por conveniência, deliberou que a jornada não se faria pelos portos do Atlântico, mas pelo Mediterrâneo, obrigando-se os viajantes a verdadeira excursão por terra, até o sul da França.

A viagem na direção de Marselha foi difícil e penosa, não obstante Antero de Oviedo fazer o possível por demorar-se com as três companheiras nas cidades mais interessantes, a título de entretenimento e repouso.

Da janela dos carros, sempre trocados em cada posto de muda, Madalena contemplava os campos de França, tomada de imensa saudade e dando a impressão de que regressava ao berço natal como alguém que se sentisse perseguido pela realidade cruel, depois de um sonho bom.

Depois de muitos dias de jornada, defrontaram o antigo porto, vizinho da Catalunha. Aí descansaram duas semanas, tomando em seguida um navio confortável para a época, que os conduziria a Valência. Uma vez acomodados, com imensos sacrifícios para Madalena, que se amparava em Dolores sustentando a filhinha ao colo, eis que Antero reencontra velho amigo da infância, abraçando-se ambos com ruidosa alegria.

Federigo Izaza e o sobrinho de D. Inácio, depois de muito conversarem sobre inúmeros problemas, como sói acontecer a conhecidos que se não veem de há longos anos, passaram a tratar do regresso do fidalgo à Espanha. Antero confessou o intuito de mobilizar os capitais trazidos da França, na perspectiva de bons negócios.

Izaza, sem que ele percebesse, tem estranho brilho nos olhos argutos e exclama:

— Pois veja que feliz acaso nos aproxima! É que tenho justamente em mãos o melhor negócio dos últimos tempos.

— Como assim? — interroga o rapaz, curioso.

— Conheces o mercado de escravos para as colônias estrangeiras?

Em face da atitude de estranheza do interlocutor, Federigo prosseguiu animadamente:

— É a negociação mais rendosa nos tempos que correm. Como não ignoras, o novo Continente necessita do braço escravo. Os emigrantes da Europa não poderiam atacar, sozinhos, o desbravamento do solo. As epidemias, as dificuldades, as florestas inóspitas destruiriam os organismos delicados e, com alguns navios e poucos homens de confiança, é possível obter uma fonte de lucros opimos, com esforço quase insignificante.

— Mas... como? — inquiriu o outro.

— Bastam algumas naus corajosas que visitem periodicamente a costa da África.

— Apenas isso?

— Nada mais. A troco de pequeninas bugigangas, conseguimos elevado número de selvagens que, sem embargo do cativeiro, passam a gozar os benefícios da civilização. De modo que — explicava Izaza na atitude egoísta do homem que deseja mascarar propósitos execráveis —, além de vingarmos transações lucrativas, ainda espalhamos numerosos benefícios entre os negros bárbaros, de costumes primitivos.

Depois de uma pausa, entrava em outros pormenores:

— Acredito que chegas à Espanha em momento azado aos teus interesses, porquanto eu e meus irmãos necessitamos de um sócio capitalista para incremento de grandes iniciativas. Dispondo apenas de um navio, temos perdido ótimas oportunidades nos mercados mais rendosos. As colônias inglesas, francesas e portuguesas são grandes centros de consumo.

E o astuto amigo passava a minudenciar e encarecer a importância de lucros tão fáceis, seduzindo o companheiro para o risco das largas aventuras.

As palestras renovavam-se durante toda a viagem, e, quando desembarcaram em Valência, Antero de Oviedo já estava convencido das vantagens do tráfico negro, decidido a entrar na empresa com todos os recursos disponíveis. Obrigado a conduzir o pequeno séquito até Ávila, despediu-se do amigo com a promessa de se encontrarem no mês seguinte para tomar as providências definitivas.

A reduzida caravana descansou alguns dias antes de atravessar o Aragão, em demanda das regiões de Castela antiga, mas, no fim da segunda semana de permanência na Espanha, instalava-se em modesta vivenda a três quilômetros das portas da cidade onde Madalena recebera a melhor educação, num estabelecimento religioso das Carmelitas.

A paisagem não era bela. As águas do Adaja vinham fertilizar a terra empedrada, com minúscula corrente roubada ao leito do rio, e algumas árvores frutíferas mitigavam a aridez do solo. Não fora uma casa-grande, próxima, em que o poderoso senhor D. Diego Estigarríbia movimentava grande patrimônio rural, e o modesto sítio mais se assemelharia a lugar malsinado, em abandono. Antero, porém, adquirira-o em definitivo, oferecendo-o à prima, que recebera a dádiva com satisfação justa e sincera.

Ao fundo da paisagem repontavam as torres das velhas muralhas da cidade famosa, e os bronzes dos seus templos românticos enchiam o ambiente com dobres impregnados de dolorosas evocações.

Nos primeiros dias, Madalena Vilamil não saberia explicar a sensação de tristeza que intimamente a empolgava. Observava o casario a distância, experimentando impressões indefiníveis. Aquelas muralhas antigas, com as suas 86 torres originalíssimas, falavam-lhe à alma sensível. Sentia-se encarcerada, presa de receios estranhos, num conjunto de sensações amargas que a desolação da terra empobrecida mais acentuava.

Uma vez terminados os serviços da instalação, Antero viajou para Madri, a cuidar dos novos interesses. O rapaz, entretanto, fora das disciplinas a que o submetiam os protocolos franceses de Versalhes e Paris, e sem a assistência afetiva de D. Margarida, que maternalmente se desvelava pela sua pureza de hábitos e de caráter, entregou-se, logo no primeiro contato com a capital espanhola, a perigosas dissipações, com lamentável ausência de escrúpulos. Federigo Izaza, de posse da presa fácil, conduzia-o dia a dia ao total esquecimento de suas obrigações. Assim, empregou a maior parte da fortuna nas aventuras do tráfico negreiro, assinando compromissos de vulto com agiotas e financistas astuciosos e inflexíveis. Como se desejasse desforrar os dias lúgubres da epidemia parisiense, lançou-se a noitadas alegres, cheias de prazeres e de vinhos caros. A princípio, recordava a prima e o ardor da paixão que o levara a participar de um crime, mas, com o egoísmo próprio da criatura humana, lembrava que Madalena continuava doente, incapaz de algo deliberar em consciência. Tentar impor-se à prima enferma figurava-se-lhe extrema covardia. Era mais nobre aguardar ensejo adequado, e, até que o ensejo chegasse, ei-lo entregue à volúpia de gozos fáceis e aventuras perigosas.

Havia um mês que se ausentara. A filha de D. Inácio, no entanto, apesar da monotonia do seu pedaço de campo, procurava encarar as dificuldades com o heroísmo das almas crentes.

O primo não lhe havia deixado maiores recursos, mas, ainda assim, estava satisfeita. No íntimo, chegava a estimar aquela ausência. Compreendia bem os olhares que o rapaz lhe dirigira, em todo o percurso da longa viagem. Concluía mesmo, considerando as suas silenciosas atitudes, que a moléstia era, para ela, o maior escudo e o melhor antídoto contra aqueles propósitos inferiores. Subjugada pelo mal-estar da extrema dependência em que se encontrava, certo dia dirigiu-se a Dolores, encarecendo o valor de um trabalho mais intenso na vivenda empobrecida. Poderiam enriquecer o pomar de novas plantas, cultivar legumes para vender. A serva entusiasmou-se. Organizaram projetos de numerosos serviços. O terreno não era fértil, mas possuía bastante água. O trabalho e o adubo fariam o resto. A ideia conferiu a Madalena Vilamil novas forças. Andava com dificuldade, mas o desejo intenso de resolver o problema das despesas domésticas triplicava-lhe as energias. Na casa vizinha, a família Estigarríbia podia dispor de servos numerosos, mas a corajosa esposa de Cirilo não queria considerar a diversidade dos destinos, e sim que havia trabalho a reclamar-lhe atenção. As atividades iniciais custaram-lhe esforços dolorosos. Às vezes, era tanta a dor nos pés que necessitava interromper a tarefa para repousar; todavia, auxiliada pela serva fiel, preparou e adubou o quintal, libertando as árvores frutíferas dos parasitas que as sufocavam. Faltavam sementes e mudas de plantas, mas Dolores, que tinha um gênio alegre e comunicativo, prometeu que as pediria a um dos servos da casa vizinha, na primeira oportunidade. Entre os rapazes de cor bronzeada que trabalhavam, invariavelmente, no campo próximo, a jovem desde muito havia fixado um, que sempre a observava com atenção. Valeu-se dessa circunstância e, no primeiro ensejo, entabulou ligeira conversa com o simpático desconhecido, junto à tapada que dividia as propriedades. Tratava-se de um semiliberto da família Estigarríbia, que chefiava os companheiros de serviço. Ele e os subordinados não eram escravos, propriamente, mas haviam nascido cativos em colônia portuguesa. D. Diego e o filho, D. Alfonso, tinham grandes interesses no tráfico de homens livres e haviam selecionado os melhores operários para os labores da grande fazenda de Castela a Velha.

João de Deus, o servo que narrava a Dolores as suas lutas na vizinhança, contemplava a criada de Madalena com expressão de enorme alegria e grande bondade. Atendendo-lhe ao pedido, prometeu as sementes e mudas, e, como dispusesse de folga nos domingos, depois da missa, ofereceu-se para cooperar semanalmente na horta que pretendiam plantar.

Com pleno assentimento da filha de D. Inácio, que lhe notou, de pronto, as qualidades apreciáveis, o servo dos Estigarríbias passou a frequentar a casa aos domingos, contribuindo decididamente para o enriquecimento do quintal.

Horas a fio, João de Deus historiava às duas mulheres o martírio dos cativos nas colônias remotas. Elas mal continham o seu assombro. Parecia-lhes incrível houvesse cidades no mundo onde os filhos eram separados dos pais amorosos e vendidos a senhores bárbaros e execráveis. O rapaz contava-lhes as cenas bárbaras do tronco, do chicote a lanhar carnes vivas, das pesadas correntes atadas aos pés dos que tentavam fugir. Aquelas narrativas levavam ao coração da esposa de Cirilo indefiníveis consolos. Considerava que havia terras onde mourejavam criaturas muito mais sacrificadas e sofredoras do que ela própria. Confidencialmente, João lhes explicava sua condição pessoal. Em verdade, não havia cativeiro ali na fazenda, cumprindo-lhe, todavia, proceder e agir como escravo dos Estigarríbias, se não quisesse voltar à colônia para ser talvez posto a ferros. Nada valeriam reclamações, pois D. Diego era irmão de um bispo assaz poderoso. Conquistara-lhe simpatia e, por isso, aprendera a ler e contar, assumindo então o cargo de feitor.

Para Madalena, essas confidências acarretavam sempre veladas consolações, e foi com bons olhos que notou a crescente afeição do jovem par.

Somente depois de três meses de boêmia e aventuras em Madri, na perniciosa comparsaria de Federigo Izaza, voltou Antero a casa, completamente modificado em seus hábitos e atitudes. Não comentava senão as vantagens do ouro fácil e explanava largos projetos para aquisição de minas em Potosi. A transformação da humilde herdade surpreendeu-o. Em todos os recantos havia alguma coisa diferente. Ali, a água multiplicara benefícios ao solo; aqui, surgia um canteiro de legumes; acolá, as árvores pareciam mais verdes e vigorosas. Miraculosas mãos haviam tratado a terra empobrecida. Acentuando o quadro agradável, Madalena estava mais bela, embora lhe pairasse no rosto, invariavelmente, um véu sutil de invencível tristeza. Sua saúde melhorara de modo geral. Já podia permanecer de pé mais de uma hora, sem necessidade de repousar. Consagrava-se ao lar e à filha com heroico devotamento. Antero de Oviedo, contemplando-lhe a feição de madona, sentiu reavivar-se a paixão que o atormentava desde a infância.

No segundo dia de sua chegada, procurou entreter com ela afetuosa palestra, minudenciando o êxito superficial das suas transações em Madri.

Enquanto a conversação não se desviava dos moldes fraternais, a prima lhe correspondia de boa mente, despreocupada em defender-se, mas, a certa altura, o rapaz fixou nela os olhos brilhantes e disse:

— Sinto que não devo ocultar, por mais tempo, as minhas intenções; suponho poder agora falar do meu imenso amor.

A noite já se fechara de todo, desdobrando seu manto de sombras pela paisagem ambiente.

— Mas que queres dizer com isso? — interrogou a prima, adivinhando-lhe os propósitos íntimos.

— Ofereço-te meu braço forte nas lutas da vida. Seremos felizes, podes crer. Espero consolidar minha fortuna a breve trecho. Meus negócios atuais auspiciam lucros fabulosos. Construiremos um lar repleto de ventura. Não importa o passado, as amarguras vividas. Compreendo como o sopro da adversidade desfez teus sonhos de moça; entretanto, não julgues ser a única a sofrer. Sigo-te os passos, silenciosamente, desde os primeiros albores da nossa juventude. E quando surgiu o intruso Davenport, só eu sei do ódio que me envenenou a alma. Agora, porém, a estrada da nossa ventura apresenta-se plana e livre.

Ela ouvia-o sem dissimular a profunda surpresa que lhe assaltava o coração. Depois de refletir um minuto, respondeu delicada e firmemente:

— Tua confissão me sensibiliza; no entanto, essa realidade é impossível, de vez que o verdadeiro amor transcende a todas as contingências do mundo. Minha escolha foi e permanece única, irredutível.

O rapaz demonstrou a contrariedade num gesto espontâneo e insistiu:

— Mas não te consideras liberta pela viuvez? Não seria loucura consagrar o resto da vida ao luto e às lembranças da morte?

— Para mim — respondeu, revelando profunda serenidade —, a viuvez significa pesar inconsolável, e não disponibilidade do coração.

O moço espanhol mordeu os lábios e exclamou desapontado:

— É quase incrível te proponhas tão absurdo sacrifício por um homem que se ausentou para uma aventura arriscada, quase na lua de mel.

— Mas Cirilo assim procedeu em obediência a circunstâncias imperiosas.

— Não creio.

— No entanto, não podes negar a enorme diferença de vantagens entre a Corte de Versalhes e a Sorbonne.

— Mas, no caso — tentava explicar o sobrinho de D. Inácio, colérico — não poderás invocar os salários franceses, e sim examinar o problema da dedicação e do amor.

— Esqueces, entretanto — esclareceu a suposta viúva —, que Cirilo tinha pais carinhosos e necessitados, além de irmãos mais novos e carentes do seu auxílio. Fora um crime sequestrá-lo à mãe desvelada, que o acariciara nos braços, muito antes da minha afeição. Aliás, ele tudo fez para que o acompanhasse ao continente distante e tu não ignoras que a enfermidade de mamãe me forçou a ficar em Paris, bem a meu pesar. Cirilo nunca me exprobrou essa conduta involuntária, e também eu não podia recriminar-lhe o impulso generoso de socorrer os seus.

Reconhecendo que as armas do seu despeito eram inúteis, Antero ensaiou outros argumentos, murmurando com certa ansiedade:

— Afinal de contas, suponho que devas ser mais cordata e razoável...

— É-me impossível transigir no que representa, para mim, sagrados deveres, apenas.

— Não te apegues a recordações doentias. És jovem e posso fazer-te feliz. Tenho trabalhado a vida toda para realizar o ideal de nossa união. Sonho com um lar ridente, um ditoso porvir.

— E nem deves perder a esperança de um futuro venturoso — mas há que reformular o objetivo de tuas aspirações. Minha prova conjugal está encerrada: a tua, porém, ainda não começou. A Espanha está cheia de nobres raparigas e não será difícil encontrares uma companheira dedicada e digna do teu destino. É verdade que jamais nos poderíamos unir pelos laços do matrimônio, mas eu serei tua irmã reconhecida, enquanto me restar um sopro de vida. Conheço a extensão dos teus sacrifícios por mim e beijo-te as mãos. Nada possuindo, entretanto, com que te demonstre minha sincera gratidão, feliz me julgaria em poder, a qualquer tempo, dar meus carinhos de mãe aos filhinhos de tua esposa. Deus te ajudará, concedendo-te alguma jovem rica de sentimentos, digna, enfim, do teu coração.

Essas palavras, ditas em tom de carinhosa e fraternal sinceridade, desarmavam o rapaz, que se sentia enleado nos mais contraditórios pensamentos.

— Ainda ontem, Madalena — dizia insistente nos mesmos propósitos —, adquiri uma casa confortável, próxima à igreja de São Tomás, a fim de lá te instalar com Dolores e Alcíone.

— Agradeço, Antero, mas a verdade é que não pretendo sair desta chácara. Jesus me facultará, um dia, os meios de retribuir teus benefícios, pois reconheço que não podemos exigir novos gastos de tua parte. Já temos plantas a cuidar; os pequenos proventos da horta atendem às nossas modestas necessidades caseiras. Como vês, é ocasião de pensar em ti mesmo, na administração dos teus negócios.

Ele compreendeu que a prima preferia renunciar a qualquer nova expressão de conforto, para emancipar-se dele, e manifestou-se presa de incontido despeito. A expressão de ternura foi substituída pela de cólera extrema. No íntimo, experimentou diabólico prazer ao recordar o pacto com Susana. Tomava a resistência de Madalena à conta de orgulho feminino, mas essa resistência aguçava-lhe os intentos criminosos de perseguição e de posse.

Aproximou-se mais e teimou ardentemente:

— Deste-me tuas razões, defendeste o irlandês intruso, induzes-me a procurar alhures a ventura conjugal, mas eu não renuncio. Consente que me aproxime do teu coração, a fim de te reanimar para a vida. Somos jovens, o futuro nos chama...

Entretanto, a um gesto mais significativo, a pobre senhora retraiu-se e falou nobremente:

— É impossível, e espero te contenhas nos limites devidos. Ainda que a lembrança de meu marido não chegue a demover-te, recorda que a sombra de minha mãe se levanta entre nós.

A recordação de D. Margarida produzira extraordinário efeito. Antero, muito pálido, retrocedeu, como se obedecesse a uma imposição do plano invisível.

A filha de D. Inácio, assumindo atitude serena, valeu-se da circunstância e prosseguiu:

— Concordo em que os nossos antepassados tenham tido numerosos defeitos, mas não me consta que um Vilamil, algum dia, houvesse abusado de uma irmã viúva e enferma.

Ouvindo a objurgatória formulada com enérgica inflexão de voz, o rapaz corou e retirou-se para o seu quarto, não sem dizer:

— Mudarás de opinião, mais cedo ou mais tarde.

Desde essa noite, não voltou a falar dos seus propósitos malsãos, e, embora esperasse a oportunidade de uma capitulação ditada pelos extremos de uma vida mísera quão desolada, pareceu desinteressar-se completamente do assunto. Não permanecia na chácara de Ávila mais que uma semana, de três em três meses. Agora fazia questão de corresponder à resistência de Madalena com frieza fraternal. Além disso, os prazeres madrilenos modificavam-lhe os rumos da sorte. As más companhias arruinavam-lhe o caráter. Havia muito dinheiro para os divertimentos licenciosos, mas começava-se a indagar das suas origens.

*

Três anos são passados.

Madalena Vilamil lutava heroicamente. A pobreza dos terrenos de Castela a Velha exigia muitos sacrifícios a qualquer cultura agrícola, mas, por isso mesmo, suas plantações regulares tornaram-se utilíssimas.

Dolores voltava, todas as manhãs, do mercado de legumes com diminutos, mas ainda assim suficientes, recursos à provisão doméstica. A dona da casa tudo atribuía e agradecia a Deus, e a vida continuava. As ausências prolongadas do primo eram consideradas como tréguas, para seu alívio. Desde aquela noite inolvidável, ele parecia contemplá-la com expressão de rancor. Sempre que vinha, era para sobressaltar-lhe o coração. Além disso, ela preferia criar a filhinha sem caprichos satisfeitos. Aquele sítio avaro devia ser a sua primeira escola. Mais tarde, então, pediria às freiras Carmelitas que se incumbissem da sua educação intelectual; porém, como mãe, estava resolvida a tudo fazer para que Alcíone se habituasse mais cedo aos deveres laboriosos.

Assim corriam os dias, quando se espalharam em Ávila estranhos boatos sobre a situação de Antero em Madri. Dizia-se que os Izaza estavam denunciados ao Santo Ofício pelo rapto de crianças libertas, nas colônias da América e da África, e que o sócio responderia com os criminosos pela ação nefanda. Em suas visitas periódicas à granja, Madalena o informou das versões correntes, mas Antero ouviu-a risonho e displicente, alegando que se tratava, naturalmente, de puras balelas, fruto da inveja e despeito humanos.

Os meses corriam céleres e os boatos também cresciam de vulto.

Madalena preocupava-se. Dia houve em que procurou conhecer o que João de Deus sabia e pensava a tal respeito.

— Ah! senhora — replicou o pretendente de Dolores, em tom confidencial —, os Estigarríbias são senhores poderosos e não toleram quem lhes faça concorrência no tráfico dos cativos. Em Segóvia, não há muito, dois navegantes corajosos foram assassinados por ordem deles. Em Valladolid, havia um grupo de homens operosos que cuidavam do mesmo negócio, e um belo dia o Santo Ofício lhes confiscou os bens, sem justificativa, encarcerando-os para o resto da vida. D. Diego e D. Alfonso dispõem da autoridade do clero. Dizem que eles cedem aos inquisidores algo dos patrimônios conquistados, mantendo-lhes a simpatia constante. O bispo D. Leôncio Molina faz parte da família e não é fácil escapar-lhe à perseguição, com o auxílio dos missionários.

— Mas acreditas que tenham formulado alguma acusação contra Antero? — perguntou a filha de D. Inácio, naturalmente preocupada.

João de Deus alongou o olhar para além da porta, como a certificar-se de estarem realmente sozinhos, e respondeu à surdina:

— Já ouvi qualquer coisa nesse sentido. Uma noite D. Alfonso participava ao pai que todas as providências estavam dadas em Madri; que os santos padres em missão nas selvas remotas haviam representado à autoridade eclesiástica para que os Izaza e seus colaboradores fossem punidos sem mercê, por subtraírem crianças indefesas nas aldeias do litoral, e que os credores de D. Antero iam todos reclamar o pagamento de suas dívidas, a um só tempo.

A jovem Madalena, muito impressionada, redarguiu:

— Será possível que haja pessoas capazes de raptar crianças inocentes?

— Nas colônias — esclareceu o servo —, pode crer que existem homens cruéis a esse ponto, mas, neste caso, é possível que a acusação tenha partido daqui mesmo, dos Estigarríbias. Já ouvi dizer que, quando D. Diego era mais moço, mandou prender o próprio pai.

Madalena Vilamil anotou mentalmente as tristes novas e procurou mudar o curso da conversa.

Nos dias imediatos, muito desejou comunicar-se com o primo, tentando salvar-lhe a reputação de homem digno, mas, reconhecendo a impossibilidade de o fazer, contentou-se em orar, encomendando-o a Deus, em preces fervorosas.

Ela, de si mesma, pouco a pouco habituara-se ao severo regime do contato direto com a natureza. A fisionomia, porém, denotava grande abatimento. Dividia as horas entre os labores domésticos e as meditações. Recordava, sempre, que seu primeiro projeto, regressando à Espanha, fora encaminhar-se à América, à cata de notícias exatas da morte do marido. A atitude ulterior do primo adiara a realização dos propósitos que lhe animavam o espírito resoluto, mas não extinguira, de todo, o seu primeiro desígnio. É verdade que continuava doente dos pés, impossibilitada de agir como necessário, mas esperava no Altíssimo a recuperação da saúde para tentar, em companhia da filha, a grande aventura, tão logo se verificasse o casamento de Dolores. Nunca mais pudera alegrar-se como nos dias risonhos da juventude distante, mas a filhinha resumia, agora, as suas divinas consolações.

Alcíone já se revelava uma criaturinha adorável nos seus 4 anos. Sentada, de rosto apoiado nas mãos, como "gente grande", permanecia muitas horas ao lado da genitora, a ouvir historietas de fundo educativo. Madalena repetia-lhe, comovida, as lendas guardadas da sua própria infância. A pequena encarecia notícias dos príncipes encantados, dos gênios ocultos nos bosques, mas, quando escutava a palavra maternal sobre Jesus, seus olhos tornavam-se mais brilhantes e perguntava a razão por que os homens inventaram a cruz para o Salvador que Deus mandara à Terra.

Por vezes, na sua condição de criança isolada, sem companhias infantis, abandonava subitamente os brinquedos pobres e ia interrogar à mãe o que estaria fazendo Jesus. E, ante as hesitações maternas, ela própria explicava mil coisas, nas suas reflexões ingênuas e puras. Se fazia frio, afirmava que Cristo estava socorrendo os peregrinos que não tinham teto, e, nos dias de excessivo calor, supunha que suas mãos divinas estivessem acariciando as aves aflitas.

Madalena surpreendia-se. Aquelas ideias sublimes eram sempre espontâneas naquela boquinha mimosa.

A genitora ensinava-lhe a ser reconhecida a todos, a estimar as plantas da horta e a ser generosa para com as árvores do quintal. Mandava-a em auxílio de Dolores, sempre que havia maior quantidade de frutos e legumes destinados à feira da cidade vizinha. Alcíone era amável com a serva e conduzia um cesto minúsculo, muito convicta de contribuir eficazmente na solução dos problemas domésticos. E, nos instantes em que Dolores se sentia cansada pelo sol ardente, supunha que lhe atenuava as fadigas beijando-a, porque sua mãe sempre dizia que o carinho era o único remédio que podia aliviar os corações sofredores. A criada era muito sensível a tais mostras de afeto e, às vezes, só para receber as carícias da criaturinha adorável, declarava-se exausta, junto à Porta de São Vicente, ao terminar a parte mais afanosa da tarefa. E era quando Alcíone lhe tomava as mãos em ósculos carinhosos.

Para Madalena e os dois únicos amigos que possuía na intimidade do lar, a pequenina se tornara em fonte de inefáveis alegrias.

De quando em vez, surgia com observações sutilíssimas, que suscitavam profundos pensamentos.

Certa feita, a canícula[23] era quase insuportável e todos, ansiosos, desejavam chuva. Alcíone partilhava da inquietação geral e, instada por Dolores, fez de mãos postas as preces que sua mãe lhe ensinava, pedindo a Deus não esquecesse as plantas ressequidas. O crepúsculo sobreveio carregado de pesadas nuvens, e a criança, de minuto a minuto, ia à porta espiar

---

[23] N.E.: Calor muito forte.

o céu, como se aguardasse com certeza alguma coisa. Alta noite desabou torrencial aguaceiro. Cessada a borrasca, Madalena abriu a janela, ansiosa pela frescura da noite. A pequenina seguiu-lhe os movimentos, de olhos muitos vivos, e pediu que a deixassem na velha cadeira para contemplar o firmamento, onde haviam ressurgido os astros faiscantes. Depois de aspirar o ar puro que enchia o ambiente, exclamou, olhos fitos na altura, em solene atitude infantil:

— Agradeço muito.

— A quem falas, filha? Viste alguém ali na estrada? — perguntou Madalena com certa curiosidade.

— Estou falando com Deus, mamãe. A senhora não me disse que devo ser agradecida? Não pedimos hoje a água do céu?

A genitora não pôde disfarçar um gesto de admiração ao lhe observar a expressão de sincera confiança na Providência Divina.

Em seguida, Alcíone pareceu devassar a sombra da noite com os olhinhos indagadores e brilhantes, permanecendo em encantadora atitude de meditação. Depois, como se estivesse regressando de um oceano de reflexões, interrogou:

— Mamãe, onde é que a chuva trabalha?

— No seio da terra, filhinha. A água que desce do alto alimenta a raiz das árvores, lava as estradas por onde caminhamos, renova as fontes para que não soframos sede e, em todos os lugares por onde passa, espalha e entretém a vida.

— E quando tem chuva nos olhos? — continuou perguntando com sincera atenção.

— Mas que desejas dizer com isso, Alcíone? — tornou Madalena impressionada.

— É porque, às vezes, mamãe, quando é de noite, os olhos da senhora estão cheios de chuva.

A pobre mãe compreendeu a alusão e explicou assaz comovida:

— Ah! sim, filhinha, essa é a chuva das lágrimas e também desce do céu para nutrir e purificar o coração.

A pequenina pareceu refletir na resposta, voltou a contemplar as folhas gotejantes das árvores e inquiriu:

— Mamãe, quando é que vai chover nos meus olhos?

— Não penses nisso, filhinha!

E Madalena Vilamil torceu a palestra, distraindo-lhe a atenção.

De outra feita, Dolores trabalhava na chácara, acompanhada por Alcíone, que cavava o solo com minúsculo instrumento. Em dado instante, surge o Lobo — grande cão de D. Diego —, que tentava perturbar, todos os dias, os trabalhos da rapariga.

Dolores toma prestes de longa vara e, valendo-se da oportunidade, espanca o animal que debalde procura uma saída.

— Não batas assim no Lobo! — exclama Alcíone, perturbada e aflita.

E como começasse a gritar, a serva falou baixinho:

— Sossega, minha filha! Vamos aproveitar enquanto estamos sem vigias no outro lado.

A menina, entretanto, esboçou um gesto significativo e lembrou:

— Mas nós não estamos aqui sozinhas. Jesus está conosco.

Percebendo a advertência, a criada permitiu que o animal se safasse do círculo apertado em que se achava e esclareceu, como quem se via obrigada a dar uma satisfação do seu ato:

— Este cão, Alcíone, é vagabundo e ladrão.

A pequena não respondeu de pronto, mas dirigiu-se ao interior da casa a passos vagarosos, tomou o crucifixo de D. Margarida, sempre guardado à cabeceira da cama, e encaminhou-se novamente ao quintal. Aproximando-se de Dolores que a observava muito admirada, apontou, com muito carinho, para a escultura e esclareceu na sua linguagem infantil:

— Estás vendo, Dolores? Mamãe contou que, quando Jesus morreu, estava entre dois homens que roubavam.

— Pois bem — disse a empregada sorrindo em face da profunda advertência —, depois falaremos com D. Madalena sobre o caso desse cão.

E Alcíone voltou a guardar o crucifixo, com a impressão de que havia cumprido uma grande tarefa.

*

A vida na chácara continuava cheia da poesia que sempre adorna a pobreza resignada.

Outro tanto, porém, não acontecia ao sobrinho de D. Inácio. Parecia ele cada vez mais desorientado, desde o dia sinistro em que consentira no criminoso pacto com Susana Davenport. O destino não correspondera às suas expectativas de homem do mundo. A mentira sombria apenas espalhara remorsos terríveis no seu caminho, dos quais buscava evadir-se pelos desregramentos de toda sorte. Seu projeto mesquinho sofrera o primeiro abalo no dia em que Madalena Vilamil não mais pudera erguer-se da cama, em Versalhes. Assediar a prima enferma representava muita covardia a seus olhos. A moléstia, entretanto, não fora incidente simples, persistira semanas e semanas. Nesse ínterim, ela, Madalena, pela paciência demonstrada e pela maternal dedicação para com a filhinha recém-nascida, crescera muito aos seus olhos, impedindo-lhe os ímpetos de suprema violência. E, desde a noite em que fizera alusão à sombra de D. Margarida, ele não mais a contemplava sem ver no seu rosto o da veneranda mãe adotiva, que o acariciara dos primeiros dias da infância. Passou, então, a frequentar raramente a chácara e, no íntimo, chegava mesmo a pensar em uma viagem à América, para desfazer o engano terrível, de modo a esperar a velhice sem a recordação de um crime na consciência. A nobre resistência da prima doente e sacrificada parecia impor-lhe a lembrança de D. Margarida, nos seus tempos de intraduzíveis amarguras. O moço espanhol, no entanto, desejava reparar a falta, com a devida prudência. Afinal de contas, no mais fundo da alma, não obstante a situação que o sensibilizava, nunca deixara de considerar Madalena excessivamente orgulhosa. Além disso, receava desfazer a trama odiosa sem ouvir antes a prima de Cirilo. Que teria acontecido na América durante aqueles longos quatro anos? Era preciso esperar para não incidir em novos desatinos.

    No entanto, agora entregue à ideia reparadora, via-se presa dos Izaza, que o arrastavam a condenáveis desregramentos. Envolvido em negócios suspeitos e desmandado nos prazeres que lhe exauriam as forças, não pôde perceber a trama cavilosa[24] que o colhia na sombra, devagarinho.

    Quando menos se esperava, estalou em Ávila a triste nova: condenado pelo Santo Ofício à prisão e confisco de todos os bens, Antero de Oviedo aparecera morto, em Madri, junto à Porta de Toledo. Falava-se à meia-voz que ele havia preferido o suicídio à ignomínia do cárcere. Noutras rodas, porém, afirmavam que tudo não passava de mais um crime odioso da família Estigarríbia. O processo, como todas as peças em exame no tribunal do Santo Ofício, correra os trâmites no mais rigoroso sigilo. A condenação

---

[24] N.E.: Ardilosa.

atingira Antero e companheiros, mas somente Gaspar Izaza fora recolhido à prisão, pois Federigo e Domingos haviam desaparecido misteriosamente.

O sobrinho de D. Inácio assim baixava ao túmulo com o grande segredo da sua vida, tão cedo crestada por sua incontinência e leviandade.

Madalena ainda não conseguira aliviar a angustiosa aflição que a atormentava, quando João de Deus bateu-lhe à porta, antes da alvorada. A pobre senhora assustou-se, mas o rapaz tinha motivos para apressar-se.

— Senhora — disse amedrontado —, fugi para trazer-lhe graves notícias. Esta noite ouvi a combinação de D. Diego e do filho sobre esta casa.

— Como assim? — interrogou Madalena muito pálida.

— Sei que o Santo Ofício vai ocupar as propriedades do Sr. de Oviedo e que os Estigarríbias desejam incluir esta chácara no espólio do extinto.

— Mas esta casa me pertence — interrompeu a filha de D. Inácio com energia.

— Queira, então, providenciar como convém.

A essa altura, o semiliberto mastigou as palavras, como que receoso de prosseguir:

— Mas é uma iniquidade — exclamou Madalena convictamente.

— E não é só... — obtemperou o rapaz, reticencioso.

— Que maior infortúnio poderia sobrevir-nos?

— D. Alfonso — explicou o servo dedicado —, em palestra confidencial com o pai, ponderou que, não sendo Alcíone filha do finado, pode ser arrolada no patrimônio como escrava; e sei que tomou essa atitude pela atração que a menina sempre exerceu sobre ele.

— Horrível! — exclamou a viúva, tornando-se lívida. — Não haverá justiça para semelhantes bandidos?

— A justiça, por certo, não autoriza esses crimes, mas os meus senhores estão com os padres, e será útil que a senhora tome as providências possíveis para defesa do seu lar.

Enquanto o rapaz se retirava apressado, de maneira a não despertar suspeitas na casa a que servia, Madalena levava as mãos à cabeça, tentando conter o vulcão de ideias que a incendiavam. Nenhuma preocupação na sua vida continha o travo desta que ora a excruciava. Separar-se da filha, quando a viuvez já lhe havia mortificado o coração, seria condenar-se a perpétuo martírio. Reagiria contra os criminosos sem consciência. No torvelinho de suas dores, entretanto, procurou encomendar-se a Deus com sincera compunção. Que

Jesus se dignasse velar por sua fraqueza de mulher, defendendo-lhe a filhinha dos lobos desalmados. O Sol já fulgurava no horizonte, e o coração materno continuava em súplica silenciosa, invocando a misericordiosa proteção do Crucificado. Procurando ocultar sua aflição à serva e à filhinha, resolveu bater à porta das freiras Carmelitas, no intuito de solicitar-lhes fraternal amparo.

Em todo o tempo de sua permanência em Ávila, frequentara os ofícios religiosos na igreja de Santo Tomás apenas duas vezes, pela dificuldade de se locomover, mas isso fora o bastante para abraçar velhas mestras, entre as quais se destacava madre Conceição do Santíssimo Sacramento, generosa diretora do educandário onde ela, Madalena, recebera as primeiras letras.

Essa veneranda criatura, pensava a filha de D. Inácio consigo mesma, não a deixaria sem assistência.

Com enorme dificuldade, dada a atrofia dos pés, encaminhou-se à cidade, em companhia de Alcíone, pela manhã. Desde a indelicada recusa das amigas de sua mãe, em Paris, fizera o propósito de nada pedir em seu benefício, mas, naquela hora grave em que lhe faltava o amparo do primo, tinha necessidade de mão amiga para fazer respeitados os seus direitos. Não dispunha de outras relações além dos laços afetivos com as religiosas que tanto a beneficiaram e acarinharam na infância.

Assaz inquieta, pediu para falar à Superiora do Convento de São José.

A velha monja, em cujo rosto as rugas marcavam invernos e padecimentos longos, recebeu-a com afabilidade e doçura, visivelmente satisfeita com a inesperada visita.

— Madre Conceição — começou dizendo acanhada e aflita —, esperava socorrer-me de vossa bondade mais tarde, quando minha filha estivesse em idade de iniciar os estudos, mas circunstâncias imperiosas, quão imprevistas, na minha vida, obrigam-me a incomodar-vos mais cedo.

— Dize, Madalena — respondeu a religiosa com bondade natural —, não te perturbes, confia em nossa velha amizade. Desde que nos revimos, muito tenho pensado em ti, nas tuas penas angustiosas; contudo, filha, são numerosas as antigas alunas que se encontram nos sofrimentos da viuvez.

— Não venho aqui trazida por dificuldades materiais, minha boa madre.

E passou a relatar as suas amarguras em face do desaparecimento do primo, que a deixava em penosa situação moral, por motivo das perseguições que o vitimaram. Pausadamente, imprimindo em cada palavra a força da sua emoção, explicou quanto sabia a respeito da sentença do

Santo Ofício, que levara Antero de Oviedo à suprema ruína. Em seguida, falou da maternal angústia, devido às pretensões odiosas da família Estigarríbia em lhe extorquirem a propriedade rural e, além do mais, sequestrar-lhe a própria filha.

A velha religiosa acompanhava-lhe as palavras, tomada de singular admiração. Viu-a terminar, exausta, pálida, cabisbaixa, consternadíssima. Destacando as últimas assertivas, exclamou inquieta:

— Mas o país não está em regime de cativeiro! Como pode alguém escravizar uma criança inocente?

— Os que têm bastante dinheiro para demover os juízes — disse Madalena convictamente — certo poderão gozar o benefício das leis, mas eu sou paupérrima e minha Alcíone poderá ser levada por mãos criminosas, à revelia da justiça. Não ignoramos que se fala bastante, na atualidade, em mestiços que de nada servem, no conceito dos grandes senhores de terras, senão para os serviços rudes do Novo Mundo. E se D. Diego Estigarríbia pretender que minha filhinha seja dessa espécie de criaturas? Ele tem as arcas abarrotadas de pesetas[25] para comprar os homens indignos. Suas violências talvez nem cheguem a constar nos processos escritos.

Madre Conceição tinha uma grossa lágrima nos olhos. Maternalmente, tomou as mãos da interlocutora e falou:

— Compreendo tuas angústias, entretanto...

— Será possível que não possa contar com o vosso auxílio? — perguntou Madalena atemorizada.

— É que, minha filha, trata-se de uma questão com o Santo Ofício. Nesta casa, somos muito indigentes para te auxiliar com êxito contra inimigo tão poderoso.

E, depois de levantar-se e sondar a porta vizinha, declarou à Madalena, em voz muito baixa:

— Por buscarmos defender dois homens caluniados perante os Inquisidores, duas irmãs e eu, no mês passado, fomos açoitadas cinco vezes.

— Ah! como se permite semelhante tribunal no seio da Igreja? — indagou a filha de D. Inácio penosamente surpreendida.

A monja enxugou as lágrimas com a manga do hábito rafado e murmurou:

---

[25] N.E.: Denominação do dinheiro usado na Espanha até a recente adoção do euro.

— Talvez, minha filha, Deus haja permitido o funcionamento dessa instituição impiedosa para que sejamos experimentados em nossa fé. Hoje em dia, considero que não existe maior cilício[26] que suportar a evidência de tantos crimes em nome do próprio Deus.

A jovem viúva começou a chorar em silêncio, mas a respeitável amiga ponderou com solicitude:

— Não te desesperes: Jesus não está pobre de misericórdia. Faze o possível por aliciar algum homem de mérito que propugne os teus direitos. Estou certa de que o Céu nos oferecerá os meios precisos.

Madalena Vilamil despediu-se com palavras de sincero reconhecimento, mas não pôde disfarçar o desânimo quase invencível. Ao vencer a distância que a separava do teto humilde, sentia que as pernas tornavam-se mais trôpegas. Mesmo assim, quis socorrer-se das autoridades civis ou religiosas, mas a falta de dinheiro amortecia-lhe os impulsos. Os juízes, de um e de outro lado, não trabalhavam de graça. Os processos não se movimentavam sem as molas reais.

Alcíone seguia-lhe os passos muito admirada das suas lágrimas e do seu mutismo. Conduzida pela mão, a delicada criança parecia ansiosa por uma oportunidade que lhe permitisse confortar o espírito materno. Assim que atravessaram as muralhas, já no caminho empedrado, de regresso ao lar, perguntou com a sua curiosidade infantil:

— A senhora não disse que íamos a outra casa?

— Não é possível, minha filha.

— Por quê?

— Não temos a chave de ouro com que poderíamos abrir a porta — concluía Madalena, como a falar consigo mesma.

E passou o resto do dia mergulhada em dolorosas cismas. Via-se, na imaginação, atirada no vórtice do destino. O Santo Ofício tudo lhe arrancaria, tudo... A granja pequenina, cultivada com tantos sacrifícios, seria arrebatada por verdugos cruéis. Mas, quando meditava na eventualidade de separação da filha, profunda revolta dominava-lhe o coração. Seria a derradeira prova da sua dedicação maternal, porque a morte, indubitavelmente, viria nesse instante enregelar-lhe as veias.

---

[26] N.E.: Tormento, aflição.

Enquanto Dolores trabalhava no quintal, intrigada com o pranto copioso da ama, Alcíone permanecia no aposento materno, procurando confortar Madalena com suas observações piedosas, embora infantis.

O crepúsculo desceu pesadamente e, à noite, João de Deus reapareceu. Depois de se informar do resultado da visita ao convento de São José, falou à desolada senhora, deixando-lhe entrever novas esperanças:

— D. Madalena, conheço um padre que talvez nos possa valer.

— Quem é? — indagou ansiosamente a interpelada.

— É o padre Damiano, que oficia na igreja de São Vicente. Ele tem sido meu amigo nas ocasiões difíceis, é bem possível que resolva satisfatoriamente o caso. Se a senhora quiser, chamá-lo-ei ainda hoje mesmo, porque D. Alfonso deverá vir aqui amanhã, depois do meio-dia, para lhe dar conhecimento do odioso mandato.

— Oh! sim! — exclamou reconhecida. — Vai sem demora, conversarei com esse homem de Deus.

O rapaz saiu e, quando o relógio marcava nove horas, regressava em companhia do eclesiástico, recebido por Madalena com inequívocas demonstrações de reconhecimento e apreço.

Padre Damiano era homem dos seus 50 anos e, pela expressão do olhar, como pelas cãs prematuras, dava conta de suas penosas lutas.

Em breves instantes, estabelecera-se entre ele e os presentes os laços cariciosos da intimidade e da simpatia. Ouviu com atenção os informes da viúva Davenport, entendendo-lhe as razões afetuosas como se ouvisse uma filha. A narrativa dos seus sofrimentos infundia-lhe respeito paternal. Em breve, trocavam impressões e já pareciam velhos conhecidos. Também estivera em Paris por ocasião da varíola de 1663 e, por sinal, também sofrera a enfermidade dolorosa, num estabelecimento religioso. Madalena Vilamil estava igualmente satisfeita. A palavra do interlocutor parecia-lhe de um amigo sincero, que tardara a aparecer. Historiando os incidentes da sua viuvez, o padre prestou maior atenção ao caso e sentenciou:

— É muito estranhável que a senhora tenha lutado com tão infausto destino, mediante uma simples notícia. Nunca recebeu informações mais positivas da América?

— Nunca.

— Também — continuou —, é preciso considerar a soledade em que ficou lá na França. A morte dos pais, a enfermidade rebelde, a necessidade imperiosa de atender a recém-nascida...

— Sim — explicou Madalena, agradecida ao seu afetuoso interesse —, mas não renuncio ao meu velho ideal de uma excursão à colônia do norte. Não desejo morrer sem obter as últimas notícias de Cirilo.

O religioso fez um sinal de aprovação e acentuou:

— Sempre acalentei o desejo de compartilhar dos trabalhos missionários na América e, se algum dia o conseguir, ofereço-me a levá-la com a sua filhinha.

Madalena Vilamil agradeceu com um grande sorriso. A palestra prosseguiu animadamente até que a hora avançada determinava as despedidas. Padre Damiano referiu-se à sua disposição sincera de enfrentar a ousadia criminosa dos Estigarríbias e prometeu que ali estaria no dia seguinte às doze horas. E como a viúva quisesse reiterar os agradecimentos, muito comovida, ele a interrompeu, dizendo:

— Não se dê ao trabalho de manifestar gratidão. Neste mundo, somos devedores uns dos outros e, neste momento, tenho a impressão de estar resgatando uma dívida.

E retirou-se acompanhado por João de Deus, enquanto a pobre senhora experimentou um grande alívio e desafogo à mente atormentada.

No dia seguinte, à hora aprazada, o eclesiástico franqueava a porta e aguardava os acontecimentos.

Nas primeiras horas da tarde, D. Alfonso Estigarríbia aproximou-se acompanhado por seus homens, a fim de imprimir certo aparato ao feito. Notando a presença de um sacerdote na casa suposta indefesa, não pôde esconder o desapontamento, mas Damiano, querendo conhecer todo o ardil da encenação cruel, tomou atitude humilde, fez um gesto de extremo desinteresse pela causa e exclamou, após a primeira saudação:

— Entrai, meus filhos! Viva Deus, e abençoado seja o nosso santo Padre.

Encorajados com semelhante acolhida, D. Alfonso e os asseclas cobraram alento e passaram a ler o torpe mandato com ares de triunfo. O filho de D. Diego fez a leitura solene, pausada, enquanto Madalena e Dolores ouviram a sentença, excessivamente pálidas. Terminada a intimação, o moço Estigarríbia passou a explicar que a granja deveria ser desocupada dentro de três dias e que, havendo ali uma criança mestiça, trazida por Antero de Oviedo, competia ao Santo Ofício decidir do seu destino, pelo que exigia a sua entrega imediata.

De posse de todos os fios da perversa meada, padre Damiano fechou o semblante e declarou com enérgica serenidade:

— Conhecemos a força do Tribunal que assim ordena, mas somos obrigados a declarar que existe lamentável engano a corrigir. A Inquisição terá tido motivos para condenar nosso parente Antero de Oviedo, coisa que não pretendemos discutir; consideramos, porém, que a sentença de confisco já foi executada com a ocupação de suas casas em Ávila, e de outras propriedades em Madri. Julgamos, ainda, que se isso não bastasse, o condenado já pagou duramente as suas faltas com a morte.

D. Alfonso ficou lívido.

— A que engano vos referis? — indagou.

— Esta chácara não pertencia ao réu.

— As provas? — acudiu o chefe da expedição, contrafeito.

A um gesto do religioso, Madalena Vilamil trouxe o documento da doação firmado pelo extinto.

— Mas, evidentemente — exclamou D. Alfonso —, esta declaração não tem efeito legal. É simples transação entre parentes. O sangue é o mesmo.

— Julgais, então — continuou Damiano —, que as pessoas honestas possam responder por delitos dos irmãos consanguíneos? Jesus era o Salvador e não impediu que Judas aparecesse na reduzida família dos seus discípulos.

Ante a inesperada opugnação, o filho de D. Diego mordeu os lábios, encolerizado:

— Deveis saber que a condenação do Santo Ofício engloba a parentela.

— Não ignoro — explicou o padre — que o Santo Ofício muito cruelmente persegue o condenado na pessoa dos descendentes, mas nós não somos da estirpe de Antero de Oviedo.

Incapaz de rebater os argumentos do interlocutor, o chefe da diligência acentuou:

— Consultaremos o bispo D. Leôncio Molina.

Compreendendo que o rapaz aludia ao parente, cheio de influência política, Damiano acrescentou:

— E nós indagaremos a razão pela qual a família Estigarríbia anda requisitando crianças livres nas cidades independentes da Espanha. A Corte nos informará quanto a isso.

O vizinho fez menção de retirar-se com os companheiros, mas, antes de o fazer, o sacerdote concluiu:

— D. Alfonso, voltai na paz de Jesus. Esta casa está disposta a viver cristâmente na vossa vizinhança, mas não esqueçais que tendes uma alma para prestar contas a Deus.

A expedição partia cabisbaixa, enquanto Madalena se retirava para o interior e beijava o crucifixo que sua mãe lhe havia dado, agradecendo a Jesus aquelas inefáveis consolações.

VI
Novos rumos

A família Estigarríbia não voltou a renovar suas absurdas exigências, e o próprio D. Alfonso fez o possível por demonstrar atitudes novas e mudança de propósitos, de sorte que a torpe extorsão não chegou a consumar-se. Ciente do fato, o bispo Molina desautorizou os criminosos intuitos e providenciou para que o confisco não ultrapassasse os limites indicados pelos inquisidores.

Encerrado o incidente, a vida na granja prosseguia em adorável simplicidade.

Alcíone fizera-se amiguinha fiel do padre Damiano, e Madalena parecia regozijar-se com a nova companhia.

O eclesiástico revelava ideias diferentes de sua época. Embebido nas veneráveis tradições do passado, não podia compreender os crimes tramados na sombra, em nome de Deus. Apreciava a filosofia antiga, desprezava os exageros do fanatismo e não concordava com a tirania do Santo Ofício. Quase diariamente, à noite, ia à vivenda modesta da viúva Davenport, a cuja porta a pequenina Alcíone se postava para saudar graciosamente o cavalo paciente e manso, que o servia no pequeno trajeto.

As conversações interessantes desdobravam-se animadoras. Madalena Vilamil parecia encontrar nas interpretações do religioso mais duradouras consolações.

— Padre Damiano — dizia —, a Igreja parece despreocupar-se de nossas amarguras. Em toda parte preponderam as injunções políticas, ao passo que Jesus foi bem claro nos ensinamentos relativos ao seu reino, que ainda não é deste mundo. Todavia, em vez de cuidar da redenção das almas, a maioria dos clérigos permanece em disputas vãs. Vivemos uma época de trevas espessas. A Inquisição é muito mais poderosa que os reis sem coração. A que atribuir tais desmandos? Não considerais que temos sido escravos antes que devotos?

— Sim, minha filha — esclarecia o amigo com a sua madura experiência da vida —, tuas observações são justas. Deus cria a vida, não o cativeiro. Entretanto, esses clamorosos desvios são das instituições humanas. Os padres ambiciosos de poder temporal constituem fileira quase interminável nos tempos atuais, mas não poderão nunca destruir o Cristianismo na sua essência eterna, divina. A misericórdia de Deus lhes tolera os insultos, mas há de chegar o tempo de se restabelecer a verdade. Sou de opinião que todas as iniquidades da Terra são impotentes para aniquilar uma centelha de nossa fé.

A última frase despertou em Madalena pensamentos novos. Num belo minuto de meditação, esquecia as vicissitudes da Terra e as angústias do tempo, para alcandorar-se nos sublimes problemas da alma.

— A fé? — obtemperou. — Como adquiri-la, padre? De mim a entendo como um estado superior, conseguido na oração. Tudo tenho feito por encontrar alívio e refúgio na confiança em Deus. No entanto, sinto-me bem longe da paz íntima que tanto ambiciono.

O eclesiástico lançou-lhe um olhar significativo, como a dizer que lhe era impossível resolver definitivamente a questão, e explicou:

— Não podemos criar os valores da fé enquanto nos sobeje a inquietação, e acredito que nossas relações com a Divindade devem ser as mais simples possíveis. Quanto a mim, considero que cada dia é uma oportunidade renovada para o labor de nossa redenção. Resumo as minhas preces à vigília da manhã, na qual procuro a inspiração do Evangelho ou dos livros que nos suscitam desejos de perfeita união com o Cristo, e ao louvor da noite, quando busco examinar os ensejos de serviço ou testemunhos que o Senhor me facultou.

Ela não compreendeu a contento e interrogou:

— Mas como?

— Toda a leitura edificante derivou da Providência por intermédio dos seus mensageiros, em nosso socorro; com as suas advertências e conceitos sábios e preciosos, faço a vigília matinal e à noite rendo graças ao Pai, em consciência, pelos favores que me foram dispensados. Na vigília, estabeleço propósitos redentores; e no exame da noite julgo-me a mim mesmo, para verificar onde se cristalizaram minhas maiores fraquezas, a fim de emendá-las no dia imediato. O mundo, a meus olhos, é uma vasta oficina onde poderemos consertar muita coisa, mas reconhecendo que os primeiros reparos são intrínsecos a nós mesmos.

Grandemente interessada, a suposta viúva de Cirilo insistiu:

— Se dais tanto valor ao esforço espiritual da manhã e às meditações da noite, como encarar o dia?

— Creio que entre a vigília e o louvor está o trabalho que o Senhor nos deferiu. O dia constitui o ensejo de concretizar as intenções que a matinal vigília nos sugere e que à noite balanceamos.

O reduzido auditório, isto é, Madalena, Alcíone e Dolores, bebia-lhe os conceitos com profunda atenção.

A serva, talvez impressionada pelas suas definições de trabalho, indagou:

— Padre Damiano, como proceder, então, nos dias em que as circunstâncias nos impeçam de trabalhar? Estaremos fugindo ao ensejo que Deus nos concedeu?

O religioso compreendeu o móvel da pergunta e tentou explicar:

— Acreditas, então, que só aos braços foram conferidas as atribuições de serviço? Os ouvidos trabalham quando ouvem, os pés quando caminham. A língua esforça-se, a inteligência atua. Quando cessam as possibilidades de ação no exterior, há no íntimo da criatura todo um mundo a desbravar. Chego a refletir que, às vezes, a enfermidade atormenta a criatura para que ela se volte para dentro de si e aproveite a oportunidade no esforço laborioso de sua renovação.

Para a filha de D. Inácio, aquelas conclusões sobre a prece eram novas e surpreendentes. Tal como acontecia em todas as esferas religiosas do seu tempo, supunha que orar equivalia a pedir. As cerimônias da Igreja, quase sempre, resumiam-se em longas súplicas apenas. Os livros devocionais englobavam rogativas, da primeira à última página. Os ex-votos, as procissões, os sermões públicos representavam pedidos insistentes. Por isso mesmo, a viúva inquiriu com certa indecisão:

— Vossos esclarecimentos quanto à oração me surpreendem; contudo, necessito expor minhas dúvidas mais íntimas. Não teria Deus concedido ao mundo a faculdade de rezar, a fim de que a alma humana aprendesse a pedir? Sempre conheci essa manifestação do sentimento como rogativa. Considero, entretanto, que, se toda a nossa atividade religiosa estivesse circunscrita aos atos precatórios, não passaríamos, neste mundo, de uma assembleia de mendigos. Que dizer do homem que reclamasse, de mãos postas, o manjar do céu, somente por reter o suor na semeadura do seu quintal? Poderá alguém insistir na obtenção da verdadeira paz, quando ainda disputa a ferro e fogo a posse de bens perecíveis? Chegará alguém à esfera dos Anjos, quando ainda não chegou a ser homem?

Reconhecendo o interesse despertado por suas palavras, Damiano sentiu-se encorajado e continuou:

— Naturalmente que deveremos apelar para o Céu, mas, no interpretar a prece como rogativa, suponho que não devemos ir além do Pai-nosso, porque, acima de tudo, julgo que a oração deve ser um esforço para nos melhorarmos. Deus nos procura a todo momento, e o ato devocional será, então, tarefa incessante do espírito, apagando as imperfeições, para que o Pai nos encontre.

— Mas criaturas há que maldizem o destino — acrescentou Madalena sumamente interessada. — Como não importunar o Céu quando padecemos necessidades angustiosas? Para muita gente, a Terra não passa de odioso degredo e o corpo representa escuro cárcere.

— Não creio. Só há mendicidade em nossa alma. E no que se refere a paisagens do mundo, o próprio deserto tem a sua beleza. As estradas que pisamos estão repletas de perspectivas encantadoras. Uma folha da primavera ou um punhado de areia são documentos da glória de Deus em nossos caminhos. Quando nos referimos a regiões sombrias ou desoladas, geralmente esquecemos que elas se localizam em nosso mundo íntimo. A noção de cárcere, como a dor do remorso, nunca foram observadas no horizonte azul nem no canto dos pássaros, simplesmente porque residem dentro de nós mesmos.

— E o sofrimento, padre Damiano? — perguntou Madalena Vilamil, já tocada por aqueles altos conceitos. — Que me dizeis do problema do destino e da dor? Nosso futuro espiritual, após a morte, não está encerrado no Céu, no purgatório ou no inferno, sem remissão?

O interpelado sorriu e esclareceu:

— Esta palavra, ouvida pela Inquisição, representaria um crime de traição para o fanatismo de nossa época e nos levaria à fogueira. Esta circunstância nos leva a refletir na magnitude da tarefa a realizar, mas se eu disser que minha interpretação é diferente? A morte não existe como a entendemos. O que se verifica, apenas, é uma transmutação de vida. Os teólogos suprimiram a chave simples das nossas crenças. Quando o corpo é reclamado pelo sepulcro, o Espírito volta à pátria de origem, e como a Natureza não dá saltos, as almas que alimentam aspirações puramente terrestres continuam no ambiente do mundo, embora sem o revestimento do corpo carnal. Desde a mais remota antiguidade, os homens se comunicaram com os seus semelhantes já mortos.

E, ante o olhar admirativo da jovem senhora, Damiano passou a recordar:

— Eneias fez consultas a Anquises, por meio dos estranhos poderes da feiticeira de Cumas; Plutarco afirmava que os seres de outro mundo se manifestavam nos Mistérios; Sócrates tinha seu gênio familiar; Apolônio de Tiana sentia-se auxiliado por entidades invisíveis; os imperadores romanos buscavam os pareceres dos habitantes de Além-Túmulo, com a cooperação dos oráculos; Vespasiano procurou a palavra dos numes tutelares no Oráculo de Geryon; Tito fez o mesmo na Ilha de Chipre; Trajano imitava-os, sondando as revelações do Oráculo de Heliópolis, na Síria; os cronistas do tempo antigo declaram que Augusto, depois de iniciado no culto de Elêusis, tinha contato com os fantasmas; nas páginas sagradas da Bíblia vemos Saul procurando o falecido Samuel por intermédio da pitonisa de Endor, e contemplamos os discípulos de Jesus bafejados pelo Espírito Santo, no glorioso dia do Pentecostes...

— É extraordinário! — exclamou a esposa de Cirilo, felicitada por novas luzes. — Quer dizer que os entes queridos, que nos antecedem no túmulo, nos esperam no limiar da outra vida, para as alegrias do reencontro!?

Damiano esboçou um gesto altamente significativo e acrescentou:

— Nem sempre será indispensável partir para reencontrar...

— Por quê? — interrogou admirada.

— Nossa época não comporta a divulgação das supremas verdades, mas nós nascemos e renascemos. A vida é uma só; entretanto, as experiências são diversas. O próprio Jesus declarou aos mentores de Israel que não era possível atingir o Reino de Deus sem renascer de novo. Inferno ou purgatório são estados do espírito em tribulação por faltas graves, ou em vias de penitência regeneradora.

A viúva Davenport teve a sensação de haver sido levada a um porto de grandiosas revelações. Recordou, subitamente, seu primeiro colóquio com o rapaz irlandês que elegera para seu companheiro de existência, quando lhe confiara as predições do velhinho de Granada. A figura quase apagada do egipciano erradio ressurgia-lhe nos arcanos da memória, com os mínimos contornos. Assim, reviu na tela imaginada as portas do Alhambra e as amiguinhas bem-amadas, destacando-se de todas as recordações as palavras conselheiras do desconhecido: "Prepara-te, minha filha, e une-te à fé em Deus, porque teu cálice, no mundo, transbordará de sofrimentos. Não vivemos apenas esta vida. Temos várias existências, e a tua existência atual é promissora de tributos afanosos para a redenção." Sinceramente impressionada, relatou o incidente, que o religioso acolheu com singular carinho.

— Podes crer — afirmou convicto — que esse ancião deveria ser um grande inspirado.

— Mas será possível que se troque de corpo como se muda de vestes?

— Justamente. Só isso, minha filha, explica as profundas diferenças do caminho. Nas estradas em que buscamos a luz da salvação, encontramos os seres humanos mais díspares. Ali, depara-se-nos um homem impiedoso, detentor de sólida fortuna; acolá, debate-se um justo entre a fome e a enfermidade, que parecem intermináveis. Num mesmo lar nascem santos e ladrões. Há pais excelentes cujos filhos são indesejáveis, monstruosos. Uma via pública exibe jovens elegantes e miseráveis criaturas que se arrastam entre a lepra[27] e a cegueira. Poderias admitir que o Criador, magnânimo e sábio, deixasse de ser pai para ser um experimentador desalmado? Não admitamos esse absurdo teológico, mas ponderemos na verdade de que se cumpre, desde agora, o "a cada um segundo suas obras", dos ensinamentos de Jesus. Na obra divina, infinita e eterna, cada filho tem responsabilidade própria. A criatura se engrandecerá ou submeter-se-á ao rebaixamento conforme utilize as possibilidades recebidas. No caminhar de cada dia, podemos observar os que ascendem, apesar dos dolorosos testemunhos; os que estacionam em receios inúteis; os que resgatam e os que contraem novas dívidas.

---

[27] N.E.: Na época em que esta obra foi escrita, esse termo era comum, mas atualmente é considerado pejorativo e/ou preconceituoso. Hanseníase, morfeia, mal de Hansen ou mal de Lázaro é uma doença infecciosa causada pela bactéria *Mycobacterium leprae* (também conhecida como bacilo de hansen) que afeta os nervos e a pele, podendo provocar danos severos.

Madalena Vilamil, depois de apurar ainda mais as impressões próprias, considerou sensibilizada:

— Vossas razões me suscitam mais vastos raciocínios. Às vezes, padre, sonho com assembleias que me forçam a decisões prejudiciais, com praças armadas e onde minha voz ordena ações cruéis... Vejo-me, então, detentora de poderes, rodeada de súditos numerosos... Em seguida, acordo exausta, com a impressão de haver regressado de uma região de reminiscências indesejáveis.

— Ah, sim! — murmurou Damiano com um sorriso. — Quem sabe a nossa permanência em Ávila constitui uma repetição de circunstâncias do passado ominoso? É possível que tenhamos tido riqueza e autoridade, exercendo tirania. A casa de Deus é cheia de justiça com misericórdia.

A viúva Davenport meditou alguns minutos nas provações sofridas, considerou a razoabilidade dos conceitos expendidos e concordou:

— É verdade. Minha existência parece obedecer a esse plano de tributos expiatórios. Desde criança, venho observando que nas situações decisivas sou obrigada a curvar-me às circunstâncias. Nos grandes lances, tenho a impressão de que minha vontade é anulada por misterioso poder...

— E és muito feliz em não desobedecer.

— Entretanto, padre, as mágoas são muitas e rudes.

— Mas se o esforço divino de Jesus foi aureolado no Calvário, quem poderá pensar na glória celeste sem a coroa de espinhos? As pessoas felizes costumam não ter história e, quando a possuem, nem sempre registram episódios mais dignos. Com essa ideia, não quero dizer que devamos andar no mundo como aventureiros do sofrimento, em farragem de trapos e lamentos, mas desejo realçar o valor das lutas incruentas do coração, que temperam o caráter e iluminam a vida. A maioria dos santos esteve indecisa até que o testemunho redentor, pela dilaceração de si mesmos, lhes abriu os horizontes infinitos da Eternidade. Nascemos e renascemos, até que possamos encontrar asas de sabedoria e de amor para os voos supremos.

— Vossas ideias a respeito da pluralidade de existências — disse Madalena — traduzem imensas consolações. Depois que voltei da França, já fui duas vezes à igreja de Santo Tomás assistir aos ofícios religiosos, mas nunca poderei definir as emoções que me assaltaram ao contemplar-lhe as imagens antigas. Ao ajoelhar-me próximo do púlpito, a grandeza do velho templo parecia revocar-me a lembranças imprecisas de outras eras, que eu não conseguiria definir. Terminada a missa, visitei todos os altares e extasiei-me na contemplação do velho claustro... Poderosas impressões dominaram-me o pensamento... Fiquei convencida de que cada coisa, ali, me era familiar; contudo, quando menina, no internato, raras vezes visitei esse templo e nunca experimentei tais sensações.

— Sim — considerou Damiano em atitude de funda reflexão —, a igreja e o claustro de Santo Tomás têm sua história longa e estranha. Ali foram tomadas muitas deliberações importantes nas reuniões dos reis católicos com os membros do Santo Ofício.

Houve uma pausa e logo a moça interrompeu:

— Já que essas teorias tanto edificam, por que não cuida a Igreja de as divulgar?

— Por enquanto não devemos pensar nisso. Essas revelações espirituais nos chegam da mais remota antiguidade, mas a Igreja Católica não poderá tão cedo espalhar o clarão dessas verdades confortadoras. A noite que desceu sobre nós ainda não terminou.

— Mas acaso não se trata de consolações divinas?

— Sim, mas nossa crença atual tem sua base no terror da tirania religiosa, e não na liberdade sublime do Evangelho. Se Jesus voltasse agora à Terra, seria perseguido como impostor, com suplícios talvez maiores que os da cruz. A barca de Roma é diferente da barca da Galileia. Na primeira, temos sacerdotes ambiciosos e insaciáveis; na segunda, tínhamos pescadores. Em Roma, esplendem palácios; enquanto em Belém fulgia a manjedoura. No Vaticano, faíscam gemas preciosas da tiara pontifícia; em Jerusalém, o cálice era de vinagre, e a coroa tecida de espinhos.

Madalena recolhia as citações com indisfarçável interesse, enquanto o eclesiástico rematava:

— Compreendes as diferenças?

— Abraçais então a Reforma? — arriscou, referindo-se ao movimento religioso iniciado por Martinho Lutero.

— Aceito a necessidade da reforma íntima. Se os protestantes puderem alcançar semelhante renovação, por certo serão bem-aventurados. Quanto ao mais, se ainda me encontrasse sem responsabilidades definidas, seria justo empunhar uma espada de batalhador ativo em prol do restabelecimento da verdade; contudo, se Deus me chamou ao labor do ministério católico, devo obedecer, compreendendo que o meu combate é no silêncio e na meditação, longe dos olhos indiscretos do mundo.

*

Aquelas conversações construtivas repetiam-se diariamente. Quando o sacerdote não comparecia, a viúva Davenport, Dolores e João de Deus, seguidos de Alcíone, prosseguiam nos mesmos comentários. Eram passagens evangélicas, livrinhos de meditações, contos educativos, o material de luz das palestras fraternais do grupo modesto. Padre Damiano, de vez em quando, contava a história dos primeiros mártires do Cristianismo, e a recordação dos sacrifícios provocava um manancial de lágrimas benéficas. A lembrança de sua resistência heroica, de sua exemplificação de coragem, bondade e fé, acendia, em todos, novas claridades confortadoras.

Os meses corriam céleres para aquela reduzida assembleia de corações, que não desejava outra coisa senão a paz perfeita em Jesus.

A pequena Alcíone encontrava singular encanto nas descrições dos tempos remotos, em que os cristãos perseguidos se reuniam nas catacumbas abandonadas. A narrativa das festividades bárbaras da época de Nero marejava-lhe os olhos, mas, quando ouvia a leitura das respostas firmes dos mártires aos algozes, exultava de entusiasmo. Denunciando vocação para o sacrifício, certa vez interrogou:

— Padre Damiano, onde é agora o circo? E as feras? Ainda podemos sofrer para mostrar a Jesus que não estamos de acordo com os que o crucificaram?

O religioso achou muita graça na lembrança e explicou:

— Sem dúvida, poderemos testemunhar nossa fé a todo tempo, em todas as circunstâncias.

E, observando que a criança aguardava resposta completa, concluiu sorrindo:

— Agora o circo é o mundo e, na maioria dos casos, as feras são os homens.

*

Dois anos, relativamente tranquilos, assim passaram. O religioso amigo vivia sempre na expectativa de uma surtida à América. Quando todos os planos pareciam ajustar-se ao cometimento, surgia um imprevisto dominante. Adiavam-se então as esperanças indefinidamente. Madalena Vilamil, todavia, gozava melhor saúde, com exceção dos pés, que a obrigavam a se contentar com a pequenina paisagem da sua pobre granja. Movimentava-se, porém, sem maiores torturas, dentro de casa e no âmbito do quintal, e isso era motivo de enorme satisfação. As palestras e reflexões diárias sobre a vida espiritual renovavam-lhe as forças psíquicas. Tinha ilimitada confiança no futuro de Além-Túmulo. No trato das ideias novas, chegava à conclusão de que a viuvez e a pobreza material representavam condições do testemunho, e em tudo havia possibilidades de honrar os decretos divinos. Recordava o passado, detinha-se nas reminiscências dos dias mais tormentosos e refletia que as piores situações haviam passado. Além do mais, a Providência lhe concedera um bálsamo celestial nas carícias da filhinha, cuja companhia representava o alfa e o ômega da sua vida. Sua fé religiosa, ao influxo dos novos conhecimentos, ganhara maravilhosos poderes de resistência. Estava certa de que encontraria novamente o esposo e os pais, quando entregasse o corpo material às sombras do túmulo. Essa crença proporcionava-lhe constante renovação de energias morais, e, chegada a noite, na hora das preces, sentia doce tranquilidade de consciência e infinita esperança a encher-lhe o ferido coração.

Por essa época, verificou-se memorável evento no sítio. Atendendo à generosa interferência de amigos, os Estigarríbias consentiram no casamento de João com Dolores, e Madalena muito se regozijou com o feito. A cerimônia, muito simples, foi celebrada na residência da noiva, pelo padre Damiano, com a presença de D. Alfonso, que via no feito um elo a unir a fazenda poderosa à humilde chácara confinante.

João de Deus, no entanto, casara-se sob condição de continuar na mesma situação de semiliberto, da qual a esposa teria de compartilhar. Dolores, todavia, ficou livre para prosseguir cooperando com a ex-senhora, como lhe aprouvesse, apesar de Madalena ter agenciado outra serva, indispensável aos trabalhos da horta e do pomar.

A família Estigarríbia, desejando talvez apagar as más impressões do passado, mandou construir uma casinha modesta para o casal, justamente na divisa da chácara, para que a senhora Vilamil não ficasse afastada dos seus amigos prestimosos.

Dessarte, o casamento da serva não alterou o regime doméstico de Madalena, de maneira essencial.

E, como a interpenetração de planos constitui fenômeno inelutável no curso da vida, vejamos o que ocorria a Antero de Oviedo no plano espiritual.

Em região de sombras compactas, seu espírito reparava com lágrimas de compunção a inconsciência de outrora. Azorragado pelo remorso, tinha a impressão de estar mergulhado em noite infinda, no bojo imenso de insondável abismo. Dois anos lhe pareciam dois séculos de amargor inconcebível. De quando em quando, tentava erguer-se do abatimento que o prostrava, para logo recair em marasmo de agonias, como se lhe não fora possível sequer intentar desprender-se daquela geena.[28]

A princípio, tinha fome e sede, mas, aos poucos, tais sensações cediam a padecimentos mais atrozes. As últimas impressões da morte trágica subsistiam e até se requintavam, esmagando-o qual catadupa de indefiníveis angústias. Terrífico silêncio envolvia-o, uniforme, invariável. Quando ansiava por ouvir vozes humanas, chegavam-lhe ruídos confusos de gargalhadas escarninhas, deixando-o quase convicto de estar sendo espreitado por inimigos intangíveis, que, embora igualmente mergulhados no manto de trevas espessas, zombavam de Deus e das noções santificantes da vida.

Lágrimas dolorosas lavavam-lhe o rosto incessantemente. Apesar de convencido do seu desprendimento do corpo carnal, guardava a impressão nítida de sua personalidade humana.

Precito impenitente, recompunha os mínimos elos das experiências em que fracassara. A infância na Espanha, os desvelos maternais de D. Margarida, as preciosas oportunidades perdidas, tudo, tudo o atormentava e transformava o coração em fonte de pranto inestancável. As possibilidades de Paris apareciam-lhe agora como largos caminhos que o teriam conduzido ao dever mais nobre e, no entanto, cruel e egoisticamente desprezados. A lembrança do crime praticado com a prima, enferma e indefesa, era uma úlcera envenenada que lhe agravava a desventura. Era como se ali a tivesse, recebendo a falsa notícia da morte do marido, acarinhando a recém-nascida, desfeita em pranto. Depois, era o moço irlandês viajando cheio de confiança nos seus préstimos fraternos, e — coisa extraordinária! — no pandemônio das recordações como que lhe ouvia as últimas palavras na véspera da partida.

Apuado pelo remorso, voltava às ruas parisienses devastadas pela varíola ascorosa, e debalde tentava regredir no tempo, a fim de corrigir

---

[28] N.E.: Local de suplício eterno; inferno.

o erro clamoroso. Nos pesadelos que o assediavam, revia a casa de Santo Honorato, ansioso por defender Madalena até o fim, mas, simultaneamente, a lembrança do cemitério, com as aleivosas sugestões de Susana, passava-lhe no cérebro entontecido, qual nuvem de fogo. Uma azenha ao estridor de reminiscências amargas que pareciam não ter fim. A recordação do regresso à terra natal com propósitos ignóbeis e a insistência brutal por satisfazê-los com a prima, que deveria respeitar, levavam-no às raias da loucura. Federigo Izaza surgia-lhe como verdugo de cuja influência aviltante era preciso fugir, mesmo de longe.

Atemorizavam-no as reminiscências concernentes ao comércio e tráfico escravista. Revia as cenas torpes das embarcações negreiras, nas raras vezes que as visitara ao largo da costa africana. E ouvia as lamentações e o praguedo dos que se viam obrigados à separação dos entes queridos. Tudo lhe aflorava à mente dolorida com prodigiosa vivacidade e nitidez.

Como não conseguira entrever a verdade na Terra? Que venda estranha lhe cegara os olhos? Por que não amparara Madalena nas vicissitudes da sorte, em vez de arruinar-lhe o porvir de esposa e mãe? Por que anuíra à criminosa sugestão de abusar das criaturas ignorantes, conduzindo-as a imerecido cativeiro, quando lhe competia auxiliá-las fraternalmente, por comezinho dever de Humanidade?

Rememorando o passado, Antero de Oviedo chorava convulsivamente, azorragado na consciência.

O veneno fulminante com que se suicidara parecia corroer-lhe ainda as vísceras, num suplício sem-fim.

Tremia, chorava, aniquilava-se dentro da sua imensa dor.

Todavia, o fato que mais o impressionava era ter a destra mirrada e um dos pés ressequido! A treva impedia-lhe a visão, mas, de quando em quando, pelo tato, com sensações dolorosas, ia compreendendo a singular anomalia.

Escoados mais de setecentos dias de incomensurável amargura, certa vez rogou a Deus, com todas as veras do coração, lhe permitisse uma esmola de luz no seio das trevas que o envolviam. Recordou a figura do Cristo, que jamais procurara entender na Terra, e chorou como nunca. Implorou, então, compungidamente, que o Salvador se apiedasse da sua angústia infinita. Em voz baixa, qual criança imbele,[29] pediu com sinceridade, embora

---

[29] N.E.: Fraca, covarde.

reconhecesse o demérito próprio, que Ele o auxiliasse, permitindo que sua mãe adotiva viesse trazer-lhe uma palavra de coragem e reconforto.

Depois de assim recorrer com a humildade de quem suplica saturado de inútil desespero, viu, pela primeira vez, destacar-se na treva um círculo de claridades confortadoras. Tomado de assombro, sentiu que alguém se aproximava em seu socorro. Mais alguns instantes, e o Espírito de D. Margarida tornava-se-lhe visível.

— Ah, minha mãe!... — exclamou, arrastando-se para beijar-lhe os pés. — Há quantos séculos me separei do seu coração afetuoso?

A esposa de D. Inácio, cercada por um halo de luz, tinha os olhos nevoados de lágrimas. Inclinou-se e murmurou docemente:

— Oh! meu filho, como te encontro!... Onde puseste o amor que te dei? Por que te chafurdaste no tremedal das paixões humanas, quando te ensinei a elevar o pensamento a Deus, desde os primeiros dias da tua infância?

Em atitude maternal, sentou-se ao seu lado e acariciou-lhe a cabeça, que o rapaz conservava sobre a mão esquerda, a chorar convulsivamente.

— Como te venho encontrar, Antero! Os mensageiros de Jesus permitiram viesse trazer-te alguma consolação. Reanima-te, filho!

— Perdi tudo! — exclamou o desventurado. — Não me resta da experiência humana senão um mar de tormentos e lágrimas. E, por fim, minha mãe, Deus me atirou neste abismo nefando!...

Mas a nobre entidade lhe cortou a palavra, asseverando:

— Não blasfemes! Deus é nosso Pai e nos criou para a luz eterna. Somos os responsáveis pela queda nos desfiladeiros cruciais. A Providência nos cerca de todos os carinhos, traça as sendas de amor que devemos trilhar; no entanto, meu filho, no círculo da liberdade humana, relativa, a paixão nos aniquila, o orgulho nos cega, o egoísmo nos encarcera em suas prisões malsãs. Como poderias afiançar que o Senhor te conduziu a este lugar tenebroso, se desprezaste o roteiro da sua infinita misericórdia?

Antero, entretanto, tocado pelas angustiosas recordações terrenas, obtemperou amargurado:

— Mas tudo no mundo conspirou contra mim!

— Não seria mais acertado dizeres que conspiraste contra tudo?! Combateste os sentimentos nobres que te infundi na infância; guerreaste a paz do nosso lar; tramaste contra os seres nascidos em liberdade. Onde pus, em teu coração, os ensinos do Cristo, entronaste a indiferença; no caminho de duas almas em união santificada por Jesus, semeaste a mentira e o sofrimento; nas regiões por Deus destinadas à vida livre, plantaste os espinhos da escravidão. Não teria sido misericórdia arrancar-te aos sorvedouros do mal, trazendo-te a esta noite desolada para que pudesses meditar? Abençoa as dores que te ferem o espírito e estraçalham o coração. Essas amarguras atrozes obrigam-te a calar, para que a verdade te fale à consciência. Ainda para os mais broncos criminosos, endurecidos no mal, sempre surge um momento em que, premidos pela dor, são forçados a ouvir a voz de Deus.

O réprobo soluçava nos braços da interlocutora, qual filho ansioso por desabafar todas as mágoas no regaço materno. Aquelas palavras deram-lhe grande alento ao coração delido.

— Reconheço a enormidade das minhas faltas — concordou humildemente —; no entanto, mãe, fui órfão de todas as alegrias!

— Não o foste tal, e sim, e só, um ser incontentável.

— Aspirações cortadas por um destino cruel...

— Ninguém pode alcançar felicidade quando transforma as aspirações em caprichos inferiores.

Traduzindo num gesto relutância e desacordo, ei-lo a insistir:

— Todas as lutas terrestres ser-me-iam favoráveis se Madalena me houvesse atendido ao coração. Ao seu lado eu cultivaria a virtude, fugiria do mal, teria vencido as mais rudes batalhas, mas...

A nobre entidade, aproveitando a pausa reticenciosa, redarguiu com energia e serenidade:

— Não acuses tua irmã por faltas oriundas de tuas próprias fraquezas. Madalena jamais te faltou com a exemplificação fraternal. Assediada por necessidades cruéis, foi tua amiga desvelada; nas horas de incerteza, sempre teve uma palavra de inspiração para os teus desígnios. Que mais poderias desejar?

Ele abanou a cabeça e respondeu:

— Mas de coração foi sempre inflexível. Talvez um gesto de ternura, um beijo, uma esperança... me salvassem...

— Como nunca te lembraste de lhe oferecer o carinho com desinteresse de coração? Por que não recordaste o beijo fraternal, com cuja essência poderias retificar a mentira execrável que lhe agravou os padecimentos no mundo? Viveste, meu filho, aproveitando as situações críticas para forjar ações criminosas; acompanhaste-lhe as lágrimas com atitudes frias e gozaste intimamente com a separação de duas almas que Jesus havia unido em suas bênçãos de amor. Que seria de ti se Madalena houvesse atendido aos teus arrastamentos inferiores, esquecendo os deveres sagrados de esposa e mãe? Terias uma noite mais densa, dores mais cruéis. Caíste, é verdade, mas ainda podes orar, ainda tens a dádiva do pranto remissor!

O sobrinho de D. Inácio, agora, parecia flagelado por uma tempestade de lágrimas. Tinha a impressão de recuperar a razão, mediante aquelas recriminações lançadas face a face pela lealdade da mãe adotiva. Nada obstante os sofrimentos experimentados, ainda não havia tudo aprendido. Somente agora conseguia esmar[30] a extensão da sua cegueira criminosa no mundo. Esmagado pelo justo reconhecimento das faltas clamorosas, sentiu-se incapaz de algo mais objetar, permanecendo à mercê dos remorsos pungentes.

D. Margarida, depois de longa pausa, acariciou-lhe a mão mirrada e falou:

— Já refletiste nos resultados da empresa que tentaste no mundo? O menosprezo da oportunidade reparadora fere-te agora com amargas consequências. A mão que assinou documentos condenáveis, aí, a tens mirrada; o pé que se moveu no rumo dos feitos delituosos está ressequido; os olhos que procuraram o mal repletam-se de sombras espessas...

Ao ouvir tais coisas, o rapaz mostrou reconhecer num gesto a sua penosa situação, mas, lembrando-se subitamente da presteza com que sua prece fora atendida, no caso da vinda de sua mãe pelos laços espirituais, asseverou humildemente:

— Rogarei a Jesus me socorra com a liberdade de movimentos.

— Sim — explicou D. Margarida —, o Senhor não te negará o quinhão da sua excelsa bondade, mas só ao contato de novas lutas terrenas conseguirás reintegrar-te nas faculdades sagradas que espezinhaste, esquecendo voluntariamente os mais nobres deveres.

— Como assim? — interrogou admirado.

— Jesus perdoa não com as fórmulas verbais, tão fáceis de enunciar, mas com a renovação do ensejo de purificação. O corpo carnal é tenda preciosa, na qual podemos corrigir ou engrandecer a alma, apagar as nódoas do passado obscuro, ou desenvolver asas divinas, por nos librarmos a pleno espaço em busca dos mundos superiores. Somente na Terra, meu filho,

---

[30] N.E.: Avaliar.

onde imprimiste tão negro cunho aos próprios erros, encontrarás meios de regenerar a saúde espiritual, pervertida no crime.

— Mas não bastaria a Misericórdia Divina a meu favor? — volveu ansioso, por afastar a perspectiva de humilhações no ambiente humano.

— A Misericórdia jamais falta, em tempo algum; ela permanece na afeição sincera dos amigos espirituais, que velam por ti, e no próprio remorso que te molga o espírito desolado. Deus tudo concede, mas não nos isenta das experiências necessárias. O perdão do Pai ao lavrador ocioso está na repetição anual da época do plantio. Nessa renovação de possibilidades, o semeador indolente encontra os meios de regenerar-se, ao passo que o trabalhador diligente e ativo defronta condições de engrandecimento sempre maior. Compreendes, agora, o perdão de Deus?

— Compreendo!

— Pois bem; se rogaste ao Senhor a minha presença, implorei igualmente a Jesus me permitisse reorganizar as tuas possibilidades de trabalho no orbe terrestre. A bondade infinita do Mestre concedeu-me essa dita. Só assim poderás restabelecer o equilíbrio da tua personalidade.

E, ante o gesto de espanto do rapaz, que a ouvia mudo, a benfeitora prosseguiu:

— Ainda poderás aproveitar a missão de Alcíone, que voltou ao nosso núcleo familiar a fim de nos ensinar a todos a humildade, o amor, o perdão recíproco e a obediência a Deus. Não terás a beleza física de outros tempos, nem a liberdade plena de movimentos, mesmo porque regressarás ao mundo para um esforço de cura; todavia, se bem souberes renunciar aos teus caprichos, ao terminar as futuras provas estarás reintegrado na harmonia espiritual, para prosseguimento de novas tarefas evolutivas, na carne ou fora dela. Jesus me concedeu a felicidade de trazer-te esta dádiva. De ti, porém, depende agora prolongar teus sofrimentos expiatórios ou assumir o compromisso de os abreviar.

Antero temia as angústias da Terra, mas, compreendendo a generosa intenção da venerável amiga, murmurou:

— Aceito.

Desde o momento em que se revelou absolutamente conformado, sentiu que o Espírito maternal o sustinha nos braços fortes e acolhedores.

Por quanto tempo andaram assim, os dois, através de extensas paragens sombrias? De si, não o saberia dizer.

Em dado instante, porém, viu-se, com a benfeitora, defronte de modesta vivenda cercada de arvoredo. Não teve dificuldade em identificar o teto humilde onde havia instalado Madalena. Aproximaram-se. A esposa de Cirilo entretinha-se a costurar junto da filha, que parecia muito atenta ao trabalho materno. O rapaz esboçou um gesto e teve uma exclamação de surpresa, mas logo compreendeu que ninguém dera pela sua presença naquele aposento banhado de sol.

D. Margarida tranquilizou-o com um gesto e acrescentou:

— Vês? Ela vem lutando heroicamente e aproveita agora as contingências da pobreza material para elevar-se a Deus.

O precito entrou a meditar profundamente. Daí a instantes, todavia, a graciosa Alcíone, como que tocada no imo do coração, exclamou com estranho fulgor nos grandes olhos:

— Mamãe, a senhora tem se lembrado do primo Antero?

— Por que perguntas?

— É que hoje quero pedir a Deus por ele quando a senhora for rezar.

— Pois sim — disse a esposa de Cirilo, comovida.

— Mamãe, há quanto tempo ele foi para o Céu? — interrogou a linda criança, na sua encantadora ingenuidade.

— Há pouco mais de dois anos.

Mal sabiam que Antero de Oviedo ali estava ajoelhado junto delas e desfeito em lágrimas, ao refletir que aqueles dois anos lhe pareciam dois longos séculos.

VII
Caminhos de luta

A chegada dos retirantes irlandeses em terras da América ocorreu sem maiores incidentes não obstante a demorada travessia, delonga normal naquela época.

O velho Gordon, como guia experimentado, conduziu a caravana com segurança ao porto de destino, onde os imigrantes se instalaram na zona mais tarde absorvida pelos subúrbios de Hartford.

Todos os corações estuavam de esperanças novas.

Cirilo estava deslumbrado com a riqueza da terra, impressionando-se com a beleza dos horizontes. A paisagem evidenciava, de fato, um mundo diferente, que, no dizer de Abraão Gordon, era a região destinada por Deus aos homens de boa vontade.

A adaptação da pequena comunidade não apresentou dificuldades apreciáveis. Em breves dias, identificava-se satisfeita com as mudanças havidas, embalando-se em perspectivas promissoras. A caça e a pesca eram novidades que a todos proporcionavam não somente diversões inéditas, senão também abundante celeiro.

Samuel e Abraão, aportados à nova terra, adquiriram uma centena de escravos e, com o auxílio do braço negro, iniciaram as primeiras culturas. Ao calor de entusiasmos fecundos, desdobravam-se energias para as tarefas imensas, assinalando-se que, ao fim de poucas semanas, todo o trabalho estava normalizado.

Recordando o berço natal, a extensa região que abrangia as duas grandes propriedades rurais foi batizada com o expressivo nome de Nova Irlanda.

Samuel e Constância não cabiam em si de contentes e, apesar das saudades do Ulster, faziam o possível para reproduzir e conservar as pequeninas coisas que adornavam as antigas fazendas da Irlanda distante. Movimentavam-se os empreendimentos, nesse sentido, não apenas no interior doméstico, mas igualmente na divisão das pastagens, na localização da lavoura de batatas e legumes, nos aviários, estábulos e redis.

Cirilo, ao lado de João e Carlos Gordon, promovia importantes iniciativas. Cheios de energia e mocidade, operavam, os três, uma verdadeira revolução agrária, orientando grandes turmas de servos na transformação benéfica dos patrimônios da Natureza. Aqui, eram braços d'água captados à distância de quilômetros, para fertilizar pastagens e acionar moinhos; além, eram os campos de experimentação dos cereais encontrados. Aproveitavam-se todos os conselhos dos colonos chegados antes deles. Regiões vastas foram destinadas ao plantio do fumo — base econômica de maior importância para o comércio de exportação.

Cirilo, principalmente, não tinha meças de repouso, encantado com a grandeza do território que lhe desafiava a mocidade robusta e empreendedora. Atividade posta no trabalho intensivo e pensamento voltado para o lar distante, iniciou logo a construção da casa própria, fiel aos desígnios trazidos da Europa. A exemplo do que fazem aves próvidas,[31] escolhia com desvelado carinho o material mais adequado à construção do ninho de futura tranquilidade. Lembrava as menores observações da companheira com referência ao assunto, para que fossem cuidadosamente desdobrados os serviços iniciais. A paisagem parecia corresponder aos mais íntimos desejos da esposa, pois de fato encontrara uma pequena zona de cômoros verdejantes, regada pelas águas claras do Connecticut, tudo a esbater-se em magnífico fundo azul. Cirilo cercara o local com particular cuidado, para que as árvores frutíferas desenrolassem os primeiros ramos.

---

[31] N.E.: Prudentes, precavidas.

Renúncia

Ouvindo-lhe os planos de futuro, todos calcados em sonhos de paternal ventura, Constância sorria, embevecida e, por sua vez, idealizava mil coisas para que a nora só encontrasse bem-estar no ambiente colonial.

Estava a completar-se um ano que haviam emigrado, um ano de esperanças e trabalhos para Cirilo, e também de saudades e expectativas ansiosas de notícias que jamais lhe chegavam, excetuadas as cartas recebidas nos primeiros tempos.

Agora, esperava ele uma embarcação segura para voltar a Paris, em busca da esposa que tanto o preocupava. Entretanto, esse navio, que o deveria levar, trazia-lhe dolorosa carta do tio Jaques, na qual, com mão trêmula, comunicava os tristes acontecimentos de França. Historiava a epidemia com todas as cores negras e, por fim, registrava, pesaroso, a espantosa notícia do falecimento de Madalena e de seu pai, pouco depois da morte de D. Margarida, e que, de Versalhes, Antero de Oviedo lhe comunicara que seguiria para a América do Sul, sobrecarregado de profundos desgostos.

A leitura da lutuosa carta fizera-se acompanhar de efeito fulminante. O rapaz debalde ensaiou um gesto de resignação ante a fatalidade que lhe modificava o destino. As letras baralharam-se-lhe na retina, trêmulo de assombro. Lágrimas ardentes misturavam-se a soluços de irremediável aflição, apesar das expressões confortadoras de sua mãe. Naquele momento, tudo estava terminado para o seu coração afetuoso. De que lhe servira tamanha bagagem de esperanças se a fatalidade assim anulava todos os projetos sublimes? Agora, concluía que a mudança, efetuada com tão grandes aspirações de futuro venturoso, não passava de estranho e miserável exílio. Custava-lhe admitir a realidade das informações inesperadas e exasperantes. Entretanto, a carta do velho amigo de Blois não dava margem a qualquer dúvida. Além disso, na mesma embarcação que lhe trouxera a infausta nova, chegaram diversos imigrantes franceses, que se declaravam involuntariamente expatriados diante da epidemia devastadora.

O pobre rapaz caiu em situação desesperadora. Espantava-o a tremenda impossibilidade de qualquer lenitivo. Seu intraduzível sofrimento tinha, ao seu ver, o cunho de fatalidade irremediável. Prostrado em febre alta, foi forçado a acamar-se, movimentando toda a Nova Irlanda em torno do seu leito. Em vão, porém, sucediam-se os argumentos consoladores. Seu olhar era quase indiferente às exortações evangélicas do ancião de Belfast e reagia, dificilmente, mesmo aos apelos maternais. Ao seu ver, aquela dor era inacessível ao raciocínio de quantos o rodeavam. Nenhum dos seus havia conhecido Madalena e ninguém na colônia podia avaliar sinceramente a sua desgraça irreparável.

Constância, porém, desfazia-se em desvelos, na sua infinita capacidade de afeição. Na véspera da missa que mandara celebrar em intenção da nora supostamente falecida, abeirou-se do leito do filho inconsolável e falou-lhe com carinho:

— Meu filho, é verdade que o teu sofrimento é indefinível e que longe estamos de imaginar toda a intensidade do teu desgosto, mas peço-te considerar minha confiança de mãe!... Acaso terão terminado todos os teus deveres neste mundo? Reconheço que teu amor conjugal é muito grande; todavia, nós também te amamos muito!

Quis responder, asseverando que sua ventura estava destruída, que o mundo não lhe oferecia novos ideais; contudo, a voz morria-lhe na garganta opressa.

— Não te entregues a esse abatimento fulminante de coração — continuava a palavra maternal com profundo desvelo. — Não te peço esse sacrifício de teus sentimentos apenas por mim. Há três noites Samuel não dorme, dizendo-se perseguido de remorsos atrozes, por te haver trazido sem a esposa! Não sei mais que fazer, meu filho, por demonstrar que em tudo devemos obedecer à vontade do Pai que está nos Céus...

Nesse ínterim, a bondosa senhora interrompeu-se para enxugar as lágrimas.

— Também sofro com os pensamentos que afligem teu pai, mas que seria de nós, aqui, sem as iniciativas do teu cérebro e o valor dos teus braços? Como vês, a felicidade na colônia não se resume num sonho de quem troca o berço em que nasceu por uma pátria diferente. O equilíbrio doméstico exige alta soma de esforços e de sacrifícios. Qual a situação se não tivesses vindo? Não podíamos continuar dependendo tanto dos Gordons, nossos velhos amigos. Não acreditas, meu filho, que se hajam cumprido insondáveis desígnios de Deus? Se puderes, tranquiliza teu pai e a mim também, neste transe tão amargo, revelando conformação e paciência; e, se não for agravo aos teus padecimentos íntimos, acompanha-nos, amanhã, ao ofício religioso em intenção da paz de Madalena no seio de Deus.

As considerações maternas, ditas com inflexão de imenso carinho, atingiam fundo o coração do filho.

— Logo que possas, levanta-te — prosseguiu, passando-lhe a mão pelos cabelos —, recorda as nossas necessidades de trabalho, pensa nos teus irmãos!...

Ele continuou silencioso, não obstante os inestimáveis resultados da exortação instante e humilde.

Tão logo a genitora volveu ao interior da casa, ele começou a meditar mais seriamente na sua necessidade de reação. Não seria egoísmo insular-se, de modo absoluto, na dor que o acabrunhava? Cumpria não agravar as tribulações maternas, tampouco abandonar o genitor em meio de tantos empreendimentos iniciados. Nada no mundo poderia cicatrizar a úlcera que se lhe abrira na alma; contudo, era preciso ocultá-la, retomar a charrua cotidiana e renovar as disposições, a fim de não parecer covarde. Com grande esforço levantou-se. A contemplação da Natureza ambiente não lhe devolveu as alegrias primitivas. A magnífica paisagem americana assumia, agora, a seus olhos, o aspecto de cemitério adornado de árvores esplêndidas, em apoteose de flores.

A missa do dia imediato foi particularmente penosa para o seu espírito afetuoso. Os Gordons e os Davenports ocupavam os lugares mais destacados do interior da capela, enquanto os escravos se conservavam a certa distância, olhando-o com olhos piedosos. O pobre rapaz, entrajado em rigoroso luto, não sabia como disfarçar por mais tempo as emoções que lhe estrangulavam a alma sensível. Ao terminar o ofício, quando recebeu o último abraço de condolências, sentiu um grande alívio.

Agora desejava ardentemente embarcar para a França, ao menos para visitar o túmulo da companheira inolvidável e rever os sítios inesquecíveis da sua efêmera ventura conjugal, mas o professor de Blois anunciava sua vinda breve, e definitiva, acompanhado de Susana. Jaques revelara, em todos os trechos da carta, amargurosa desolação. Também fora vítima da enfermidade terrível. A escola amada estava extinta. E pretendia embarcar, sem perda de tempo, atendendo aos rogos da filha, aflita para afastar-se do teatro de acontecimentos tão tristes.

Cirilo ponderou que seria conveniente esperá-los. Certo lhe trariam pormenores que ansiava por conhecer. Daí por diante, duplicou as próprias tarefas, buscando, no trabalho, lenitivo à mágoa profunda que o devorava. Taciturno e, nada obstante, enérgico e resoluto, levantava-se quando ainda as estrelas luziam no firmamento, compartilhando no esforço rude dos escravos. Costumava fazer as refeições no campo e só regressava ao lar quando os astros da noite despontavam.

O quadro doméstico prosseguia sem alterações, quando a chegada de Jaques com a filha veio suscitar assuntos novos. Diariamente, à noite, renovavam-se as palestras animadas, em casa de Samuel ou na de Abraão, ao ritmo da curiosidade geral pelas notícias do Velho Mundo. O esposo de Madalena lograra algum conforto com a presença do prestimoso amigo e, fumando seu cachimbo, calado, ouvia as dolorosas descrições da epidemia que flagelara as populações francesas do norte. De quando em vez, Susana intervinha no assunto, com sutileza, por dar impressões pessoais. Contara a todos que não pudera abraçar Madalena Vilamil na hora extrema, porém tivera oportunidade de acompanhar Antero de Oviedo nas derradeiras homenagens devidas a D. Inácio. Dada a sua presença em Paris, podia descrever os quadros impressionantes da capital francesa — circunstância que frisava com entusiasmo —, carregando nas tintas negras para produzir maior efeito no auditório atento e estarrecido.

Cirilo guardou carinhosamente a cópia das anotações de sepultamento colhidas pela prima em Paris. O fúnebre documento, aos seus olhos, era o último capítulo da realidade sem remédio.

A situação em Nova Irlanda era muito próspera. As duas fazendas realizavam vultosos negócios. Com a vinda dos dois colonos tão importantes, ia resolver-se um grande problema, que era o da escola. Abraão Gordon já havia ponderado o assunto e resolvido procurar um professor para o grande centro rural. O educador de Blois, todavia, atendeu com vantagem a semelhantes necessidades.

Espírito corajoso e realizador, em poucos dias iniciava o movimento de instrução primária, entusiasticamente aplaudido por todos os companheiros. As fazendas vizinhas interessaram-se igualmente pela iniciativa. Crianças de longe vinham matricular-se nas aulas prestigiosas, dirigidas por professor de reconhecido mérito.

Notava-se em Susana uma transformação singular, parecia outra, ali assim, no ambiente americano. Renunciara aos hábitos frívolos, punha de parte a ociosidade e auxiliava o pai nos trabalhos escolares. O próprio Jaques estava impressionado com aquela transformação. Com alto senso psicológico de mulher, Susana dividiu turmas em classes, estabeleceu melhor aproveitamento dos horários, arregimentou planos surpreendentes. Conhecendo o interesse de Cirilo pelos escravos, consagrou parte do dia à instrução dos filhos dos cativos, visitava as senzalas pela manhã, ministrando noções de higiene e ensinando o melhor meio de lograr harmonia doméstica. Lançou a ideia de um grupo musical formado pelos servos, iniciativa que alcançava enorme êxito, após algum tempo de laboriosa preparação.

Tornara-se, enfim, credora da estima geral, esforçava-se por ser útil a grandes e pequenos, sem embargo dos sentimentos menos dignos que lhe moviam o coração. Tornara-se a alma de todas as realizações mais íntimas, pela afabilidade com que dissimulava as intenções. Não somente se consagrava ao trabalho gratuito em benefício das crianças necessitadas, como organizava os serviços da capela, cooperava em todos os misteres de assistência aos enfermos, prestava auxílio eficiente aos matrimônios improvisados.

Não raro, chegavam a Hartford pequenas turmas de jovens órfãs ou de outras candidatas ao matrimônio na colônia, onde o número de homens sobrepujava, de muito, o de mulheres, e constituía espetáculo interessante a parada dos rapazes do campo, consultando as qualidades das futuras esposas. Raramente se examinavam os traços de beleza física. Quase todos, porém, se interessavam pela saúde das que reuniam melhores requisitos de capacidade para o trabalho, principalmente rijeza de pulsos e tornozelos. Os serviços da colônia exigiam pesados esforços físicos ou então longas caminhadas através das lavouras. As concorrentes julgadas incapazes dificilmente conseguiam noivar.

As famílias de tratamento entretinham-se em assistir às interessantes competições, encontrando nelas inesgotável assunto para serões humorísticos. Jaques Davenport chegara mesmo a observar que o novo continente era a primeira região do mundo na qual a mulher deveria vencer, longe da moda e da faceirice femininas.

Em tal ambiente, era de prever que Susana Duchesne interessasse a todos os rapazes de nobre educação. Inteligente e afável, estimada por toda a comunidade, dadas as suas iniciativas de trabalho, entrou a ser requestada com empenho. E, contudo, ela se mostrava insensível às atenções de Carlos Gordon, que a cortejava francamente. No íntimo, Susana recalcava o seu despeito bem feminino ao verificar que o primo, cuja afeição não hesitara em conquistar mediante um crime, dava-lhe a impressão de não lhe perceber a presença senão como irmã desvelada e sincera.

É verdade que o tempo lhe desfizera a sombria catadura, como se se houvesse afeiçoado à própria dor, sem conseguir alijá-la. Nunca mais, contudo, voltou a ser o mesmo homem de alegria sem mácula. A taciturnidade das primeiras semanas de viuvez foi substituída por constante retraimento, e o riso franco e sonoro de outros tempos transformou-se em discreto sorriso, ainda assim, raro. Decorrido o primeiro ano, em que sobrepujara todas as expressões individuais em serviço efetuado, a família começou a preocupar-se com a sua viuvez.

Constância, instigada pela sobrinha, por trás dos bastidores, certa noite em que se achava a sós com o filho, chamou-lhe a atenção para o caso. Muito delicada, evidenciando nobre prudência maternal, começou a dizer, sensibilizada:

— Na verdade, tua situação de viúvo me preocupa muitíssimo. Não achas acertado refazer o destino, cogitando de um novo lar? Aí já tens a casa que a falecida, de saudosa memória, não logrou desfrutar. Quando te vejo a cultivar, sozinho, as roseiras e fruteiras, sinto que o coração se me aperta no peito!... Mais vale abandonares aquelas plantações, que só teriam significação se tivesses a consorte ao lado.

O rapaz não podia perceber a intenção materna e ponderou com sinceridade cristalina:

— Tenho a impressão de que Madalena me acompanha em pensamento. Já em Paris havíamos combinado os dispositivos ornamentais desta vivenda. As roseiras do portão, o cultivo dos pessegueiros e mesmo a frente da casa para o rio são ideias dela, que não poderei esquecer. Se me não ficou ao menos um filhinho para beijar, guardarei essas lembranças em penhor de fidelidade à sua memória.

— Concordo com a nobreza de tuas recordações, mas não posso aprovar a solidão em que vives. Suponho que poderias aliar as saudades aos imperativos da vida real, pois, moço como estás...

Aparando de pronto a mal disfarçada sugestão, Cirilo respondeu:

— Julgo, minha mãe, que ninguém pode amar duas vezes.

— Será talvez um engano, pois os afetos da vida não se confundem nunca. Como esposa e mãe, conheço o amor em formas diferentes e estou habilitada a dizer que estimo o marido e os filhos com um só coração, mas a cada um de certa maneira. E quando minha experiência fosse particular, hás de convir que se muitas vezes há consórcios de amor, também não faltam os de conveniência.

— A senhora não admite que um homem possa viver sozinho?

— Não vou tão longe, mas não vejo razão para que um rapaz, na tua idade, se isole totalmente da vida, como vens fazendo.

— Mas por quê? — indagou Cirilo intrigado.

A boa senhora teve certa dificuldade em condicionar a resposta, mas, num momento, encontrou boa saída invocando os argumentos religiosos:

— Ora, meu filho, se Jeová se preocupou com a solidão de Adão no Paraíso, dando-lhe a companhia de Eva, que não sinto eu, na minha maternal fragilidade humana, ao ver-te sempre sozinho e triste? E a verdade é que Deus estava no Céu e nós estamos no mundo...

— Mas o Criador — disse o rapaz, esforçando-se por sorrir às delicadas sugestões maternas — não deu a Adão duas Evas...

A genitora também sorriu meio contrafeita, mas prosseguiu firme:

— Deixemo-nos de humorismos. Eu estou encarando a sério a situação. Ouve-me, filho: por que não esposas Susana, para que nossa alegria se complete? Tua prima sempre te acompanhou os passos com extrema fidelidade. Desde a infância que se interessa por teu bem-estar e procura o teu coração. Jamais lhe ouvi qualquer censura aos respeitáveis sentimentos que te levaram ao primeiro matrimônio. É um coração afetuoso, dedicado, fiel. Não seria a criatura talhada para te restituir a ventura que bem mereces? E não seria louvável que lhe oferecesses agora o teu braço protetor?

Cirilo esboçou um gesto de quem via confirmadas certas suspeitas mais íntimas e afiançou:

— Desde a chegada do tio Jaques, noto de fato, na prima, umas tantas pretensões, mas a verdade é que não posso esposá-la. Não se deve mentir nem mesmo ao próprio coração.

— De qualquer maneira, porém — acentuou D. Constância —, não se justifica a solidão em que vives. A própria Madalena, se estivesse conosco, não concordaria com semelhantes atitudes.

Cirilo deu a entender que os alvitres seriam objeto de acuradas meditações, mas estava longe de pensar que a investida materna representava o início de cerrada ofensiva familiar, a fim de lhe modificarem os pontos de vista.

Daí por diante, entrou a reparar mais detidamente nas atitudes mínimas de Susana, compreendendo-lhe as razões sutis no tratamento delicado dispensado aos seus homens de serviço. A pretexto de atender às crianças negras, ela percorria frequentemente as zonas de trabalho rude, distribuindo sorrisos e palavras de conforto. Cirilo começou a pensar naquelas necessidades do homem moço, insulado no mundo, sem assistência afetuosa de uma alma feminina e sem o estímulo dos filhinhos, coisas que sua mãe fazia questão de salientar, quase todas as noites, no serão doméstico. Por vezes, as ideias batalhavam-lhe no cérebro oprimido. Via-se à frente de caminhos de luta áspera, em que necessitava vigilância para não cair. Assediado por uma torrente de opiniões, chegava a temer que as próprias ideias lhe faltassem no momento oportuno. A ideia de segundas núpcias lhe causava tal ou qual repugnância. Sempre considerara o amor como patrimônio intransferível. Era impossível bipartir a alma, trair os estos[32] espontâneos do coração.

*

Os meses corriam em tensas expectativas para a filha de Jaques, quando inesperado acontecimento veio imprimir novo rumo à situação.

Certa manhã de radioso domingo, após o culto, o ancião de Belfast procurou Susana, declarando-se mensageiro de grave assunto, que desejava examinar a sós com ela. A jovem atendeu, algo perturbada, visto não contar com a assistência do genitor, que se encontrava ausente.

Logo que se defrontaram a sós, na saleta particular, Abraão Gordon expandiu-se com alegria:

— Não te vexes — exclamou sorridente, com ares patriarcais —, teu pai não ignora o que te venho dizer. Conversamos ontem à noite, tendo-me ele asseverado que o caso não lhe reclama a autoridade paternal, e sim o teu coração de filha.

— Mas que vem a ser tudo isso, "tio" Abraão? — interrogou a jovem, obedecendo aos costumes familiares, com a designação mais íntima.

— Di-lo-ei sem circunlóquios — respondeu o ancião sorridente. — É que a colônia está precisando de gente nova e novos lares, e Carlos me incumbiu de consultar-te quanto à possibilidade de um enlace, que a todos nós se afigura auspicioso.

Susana descorou. Não esperava tal coisa. A presença do velho amigo, que se habituara a respeitar desde menina, impunha-lhe uma resposta leal. Mas a sinceridade e nobreza da consulta causavam-lhe estranha emoção.

---

[32] N.E.: Em sentido figurado, pode ser entendido como ímpetos, paixões, ardores.

Admirava Carlos Gordon como rapaz culto e digno, mas não conseguiria ir além disso. Pois que se lhe impunha formal recusa, procurava, debalde, os recursos da palavra.

— Diga, Susana — continuou o ancião solícito —, por que te perturbas? Considera que não tens nenhum compromisso.

E vendo que ela não lhe retribuía em satisfação o que lhe oferecia com tanto júbilo, calculou a luta íntima que lhe ia na alma e procurou socorrê-la:

— Teus olhos rasos d'água, tanto quanto a expressão do rosto, são assaz eloquentes para mim. Já sei que não podes preencher o futuro de Carlos tal como o imagina ele.

Nesse comenos, sentindo-se fielmente interpretada, a jovem Susana prorrompeu em pranto, dando a perceber que nutria velhas mágoas. Abraão, tocado pelas profundas experiências da vida, inclinou-se paternalmente e disse:

— Acaso, terás sentimentos que eu não possa conhecer? Não creio que andes indiferente nesta nossa Nova Irlanda. Naturalmente, hás de ter inclinações que ignoro. Carlos e João são filhos do meu lar; Cirilo é também meu filho, por afinidade. Tuas lágrimas revelam alguma coisa em teu coração, que eu preciso conhecer. Porventura, aguardas o braço de Cirilo para penetrar os mistérios do amor?

A tais palavras, ditas em tom de imenso carinho, a filha de Jaques levantou o olhar e fez um gesto afirmativo, que não podia deixar margem a qualquer dúvida.

— Pois bem — disse o bondoso velhinho, revelando carinhosa compreensão —, fica descansada, eu mesmo me entenderei com Cirilo.

Ela esboçou um gesto de reconhecimento e falou:

— Tio Abraão, tendes sido para mim um segundo pai; entretanto, não desejo ofender os sentimentos nobres de Carlos.

— Ora essa! Não te incomodes com isso. Meu filho não saberá desta nossa palestra. Dir-lhe-ei que, informado da tua preferência, resolvi não tocar no assunto, visando à completa felicidade de Cirilo.

— Como vos agradeço! — murmurou a jovem, osculando-lhe ternamente as mãos.

E, enquanto o ancião se retirava, Susana experimentava novas esperanças banharem-lhe o coração.

Na noite daquele mesmo dia, Gordon solicitou do filho de Samuel uma entrevista em particular.

Cirilo o acompanhou a um canto da extensa varanda, não isento de alguma inquietação. A influência do velho amigo dos Davenports era sempre decisiva no seu caminho. O que Jaques conseguia dele por efeito de amor, Abraão igualmente obtinha por força de autoridade moral. Algo perturbado, o filho de Constância seguia-lhe os gestos mínimos, até que o padrinho começou a falar, depois de longas reflexões:

— Meu filho, venho tratar da solução de problema de importância capital para as nossas famílias; assim, espero que me compreendas a intenção, como se exposta fosse por teu próprio pai!...

— Sou todo ouvidos — replicou o rapaz, considerando a solenidade do preâmbulo.

— É que — continuou o velho com bondade — não podemos concordar com o teu isolamento, e talvez saibas que Susana te ama desde a adolescência.

— Mas eu já me casei uma vez... — redarguiu Cirilo, desejando fugir ao assunto.

— Isso, porém, não impede a recomposição da vida.

— Não me sinto bem ao pensar nisso. Por vezes, tio Abraão, quando essas ideias me ocorrem, tenho a impressão de trair a mim mesmo. O amor conjugal, a meu ver, é único, insubstituível. Sempre encarei o segundo matrimônio como taça vazia. Que teria, então, para oferecer a Susana?

— Essas ideias, crê, não passam de fantasias, sem fundamento no plano das realidades positivas. Sou casado em segundas núpcias e nem por isso me considero o pior dos homens.

O rapaz experimentou um leve abalo, visto não ter encarado o problema sob esse aspecto, firme no propósito de insular-se no seu infortúnio, em culto de eterna saudade.

Gordon continuou:

— Entretanto, compreendo os teus escrúpulos, até certo ponto. A mocidade nos enche o coração de sublimes idealismos. Todavia, as vozes da experiência são muito diversas. Sei da saudade que te empolga o espírito afetuoso, mesmo porque, dada a tua conduta presente, parece-me que a esposa morta resumiu no mundo o conjunto dos teus melhores ideais; no entanto, poderás guardá-la na memória como símbolo de inspiração, como página viva a reler, diariamente, no imo da alma, a fim de criar uma nova situação feliz. A primeira mulher foi a jardineira cuidadosa e fiel, que te deixou o perfume de lições sacrossantas para toda a vida, mas não há esquecer que não estás fora do jardim da vida.

Cirilo não respondeu, engolfado em profundo cismar.

— Julgas, porventura, meu filho, que Nova Irlanda poderia progredir somente a expensas de nobilíssimos ideais? Muita vez tenho ouvido tuas apologias calorosas à opulência da terra que nos foi confiada. Repara o maciço da vegetação luxuriante que se perde na noite, observa como o rio vai espalhando a vida silenciosamente. Toda a extensão vastíssima, que o nosso olhar abrange, espera o braço do homem. Meditemos nesse imperativo da Natureza. A criatura viverá pelo coração, mas necessita aplicar e multiplicar os braços para colaborar na obra divina. A floresta requer cuidado, a terra aguarda o intercâmbio das sementes no seio fecundo, o curso da água reclama retificações para trabalhos proveitosos, os campos mais áridos sonham com um braço do rio!... O mundo material é uma tenda de esforços infinitos, onde fomos chamados a colaborar com o Criador no aperfeiçoamento de suas obras. É impossível a cooperação perfeita, sem lar e sem prole.

O filho de Samuel desejava confutar,[33] expender argumentos ponderosos, mas a autoridade patriarcal de Gordon era sempre sagrada aos olhos de todos. As razões por ele invocadas, frutos de madureza e bom senso, também lhe pareciam dignas de ponderação e respeito. Afinal, o venerando ancião sempre tinha uma preocupação mais elevada pelo bem coletivo, uma observação sensata, colimando o supremo alvo da vida — perpetuar a espécie. Sua dedicação aos problemas da gleba, manifestada não apenas teoricamente, mas exemplificada com sacrifícios, era um dos muitos predicados que lhe realçavam a personalidade. Todavia, examinando e profundando os mais abscônditos ditames do coração, Cirilo sentia-se estranhamente angustiado quando compelido a conjeturar um segundo matrimônio. Sem dúvida, a prima cumulava-o sempre de gentilezas e deferências especiais. Associava-se, de bom grado, aos seus planos de serviços, amparava-lhe os empreendimentos com o prestígio pessoal adquirido por sua afabilidade, junto de todos os servidores. A seu ver, ela corresponderia ao papel de uma boa amiga, mas não poderia jamais substituir Madalena no seu coração. As afirmações de Gordon, todavia, eram ponderáveis. Apresentavam

---

[33] N.E.: Reprovar, contrapor-se a um ponto de vista de outrem.

argumentos mais fortes que os maternais. O ancião de Belfast não se referia apenas a interesses pessoais, mas à coletividade, ao impessoal, ao mundo, à obra de Deus por intermédio da Natureza.

Reconhecendo-lhe a necessidade de raciocinar, o tio fizera longa pausa, voltando a insistir:

— Espero, pois, medites o assunto e nos proporciones a certeza da breve restauração do lar, para que Nova Irlanda se enriqueça, mais tarde, com a tua descendência...

Forçado a tomar atitude decisiva na resposta ao velho amigo, mas querendo adiar um compromisso formal, o rapaz obtemperou sensatamente:

— Por enquanto, creio que me não devo pronunciar em definitivo, reservando qualquer decisão para depois da visita que tenciono fazer ao túmulo de Madalena, em Paris.

Abraão Gordon, porém, considerou que a resposta equivalia a meio caminho andado.

A situação do restrito ambiente de Nova Irlanda continuava, assim, a ensejar ansiosas expectativas sobre o caso de Cirilo. A renúncia de Carlos em favor do companheiro, tornando-se arredio, sem que o filho de Samuel pudesse atinar com a causa do seu retraimento, imprimia nova força à opinião dos palradores. O rapaz sentia-se cada vez mais apertado no círculo dos comentários familiares, enquanto a filha de Jaques continuava agindo. O generoso professor de Blois não encarava os boatos com simpatia espontânea, mas também não desejava intervir em decisões de tal natureza, não só porque poderia parecer egoísta ao sobrinho, como ingrato e insensível à filha, que já lhe havia confiado seus votos mais íntimos, por ocasião do casamento de Madalena.

Tão logo marcou a viagem para a França, com o fito de visitar o sepulcro da esposa, Cirilo notou que Susana desejava a mesma coisa. A jovem temia, intimamente, que o primo pudesse encontrar algum fio da sombria teia e dispunha-se a segui-lo em jornada tão penosa, com a intenção de vigiar-lhe os passos. Em face das objeções familiares, alegou que precisava de material escolar para imprimir novo impulso aos seus trabalhos educativos. A fim de não agravar a preocupação dos parentes, deliberou levar Doroteia, uma das pequenas irmãs de Cirilo. Declarava-se desejosa de visitar, igualmente, a sepultura inesquecível e aproveitar o ensejo para rever antigas relações em Paris.

E não houve como dissuadi-la. Após mais de dois anos de ausência, o marido de Madalena regressava à França, assomado de amaríssimas recordações. Não estava propriamente alquebrado, pois o trabalho contínuo do campo dotara-o de singular robustez; no entanto, o olhar reservado e a comunicabilidade esquiva davam conta da profunda mudança operada.

A chegada à capital francesa, depois de longos dias de viagem exaustiva, verificou-se sem incidentes dignos de menção, a não ser a gentileza crescente de Susana.

Cirilo procurou avistar-se com os velhos amigos, que o receberam alegremente. Cada paisagem, cada rua, assinaladas pelos antigos hábitos, foram outros tantos espículos[34] de consternação. Os antigos companheiros pintavam-lhe ao vivo as cenas tétricas e inesquecíveis da varíola devastadora. Muitos seres caros haviam partido para sempre. Em companhia de Susana, visitou a casa de Santo Honorato, o recanto adorável de sua primeira ventura. Os novos locatários simpatizaram com ele e o convidaram a rever o interior da antiga morada, em atenção aos ascendentes da visita. Penetrou nos aposentos comovido e reverente, dando a impressão de ingressar num santuário muito amado. Susana descrevia-lhe o derradeiro quadro, indicando o local onde repousara D. Inácio Vilamil, pela última vez, junto do sobrinho enlouquecido de dor. Cirilo foi mais longe. Avistou-se com a serva que sobrevivera a tantos infortúnios, vendo confirmadas as reminiscências angustiosas de que a prima parecia intérprete fiel. Das relações afetivas da extinta encontrou apenas Colete, que se referiu à morta com lágrimas copiosas. Não conseguira vê-la no extremo instante, mas fora informada do seu passamento logo após a nuvem de sofrimento que abafara Paris, por várias semanas, acrescentando que seu túmulo, no Cemitério dos Inocentes, era objeto do seu carinho constante.

Onde, porém, as impressões de Cirilo se tornaram mais dolorosas foi justamente na silenciosa mansão dos mortos, quando lá chegou ao entardecer, em companhia da prima e da irmãzinha.

Aproximou-se das duas campas com respeito infinito e ajoelhou-se junto à lousa que tinha o nome de Madalena. Reparou no róseo coração de mármore atravessado por um punhal, símbolo profundo que devia à lembrança do tio Jaques e, esmagado pela saudade, soluçou longamente. A presença da prima

---

[34] N.E.: Espinhos.

não lhe impedia o pranto copioso. Mergulhado em preces, não reparou que Susana retirava da bolsa um papelinho. A jovem parecia reler velhas palavras, tocada igualmente por vibrações de indizível tristeza. Tratava-se da carta que a filha de D. Inácio lhe escrevera para a Irlanda. Depois, ela aproximou-se de leve e entregou a carta ao primo, dizendo:

— Veja, é da nossa querida morta.

Ele mergulhou os olhos sôfregos no documento. Entre muitas outras advertências afetuosas, lá estavam as recomendações de Madalena: "Não deixes de amparar Cirilo, durante minha ausência. Se eu pudesse, aí estaria para ajudá-lo a resolver com os nossos familiares os problemas emergentes, mas circunstâncias imperiosas se opõem aos meus desejos. Confio, entretanto, na tua amizade. Aconselha-o. Auxilia-o como se fosses eu mesma".

O rapaz beijou o papel e falou comovidamente:

— Ninguém se desvelava tanto por mim.

*

Deixemos agora o filho de Samuel Davenport entregue à sua luta espiritual e voltemos à modesta chácara de Ávila, onde passaremos a examinar um novo acontecimento.

Precisamente um ano depois do auxílio prestado ao Espírito Antero de Oviedo, por aquela que lhe fora mãe adotiva na Terra, nascia o primeiro filhinho de Dolores.

Todos esperavam aquele advento com alvoroçada alegria, mas a criança causou a maior decepção. A mãozinha e o pé direito apresentavam-se deformados, e não só isso, como singular defeito do aparelho visual. A mão tinha apenas dois dedos, enquanto o pé os tinha tortos e retraídos. No primeiro dia, os pais tentaram encobrir o fato, acabrunhados e receosos, mas a velha serva que servia de parteira na grande propriedade dos Estigarríbias levou a notícia a D. Alfonso, cujo pai não admitia a existência de aleijados em seus domínios.

Na manhã do segundo dia, João de Deus foi chamado pelo amo mais moço, que lhe falou irritado e severo:

— Hás de reconhecer que fomos bastante cordatos por ocasião do teu matrimônio, mas a fazenda não pode sustentar crias anormais.

O pobre pai não ignorava a sorte reservada aos pobrezinhos que nasciam assinalados por estigmas dolorosos, incapazes para o trabalho, e respondeu humildemente:

— Já sei, senhor, mas peço-vos pelo amor de Deus não seja meu filhinho eliminado, pois hoje mesmo dar-lhe-emos novo destino.

D. Alfonso aquiesceu, enquanto o infeliz servo regressava ao ambiente doméstico. Depois de comunicar à esposa o ocorrido, misturou com as dela as suas lágrimas, deliberando recorrer à bondade de D. Madalena para que a criança fosse devidamente socorrida. Ponderaram as dificuldades extremas da generosa benfeitora e, acanhados de lhe falar diretamente, resolveram chamar a pequena Alcíone, que, de certo, os auxiliaria com a sua ternura infantil.

Atendendo ao chamado, a graciosa menina aproximou-se curiosa do berço improvisado.

Dolores esforçou-se heroicamente para não chorar e falou:

— Mandei buscar-te, Alcíone, para dizer que o pequenino é teu e de tua mãe!

A menina arregalou os olhos de alegria, entremostrando assombro infantil. Sem nada dizer, estendeu os bracinhos com sublime expressão de doçura. João de Deus envolveu o filhinho na camisola rendada que Madalena havia dado e ajudou-a a segurar a criança. Alcíone exultava de alegria. Com enorme cuidado, voltou a casa, provocando a admiração maternal.

A esposa de Cirilo surpreendeu-se. Transbordante de júbilo, Alcíone mostrou-lhe a criancinha, murmurando:

— Julgo que a cegonha deixou cair o pequenino em lugar errado. Deus não o mandou para Dolores, porque ela me disse que o bebê é meu e da senhora!

— Não é possível — afirmou Madalena curiosa.

A filha fez um gesto de quem não desejava qualquer modificação na providência e sentenciou:

— Ah! Mamãe, não fale assim...

E como que buscando uma defesa prévia, aproximou-se mais da mãezinha e continuou a dizer com graciosa expressão:

— Se a senhora o deixar comigo, nunca mais pedirei brinquedos... e carregá-lo-ei ao colo para não lhe dar trabalho...

A genitora supunha que tudo aquilo não passasse de capricho infantil e acrescentou:

— Não podemos separá-lo de Dolores, minha filha! Terias coragem de vê-lo chorando, longe da mamãe?

João de Deus acompanhava o diálogo, afogando o coração em lágrimas, mas, vendo que Alcíone se preparava para responder, pediu a D. Madalena um momento de atenção, em particular, e falou gravemente:

— Minha senhora, conhecemos as vossas dificuldades; entretanto, não temos outra fonte de caridade a que possamos recorrer. Ignorais, talvez, que aleijados ou cegos de nascença, dos escravos de algumas fazendas coloniais, são eliminados ao nascer. Os Estigarríbias adotam esse regime. É verdade que Dolores não tem o estigma do cativeiro, mas, tenho-o eu, infelizmente, na qualidade de pai. Hoje de manhã, D. Alfonso me chamou para tratar do caso e acabou por intimar-me a consumir com o desgraçadinho.

— Mas isso é uma imposição criminosa — atalhou a filha de D. Inácio.

— Ainda assim, é tradicional na colônia, onde os brancos têm filhos, mas os pretos só têm crias. Seria talvez interessante reclamar e defender meus direitos, mas sei que nada adiantaria, ou antes, que me valeria o ser reconduzido a ferros para os duros trabalhos da minha primeira mocidade.

— Compreendo...

— Lembramo-nos, então, Dolores e eu, de solicitar-vos este sacrifício. Por quem sois, ajudai-nos a salvar o pequenino.

Madalena considerou os apuros em que se via para manter o exíguo lar, mas, profundamente comovida, não hesitou um minuto e respondeu:

— Não julguei que se tratasse de problema tão grave, mas já que assim é, vocês devem contar conosco. Seu filhinho será também meu. Dolores virá amamentá-lo, em minha companhia, e por tudo o mais fiquem descansados, porque o petiz será o irmão mais moço de Alcíone.

— Será vosso servo — murmurou o semiliberto, enxugando uma lágrima.

— Será meu filho — emendou a filha de D. Inácio, voltando incontinente à sala, onde a criança choramingava nos braços carinhosos da filha. Tomou-a e conchegou-a ao coração. Não saberia jamais definir as doces comoções que se lhe apossaram da alma generosa. Acariciou a mãozinha defeituosa, beijou-a com ternura. O recém-nascido aquietou-se brandamente. E, enquanto João de Deus se despedia, para atender ao labor diuturno, a esposa enfermiça de Cirilo Davenport mergulhava num abismo de profundas interrogações. Por que mistério o filhinho de Dolores ia reclamar seus carinhos maternais? Contemplou-lhe detidamente os traços grosseiros, aliados aos defeitos físicos que lhe haviam assinado tão doloroso destino. Mergulhada num mar de cismas atrozes, rogou a Deus lhe concedesse forças para desempenhar a tarefa maternal até o fim. Não ignorava a extensão dos sacrifícios que a decisão lhe impunha nas lides diárias... No entanto, a criança reclinada ao seio parecia falar-lhe intimamente de um infinito reconhecimento. Não podia contar com as próprias forças, mas habituara-se a confiar na misericórdia de Deus.

À noite, como de costume, padre Damiano apareceu para o serão habitual.

Madalena relatou-lhe o fato da manhã, extremamente comovida, comentando o caráter inexplicável das suas comoções, e o velho amigo acentuou:

— Deus tem numerosos meios de aproximar as almas. Quem poderá saber de onde vem esta pobre criança tão penosamente assinalada do berço? Estejamos preparados para cumprir os celestiais desígnios e agradeçamos sinceramente a emotividade maternal que bafejou seu coração!

Mal acabava de o dizer, Alcíone entrou na sala com a criança ao colo. Depois de saudar afetuosamente o sacerdote, apresentou-lhe "o seu bebê" com requintes de zelo.

— Este menino, padre Damiano, foi a cegonha quem trouxe do Céu, para mamãe e para mim. Veja como é bonito!

O eclesiástico tomou o petiz cuidadosamente, enquanto a menina o ajudou a segurá-lo convenientemente nos braços, murmurando:

— Sem dúvida, é um belo rapaz que Deus nos mandou.

Em seguida, fixou nela os olhos e interrogou, após uma pausa:

— Como se chama?

Alcíone lembrou a história que mais admirava, entre as que a mãe costumava respigar[35] das obras irlandesas que o marido lhe deixara, e, voltando-se para a genitora, como a pedir-lhe aprovação, respondeu:

— É Robbie.

— Um lindo nome das terras de teu pai — disse o religioso, revelando interesse. — E por que o escolheste?

---

[35] N.E.: Recolher.

— O senhor não sabe a história?

— Não. Conta-a lá...

A pequena Alcíone assumiu encantadora atitude, por coordenar detalhes na mente infantil, e explicou:

— Robbie era um menino que a cegonha esqueceu numa rua, quando todos dormiam, mas, depois, foi achado por uma senhora de bons sentimentos, que o criou para as coisas de Deus. Muita gente o julgava insuportável, porque era muito feio, mas era tão generoso e tão humilde que recebeu de Jesus uma grande missão.

— Lembraste muito bem, Alcíone, e estou certo de que o Salvador há de amparar este nosso Robbie.

O sacerdote examinava a criança com atenção. Depois de lhe observar o defeito dos olhos, examinou o pé e a mãozinha mirrados.

— Parece doentinho — acrescentou um tanto impressionado. — Acredito que não poderá trabalhar muito bem quando ficar homem.

Alcíone havia-se assentado em atitude expectante e, ouvindo a alusão do velho clérigo, acrescentou solícita:

— Mamãe já falou isso, mas o senhor não acha que o Robbie poderá aprender música?

Damiano compreendeu o alcance da infantil lembrança e opinou satisfeito:

— Muito bem lembrado! Estudará em nossas aulas e, quando crescer, dar-lhe-emos um violino de Cremona.

A menina bateu palmas de contentamento, como se houvera resolvido problema de alta relevância e, aproximando-se do sacerdote, retomou o petiz com infinitos cuidados, enquanto a mãe lhe acompanhou os movimentos com um olhar de ternura indefinível.

Assim regressava Antero de Oviedo ao cenáculo do mundo, para as tarefas laboriosas da redenção.

SEGUNDA PARTE

I
O padre Carlos

Estamos no decurso de 1681.

Em Ávila houve algumas modificações. Madalena Vilamil passou a residir na cidade, em casa modesta e confortável, tendo arrendado a chácara aos Estigarríbias. A educação de Alcíone exigira a mudança, aliás consumada com grandes dificuldades.

A pobre senhora estava prematuramente envelhecida. Não fossem os extremos cuidados com Robbie e o apego à filha dotada de virtudes raras e preciosas, talvez já tivesse atendido aos apelos da saudade, buscando as regiões da morte. Diversas vezes, nas crises periódicas da enfermidade dos pés, abeirava-se do sepulcro, mas a dedicação maternal vencia sempre, dilatando-lhe as forças físicas. Assim, oscilava ela entre os dois entes mais amados, como pêndulo afetuoso, sem qualquer preocupação pelo resto do mundo, exceto o antigo projeto de uma visita à América distante.

Afora os propósitos ardentes do padre Damiano, relativos a uma possível missão religiosa nas terras do Novo Mundo, suas esperanças esbatiam-se em planos vagos e indefinidos. E a vida continuava entre esperanças e recordações.

Robbie tem agora 7 anos, e Alcíone conta 17 primaveras. O pequeno inicia os estudos primários, enquanto a jovem tem completado o curso escolar nos moldes da época. A filha de Cirilo, protegida por madre Conceição e sob os desvelos de padre Damiano, sabe o latim, o inglês e o francês, distinguindo-se igualmente na música por suas formosas e inspiradas composições. No canto é a primeira voz no coro da catedral da cidade famosa. Suas relações mais íntimas expressam singular admiração pela delicadeza feminil, aliada a vastos conhecimentos científicos. Nas reuniões mais seletas é convidada a tocar ao cravo as suas inspiradas composições. Artista por temperamento, nem por isso lhe desfalece, antes avulta e prepondera a flama, o pendor religioso. Lê os textos do Evangelho nos originais latinos e comenta as suas passagens sob prismas novos. Dentre os que a estimam, Damiano e Madalena, não obstante a convivência diuturna, são os seus maiores admiradores. É que a jovem, com tantos dotes de inteligência e coração, nunca teve uma palavra de superioridade jactanciosa, jamais se desinteressou do trabalho doméstico em suas mínimas facetas. A filha de D. Inácio, para atender as despesas domésticas, teve que intensificar os trabalhos de agulha, auxiliada pela filha sempre incansável e prestadia. Alcíone nunca esqueceu os dias venturosos de lição espiritual, em companhia de Dolores, no mercado de verduras; entregava as costuras da genitora com a mesma humildade dos primeiros tempos. O prestígio da sua bondade granjeava para a tarefa materna maior aceitação. Como filha, era um modelo de virtude familiar; como discípula, tivera o louvor de todos os preceptores pela aplicação irrepreensível aos estudos; como amiga, era sempre companheira afável e carinhosa, pronta a cooperar nas situações mais difíceis, com a sabedoria do amor fraternal.

Madalena Vilamil e padre Damiano, em tom confidencial, muitas vezes analisaram-lhe os atos de exemplar pureza, com votos de sincera alegria e reconhecimento a Deus. A única coisa, que de algum modo, os preocupava era a indefinível atitude de Alcíone com relação ao casamento e ao amor conjugal. Dois nobres rapazes de Ávila já se haviam apaixonado por ela, sem lograrem outra retribuição além de fraternal estima. Às vezes, quando a genitora lhe chamava a atenção para os imperativos da vida humana, costumava dizer:

— Ora, mamãe, sempre me pareceu que estes problemas nunca se resolverão pela necessidade, e sim pelos sentimentos espontâneos. Uma necessidade atendida pode abrir caminho a outras maiores; ao passo que o sentimento é patrimônio de nossa alma eterna. Que me valeria aceitar a proposta de um fidalgo tão só para satisfazer a situações exteriores? Não seria trair o coração que devemos consagrar a Deus?

Madalena Vilamil ouvia-a, entre satisfeita e orgulhosa. Aquele espírito de trabalho e decisão, de que Alcíone dava testemunho, propiciava inefável conforto ao seu coração de mãe. O passado só lhe oferecia tormento e lágrimas. Muita vez, tivera diante dos olhos o cálice da angústia a transbordar, mas a afeição da filha era como bálsamo poderoso que anestesiava a úlcera das recordações. Sim! Alcíone tinha sempre uma palavra mágica para qualquer dificuldade; um motivo de edificação nos fatos mais insignificantes. Desde que se associara às palestras domésticas, insensivelmente a levara a esquecer os motivos do abatimento espiritual, que faziam dela uma prisioneira da melancolia, ensimesmada no seu passado. A intimidade do Evangelho dava-lhe à expressão verbal propriedades eufóricas. O exemplo de Jesus era aplicado a preceito, em cada caso, precisa e logicamente. Semelhante atitude, porém, não obedecia a posições hieráticas, a gestos estudados, a mímica do fanatismo. Tudo era espontâneo, como acontece na vida das grandes almas que descobrem a presença permanente do Mestre em seus caminhos, sentindo-lhe a companhia divina, qual Amigo invisível a lhes medir cada passo, cheios de compreensão e de júbilo.

Nada obstante essa dádiva de Deus à sua alma sofredora, a filha de D. Inácio não podia forrar-se a umas tantas preocupações mais fortes. O filhinho adotivo trazia-lhe o espírito inquieto, pela sua rebeldia constante. O que se dera com a educação de Alcíone estava longe de vingar com a índole caprichosa de Robbie.

No tempo a que nos reportamos, começara ele a frequentar as aulas de instrução primária, mantidas por Damiano na igreja de São Vicente, e todos os dias voltava ao lar com queixas e reclamações. Interpelado, alegava as fadigas da caminhada, atento o pé defeituoso, encarecia as dificuldades para escrever com a mão esquerda, tinha sempre uma palavra mais áspera a respeito dos colegas.

Certo dia, regressou a casa debulhado em pranto convulsivo.

Madalena chamou-o, afagou-lhe os cabelos muito crespos e perguntou carinhosa:

— Que é isso? Por que choras assim?

— Ah! Não vou mais à escola do padre Damiano...

— Mas, por que, meu filhinho?!

— Os meninos disseram que a senhora não é minha mãe, que sou escravo dos portugueses!

— Mas não deves dar importância a isso, Robbie. O bom menino é obediente, não dá ouvidos a tolices. Talvez não chegasses a observar os companheiros vadios se te entregasses inteiramente às lições.

E, vendo que o pobrezinho enxugava as lágrimas nas saias maternas, Alcíone intervinha, dizendo:

— Perdoa, Robbie. Tu tens esquecido nossos conselhos de cada dia. Não viste ontem, na igreja, aquele menino cego? A irmãzinha guiava-o pela mão. Não tiveste tanta pena da sua cegueira e das suas feridas? Era uma criança tão infeliz e, como não podia ver padre Damiano, pediu-lhe a mão para beijar. Como não te lembras desses exemplos, quando os meninos ignorantes provocam a tua cólera? Quem muito reclama não sabe agradecer a Deus.

Como o pequeno não respondesse, Madalena perguntou:

— Quem sabe, meu filho, esqueceste de rezar o Pai-nosso pela manhã?

Robbie limpou os olhos ingênuos e fez um sinal de quem se havia esquecido, ao que a viúva Davenport obtemperou:

— Pois, então, reza agora. A prece sempre alivia o coração.

Diante das duas — que tinham os olhos úmidos por ver a boa vontade da criança em se penitenciar, apesar da revolta que lhe vibrava no espírito —, Robbie ajoelhou-se, cruzou as mãos e começou a oração dominical em tom magoado. Ao terminar, a mãezinha adotiva observou:

— Estas palavras, meu filho, são um legado de Jesus. Não reparaste na rogativa "perdoai as nossas dívidas, assim como perdoamos aos nossos devedores"? Trata-se de um pedido que o Salvador nos prescreveu, e, se não perdoas aos teus coleguinhas malcriados, como poderás viver, mais tarde, enfrentando as dificuldades do mundo?

Entretanto, como acontece a muita gente adulta que repete as expressões verbais, amorosas e sublimes, nas orações mais significativas, sem lhes penetrar o sentido, conservando intactos a mágoa da ofensa e o impulso de revide, o pequenino acrescentou:

— Mas os meninos da escola, mamãe, chamaram-me moleque.

— Que tem isso — retrucou Madalena sensibilizada —, se em casa sei que és meu filho e que Alcíone é tua irmã?

O pequeno parecia meditar alguns momentos, enquanto mãe e filha ponderavam silenciosas a precocidade das suas objeções. Mas não tardou que ele se aproximasse da jovem que bordava com atenção, e depois de estender o braço, comparando as epidermes, rompesse a chorar, abraçando-se à Madalena.

— A senhora está vendo? A mão de Alcíone é branca e a minha é escura; ela tem cinco dedos, eu tenho só dois!

— Deus quis assim, meu filho! — esclareceu a esposa de Cirilo, fazendo o possível para não chorar também.

— Então Deus não é tão bom como a senhora falou — advertiu, causando a ambas funda impressão.

Nesse ínterim, Alcíone levantou-se e disse melíflua:

— Está bem, Robbie, agora chega de recriminações. Mamãe já te aconselhou, já rezaste, já te pedimos para perdoar. Hás de esquecer estas tolices. Vamos à aula de música.

O rapazelho fez uma expressão de enfado, mas foi ao quarto de dormir e voltou com o delicado instrumento. A irmã ensinou-lhe com ternura a tomar posição adequada e em seguida sentou-se ao cravo e feriu algumas notas. O aprendiz moveu o arco dificilmente, acentuando logo a seguir:

— Creio que não vai. O ruído das cordas causa-me mal-estar em todo o corpo.

— No princípio é assim mesmo — explicou a jovem bondosamente. — É preciso insistir.

E Robbie prosseguia no exercício, vencendo, pesadamente, os obstáculos iniciais. Esgotado o tempo regimental, Alcíone tocava antigas músicas da mocidade de sua mãe, enchendo a casa de suaves harmonias.

*

A situação doméstica prosseguia sem alterações, quando Damiano trouxe a notícia da próxima chegada de um pupilo seu, que acabava de receber ordens num seminário romano. Às perguntas curiosas de Madalena e da filha, o velho amigo informava atencioso:

— Carlos é o meu único sobrinho e sempre foi credor do meu afeto. Seu pai descendia de antigos espanhóis, domiciliados na Irlanda após o desastre da Invencível Armada. Numa viagem ao continente, simpatizou com a irmã que Deus me havia dado, desposando-a pouco depois. Viveram em plena harmonia conjugal, cinco anos, quando pereceu meu cunhado num naufrágio, deixando a companheira aturdida e desolada. Por desventura da Emília, nada houve que lhe restaurasse as energias do espírito. Nem o filhinho de tenra idade, nem a fé religiosa conseguiram salvá-la da apatia a que se entregou, até a morte. Debalde tentei arrancá-la da perturbação em que se engolfou, sem remédio. À hora da morte, entregou uma carta testamentária aos parentes do marido, na qual exprimia as últimas vontades, determinando que o filho único, tão logo atingisse a idade própria, fosse internado num seminário romano para consagrar-se ao sacerdócio. Para isso, legava-lhe a pequena fortuna, dizendo não desejar ao seu único descendente a dor incomensurável da viuvez...

— Uma história bem triste — comentou Madalena Vilamil, refletindo no seu caso pessoal.

— E uma preocupação muito injusta de minha irmã — acentuou Damiano com firmeza. — O pequeno Carlos esteve em minha companhia durante três anos, em sua primeira infância. Estudando-lhe o temperamento, fiz o possível por afastá-lo do caminho traçado pela determinação materna, mas seus tios irlandeses fizeram tamanha questão de atender ao espírito perturbado de Emília que não houve meios de subtrair a criança aos seus propósitos. Tive de assumir responsabilidades de tutor no seminário romano, e Carlos foi levado, talvez contra a vontade, a receber a tonsura.[36]

— Mas sois contra a carreira do rapaz? — indagou a esposa de Cirilo com interesse.

— Não é bem isso. Minha irmã, quando pretendeu afastar o filho das provações amargas da viuvez, ignorava os sacrifícios que dele exigia. Considero o sacerdócio tarefa sagrada, mas que ninguém deveria aceitar por imposição, e sim por vocação natural ou determinação firme, depois de grandes sofrimentos. Como Deus não se impõe às criaturas, parece que nunca será possível tiranizar no capítulo dos serviços divinos. O resultado é que, quando abracei o jovem seminarista há dois anos, achei-o singularmente acabrunhado, dando-me a impressão de um homem repleto de batalhas interiores. Compadeci-me da sua tremenda luta espiritual, mas nada pude fazer em seu favor.

Alcíone parecia beber as palavras do caroável ministro de Deus e, enquanto ele tomava fôlego, obtemperou:

---

[36] N.E.: Na religião católica, receber o sacramento da ordem.

— E como definis a vocação religiosa, padre Damiano?

O velho sacerdote esclareceu sem rebuços:

— Antes de tudo, considero que a vocação religiosa não será o primeiro impulso para envergar um hábito convencional. Semelhante estado de espírito significará, primeiramente, decisão firme para o trabalho e testemunho com Jesus. Ora, a meu ver, o lar é o primeiro dos estabelecimentos religiosos aqui na Terra. Dentro de suas paredes, nobres ou plebeias, há sempre grandes tarefas a realizar. Que dizer de um filho que procurasse a sombra de um claustro porque seus pais vivem na luta, porque seus germanos[37] não se harmonizaram com o seu modo de pensar? Onde estaria a renúncia num caso como esse? Certo, a virtude não estaria em retirar-se em busca de pousos mais cômodos. Se os trabalhos domésticos, porém, deixam de existir, se chegou a viuvez sem filhos, se sobreveio o abandono do coração, em tais circunstâncias admito a oportunidade de maiores sofrimentos, seja na prova rude dos que se encarceram em lágrimas dolorosas, seja nos testemunhos de amor universal, estendendo-se a dedicação fraterna a todos os seres. Suponho que o ambiente doméstico resume a nossa oficina primacial, segundo os desígnios de Deus. Aí se encontram material e ferramentas adequadas ao serviço da nossa salvação. Entretanto, se essa tenda nos falta, a circunstância significará talvez que fomos chamados, em nossa vocação religiosa, a importantes trabalhos de ordem coletiva.

A jovem, satisfeita com a enunciação do ponto de vista do interlocutor, não insistiu no assunto, mas Madalena perguntou delicadamente:

— E demora ainda a chegar o padre Carlos?

— Creio que não, pois já há meses que está na Irlanda, onde celebrou a primeira missa em obediência ao desejo dos parentes. No entanto, todas as providências para sua instalação aqui em Ávila estão tomadas perante as autoridades que nos regem. Tenciono tê-lo a meu lado não só porque poderei auxiliá-lo com as minhas velhas experiências, como também porque ainda não renunciei ao antigo ideal de uma excursão à América e, nesse cometimento, não posso dispensar companheiros de confiança.

A palestra fixou-se no plano da grande jornada, comentando-se as notícias gerais e vagas, obtidas em Castela a Velha, dos processos de vida na colônia.

---

[37] N.E.: Irmãos que procedem do mesmo pai e da mesma mãe.

Não decorrera um mês sobre esta conversa e o padre Carlos Clenaghan chegava inesperadamente, a fim de cooperar com o tio nos serviços religiosos da igreja de São Vicente.

Alto, magro, de maneiras excessivamente simpáticas, pela bondade que evidenciavam, olhos muito lúcidos, o novo sacerdote impressionava pelo encanto do trato pessoal, dando a impressão de que se abeirava dos 30 anos. Naturalmente, à primeira visita, em companhia do orientador de suas atividades, foi à casa de Madalena Vilamil, que o recebeu com sinceras demonstrações de carinho. Ao ser apresentado, porém, à filha da casa, o sobrinho de Damiano não conseguiu disfarçar a profunda impressão que ela lhe causara. Ambos pareciam perturbados. A jovem, sentindo-se sob o magnetismo do seu olhar, empalidecera de leve.

— Alcíone? — perguntou o padre, com inflexão carinhosa, não obstante demonstrar na voz a necessidade de readaptação ao castelhano. — Onde teria ouvido este nome? Tenho vaga ideia de já o ter ouvido.

— Entretanto, não é comum — acentuou o tio, satisfeito.

A primeira palestra não foi além do comentário familiar de quem inicia novas relações. Carlos Clenaghan relatava as suas emoções ao contato do altar irlandês, que lhe proporcionara o júbilo da missa nova, cantada. Falou-se da missão sacerdotal, dos serviços da Igreja, das condições gerais da vida em Ávila. Alcíone impressionava o recém-chegado, cada vez mais, com a ponderação do seu espírito esclarecido e afetuoso. O rapaz, que vinha repleto da teologia do seminário, de quando em quando ensaiava assunto difícil num quadro de Teologia ou de História; no entanto, a filha de Madalena lhe respondia com precisão admirável, em linguagem simples, a espelhar nos olhos a pureza do coração. Ela estava em dia com os clássicos gregos e romanos, enriquecendo a conversação de apontamentos notáveis, pontilhando cada parecer com as luzes de elevada sabedoria, cheia de compreensão e de amor. Ouvindo-a falar sem vaidade e afetação, o novo sacerdote tinha a impressão de ouvir uma criança adorada a falar da sua intimidade com Sócrates e Cícero, colocando cada filósofo no seu lugar, à face de Jesus, o amado Salvador que lhe enchia a alma de sublimes e ardentes inspirações.

Ambos experimentavam singulares ideias. Se não fosse muito avançar, teriam declarado, num impulso espontâneo, que se haviam conhecido alhures, não obstante a filha de Madalena nunca haver saído de Castela-a-Velha.

Renúncia

O visitante retirou-se daquele primeiro encontro sob verdadeiro fascínio.

— Meu tio, estou maravilhado — confessou, de regresso ao presbitério —; a jovem Vilamil dá a impressão de uma criatura angelical, divinamente inspirada.

Damiano sentiu-se orgulhoso com o conceito, circunstância que o levou a pensar em pedir o auxílio espiritual da jovem para que o pupilo firmasse diretrizes seguras na carreira sacerdotal.

No dia seguinte, Damiano chamou a amiguinha, após a missa, e falou-lhe em tom confidencial:

— Sei que as tuas orações e pureza devocional são preciosos tesouros ante o amor de Jesus, sem que minhas palavras envolvam qualquer pensamento de lisonja a envenenar-te o coração. Falo como pai espiritual, pedindo o teu fraternal concurso para um outro filho, pois assim o considero pelos laços do espírito.

— Conheço minha indigência, padre Damiano — replicou a jovem com humildade —, mas disponde da minha insignificância como julgardes mais acertado.

— Trata-se de Carlos, minha filha, para quem desejo o socorro de tuas sugestões fraternais. Não o vejo muito seguro em suas decisões, nos caminhos escolhidos, e temo um futuro desastre espiritual. Mas, ciente da nobre impressão que a tua sadia palestra lhe despertou, muito me agradaria que o orientasses em nossas tertúlias, robustecendo-lhe o ânimo vacilante na estrada sacrificial do sacerdócio cristão.

Ela baixou os olhos, entremostrando a perturbação do espírito humilde, pela confiança nela depositada, e acrescentou:

— Não creio possa ter alguma coisa de mim mesma para auxiliá-lo, mas estou certa de que Jesus não nos faltará com o pábulo[38] do seu amor inesgotável.

O velho eclesiástico não podia avaliar o efeito de suas palavras, mas reparou que a filha de Madalena voltou ao lar bastante impressionada.

Daí em diante, as visitas de Carlos à viúva Davenport repetiam-se todas as noites. Renovavam-se as encantadoras alegrias domésticas, multiplicavam-se as dissertações íntimas e preciosas.

A atração do jovem par tornava-se dia a dia mais forte. O sacerdote tinha a convicção de haurir naquela convivência um salutar estímulo

---
[38] N.E.: Sustento.

às suas energias morais, à proporção que ela experimentava confortadora emotividade no seu trato. Ambos sentiam indefinível facilidade para o entendimento das coisas santas, sempre que se defrontavam no mesmo tema. Ele não ocultava o seu deslumbramento ao observar que a interlocutora lhe completava as elucubrações filosóficas, traduzindo em linguagem diserta os mais profundos teoremas. Começava a refletir, francamente, que Alcíone constituía a personificação do seu ideal humano, a realidade viva e insofismável dos seus sonhos mais íntimos, mas as algemas da convenção religiosa lhe atavam o espírito ao tronco do celibato.

Os dias sucediam-se com o júbilo discreto de duas almas unidas no mundo sublime das ideias e, no entanto, separadas no plano temporal.

Por vezes, o pupilo de Damiano experimentava enorme desejo de se revelar, mas a conduta irrepreensível da moça paralisava-lhe os impulsos, compelindo-o a converter toda a ansiedade num conjunto de gentilezas sutis.

Carlos interessava-se afetuosamente por todas as coisas que a ela diziam respeito. Cooperava beneditinamente na educação musical de Robbie, acompanhava-a nas visitas aos deserdados da sorte e aos moribundos desesperados. Desdobrava-se em atenções carinhosas com as crianças que lhe ouviam as lições simples e puras de moral cristã, e as horas de maior descanso passava-as em casa de Madalena Vilamil ou na igreja de São Vicente, quando Alcíone turturinava os cânticos sacros do ritual. Em tais ocasiões, o sacerdote parecia alimentar o coração. O amor sincero e santo de duas almas tem mistérios profundos e singulares em suas fontes divinas. Basta, às vezes, um gesto, uma palavra, um olhar, para contentá-lo e transfigurar a ansiedade em esperança sublime.

Isso dava ao padre irlandês motivo para cuidar-se com esmero. A fisionomia ganhava novas expressões de ânimo resoluto, mais fraternal, expansivo, acolhedor no trato. Damiano tudo atribuía ao ambiente de Ávila e louvava-se pela resolução de fixar o sobrinho na Espanha, ignorando o drama silencioso de dois corações.

Alcíone, por sua vez, tornara-se mais pensativa, sem nunca disfarçar, porém, a alegria que a felicitava na convivência diária com o jovem sacerdote.

A situação assim prosseguia quando chegou o Natal de 1681. Às vésperas do Ano-Bom, numa esplendorosa manhã de domingo, segundo os costumes da época, diversos rapazes presenteavam as escolhidas com belos ramalhetes de flores, à saída do santuário, ao terminar a missa.

Padre Carlos e Alcíone contemplavam curiosamente a cena em que se revelavam os impulsos amorosos e espontâneos da juventude. Instintivamente, trocaram um olhar que dizia de toda a afetividade sublime que lhes palpitava na alma. O sobrinho de Damiano não resistiu à interpelação silenciosa da jovem que resumia os sonhos da sua mocidade e, retirando linda folha de trevo de um jarrão próximo, ofereceu-a à dileta do coração, falando-lhe comovidamente, em tom muito discreto:

— Perdoa! Não te posso oferecer o ramalhete da esperança para um noivado venturoso, mas dou-te esta folha de trevo que é um símbolo da minha terra!

Ela recebeu a dádiva, muito trêmula, emocionada, palidíssima. Quis agradecer, mas não conseguiu articular palavra. Naquela hora recebia, inesperadamente, a revelação direta do espírito que encarnava os seus mais lindos ideais de mulher. Ele compreendeu a perturbação natural e acrescentou:

— Não sofras por isso! Quero apenas lembrar que, não fora o compromisso assumido, poderia hoje dizer que, apesar dos meus quase 30 anos, ousaria suplicar a Deus me concedesse a ventura de os conjugar às tuas 18 primaveras.

Alcíone estatelou. No íntimo, obediente à lealdade, nada tinha a dizer senão que desejava, igualmente, realizar o sonho comum; que ele era o único homem, no mundo, capaz de lhe proporcionar a doce luz da felicidade conjugal, mas as convenções também lhe cerravam pesadamente os lábios. Nesse momento, notou no semblante do interlocutor algumas lágrimas que lhe corriam furtivamente dos olhos. Não pôde permanecer mais tempo na silente expectativa de alma ferida. Dolorosa comoção empolgou-lhe a alma sensível e, com o pranto ardente a lhe fluir do íntimo, estendeu a mão carinhosa e trêmula, exclamando:

— Padre Carlos, pode crer que suas palavras me tocam o sacrário do coração!

— Alcíone — falou o pupilo de Damiano profundamente comovido —, se te for possível, doravante chama-me Carlos apenas, na intimidade. Dos outros suportarei o título de apóstolo sem o ser.

A jovem pronunciou um monossílabo que traduzia aquiescência, enquanto o sacerdote acentuou comovido:

— Falaremos depois...

Naquela noite, em casa de Madalena, os dois disfarçavam a custo a ansiedade que lhes trabalhava no espírito. Carlos ardia em desejos de arrebatar Alcíone da sala, a fim de lhe comunicar suas angústias infinitas, ao passo que ela implorava intimamente a Jesus lhe concedesse uma oportunidade, de modo a se lhe fazer compreendida. O ensejo surgiu quando, após uma hora de música, o pequeno Robbie pediu ao padre Damiano que o levasse até as muralhas, passeando ao luar. O velho eclesiástico acedeu prazeroso. Apesar do frio, a noite ostentava beleza excepcional. Madalena fizera questão de ficar, alegando a costura, e os quatro demandaram a Porta de São Vicente, em alegre entretenimento. Enquanto Damiano atendia aos caprichos do petiz, o jovem par encontrava a desejada oportunidade para expandir-se.

— Alcíone — começou o sacerdote comovidamente —, o destino cercou-me o espírito de altas muralhas e colou-me aos lábios férrea mordaça; entretanto, espero me perdoes esta minha afeição sincera, pelo amor de Jesus, a quem serves com tamanho fervor. Sinto que ainda não o sei atender com o devotamento que te marca os gestos de santa e, por isso mesmo, aguardo a tua compreensão caridosa, quando me não possas retribuir em espírito...

Nunca a filha de Madalena experimentara tamanha luta íntima. O primeiro impulso do coração que ama é sempre o de consolar ou defender o objeto amado.

— Dize-me — prosseguia o rapaz na sua paixão ardente — se de fato me compreendes e desculpas o meu desvario.

— Pelo muito que tenho chorado em minhas preces — respondeu a jovem suspirando —, Jesus sabe que te entendo o coração.

A inflexão carinhosa dessas palavras não dava margem a dúvidas. Carlos Clenaghan, tão somente em face da declaração afetiva, sentia-se o mais venturoso dos homens.

— Teus olhos falavam-me, Alcíone, mas eu esperei ansioso que teus lábios confirmassem a minha felicidade. Que longas têm sido as minhas noites de dolorosas vigílias! É verdade que sou prisioneiro de uma convenção poderosa e terrível, mas tua compreensão e teu afeto representam, para mim, a visita e o interesse de um anjo por desventurado galé em cárcere sombrio!

— Não digas tal, Carlos — tornou a jovem comovidamente, evidenciando embora a suprema luta íntima —, o dever não pode, jamais, tornar-se um fantasma aos nossos olhos. Deus semeou a criação de infinita alegria e nós estamos no divino trabalho de acendramento[39] espiritual. Toda obrigação nobre embeleza o caminho, e não devemos andar tristes na tarefa grandiosa ou simples que nos foi confiada.

O sacerdote sentia a beleza da concepção, mas obtemperou:

— Entretanto, para mim, a existência tem sido madrasta.

— Acreditas, porém, que a vida se encerre nos dias fugazes do mundo? — revidou Alcíone carinhosamente. — Para o nosso conceito de paz e felicidade, são quase mesquinhos os períodos de tempo que assinalam, na Terra, a infância, a juventude e a velhice. Somos espíritos eternos. O mundo, Carlos, deve ser uma grande escola, onde o Senhor nos proporciona possibilidades bendita de trabalho e educação para a vida sem-fim...

O rapaz enternecia-se ao ouvi-la. Sua voz parecia vir de longe, da região da verdade e da esperança, que lhe embalava os sonhos mais íntimos. Aqueles conceitos caíam-lhe no coração ferido como bálsamo precioso.

— Entretanto — disse com inflexão amargurosa —, por mais que me acolha ao manto da fé, não me furto de pesar imenso, oriundo do voto de minha mãe, o qual me escravizou para sempre.

— Não inculpes tua mãe do círculo de obrigações e testemunhos que te cabem — advertiu ela criteriosamente —; acima de qualquer decisão humana está Deus, que dispõe de infinitos meios para exercer sua vontade soberana. Além disso, tua mãe, assim alvitrando, obedeceu a propósitos muito dignos, oferecendo-te a Deus em doce consagração. E se o Pai aceitou o voto maternal é que existem, certo, no conteúdo da decisão, imperativos da lei inelutável de aperfeiçoamento pela dor.

Reparando que ele a escutava com alguma surpresa, continuou:

— Crês, acaso, na afirmativa de muitos teólogos de que Deus cria as almas no ato mesmo do nascimento do corpo?

Carlos Clenaghan pareceu meditar longamente e retrucou:

— Não ignoro que muitos vultos da Igreja antiga desautorizam essa opinião.

— Apesar das torvas cruezas do Santo Ofício — acentuou, de olhos brilhantes, a filha de Cirilo —, prefiro acompanhar a corrente dos velhos pensadores, que admitiam a multiplicidade das existências. É impossível, Carlos, que estejamos na Terra pela primeira vez. Os livros do padre

---

[39] N.E.: Purificação; aperfeiçoamento.

Damiano fizeram-me sentir essa consoladora verdade. Há quanto tempo teremos enfunado as velas do barco de nossa vida, em procura do amor paternal de Deus? Quantas vezes teremos naufragado em nossas intenções mais santas? Quantas vezes teremos conduzido a embarcação às penedias negras do crime? Há mais de cinco anos, procuro avidamente os indícios dessa lei poderosa que nos equilibra os destinos. Por vezes engolfo-me na leitura dos grandiosos pensamentos de quantos já perlustraram os nossos caminhos. Esses mensageiros da sabedoria e da paz não teriam sido portadores de mensagens vãs. E, acima deles, temos a palavra do Cristo nos Evangelhos, dizendo-nos que o homem não atingirá o Reino de Deus sem renascer de novo...

Padre Carlos estava muito admirado, como alguém que retomasse velhas ideias abandonadas há muito tempo. Mas, reconhecendo o efeito de suas asserções confortadoras, a filha de Madalena prosseguiu com serenidade:

— Neste mundo não será possível acordar para os elevados domínios do conhecimento sem nos voltarmos com atenção para o problema da dor. Desde cedo, habituei-me a rebuscar comparações. Por que o leproso ao lado dos de rosto brilhante? Por que se confundem, na mesma rua, os felizes e os desventurados? Seria justiça ministrar o pão a alguns e as pedras a muitos? No quadro da teologia atual, o Criador seria quase cruel. Mas é tão grande a Misericórdia Divina que o Pai permite aos filhos a enunciação dos mais loucos raciocínios, até que se compenetrem da grandeza acolhedora do seu amor desvelado. Naturalmente, Carlos, somos espíritos integrando a enorme caravana da Humanidade. Teremos falido inúmeras vezes, fugindo aos desígnios do Senhor para atender a nossos caprichos misérrimos. No entanto, a Providência nos acolhe de novo na escola terrestre, dando-nos um corpo diferente e renovando-nos a oportunidade sacrossanta...

O jovem sacerdote tinha a impressão de ouvir um anjo a esclarecer a essência dos mistérios divinos.

— De fato — murmurou comovido —, são ideias que aliviam a alma e nobilitam a vida.

— Quem poderá afirmar que o voto de tua mãe não signifique apenas uma contribuição para que se cumpram os desígnios de Jesus? É inegável que nossos corações se preparam para suportar as dores ríspidas da separação, achando-nos tão perto um do outro nas estradas da vida. Entretanto, estou certa de que nossas lágrimas hão de ser recebidas no Céu, enriquecendo nosso patrimônio espiritual no futuro. O mostrador do destino marcará a hora de unirmos nossas mãos para sempre... O roteiro doloroso nos descortinará a luz do noivado eterno, mas, até lá, importa saibamos retribuir a bondade de Deus com testemunhos de trabalho, abençoando os sacrifícios.

Nesse momento, de coração aliviado pela claridade do ensinamento, Carlos tomou-lhe a mão entre as dele, tocando-a no fundo da alma, mas, vendo-a retrair-se num movimento instintivo, não ocultou sua mágoa, murmurando:

— Alcíone, reconhecemos que esta nossa afeição é tramada em sentimentos puros. Sei que minha condição sacerdotal acarreta responsabilidades pesadíssimas; não ignoro que, não só pelo meu título, como pela idade, era a mim que caberia, antes que a ti, exemplificar, mas perdoa: o padre é também homem, carregado de fraquezas. Agora que sei corresponderes aos meus mais íntimos sentimentos, sinto que um fogo abrasador me devasta o espírito abatido. Quero deter o pensamento nas esperanças infinitas que me deixaste entrever, quero ampliar meus ideais aqui na Terra e anseio por fixar os impulsos da alma na comunhão com Jesus; no entanto, o complexo das tendências, os desejos insatisfeitos me suscitam maiores inquietações. O amor não é apenas um sol que ilumina, é também vulcão que devasta... Releva-me os impulsos impensados, ensina-me, corrige-me. Julgas que nossos sentimentos traduzam um pecado aos olhos de Deus?

— Não o creio — respondeu carinhosa. — O amor é lei universal, que une o Criador ao Infinito de suas obras. Jesus passou pela Terra, amando sempre. Todas as nobres almas vindas ao mundo não deram testemunhos diferentes; no entanto, Carlos, seria um crime forçar a satisfação do nosso ideal na Terra. Devemos ser duas almas unidas numa só aspiração, mas conscientes de que nunca encontraremos os júbilos da união, sem a argamassa do sacrifício.

— Tudo isto — acrescentou o rapaz com tristeza — porque a Igreja nos acorrenta a compromissos absurdos. Como doutrinar a família se não a possuímos?

— Não te deixes emaranhar em raciocínios revolucionários. No futuro, naturalmente, o ministro do Evangelho, no Catolicismo, a exemplo do que já sucede com a Reforma, participará das alegrias doces de um lar; mas, por enquanto, Jesus não considerou conveniente a supressão dessa escola de ascetismo, que a Igreja Romana nos aponta. Se erramos tantas vezes em nossos misteres mínimos, de ordem material, quantos crimes chegaríamos a cometer se invadíssemos o terreno da fé, onde o Mestre é o mesmo para todos? A preocupação de consertar será talvez louvável, mas um cérebro desesperado, ao lado de muitos outros que se acomodam à situação, por necessidade da experiência, personifica a rebeldia criminosa. Não será melhor adotar a obediência ativa e operante, como o Cristo? O hábito sacerdotal pode ser, no conceito de nós ambos, em razão de nossos sofrimentos atuais, um instrumento de opressão e desventura; mas para quantas almas ele tem sido um refúgio de paz entre os infortúnios da vida? Muitos o desonram pelos abusos em nome de Deus, mas quantos o glorificaram na renúncia e na abnegação santificantes? Os missionários generosos salvam os maus padres, como os justos salvam os injustos. O amor, Carlos, é a luz do caminho, mas o egoísmo traz a cegueira. É indispensável guardar o coração contra o seu assédio. Quando enxergamos apenas as nossas conveniências, tornamo-nos cegos desventurados. Vejamos as vantagens dos outros e a vida nos encherá de suas divinas compensações. Além do mais, o dia de hoje terminará com a noite. É preciso honrá-lo com o trabalho sadio e com a obediência a Deus, para que o amanhã seja o presente glorificado. Ninguém deverá aguardar a claridade no porvir se se compraz em repouso nas trevas, durante o dia que passa.

    O sacerdote bebia-lhe as palavras profundamente enternecido. Nunca ouvira apreciações tão justas relativamente ao sacerdócio. No seminário, os preceptores eram pródigos de atitudes enfáticas e protocolares, enquanto os alunos permaneciam indecisos ou revoltados. Para uns, a Igreja não passava de instituição humana, ao passo que para outros representava um cárcere do qual era necessário fugir por meio de criminosas acomodações. Alcíone, na sua inspiração sublime, não pudera cicatrizar-lhe de todo a chaga espiritual, mas engrandecera a seus olhos a tarefa apostólica, fazendo-lhe sentir a grandeza de suas responsabilidades no caminho para Deus. Todavia, no mais recôndito da alma, ficara-lhe a ele um pensamento amarguroso. No fundo, era o egoísmo ferido, a vaidade humana perturbada. As observações sábias da jovem pareceram-lhe desinteresse sentimental. Ela não experimentaria, talvez, a mesma afeição ardente que o excruciava. Suas ideias gerais revelavam enorme desprendimento do mundo. Carlos Clenaghan, na sua condição de homem, chegava quase a ter ciúmes daquele Jesus tão amado e invocado a todo momento. Dominado por conjeturas tais, obtemperou:

— Tuas concepções são nobres e elevadas, mas em mim as características sentimentais se apresentam de outra forma. Compreendo a sublimidade do idealismo da Igreja, tal como o expões, mas nunca poderei perdoar a iniquidade do destino, privando-me de um lar e do sorriso das criancinhas. O ideal da paternidade sempre me perseguiu qual tremenda obsessão... Com o teu desprendimento sublime, talvez não possas compreender esta tortura espiritual.

— Enganas-te! Teus ideais são os meus. Esperei teu olhar, tuas mãos, teu verbo, teus pensamentos, em todos os lugares por onde passei, desde a hora em que despertei para o sentimento. Muitos homens passaram. Em alguns encontrei as possibilidades de uma paternal afeição; noutros, apenas liames fraternais. Enquanto aguardei tua vinda, os sonhos de um lar povoaram minha alma, eu pedia ao Sol que me desse seus raios ardentes, como rogava às estrelas uma gota de sua formosura para tecer a rede de alegrias, de modo a solenizar tua presença quando chegasses. Palpitavas em meu espírito com a primeira melodia saída de minhas mãos, quando tive a impressão de tocar ao compasso do teu carinho... Mas, logo que nos encontramos, compreendi que meus primeiros ideais deveriam ser renovados. Meus desejos evolaram-se em silêncio, porque Jesus havia estabelecido outros desígnios às nossas lutas terrenas. De que me valeria recalcitrar, provocando nossa própria ruína? Reconheci-te no primeiro olhar. Não me enganaria nunca. A alma é servida por estranhos poderes que o mundo ainda não conhece. Apesar disso, Carlos, senti que meus lábios se calavam sob a pressão de fortes arganéis.[40] As condições em que nos encontramos eram como que uma grande mensagem. O Senhor recomendava-me adiar o idealismo da mulher, abnegando meus caprichos em favor de propósitos mais altos. Compreendes agora?

Havia tamanha inflexão de ternura nessas palavras que Carlos Clenaghan sentiu-se vencido. Acabrunhado nas suas disposições interiores, acentuou:

— Tens razão, Alcíone...

— Quanto ao lar e aos filhinhos — continuou a jovem carinhosamente —, é indispensável não nos perturbarmos com as visões falsas da experiência diuturna. Padre Damiano está valetudinário, alquebrado nos trabalhos intensos da sua amada igreja; minha mãe tem sofrido incessantemente desde

---

[40] N.E.: Peças metálicas de forma circular ou, menos comumente, triangular ou em oito, nas quais se engatam talhas, amarras, correntes ou espias; argolas.

o primeiro dia de viuvez; Robbie é uma criança necessitada. Por que não ver, não sentir nos três os nossos filhinhos do coração? E, sem falar dos mais próximos, onde colocas os pobres velhinhos e os enfermos que te procuram ao desamparo? O título de sacerdote inculca um pai.

O pupilo de Damiano enxugou uma lágrima.

— Pedirás a Deus por mim — disse entristecido —, rogarás ao Céu que mitigue minha dor, por não possuir a família direta?

— Sim, o lar deve ser uma ilha de suave descanso no vórtice das lutas terrenas, à feição de um santuário sagrado onde a criatura consiga estender seu amor à comunidade universal. Possuí-lo será receber opima dádiva do Criador; entretanto, Carlos, para nos encorajar a todos nos testemunhos de sofrimento, bastaria recordar que Jesus passou pela Terra sem família direta.

Nesse instante, Damiano aproximou-se, interrompendo o colóquio.

Alcíone tinha o coração opresso por indefinível angústia. Consultando as tendências da sua sensibilidade feminina, experimentava o desejo de se encontrar novamente com o rapaz, tão logo se afastasse o velho amigo, para reafirmar o seu afeto, a sua dedicação sem limites. Enquanto trocavam trivialidades sobre a beleza da noite, sua alma carinhosa padecia longo anseio. Depois da significativa confissão de Carlos Clenaghan, achava-o mais belo. Os olhos se lhe haviam tornado mais brilhantes, a fisionomia mais expressiva. Alcíone chegava a recear pelas comoções que lhe vibravam no espírito sensível. Não havia sonhado tanto? Não era ele o homem esperado ansiosamente? Mas a lição cristã lhe falava, poderosa, no íntimo. Era preciso conservar-se com o Cristo, ainda que o mundo inteiro lhe fosse adverso. Lutaria contra si mesma até o fim.

Nessa noite, porém, suas preces turvaram-se de lágrimas candentes. As declarações de Carlos não lhe saíam dos ouvidos, e a filha de Madalena, pela primeira vez na Terra, sentia-se cativa de singulares pesadelos.

O pupilo de Damiano, por sua vez, estava impressionado e decidido a cultivar a sublime afeição, acima de tudo. Supunha haver aquilatado o amor sincero da jovem pela inflexão da sua voz, pelo impulso ardente que vislumbrava nas suas palavras de espiritualidade profunda. Experimentava ainda, nas mãos, o calor da mão trêmula que se esquivara ao carinho, qual pássaro assustado. Alcíone estava cheia de uma sabedoria diferente, mas a elevação espiritual, de que dava testemunho, exaltava-lhe ainda mais os desejos ardentes. Não renunciaria aos seus propósitos. Debalde tomava os manuais de oração, no afã de atenuar a inquietude que o atormentava, mas era como se espesso véu lhe vendasse os olhos da alma. Raciocinava, compreendia a sublimidade dos textos, mas não conseguia confeiçoá-los[41] ao coração. A palavra serena e sábia da moça forçava-o a reflexões mais sérias, mas, no curso dos dias, o sobrinho do velho sacerdote da igreja de São Vicente nada mais fazia que exacerbar os próprios desejos. De quando em vez, voltava a lhe falar no assunto, mas encontrava-lhe o coração sempre blindado na fé, e sempre inspirada e vigilante.

Decorridas algumas semanas, certa feita encontrou-a sozinha, no santuário, retirando os adornos de antigo altar, após a missa.

Em torno, tudo era silêncio naquela manhã banhada de sol.

Damiano, terminada a missa, retirara-se ao presbitério, levemente indisposto. O jovem sacerdote, inflamado de paixão, achou que a oportunidade era ótima para expandir-se mais uma vez, recapitulando os idílios que fazem as delícias dos corações enamorados.

Após a saudação carinhosa, em que os dois manifestavam natural perturbação, o rapaz falou comovido:

— Não te admires de assim falar no recesso de um templo. Esta é a casa que Deus me facultou e não disponho de outro recurso. Há muitos dias, venho espreitando a possibilidade de alguns minutos para confiar-te as minhas infinitas inquietações.

O próprio Carlos notava que a jovem se tornara mais pálida pela comoção que lhe ia na alma. Contudo, solidamente apegada aos seus princípios de virtude, a moça respondeu, esforçando-se por manter a maior serenidade:

— Inquietarmo-nos será enorme erro. Se Deus nos honrou com os trabalhos, não nos esquecerá com os recursos da paz necessária ao cumprimento do dever.

— Compreendo — replicou ele quase impaciente —, mas começo a crer que me não amas bastante. Aproximo-me de ti, sedento o coração, e vejo que as tuas objeções paralisam meus impulsos...

Assim falando, reparou que a jovem se tornara branca de mármore. Pela primeira vez, diante dele, Alcíone chorou. O apelo era demasiado forte para que se contivesse impassível.

---

[41] N.E.: Confeiçoar, em sentido figurado, preparar, "temperar".

— Desvairas, Carlos? — perguntou com angustiosa inflexão.
— Admites minha amorosa dedicação estraçalhando os programas do Cristo? Deus conhece minhas vigílias em preces fervorosas. Desde que nos vimos pela primeira vez, diluo as minhas aspirações mais antigas em lágrimas dolorosas.

Contemplando-a nessa atitude, o rapaz avançou alguns passos visivelmente emocionado. Tomou-lhe a mão, de leve e, de olhos marejados de pranto, acrescentou:

— Perdoa-me! O amor me alucina. Tenho feito o possível por descansar a mente, confiante em Jesus e na certeza da vida eterna; entretanto, a paixão me obscurece a razão e caio sempre vencido nessas batalhas silenciosas do pensamento... Tua imagem, sempre ela, a me preocupar o cérebro e o coração atormentados! Vejo-te a cada hora, em tudo e em toda parte, sinto-te nos mínimos episódios da vida e creio divisar teu sorriso até no fundo das hóstias consagradas...

— Não procedas assim — disse a moça extremamente conturbada —; tua dedicação afetuosa sensibiliza-me o coração de maneira intraduzível, mas só Jesus é bastante digno do amor superno. Amo-te também, acima de todas as coisas da Terra, mas sou mísera criatura, Carlos. Repletemos nossa alma com a visão sublimada do sacrifício pelo dever. Não creias que eu possa viver sem sonhar com os teus carinhos, mas considera que não será justo colocar todas as nossas ânsias nos aspectos exteriores da vida. A felicidade no plano imortal deve ser como a planta que nasce e se desenvolve gradativamente. Por que aniquilar o germe de nossa ventura sublime, por simples inquietação de espírito inconformado? E se a primeira vergôntea da nossa união divina tem a profunda beleza de um ideal celeste, como será imensa a sua beleza quando se tornar em dadivosa fronde de amor, nos luminosos paços da eternidade?! Estamos no período das almas-esperanças, quando as sementes brotam... Se é indispensável adubar com lágrimas, não hesitemos um instante!

O sobrinho de Damiano ouvia enlevado. Sentindo a sutileza delicada dos apelos femininos da religiosa e meiga Alcíone, apertou-lhe a mão entre as dele mais fortemente e obtemperou:

— Concordo com a tua resignação admirável, embora não participe das tuas virtudes celestiais; entretanto, penso que não se nega uma gota de orvalho à planta tenra! Não me deixes órfão da tua ternura. Ouve, querida! Concede-me a dita de um beijo apenas e serei o mais ditoso dos seres...

A moça fez um gesto de doloroso espanto, ao mesmo tempo que pervagava o olhar pela nave silenciosa.

— Não temas — prosseguia Carlos febrilmente —; os santos que nos assistem são mais compreensíveis que os homens criminosos. Sob tetos humanos, envenenariam as nossas atitudes sagradas, mas aqui estamos na morada de Deus, que é Pai amoroso e sábio...

Alcíone Vilamil, no entanto, fez um gesto de recuo e murmurou:

— Não posso!

— Por quê? — revidou Clenaghan em tom de mágoa.

Então, envolvida num halo de tristeza indefinível, ela explicou:

— O incêndio devastador começa de uma simples fagulha.

— Mas nós temos sido deserdados, Alcíone...

— E que dizermos de um homem — continuou com energia e serenidade — que, sentindo o frio do inverno, acendesse um lume imprudente no seio da floresta acolhedora, ameaçando a própria casa e a paz dos seus habitantes tão só a pretexto de se livrar do frio?

Ante a inesperada resistência, o pupilo de Damiano sentiu-se envergonhado.

— Sou bem infeliz — disse amarguradamente —; entretanto, estou convencido de que nunca traí meus deveres!

— Lembremos, Carlos, os antigos apóstolos da Igreja, quando advertiam que, depois de cumpridos todos os deveres, ainda nos deveríamos considerar servos inúteis, porque tudo nos vem da Misericórdia Divina...

O rapaz admirava-lhe a energia afetuosa, caíra novamente em si do desvario momentâneo que lhe perturbara os sentidos, mas conservava-se inerte, deixando correr copiosas lágrimas.

Profundamente comovida, a jovem acentuou:

— Não posso dar o beijo que pediste, mas posso dar-te o ósculo de minha alma.

Retirou do pequeno altar próximo um crucifixo de prata, sobrepôs no peito do Crucificado minúscula folha de trevo e acrescentou:

— Abaixo do Céu, Carlos, és o meu maior afeto; entre nós, porém, está Jesus Cristo. Em nossa consciência, o Senhor ainda não nos permite uma aproximação integral. Pois bem: confio a Jesus o beijo da minha alma, para que seu misericordioso coração te entregue a minha pobre lembrança.

Em seguida, beijou a folha de trevo, passando a pequena relíquia de prata ao escolhido, que osculou por sua vez a folha minúscula, com indizível carinho.

Aquela singular concessão pareceu calmá-lo. Sorriu confortado, agradecendo com palavras afetuosas à noiva espiritual, obtemperando em seguida:

— É preciso suportar o isolamento e cumprir o dever até o fim...

Alcíone, quase satisfeita, completou-lhe a concepção nestes termos:

— De cidade em cidade, há sempre alguma distância a percorrer. É intuitivo que da imperfeição de nossos espíritos à perfeição do Cristo há a contar uma distância quase imensurável... Portanto, qualquer discípulo sincero, para se unir ao Mestre, tem de sobrepor-se à limitação e mesquinhez da natureza humana, disposto a tolerar as fadigas da solidão inerente à grande jornada. Semelhante estado, Carlos, identifica todos os que vão sentindo o tédio do mundo, ansiosos de novas luzes. Jesus nos aponta os caminhos e não seria justo que estacionássemos, alegando temor da soledade benéfica que nos ensina a ver o próprio coração como um livro aberto!... Apenas aí, a sós conosco, podemos discernir mais claro o justo do injusto, o bom do mau.

Clenaghan retirou-se plenamente confortado, experimentando o espírito banhado em forças novas.

Os dias continuaram a sua marcha, ao mesmo passo que as gentilezas crescentes do novo sacerdote para com a filha de Madalena Vilamil iam se tornando pasto da maledicência devota. Espiolhava-se[42] o assunto em surdina, quando o rapaz deliberou recorrer à experiência do tio para resolver a situação. Damiano recebeu-lhe a palavra confidencial com alguma surpresa. Carlos alegava que, dada a falta de vocação sacerdotal, pretendia rejeitar a batina, ainda que devesse contar com as mais ásperas censuras. Influía nessa deliberação o amor que Alcíone lhe inspirava e que ele revelou ao tio pausadamente, na atitude espontânea, própria dos jovens apaixonados. Padre Damiano mostrou-se logo muito preocupado, considerando a gravidade do caso, e aconselhou ao pupilo não resolver tão delicado problema com a precipitação dos espíritos levianos. Sempre fora contrário à realização do voto da irmã, mas, em tal emergência, era imprescindível proceder com a maior prudência. Fez ver ao sobrinho os obstáculos ponderosos, as ameaças dos novos rumos e, por último, já que se consideravam quase

---

[42] N.E.: Espiolhar – investigar minuciosamente.

como familiares de Madalena, sugeria que o assunto fosse levado à análise da viúva Davenport e da filha, a quem interessaria, maiormente, toda e qualquer decisão. Carlos Clenaghan aceitou a ideia visivelmente satisfeito.

Chegados à casa da filha de D. Inácio, encontraram-na só, à espera da jovem que havia saído em companhia de Robbie, momentos antes. O velho sacerdote aproveitou a oportunidade para explanar detidamente o assunto. A nobre senhora mostrava-se muito admirada, sem poder disfarçar a estranheza que a resolução de Clenaghan lhe causava. Madalena sentia-se assaz embaraçada para opinar judiciosamente em problema tão melindroso. Quando os últimos esclarecimentos do padre Damiano se fizeram ouvir, a viúva Davenport respondeu muito pálida:

— Tudo isso é muito estranho para o meu coração de mãe, pois ignorava que entre minha filha e o padre Carlos pudessem existir laços afetivos de tal natureza...

— Não será bem assim que devemos dizer — atalhou Clenaghan nobremente. — O que meu tio acaba de expor não passa, por enquanto, de pretensão minha. Não existem laços entre nós, mas sim inclinações; nem Alcíone poderia presumir ou saber dos meus desígnios de alijar a batina.

— Ela ignora, então, as providências em curso? — perguntou a senhora Vilamil bastante surpreendida.

— Sim — reafirmou Carlos com sinceridade —, meu tio e eu deliberamos vir a vossa casa, dada a nossa confiança e intimidade. Não desejávamos resolver tão delicado problema por nós mesmos, quando a solução parece que nos afetará a todos.

A viúva teve um gesto expressivo, evidenciando o seu embaraço, mas o jovem sacerdote, percebendo-lhe a estranheza, continuou:

— O ambiente convencional em que me encontro sufoca-me o coração. Temos necessidade de emancipação espiritual. Não quero dizer com isso que abjure a crença que me alimenta o espírito desde a infância, e sim que não concordo com o celibato compulsório, porque, para mim, o padre católico-romano jamais poderá colaborar santamente na edificação da família humana, deixando de constituí-la ele mesmo.

A filha de D. Inácio ouvia aquele desabafo um tanto constrangida. No íntimo, desejaria revidar, defender a missão do sacerdote, neutralizar uma providência que poderia acarretar grandes amarguras à filha. A presença do padre Damiano, porém, não lhe consentia maior franqueza.

Habituara-se a estimá-lo quase como ao próprio pai. Admitia o seu bom senso, aceitava a superioridade da sua longa experiência da vida. Se ele deliberara afetar-lhe o assunto, é que teria razões ponderáveis para isso. Mal acabava de assim pensar, quando o velho sacerdote ponderou:

— Vejo, Madalena, que o caso te impressiona mais do que poderia supor. É natural, porquanto o coração materno é sempre uma sentinela vigilante. Eu não ignorava que as preocupações de Carlos te magoariam a alma sensível, mas, minha filha, não tive remédio senão informar-te devidamente, com a devida franqueza. Trata-se da ventura de dois corações muito jovens, e eu me sinto incapaz de intervir mais decisivamente, mesmo porque penso que meu sobrinho nada pode nem deve resolver sem que Alcíone seja ouvida.

A nobre senhora compreendeu os escrúpulos do velho sacerdote e confessou:

— Também julgo muito arrojadas as pretensões do padre Carlos, no sentido de enfrentar a sociedade em que vivemos, mas sou a primeira a desejar a felicidade de minha filha. Por ela, sinto que devo recalcar minhas concepções pessoais do dever e da vida. Aliás, devo esclarecer que Alcíone nunca me deu a menor preocupação, sendo esta a primeira vez que me vejo compelida a examinar problema tão difícil, condizente ao seu futuro. Por isso mesmo, confio em que ela própria saberá elucidar-nos o que mais convenha...

Nesse comenos, Alcíone entrou de surpresa, saudando afavelmente os amigos.

Mais alguns momentos e padre Damiano lhe pede atenção para o assunto em foco. Enquanto Clenaghan acompanhava as suas palavras visivelmente emocionado, a jovem recebia a notícia com intranquilidade e amargura.

— Como vês, Alcíone — terminava o velho sacerdote —, as intenções de Carlos preocuparam-me sobremaneira e me senti sem forças para resolver só por mim. Já me entendi com tua mãe e agora esperamos que te pronuncies sinceramente.

A moça dirigiu ao amado de sua alma um olhar de exprobração, e, sentindo-se encarcerada num círculo de opiniões, onde a sua deveria prevalecer mais fortemente, esclareceu:

— Em consciência, padre Damiano, não posso concordar com tudo isso. Ao que suponho, Carlos está sendo vítima de grande equívoco. Alma alguma poderá ser feliz olvidando seus deveres. Nossa afeição seria condenável se forçasse um de nós a esquecer as suas obrigações.

Nesse instante, o moço contemplava-a entristecido, amargurado com aquela resistência, ao passo que o tutor justificava:

— Compreendemos a delicadeza dos teus sentimentos, mas vale advertir que, qual se tem dado com outros muitos, Carlos se desligaria dos votos sacerdotais, continuando ao serviço de Jesus, dentro do Evangelho. A resolução, portanto, apenas visaria atenuar as exigências tirânicas da Igreja, com referência à felicidade de dois corações nobres e sinceros.

— Padre Damiano — tornou a jovem algo conturbada —, acredito na grandeza da sua complacência para conosco e lamento bastante ser obrigada a contrariar seu generoso coração, pela primeira vez, mas a verdade é que não posso aplaudir esse plano. Admito que o celibato obrigatório representa, de fato, uma exigência tirânica, mas ninguém deverá eximir um homem dos compromissos assumidos conforme os desígnios de Deus. Nós, que aceitamos a pluralidade da existência na Terra, não podemos haver por meramente casuais os acontecimentos que levaram Carlos a envergar a batina. Quem sabe esta sua condição atual não seja uma repetição de experiências pregressas? Quem nos dirá que ele não tenha vivido noutra época, conspurcando o altar, e que eu não tenha cooperado em suas quedas? Não será justo soframos ambos a consequência de nossos erros? Ainda que assim não fora, tínhamos a considerar, necessariamente, os desígnios de Jesus, sublimes e insondáveis. É verdade que consagro a Clenaghan uma afeição intensa e divina, que confesso diante de mamãe pela primeira vez. Esta circunstância, porém, não será motivo de queda espiritual, mas antes de estímulo para que redobre meus zelos pelo seu nome. O imperativo eclesiástico pode ser muito duro, mas creio não sermos os únicos a sofrer-lhe as consequências. Outras almas, tão sinceras quanto as nossas, estarão sofrendo e confiando na bondade de Jesus Cristo.

O velho sacerdote não esperava da jovem outra atitude senão aquela com que testemunhava a suprema elevação do seu espírito, mas estava surpreendido pela maneira como se exprimia, pela inflexão da voz, cuja emoção se casava à firmeza dos raciocínios.

Nesse ínterim, Clenaghan interveio, murmurando:

— Teus pareceres, Alcíone, evidenciam o acendramento de tua bondade; todavia, tenho refletido na renúncia dos meus votos como ato de coragem e fidelidade espiritual.

— Sim, para o mundo — aparteou Alcíone — talvez fosses uma criatura desassombrada, mas onde estaria a verdadeira coragem? Na decisão escandalosa de um dia ou no sagrado cumprimento dos votos empenhados para uma vida inteira?

O rapaz não pôde dissimular a enorme surpresa que o argumento lhe causava. Sob os olhares perscrutadores de Madalena e do tio, Carlos parecia titubeante, acentuando, porém, como a defender-se:

— Não sou, contudo, o primeiro a pensar nisso. Outros sacerdotes renovaram suas concepções e mudaram de roteiro, em vista das absurdas e criminosas imposições de que eram vítimas.

Alcíone pareceu meditar um momento e respondeu:

— Renovar concepções é um dever nobre de toda criatura, mas um pai somente se engrandece quando eleva consigo todos os filhos da sua casa; nunca, porém, deixando a família ao abandono. Um sacerdote do Cristo, Carlos, ainda que incompreendido no mundo, deve ser sempre um pai... Quanto a mudar de roteiro, é coisa outra que merece atenção especial. É justo que um passageiro dessa ou daquela embarcação troque de navio em pleno mar, ou que se deixe ficar à toa em porto diferente, acreditando abreviar a viagem; mas que dizer de um comandante que assim procedesse com os que nele confiam? Não será melhor permanecer tanto nas rotas perigosas como nas ondas mansas? E que é nossa vida neste mundo senão uma viagem para esferas mais altas? Dia virá que chegaremos ao porto da verdade, e é necessário cumprir o dever até o fim. Para as almas vulgares, a existência pode representar um conjunto de possibilidades, de levianas experiências, mas nós, que já recebemos algum conhecimento das coisas divinas, não podemos interpretar a passagem pela Terra senão como santa oportunidade de trabalho e purificação!... Referimo-nos à organização tirânica da Igreja, mas seria injusto esquecer que um instituto defeituoso apenas se regenerará quando prevaleça a atuação de seus elementos mais dignos. Os maus padres hão de desaparecer quando os sacerdotes inteligentes e devotados tiverem a coragem da renúncia em benefício da Igreja, permanecendo na tarefa por amor aos necessitados e ignorantes, que Jesus lhes confiou!

Damiano estava profundamente comovido e impressionado. Aqueles conceitos não pareciam derivar de um cérebro humano. Após longa pausa, o ancião, de olhos úmidos, acrescentou solenemente:

— Creio que as explicações de Alcíone nos vêm de Mais Alto. A claridade do dia do Pentecostes nunca morreu no mundo.

E, dirigindo-se ao pupilo, frisava:

— Como vês, nada tenho a dizer. Minhas objeções de velho poderiam ser levadas a conta de impertinência. Jesus te envia, contudo, pela própria eleita, a mensagem salvadora. Não hesites, meu filho, entre o capricho e o dever!

A pequena assembleia familiar dispersou-se friamente. Carlos Clenaghan, comovidíssimo, despediu-se de Alcíone enxugando uma lágrima. No dia seguinte, de manhã, compareceu à missa de rosto angustioso, demonstrando que as provas da véspera lhe haviam calado fundo no coração.

Damiano também estava mais impressionado do que se poderia supor. As afirmativas da discípula ressoavam-lhe aos ouvidos em poderosas vibrações. Suas experiências da vida eram rudes e longas, mas nunca se lhe deparara uma jovem com tamanha compreensão do sofrimento e do destino. Que fora a sua vida de sacerdote senão aquele rigoroso programa esboçado pela jovem Alcíone? Recordava os tempos difíceis, as horas de tentações mais ásperas, os sacrifícios longos, as dores que pareciam sem termo, para concluir que Jesus lhe enviara luzes consoladoras pelos lábios carinhosos daquela criatura que sempre estimara como filha.

Ainda assim, competia-lhe ponderar gravemente a situação. Era necessário subtrair Alcíone ao ambiente de Ávila. Além disso, impunha-se uma alteração de regime, visto que os dois se amavam intensamente e convinha distanciá-los a título preventivo. Madalena Vilamil sempre esperara, pacientemente, a oportunidade de conhecer a América do Norte. Os acontecimentos pareciam favorecer e reavivar os seus desejos. Como, porém, realizá-los? Muitas vezes, as ocasiões haviam surgido, mas somente para as colônias espanholas, e ele as recusara sempre, porque não seria razoável submeter a senhora Davenport e os seus a penosas peregrinações.

Damiano lembrou-se do seu espicilégio.[43] Talvez os documentos particulares lhe sugerissem algum empreendimento. Releu a carta de um amigo de Paris. Convidava-o a rever sua comunidade e trabalhar na capital francesa. Não seria difícil partir da França para o norte da América. Satisfeito com o achado, reteve a ideia durante um mês. Decorrido esse prazo, quando as pretensões de Clenaghan já estavam esquecidas na residência de Madalena, o velho sacerdote começou a tratar do assunto.

---

[43] N.E.: Coleção sistemática de documentos, diplomas etc.

II
Novamente em Paris

Madalena Vilamil acolheu o alvitre do velho sacerdote, entre cismas e esperanças. Desejava, sinceramente, poder um dia abraçar os Davenports. Nunca renunciara ao propósito de ouvir algum sobrevivente do naufrágio em que, segundo a carta de Blois, perdera o esposo amado. Os anos haviam corrido entre esforços angustiosos, mas nunca se lhe apagara na mente a figura de Jaques com a sua generosidade paternal. Às vezes, conjecturava que o carinhoso benfeitor de Blois também já houvera falecido. Ainda assim, seria sempre possível encontrar Susana ou algum dos irmãos de Cirilo, em Connecticut. Ao demais, sentia-se cansada e doente. Não seria prudente aproximar Alcíone dos parentes? Temia morrer deixando a filha sem parentes próximos que lhe velassem pelo futuro. Em tempo, alimentara a esperança de um casamento feliz, mas agora estava certa de que esse problema, na vida da jovem, era muito mais complexo do que poderia supor. Se a morte lhe sobreviesse, poderia contar com a afeição sincera do padre Damiano, mas também notava que o velho amigo ia se curvando para a terra, devagarinho, ao peso do intenso trabalho junto das almas. Quanto ao filhinho adotivo, não podia presumir nem esperar dele outra coisa que não fossem preocupações e trabalhos ásperos. Alcíone não poderia esperar de Robbie o concurso necessário no porvir.

Antes, pelo contrário, ele é que não poderia prescindir do seu arrimo fraternal. E, nada obstante, a esposa de Cirilo sentia-se sem coragem para aderir ao projeto. Compreendia as vantagens e o acerto da empresa, mas sentia-se ao mesmo tempo exausta de forças para tentar a jornada penosa. Não hesitaria se a viagem estivesse definitivamente decidida e traçada em seus detalhes; entretanto, a permanência em Paris, antes da resolução definitiva, infirmava-lhe o ânimo. A capital francesa regurgitava de recordações doces e amargas para o seu espírito sensível. Rever os lugares onde conhecera a inolvidável ventura da mocidade não significaria abeirar-se do túmulo dos mais lindos sonhos e chorar para sempre? Enquanto ela assim relutava, Damiano intervinha solícito, valendo-se das ocasiões em que se encontravam a sós.

— Reconheço quão amargurosas são as tuas expectativas, mas penso que a felicidade de Alcíone e as necessidades de Robbie justificam teu sacrifício. Creio que o ambiente de Ávila já proporcionou às duas crianças o máximo de experiência. E, chegados a este ponto, nutro os meus receios pelo sobrinho. Alcíone nos deu vigoroso exemplo de fé e sacrifício, recusando-lhe os planos de rapaz impetuoso, sacrificado na sua vocação, mas não será o caso de auxiliarmos agora a generosa menina, prodigalizando-lhe um bálsamo ao coração dilacerado? É que, não obstante o bom senso e a grandeza da alma, ela deve ter o coração repleto de amor. Isso é inegável. Considero crueldade expô-la, diariamente, ao exame da sua chaga. Em cada pormenor da igreja, como em cada paisagem de Ávila, seus olhos carinhosos hão de ver a figura do amor torturado e insatisfeito. Por outro lado, pressinto em meu sobrinho manifesta incapacidade de renúncia. A meu ver, ele deu tréguas ao problema, sem o quitar no coração. Quando menos esperarmos, voltará ao assunto com argumentos novos. Não julgas que mais convém prevenir, subtraindo Alcíone às tentações? Confio bastante nela, na sua conduta irrepreensível, mas imagino que a medida lhe beneficiará o espírito impressionável.

— Vossa opinião é respeitável, padre Damiano, mas, por mim, penso que Paris fica demasiado longe...

— E, contudo, a mudança para outra região espanhola pouco adiantaria. Com referência ao caso de meu sobrinho, ele encontraria logo qualquer pretexto para continuar junto de Alcíone, e no que diz com a viagem à América do Norte, à França ou à Inglaterra, somente nos oferecem facilidades.

— Tendes razão — acentuou a filha de D. Inácio, convicta.

— Pois reflitamos no caso — concluía o velho sacerdote —, certos de que, nas feridas do amor, a distância sempre foi remédio de benéficas reações.

A esposa de Cirilo passou a considerar a conveniência da iniciativa, comunicando à filha os seus projetos. Alcíone exultou de alegria. O ambiente acanhado de Ávila feria-lhe o coração; os comentários maliciosos apoquentavam-na. Todavia, ao revelar-se jubilosa, não se referiu a tais coisas, alegando apenas a esperançosa perspectiva de melhor saúde para sua mãe e para a educação de Robbie. Ante a opinião da jovem, Madalena ganhou novo ânimo. As primeiras providências foram dadas, com grande espanto de padre Carlos.

Enquanto Damiano comunicava para Paris a deliberação de partir, a filha de D. Inácio vendia a chácara aos Estigarríbias. Realizou o negócio sem preocupação e sem mágoas, mesmo porque seus velhos amigos Dolores e João de Deus haviam partido para a colônia, com certas vantagens materiais, de acordo com os patrões. Quanto ao mais, Ávila não lhe oferecia motivo a saudades acerbas. Amparada nas esperanças da filha, estava resolvida a partir, ainda que tivesse de enfrentar maiores dificuldades na capital francesa. Enquanto permanecia irresoluta, Alcíone incumbira-se de lhe dissipar os últimos receios. Não lhes faltaria trabalho nas cidades grandes. A costura era serviço remunerativo em qualquer parte. Além disso, Robbie teria ensejo de prosseguir mais firmemente na música. Padre Damiano assevera não ser impossível conseguir serviço pago ao seu violino em alguma igreja. Nesse caso, Madalena animava-se, chegando a esperar com visível satisfação o dia da partida.

Clenaghan, no entanto, mantinha-se em atitude reservada. O tutor lhe confiara a igreja de São Vicente com severas recomendações. Fizera-lhe sentir maiormente o quadro de responsabilidades que o cercavam e induzia-o a manter o espírito de renúncia e sacrifício no coração, qual fogo sagrado da sua tarefa. Carlos, porém, parecia alheio aos exercícios religiosos. Alcíone era sua preocupação máxima. Inúmeras vezes buscava-lhe a companhia carinhosa para aliviar o coração, mas encontrava sempre a expressiva nobreza da sua alma cristã, adjurando-o a consumir-se inteiramente pelo dever bem cumprido, em face do Eterno.

Na véspera da separação que o deixaria mergulhado em saudades angustiosas, buscou-a de maneira a lhe falar intimamente, antes de se apartarem definitivamente. Depois de longas considerações afetivas com que traduzia as penas íntimas do coração, assim falou:

— Não sei se poderei suportar para sempre o cativeiro em que me encontro. Sou um pássaro engaiolado, ansioso de liberdade...

— Somos escravos do Cristo — atalhou ela, resignada.

— Farei o possível por viver em observância às verdades que me ensinaste, mas, se um dia for compelido a modificar meu roteiro, irei buscar-te na França ou na América, a fim de construirmos o castelo de nossa ventura...

Muitíssimo emocionada, Alcíone advertiu:

— Espero que nunca interfiras no que Deus organizou, ainda que se destacassem as razões mais poderosas, porque, acima de tudo, Carlos, suponho que deveremos aguardar nossa ventura entre as luzes do Céu.

O pupilo de Damiano calou-se e a palestra prosseguiu entre juras e compromissos afetuosos.

No dia seguinte, pela manhã, as últimas despedidas lhe provocaram lágrimas copiosas. Abraçou o velho tio comovidamente, dirigindo a todos palavras de reconhecimento e amor, com os votos sinceros de feliz jornada. Alcíone estava sufocada. O dever falava-lhe fortemente ao espírito, mas a separação doía-lhe nas fibras mais recônditas. No último instante, as lágrimas lhe saltaram dos olhos. Damiano dava mostras de forte emoção. A senhora Vilamil permanecia recolhida em si mesma. Apenas Robbie mostrava enorme alegria pela novidade da excursão e quase maravilhado com as suas roupas novas.

Um velho companheiro de lutas, que se conservava ao lado de Clenaghan, abraçou os viajantes e, reconhecendo a comoção do antigo sacerdote, falou sensibilizado:

— Padre Damiano, não nos conformamos com a sua partida, não somente pela falta de sua palavra animadora, como também porque não acreditamos que se esqueça de Ávila, onde residiu e trabalhou longos anos!

— Sim, meu amigo — respondeu o interpelado sem hesitação —, sem dúvida que não poderei alijar as confortadoras lembranças da igreja de São Vicente e das pessoas queridas que aqui ficam, mas, por outro lado, não há esquecer que em toda parte servimos ao Senhor.

Cada qual fazia por se mostrar mais esperançado e confiante no futuro.

Novos adeuses, últimos abraços, e o carro espaçoso partiu aos solavancos e ao trote dos animais pelo caminho empedrado e poeirento.

Renúncia

A viagem em direção ao litoral da Galiza não foi muito fácil; entretanto, com alguns dias de penosa jornada, a pequena caravana atingia Vigo, de onde uma embarcação holandesa a conduziria ao porto do Havre. Madalena Vilamil conservava-se melancólica, presa de recordações dolorosas da França. Damiano a todos encorajava formulando vastos projetos de futuro. Não seria difícil seguir de Paris para a América, mais tarde ou mais cedo, e essa promessa entretinha e exaltava o otimismo geral. Para distrair Alcíone e Robbie, o velho amigo descrevia a beleza dos sítios mais atraentes da capital francesa, falando com entusiasmo da suntuosidade dos templos e dos passeios pitorescos pelas águas do Sena. Madalena ouvia-o atenta, identificando os sítios de suas venturosas excursões em companhia do marido, e parecia perder-se num abismo insondável de saudades ansiosas e lindas recordações.

Afinal, chegaram a Paris, depois de longo tempo e de experimentarem os maiores incômodos na viagem.

O padre Amâncio Malouzec, da confraria dos Agostinhos e companheiro dedicado de Damiano, esperava-os solícito. Segundo a notícia enviada de Ávila, preparara uma casa modesta no burgo de São Marcelo para Madalena e os seus, reservando um apartamento no presbitério de São Jaques para o velho amigo de muitos anos. A filha de D. Inácio, da caleça[44] em que se encontravam em trânsito, reparava com admiração as ruas e praças do seu conhecimento. Luís XIV reinava ainda e a cidade atestava uma administração vigilante e cuidadosa. Depois de atravessar o burgo de São Vítor, a viatura penetrava o de São Marcelo e parava ao lado de modesta casinha. Desceram todos, e padre Amâncio, muito gentil, oferecia a singela residência. A filha de D. Inácio experimentava enorme estranheza pela mudança brusca de ambiente. Procurou, porém, adaptar-se à nova situação. Insistindo pela nota das despesas, fez questão de pagar tudo, embora Damiano e o amigo fizessem o possível por evitar o feito. Somente mais tarde, o velho sacerdote retirou-se para São Jaques, quando a organização de todos os projetos tranquilizara Madalena e os seus.

Alcíone não conseguia dissimular a surpresa que lhe causava a extensão de Paris, com as suas expressões de vida intensa. No íntimo, rogava a Deus lhe fortalecesse o espírito para os trabalhos que lhe estivessem ali reservados, pronta à execução dos seus deveres.

---

[44] N.E.: Variedade de carruagem com quatro rodas e dois assentos, puxada por dois cavalos em parelha.

A primeira necessidade dos Vilamil foi atendida daí a dois dias; padre Amâncio lhes angariou ótima serva, uma velhinha desamparada e dona de nobres sentimentos. Luísa captou logo as simpatias de Madalena e da filha. Há muito que ela se via quase em abandono. As famílias abastadas recusavam os serviços de gente mais idosa, e a sua situação era das mais precárias. Tal circunstância aproximou-a mais fortemente da nova patroa, constituindo valioso arrimo para a esposa de Cirilo, que necessitava incrementar o próprio trabalho remunerado para atender aos gastos domésticos.

Prementes dificuldades, no entanto, esperavam a filha de D. Inácio, que a breve trecho se encontrou em maiores apuros. Nem sequer pudera sair à via pública a fim de visitar o túmulo dos pais, como tanto desejava. A mudança de meio trouxera-lhe a revivescência da enfermidade dos pés, com caráter agudíssimo. Padre Damiano, por inexplicáveis circunstâncias, também adoecera em casa do colega, em São Jaques. Alcíone, depois de atender aos encargos caseiros, ia todos os dias de um a outro bairro, grandemente preocupada com os dois enfermos. Em casa, tomava as lições do irmão adotivo, buscava praticar o francês em longas conversações com Luísa e cuidava, com infinitos desvelos, das melhoras da genitora. Esta, muito impressionada com a evasão dos reduzidos recursos que trouxera de Ávila, procurava instruir a filhinha para que a obtenção de trabalho em Paris lhe fosse facilitada. Em vão, enviou-a em procura de Colete e de outras amizades dos tempos idos. Madalena tinha a impressão de que forças impiedosas haviam varrido todos os traços parisienses em que concentrava as suas lembranças cariciosas. Alcíone, apesar da fé que lhe fortalecia o coração, permanecia igualmente preocupada. Era indispensável atender ao tratamento materno, cuidar dos pagamentos à serva, prover as necessidades de Robbie. Em suas visitas a Damiano, abstinha-se de lhe confiar as graves inquietações. O velho sacerdote, contraindo inesperadamente implacável moléstia dos pulmões, definhava dia a dia. A jovem, porém, criou coragem e solicitou o socorro do padre Amâncio, a fim de lhe angariar algum trabalho. Costurava, bordava, ensinava música e talvez não fosse difícil obter colocação nalguma oficina honesta ou em casas abastadas. O novo amigo da família Vilamil pôs-se em campo. Antiga costureira, nas vizinhanças da ponte de São Miguel, autorizou padre Amâncio a lhe mandar a candidata para lhe conhecer as habilitações.

Alcíone apresentou-se. Madame Paulete, que mascarava os péssimos costumes com atitudes beatas, não gostou do seu porte nobre e da sua candura. Era demasiado pura e simples para servir-lhe aos propósitos obnóxios.[45]

Após observá-la meticulosamente, a costureira esboçou um gesto significativo e sentenciou:

— Lamento bastante, mas não é possível utilizar seus serviços, por enquanto.

— Por que, Madame? — perguntou a filha de Madalena com inflexão de tristeza, por ver aniquilada a sua esperança.

A interlocutora procurou ocultar os verdadeiros sentimentos, acentuando:

— Sua dificuldade de pronúncia não satisfaz as exigências da freguesia.

— Mas poderei costurar sem inconveniente e, com o tempo, creio poder satisfazê-la no referente à linguagem.

— Não posso — disse a outra, inflexível —, a clientela de bom gosto exige muitos recursos verbais.

Alcíone, muito humilde, deixando transparecer grande amargura na voz, insistiu:

— Madame Paulete, certamente a senhora está com a razão; entretanto, ousaria apelar para sua bondade. Tenho muita necessidade de trabalho!... Minha mãe está gravemente enferma e, além disso, todas as despesas da casa correm por minha conta... Se a senhora pudesse admitir-me em sua oficina de costura, pode crer que praticaria uma ação caridosa e justa, com o nosso eterno reconhecimento. Quem sabe terá outros serviços de que me possa ocupar, honestamente, em sua casa? Sem conhecimentos em Paris, estamos em luta com os maiores obstáculos.

Essas palavras, porém, embora denunciassem extrema aflição de uma filha carinhosa, não produziram efeito. Madame Paulete, com expressão algo irônica, voltou a dizer:

— Infelizmente não estou em condições de atendê-la, mas, minha menina, não será só a costura que lhe poderá valer. Há muitas mulheres da sua idade ganhando a vida em Paris com menores esforços.

Enquanto Alcíone, surpreendida com insinuação tão ingrata, sentia-se impossibilitada de responder, a interlocutora concluía impiedosamente:

— Com seus modos simples e com a sua juventude não seria difícil...

---

[45] N.E.: Vulgares, nefastos.

Alcíone sufocou as lágrimas dentro do peito e despediu-se. Atordoada com o burburinho das ruas, voltou a casa, submersa em graves cogitações. Madame Paulete fora cruel, mas cumpria colocá-la em sua posição e esquecê-la. Compreendia a inutilidade de se entregar a lamentações estéreis. Certo, Deus não lhe havia concedido as claridades divinas da fé para as horas tranquilas da existência. Seu coração detinha o depósito sagrado, a fim de aprender a nortear-se para o mais alto, ainda que desabassem as mais violentas tempestades. Esse pensamento tranquilizou-a. Não acreditava em Jesus como Salvador distante, sim como Mestre amado, presente em espírito às lições dos discípulos entre os sofrimentos e experiências do mundo. Sentia-se em momentos de testemunho. O Senhor não a esqueceria. Da sua inesgotável bondade viriam recursos inesperados. Prosseguiria esforçando-se e estava certa de que a mão de Jesus viria em seu socorro.

Engolfada em profundas meditações, entrou em casa, morta de cansaço. Tal como sucedera um dia a Madalena, Alcíone também tivera necessidade de tranquilizar o espírito materno com palavras que disfarçassem as realidades amargas.

De olhos esperançados, a esposa de Cirilo interrogou ansiosa:

— E o trabalho?

Esboçando um sorriso de paz espiritual, a jovem acentuou:

— A oficina me admitirá por estes dias.

A senhora Vilamil deu um suspiro de alívio e murmurou:

— Graças a Deus! Que me dizes da Madame Paulete? É pessoa respeitável?

— Pouco conversamos, mas, ainda assim, me pareceu pessoa muito estimável e digna.

— Ainda bem — exclamou a mãezinha, despreocupando-se. — Meu maior receio provém de conhecer alguma coisa dos abusos parisienses. Nem todas as costureiras são criaturas dedicadas ao lar.

— Pode ficar tranquila, mamãe — declarou a jovem por desfazer os temores maternos —; em quaisquer circunstâncias não esquecerei seus bons exemplos.

Madalena Vilamil envolveu-a num olhar de carinho imenso, no qual transparecia a mágoa de não poder locomover-se e trabalhar. Mais comovida, falou depois de longa pausa:

— Conheço de experiência própria o que significa pleitear umas tantas coisas nesta Paris. Antes de nasceres, minha mãe esteve de cama longo tempo. As necessidades tornavam-se cada vez mais prementes e tive de sair à cata de recursos, com a diferença que eu rogava favores e tu pedes trabalho.

Em voz pausada, entrou a relatar velhas reminiscências, pintando ao vivo o quadro das falsas amigas de D. Margarida, quando lhe atiraram em rosto certas observações ingratas e implacáveis.

Quando terminou, chorava copiosamente, mas Alcíone tomou-lhe o rosto entre as mãos e beijou-a com enternecimento, dizendo-lhe:

— Esqueçamos, mãezinha! Por que recordar coisas tristes? Deus não esquece os seus filhos. Certo que não nos faltará recurso e amparo!... Breve estarei trabalhando, com vencimentos que nos satisfaçam as necessidades. Além disso, padre Damiano, logo que melhore, arranjará serviço musical para Robbie, na igreja. Depois a senhora melhorará e conseguiremos bordados para fazer em casa. Não é verdade que temos um mundo de boas esperanças à nossa frente?

A enferma pareceu adquirir nova expressão de bom ânimo.

— Teu otimismo é contagioso — murmurou mais tranquila —; no entanto, com referência ao padre Damiano, tenho triste nova a dar-te. O reverendo Amâncio esteve aqui, na tua ausência, para certificar-nos do seu estado. O médico já perdeu as esperanças, pois afirma que o velho amigo está tísico e terá poucos meses de vida.

A moça ouvia os informes sem dissimular a dor que lhe causavam. A genitora, porém, prosseguia em tom pesaroso:

— Um pormenor muito grave da situação, segundo informa padre Amâncio, é que o nosso benfeitor não dispõe presentemente de qualquer recurso. Notei-o muito preocupado com a atual situação do virtuoso sacerdote, que, segundo alega, tem necessidade premente de efetuar certos gastos, entre os quais, por exemplo, os que decorrem da admissão de um servo, além da aquisição de vários utensílios de uso privado, já que terá de isolar-se, lá mesmo no presbitério, por ser portador de mal contagioso.

— Então o padre Malouzec não pode auxiliá-lo nisso? — perguntou Alcíone, compungida e aflita.

— Notei-o pouco disposto a fazê-lo.

— E que lhe disse a senhora?

— Fiz-lhe ver que nossas necessidades também eram duras, nestes seis meses sem trabalho, mas, ainda assim, que esta casinha está à disposição do enfermo. Minha declaração desconcertou-lhe um tanto o espírito prático; todavia, tenho preocupações muito justas.

— Providenciaremos para obter o dinheiro — anunciou a moça, resoluta.

— Como — perguntou Madalena assaz impressionada —, se precisamos no mínimo de 200 a 300 francos para atender às despesas de instalação do doente em pequeno pavilhão separado?

— Estou certa de que não nos faltará a soma precisa — confirmou a jovem. — Amanhã cedo irei encorajá-lo e tratar do assunto.

— Com os nossos sofrimentos atuais — acrescentou Madalena —, creio que fica liquidado o projeto de viagem à América.

— Não diga tal, mamãe! Nas noites mais escuras a esperança é um raio mais forte.

A palestra continuou entre motivos de mútuas consolações.

*

Na manhã seguinte, apesar de muito preocupada com o insucesso da véspera, a jovem chegava ao quarto do enfermo antes das nove horas. Não se avistava com o amigo havia três dias. Encontrou-o muito desfigurado, excessivamente pálido, olhos encovados. Empurrou de mansinho a porta entreaberta, a fim de surpreendê-lo. Reparou-lhe na fisionomia cansada e deteve-se na observação detalhada de suas características. Com efeito, piorara muito. As mãos, a reterem volumoso livro, cujas páginas lia atentamente, pareciam de cera. A respiração revelava-se algo acelerada. Alcíone reprimiu a própria amargura, dominou a emoção e exclamou sorridente:

— Lendo a Bíblia?

Damiano fez um gesto de grande alegria, saudando-a com ternura. Ela o abraçou e, arrebatando o livro, procurou ver que meditações o preocupavam no momento. Eram as exortações do Eclesiastes: "Tudo tem o seu tempo determinado e há tempo para todo propósito debaixo do Céu; há tempo de nascer e tempo de morrer."[46]

— Discordo — murmurou solícita — que o senhor, adoentado como se encontra, esteja a ler estas coisas tristes.

O sacerdote esboçou um sorriso algo desalentado, informando:

---

[46] Nota de Emmanuel: Eclesiastes, 3:1 e 2.

— À tua mãe, Alcíone, talvez não tivesse coragem de falar com esta franqueza sobre o meu caso. Ela é demasiado sensível e já tem sofrido muito. Não seria razoável aumentar-lhe as amarguras. Eis por que preciso desabafar contigo, não obstante a tua mocidade. Já sei que este meu mal é incurável e não posso deixar de concluir que, para mim, vem perto a hora da partida. Estejamos, pois, fortalecidos em Jesus, porque, como nos diz a *Bíblia*, a carne é também um vento que passa e nós somos filhos da eternidade!

A moça escutava-o comovida, olhos marejados de pranto. Desde a infância habituara-se a encontrar naquela afeição os melhores estímulos de coragem para as lutas da vida. Estimava-o qual se fora seu pai. Instintivamente, lembrou-se do tempo das vigorosas pregações evangélicas em Ávila. Ninguém diria que aquele homem robusto, insinuante e sugestivo pela sua palavra franca, chegaria àquele estado de miséria orgânica. Seus olhos lúcidos denunciavam o desassombro e a serenidade de todos os dias, mas a expressão geral evidenciava enorme astenia.[47] Quis responder, consolá-lo com palavras animadoras, mas nada lhe ocorreu. Forte constrição da garganta lhe embargava a voz. A franqueza do velho sacerdote desarmara-lhe o espírito carinhoso. Impossível ensaiar palavras que iludissem a gravidade da situação, quando o próprio Damiano se sentia tranquilo e conformado. Percebendo-lhe o enleio, o religioso continuou:

— Não falemos de mim, Alcíone. Conta-me antes o resultado da diligência de ontem. Conseguiste trabalho?

A pobre menina fez um gesto triste e sentiu-se no dever de falar francamente ao grande amigo da sua infância.

Quando terminou a exposição amarga, o sacerdote comentou:

— Imagino como terás sofrido nesse contato direto com a espurcícia[48] humana; entretanto, não sofras por isso. Agradece a Deus o te haver revelado Madame Paulete, tal qual é, antes de assumires qualquer compromisso, pois quando nos comprometemos com o mal, ainda que inocentemente, aliciamos grandes dificuldades por nos libertarmos dos seus odiosos laços. No teu caso, pois, devemos estimar a esmola de uma santa lição. É que, às vezes, naquilo que denominamos maldade e ingratidão do mundo, pode existir um socorro divino em nossa própria defesa.

A jovem enxugou as lágrimas e sorriu concordando.

---

[47] N.E.: Perda ou diminuição da força física.
[48] N.E.: Baixeza, sordidez.

— O trabalho honesto não falta — prosseguiu o religioso, paternalmente —; temos outros amigos em Paris. Espero a visita de um colega a quem pedirei se interesse por ti. O padre Guilherme é um companheiro de lutas que conheceu Carlos e sua mãe, ainda na Irlanda. Estou certo de que nos auxiliará.

A jovem, notando-lhe a preocupação sincera, procurou esquivar-se ao assunto que lhe dizia respeito. E, vendo-lhe os pés descalços, perguntou:

— Onde está o agasalho de lá? O senhor não pode ficar assim...

Ele sorriu e informou:

— Guardei-o na mala.

— Por quê? — insistiu surpreendida.

— Creio que, para a semana, me recolherei ao pavilhão dos indigentes, na Misericórdia, ou na casa dos pobres de São Ladres.

— Não pode ser — exclamou a filha de Cirilo, contristada —, não podemos concordar com o seu recolhimento a casas religiosas, como indigente. Nós ainda aqui estamos...

Assim falando, a menina Vilamil tinha o aspecto mortificado de uma filha angustiada.

— Que tem isso, Alcíone? — tornou o religioso, serenamente. — Não devo sobrecarregar teu coração, que enfrenta agora tantas lutas em silêncio! Além disso, não será útil o meu internamento nas instituições piedosas?! Atualmente não me poderei ocupar dos ofícios eclesiásticos, mas lá, entre os necessitados, talvez encontre algum serviço nas prédicas evangélicas aos mais desditosos.

A resignação do velho amigo provocava-lhe pranto copioso.

— O catre da indigência — continuou Damiano — deve proporcionar meditações sadias. E não será isso um acréscimo de misericórdia? Basta lembrar que o Mestre não o teve. Seu derradeiro pouso foi a cruz; seu último caldo um pouco de vinagre; sua última lembrança do mundo a coroa de espinhos!

Alcíone esboçou uma atitude de profunda compreensão e disse:

— Não rejeito as lições de Jesus e rogo à sua infinita bondade nos proteja o coração para os testemunhos necessários, mas creio que o Mestre atenderá minhas súplicas e entenderá meus rogos filiais!... Diga-me se lhe não falta dinheiro para as despesas imediatas.

E embora convicta de não encontrar recursos com a genitora, asseverou, confiando em Jesus:

— Pode crer que, não obstante as dificuldades do momento, ainda temos recursos suficientes para cuidar das suas melhoras.

Damiano parecia acanhado, em vista da sua carência absoluta de meios, mas, esforçando-se por confessar a verdade, acabou murmurando:

— De fato, meus recursos estão esgotados com as despesas que fui obrigado a fazer, aqui em São Jaques, mas não nos preocupemos com o dinheiro, filha...

— Não, não é o dinheiro que me preocupa, e sim as suas necessidades... Não concordo com a sua transferência para a Misericórdia. Se não puder ficar aqui, ficará em nossa casa.

E como o sacerdote experimentasse certa dificuldade para redarguir, Alcíone continuou:

— Perdoe-me se intervenho ousadamente em tal assunto, mas o que reclamo tem prerrogativas de direito — o direito da amizade. Sempre o considerei um pai. Diga-me: quanto pede o reverendo Amâncio pelas suas novas acomodações?

De olhos brilhantes no testemunho de humildade daquela hora de extremas provações, Damiano respondeu:

— Duzentos francos para a aquisição de utensílios e pagamentos iniciais a um serviçal.

— Ora essa! — disse a generosa menina, revelando despreocupação. — Nunca mais me fale em se reunir aos indigentes por tão ínfima quantia! Queira assumir o compromisso, porque depois de amanhã trarei o dinheiro. Temos maior quantia lá em casa e não nos fará falta de maneira alguma.

O velho amigo dirigiu-lhe um olhar de reconhecimento.

Ainda trocaram ideias e consolações por algum tempo, ficando ela de voltar dali a dois dias, e o velho sacerdote falou da esperança que tinha na próxima visita do padre Guilherme, que, por certo, não lhes faltaria com prestimosa cooperação.

Alcíone despediu-se, mostrando-se confortada, mas, tão logo alcançou a rua, sentiu-se presa de extrema preocupação. Onde conseguir 200 francos para socorrer o amigo doente? Debalde excogitava meios de satisfazer a promessa. Os vizinhos eram gente paupérrima. Obter qualquer adiantamento em oficinas de trabalho era impossível, porquanto não alcançara nem mesmo um trabalho certo. De alma opressa, lembrava que não poderia confiar o assunto à genitora, fazendo-a sofrer mais que ela própria. Entretanto, era indispensável conseguir o dinheiro. Andava depressa e concentrada em aflitiva meditação. Começou por pedir fervorosamente a Jesus lhe inspirasse um meio lícito. Já próximo de casa, notou que alguém cantava à porta de uma velha igreja do bairro de São Marcelo, para ganhar a vida. Era um cego. Aproximou-se e deu-lhe alguma coisa do pouco que tinha consigo. Imediatamente, nasceram-lhe novas ideias. Não seria viável um concerto com o concurso de Robbie, num local bem concorrido? Poderia cantar ao som do violino do irmão adotivo. Talvez conseguisse dessarte a quantia necessária para socorrer de pronto o padre Damiano. Essa perspectiva alegrou-a. Entrou em casa tão satisfeita que a genitora perguntou interessada:

— Como vai o padre Damiano? Pelo que leio em teu rosto, ele não está assim tão mal.

— Seu estado ainda é grave, mas achei-o calmo e otimista.

A senhora fez um gesto de admiração e acrescentou:

— Que há, Alcíone? Vejo-te muito mais animada e satisfeita...

— É que já fui avisada que amanhã poderei comparecer ao serviço.

— Graças a Deus! Bendita a hora em que aprendeste a costura!

Em seguida, Alcíone chamou Robbie ao pequeno quintal, para cientificá-lo do plano.

— Um concerto? — disse o rapazote impressionado.

— Sim, mas é preciso guardar segredo. Mamãe sofreria muito se viesse a saber. Se não arranjarmos o dinheiro, padre Damiano irá parar na Misericórdia e talvez nunca mais o vejamos. Cantaremos só amanhã, porque depois é possível que eu arranje trabalho para nós.

O pequeno arregalou os olhos estrábicos e concordou:

— Então vamos.

E passaram logo a trocar ideias e conchavar no tentame para o dia seguinte. Isto feito, entraram em casa de semblante alegre. Justificando o ensaio, Robbie pediu para tocar alguma coisa. Não obstante a hora imprópria, Madalena concordou e Alcíone disse que ia cantar para distraí-la. Ambos, tomando posição, recordaram velhas melodias castelhanas, canções aragonesas, versos populares da Andaluzia. Apesar do sofrimento dos pés, a senhora Vilamil sorria encantada, murmurando:

— Nossa casa hoje está muito alegre! Que dia adorável!... Foi pena ter deixado em Ávila o meu velho cravo...

Robbie entusiasmava-se ao lhe ouvir as expansões e exibia arcadas mais difíceis e mais seguras. Luísa ria e chorava de contentamento e emoção. A jovem cantou quanto lhe veio à lembrança. Repetiu as raras canções francesas que conseguira aprender e recitou numerosas poesias de La Fontaine.

E assim terminou o dia entre cariciosas alegrias domésticas.

Na manhã seguinte, Alcíone beijou a mãe ao despedir-se e preveniu:

— Logo, voltarei para a refeição e, ao tornar ao trabalho, quero que me concedas a companhia de Robbie, pois creio que tenho de regressar mais tarde, à noite.

Madalena disse que sim e abençoou-a com as suas blandícias de mãe.

Alcíone andou muitos quilômetros de ruas e praças, estudando o local adequado à iniciativa. Algo cansada, parou junto ao templo de Nossa Senhora e entrou. Descansou longamente em preces fervorosas, lembrando que não haveria melhor local para o empreendimento que o adro daquela casa consagrada à Mãe Santíssima. Não vacilou. Voltaria ao bairro de São Marcelo para trazer o irmão adotivo. Começariam o concerto ao cair da tarde, confiantes no interesse popular.

Entrou em casa muito esfogueada de sol, tomou a refeição e saiu com o rapaz. Tiveram o maior cuidado no retirar o instrumento, para não serem percebidos por Madalena e pela criada.

Emocionada, naquela conjuntura de angariar o dinheiro indispensável ao velho amigo, Alcíone penetrou novamente na igreja e orou, implorando o socorro divino.

As brisas suaves do crepúsculo corriam mansamente quando os dois artistas improvisados tomaram posição e preludiaram as primeiras notas, justamente quando a multidão em massa afluía ao templo. Numerosos carros iam e vinham. No firmamento escampo de nuvens, Vésper cintilava. Alcíone começou a cantar, mas com tanta harmonia e sentimento que dir-se-ia um anjo baixado à Terra para transmitir aos homens as suaves belezas do crepúsculo. Em breves instantes, transeuntes, clérigos, fidalgos e gente do povo formavam em torno compacta assistência. Cada canção era aplaudida freneticamente. A cantora inspirava profunda simpatia, apesar da malícia de alguns cavalheiros presentes. E assim transcorreu uma hora de franco êxito. Dois padres generosos mandaram acender tochas para que o concerto se prolongasse até mais tarde. Alcíone cantava sempre. Sentia-se corar de vergonha quando as dádivas lhe caíam na bolsa, mas vinham-lhe à mente o padre Damiano e a mãezinha, e experimentava enorme consolação, julgando-se quase feliz. E enquanto agradecia as palmas com ademanes graciosos, Robbie arrancava cristalinos acordes do seu violino. Todos se impressionavam com a beleza da jovem, a contrastar os traços grosseiros do pequeno violinista. Houve mesmo quem lhe sussurrasse no ouvido:

— Parece um morcego ao lado de uma cotovia!

Compreendeu o sentido da frase, mas, interpelada pelo irmão adotivo, que não entendia muito bem o francês, procurou confortá-lo, dizendo:

— O auditório está entusiasmado e calculo que já temos quase 100 francos. Não desanimemos.

— Estou bem fatigado — alegou o rapaz.

— Lembra-te de mamãe e do padre Damiano...

O menino pareceu refletir e fazia vibrar o instrumento com maior entusiasmo.

Nesse ínterim, surgiu poucos metros distante uma carruagem de família rica. No seu sotaque espanhol, Alcíone cantava, no momento, velhas modinhas francesas. Impressionados, talvez, com o quadro inédito, os dois passageiros da viatura deram ordem de parar. Um cavalheiro prematuramente envelhecido, aparentando mais de 50 anos sem os ter, desceu do coche dando o braço a uma senhora muito magra e abatida. Dominado por estranha emoção, encaminhou-se resoluto para o grupo, como que forçando a companheira a seguir-lhe o passo lesto e resoluto. A certa distância, podiam ver a cantora, que parecia coroada pela luz das tochas resplandecentes.

— É o retrato de Madalena! — disse ele, empalidecendo.

— Vamo-nos embora — murmurou a companheira num ensaio de recuo —, deve ser alguma vulgar cantora de rua.

— Não, não — respondeu o desconhecido em voz muito firme, como a indicar que viviam em constante desacordo —, se queres, vai-te e manda-me o carro depois.

— Isso não — revidou visivelmente enfadada, deixando-se ficar junto dele, que se mostrava de mais a mais enlevado e atento à cantora, cuja voz melodiosa enchia o silêncio da noite e lhe falava misteriosamente ao coração.

Quando ela cantou uma velha música espanhola, ele não se conteve, levou a mão ao peito e disse à companheira:

— Lembras-te do *Carrousel* de junho de 1662? Não foi esta uma das melodias de Madalena?

A senhora, apesar de muito contrariada, redarguiu:

— Sem dúvida... Recordo-me perfeitamente do baile de Madame de Choisy.

Ele aproximou-se mais. Estava tão embevecido que se fazia notado dos circunstantes, a despeito do carrancudo semblante da companheira. O desconhecido, porém, parecia não dar por isso. Entregue à contemplação da cantora, envolvera-se no suave magnetismo da sua personalidade, sem se dar conta de tudo mais.

No momento em que Alcíone terminava uma doce cantiga de Castela-a-Velha, ele aproximou-se dos dois artistas e perguntou delicadamente:

— A senhorita, que conhece tantas músicas da Península, conhecerá uma velha melodia espanhola chamada "A calhandra aragonesa"?

— Perfeitamente, e, se faz gosto, posso cantá-la para o senhor.

— Terei imenso prazer.

Alcíone advertiu ao irmão adotivo como devia ensaiar as primeiras notas.

— Não me recordo bem — acentuou o violinista.

— Ora, Robbie, como é isso? É uma daquelas primeiras melodias que mamãe te ensinou.

O menino fez grande esforço mental e concluiu:

— Já sei...

Algumas arcadas harmoniosas assinalaram o introito de inefável beleza e, daí a momentos, a voz límpida e aveludada da jovem se fazia ouvir, em religioso silêncio da assembleia numerosa. Obedecendo, talvez, a secretos impulsos do coração, Alcíone imprimia novo encantamento espiritual em cada acorde. Dir-se-ia o lamentoso gorjeio de um pássaro abandonado na vastidão da noite.

A música, muito delicada, realçava antiga lenda que traduzia o lirismo popular:

No manto da noite amiga,
Ouve esta velha cantiga,
Guarda no peito a canção
Da calhandra[49] do caminho,
Que errava sem ter um ninho
Na verdura de Aragão.

---

[49] N.E.: Pássaro parecido com a cotovia, porém maior.

A pobrezinha vivia
Numa perene agonia,
Em dolorosa mudez;
Era a imagem da saudade,
Nos andrajos da orfandade,
No luto da viuvez.

Mas, em certa primavera,
A pobre, que andava à espera,
Reparou, findo o arrebol,
Que chegava de mansinho,
Olhos cheios de carinho,
Seu amado — o rouxinol.

Desde essa hora divina,
A calhandra pequenina,
Que errava de déu em déu,
Enfeitou-se na vitória,
Encheu-se de vida e glória,
Cantando no azul do céu.

Brincava na paz da fonte,
Ia ao longe, no horizonte,
Sob o sol, sob o luar...
Fosse noite, fosse dia,
Transbordava de alegria,
Nas penugens do seu lar!

Mas, um dia, o companheiro
Deu-lhe o olhar derradeiro
Da bolsa de um caçador!...
A calhandra infortunada
Tombou sem vida na estrada,
Na angústia do seu amor.

No manto da noite amiga,
Ouve esta velha cantiga,
Guarda no peito a canção
Da calhandra do caminho,
Que errava, sem ter um ninho,
Na verdura de Aragão.

Quando terminou, o cavalheiro levou o lenço ao rosto, como se fora enxugar o suor, mas, na verdade, disfarçando as lágrimas que lhe brotavam dos olhos. Depois de consultar o bolso, retirou um pacote de moedas e entregou-o à cantora, nestes termos:

— Tome lá, senhorita, esta lembrança lhe pertence. Sua voz me deu emoções que procuro, em vão, há vinte anos.

E, enquanto Alcíone hesitava diante de uma espórtula tão vultosa, o desconhecido insistia:

— Isto é nada, comparado ao que lhe fico a dever.

A companheira bem que o fisgava com olhares de censura, mas ele permanecia alheio e indiferente às suas atitudes. A cantora, porém, mostrava-se sumamente reconhecida.

— Deus o recompense, senhor!

Robbie também lhe mandou um olhar de enorme satisfação, pelo qual transparecia o desejo de encerrar o ato. E, como se estivesse apenas esperando o cavalheiro desconhecido para terminar o trabalho da noite, a filha de Madalena agradeceu a todos, comovidamente, e retirou-se com humildade, amparando o irmão adotivo que se mostrava exausto pelo esforço despendido.

O casal, por sua vez, retomou o carro, sob forte impressão.

— Quanto deste à cantora? — perguntou a mulher abruptamente.

— Trezentos francos.

— Ainda havemos de acabar indigentes, graças ao teu sentimentalismo — exprobrou amuada.

— Se lhe houvesse dado três mil escudos, nem assim pagaria a terna emoção que me despertou na alma saudosa...

E recaíram em penoso silêncio, enquanto a carruagem rompeu a escuridão da noite.

Alcíone e Robbie regressavam ao lar, tomados de imensa alegria. Quando se viram longe do adro de Nossa Senhora, o pequeno comentou:

— É bem duro pedir, não achas, Alcíone?

— Não é tanto assim — respondeu-lhe resignada. — A necessidade, Robbie, às vezes nos ensina a afabilidade e a doçura com o próximo. Nunca reparaste que as crianças muito independentes costumam ser caprichosas e ásperas? Assim também, já crescidos, é útil que venhamos a precisar do concurso de outrem, por tornarmo-nos mais carinhosos, mais sensíveis ao afeto fraternal...

— Isso é verdade — concordou o pequeno —, são raros os meninos brancos que me tratam bem.

— É porque ainda não sabem o que é a vida. Se um dia a necessidade lhes bater à porta, compreenderão, talvez imediatamente, que somos todos irmãos. Suponho que Deus, sendo tão bom, facultou a pobreza e a doença ao mundo para que aprendêssemos a sua divina lei de fraternidade e auxílio mútuo.

Robbie, muito admirado, ponderou:

— Desejava sentir essas coisas conformado, assim como te vejo, mas a verdade é que, quando me humilham, sofro muito. Faço enorme esforço para não reagir com más palavras e confesso que, por vezes, se não fosse a mão doente, agrediria alguns meninos.

— Não agasalhes esses pensamentos, procura fazer exercícios mentais de tolerância. Reflete, contigo mesmo, como tratarias as crianças negras se fosses branco, imagina qual seria tua atitude com os doentes se fosses completamente são.

O pequeno violinista meditou longamente e respondeu muito sério:

— Tens razão.

— Sem dúvida, isto que aqui te digo requer muito esforço, porque só o pecado oferece portas largas ao nosso espírito. A virtude é mais difícil.

O menino pareceu refletir algum tempo e perguntou, mudando o rumo do diálogo:

— Quem será aquele homem tão bom que nos deu tanto dinheiro?

Alcíone fez um gesto significativo e respondeu:

— Eu também estou impressionada. Deve ser algum enviado de Deus.

— Mas parecia tão triste...

— Também notei isso. Que Jesus o abençoe pelo auxílio que nos deu. Amanhã levarei ao padre Damiano o pacote que parece conter mais de 200 francos, e com o restante vou pagar à Luísa o que lhe devemos e chamar um médico para tratamento mais sério da saúde de mamãe.

Mal havia terminado as explicações, o pequeno tropeçou, caindo ao solo desamparadamente. Ante a força moral que a irmã adotiva exerce sobre ele, levantou-se com esforço, acrescentando:

— Não te incomodes, não foi nada. Caí porque precisei resguardar o violino...

A jovem, contudo, inclinou-se comovida.

— Como vês, Robbie — disse intencionalmente —, não apenas pediste nesta noite. Trabalhaste muito. Estás cansado... Vamos procurar um carro que nos leve a São Marcelo. É um luxo que hoje poderemos pagar.

Ele concordou de bom grado e não tardaram muito a reentrar em casa, onde Madalena já se mostrava inquieta.

No dia seguinte, em vez de sair para o trabalho, conforme dizia à genitora, Alcíone dirigiu-se a São Jaques do Passo Alto, com o socorro destinado ao velho sacerdote.

Damiano contou o dinheiro com atenção e advertiu:

— Trezentos francos, minha filha? Sei que Madalena luta com enormes dificuldades. Onde guardavas esta quantia?

Enfrentando aquele olhar penetrante, cheio de preocupações afetuosas, Alcíone deu-se por vencida e confessou o feito da véspera. Sem dinheiro e sem relações, resolvera dar um concerto público com Robbie, no adro da igreja de Nossa Senhora. O rendimento fora muito além da expectativa.

O enfermo abraçou-a comovidíssimo, cheio de gratidão pelo sacrifício.

Depois de contar os episódios da feliz aventura e dar as impressões do seu contato com a massa popular, Damiano lhe ponderou:

— Sem dúvida Jesus te protegeu nessa aventura singular, compadecendo-se das nossas necessidades. Entretanto, minha filha, penso que não deves reincidir nessas exibições. Ao lado das pessoas educadas, há sempre muitos exploradores e numerosos vadios. Temo por tua mocidade e pela inocência de Robbie!

E, enquanto ela concordava, pensativa, o eclesiástico prosseguia explicando:

— Tenho o pressentimento de que encontrarás, agora, uma ocupação muito nobre, com ótima remuneração.

— Será uma ditosa surpresa! — exclamou a moça com infinita alegria transbordante dos olhos.

— Padre Guilherme aqui esteve ontem por duas vezes. De manhã, falei-lhe a teu respeito e prontificou-se a tomar logo as primeiras providências. À noite, voltou com a notícia auspiciosa. Uma família sua conhecida precisa dos serviços de uma jovem educada, de irrepreensível conduta. Esclareceu que a remuneração é das mais condignas. Trata-se de um casal que há três anos chegou da América do Norte em busca de saúde para a filhinha única, que se encontra doente. O chefe da família é um homem abastado, que, além de proprietário em Paris, representa vasta zona comercial de fumo da colônia, em ligação com o comércio europeu. A dona da casa, de conformidade com as informações do padre Guilherme, é católica praticante e rigorosa no culto. Tem uma filhinha que a impressiona, em extremo, por isso que, da mais tenra idade, parece fugir à ternura maternal e, presentemente, com quase 13 anos, vive presa de grande nervosismo e estranhas preocupações. Os pais deliberaram tomar uma governanta que lhe seja enfermeira e educadora, ao mesmo tempo. E, por coincidência, di-lo ainda o Guilherme, trata-se de gente irlandesa, que passou longos anos na América.

Alcíone alegrou-se. Assim entretidos, formularam vastos planos. Ao despedir-se com a ideia de chamar um médico para a genitora, Damiano lhe disse:

— Ficamos então combinados. De hoje a três dias, Guilherme te apresentará nessa casa de sua confiança e que fica, creio, nas proximidades de São Landry, na Cité. Farás ver à Madalena as vantagens do cargo. Quem sabe terá soado o minuto da nossa completa tranquilidade? Não estará aí, talvez, o ensejo para tua mãe realizar o velho sonho de uma viagem ao Connecticut? Por mim, morrerei mais sossegado se puder partir com esta esperança.

A jovem sorriu e observou resignada:

— O senhor tem razão. Tudo isso poderá acontecer.

Muito animada, a filha de Cirilo Davenport chegou a casa, onde não teve dificuldade em convencer a genitora de quanto lhe dissera o velho sacerdote. Madalena Vilamil concordou. O cargo de governanta e educadora seria mais conveniente. A costura, em contato com tanta gente desconhecida, não era um penhor de tranquilidade. A pobre senhora acabou por sentir enorme satisfação, e, quando soube que se tratava de família ligada à América do Norte, não ocultou a velha esperança de conhecer o Novo Mundo.

Nesse dia, à tarde, o Dr. Luciano Thierry, procurado pela jovem Vilamil, por indicação dos vizinhos, visitou a enferma, submetendo-a a rigoroso exame.

Enquanto permaneceu a seu lado, o médico não poupou prognósticos otimistas, mas, ao retirar-se, chamou Alcíone em particular e disse:

— Menina, o caso de sua mãe é muito mais complexo do que se pode imaginar. Claro que não pouparei todos os recursos ao meu alcance, mas penso que ela dificilmente se levantará da cama.

— A moléstia é tão grave assim? — inquiriu a moça, evidenciando aflição.

— O reumatismo assumiu caráter muito sério. Os pés e joelhos me parecem definitivamente inutilizados, condenados à inanição. Mandarei algumas pomadas para fomentações e digo-lhe que sua mamãe ainda poderá viver alguns anos. Da paralisia, porém, só Deus poderá libertá-la.

A filha de Madalena agradeceu, naturalmente acabrunhada, mas procurando reforçar as energias íntimas. Jesus, que sempre lhes enviava recursos nos grandes momentos da vida, não as deixaria sem amparo.

No dia combinado, lá se foi com o padre Guilherme, para estrear o novo emprego. E experimentava enorme conforto em saber que teria, doravante, o pão assegurado para si e para os seus, mercê de atividade honesta e digna. Instruiu Luísa na aplicação dos remédios à doente, fez recomendações a Robbie e beijou Madalena, prometendo regressar à noite, conforme ficara previsto e combinado.

*

Passava de meio-dia, quando o padre Guilherme procurou Damiano para exprimir-lhe o seu reconhecimento.

— O Sr. Davenport ficou radiante. A senhora Susana não estava em casa no momento, mas o chefe da família, bem como o velho Jaques, ficaram otimamente impressionados com a sua pupila. Deixei-a, portanto, num ambiente de franca simpatia.

Ouvindo aqueles nomes, Damiano manifestou a mais viva curiosidade. Efetivamente, ele os ouvia amiúde, repetidos nas conversações de Madalena. Cercando-se de grande prudência, perguntou:

— De que região da América procede essa família?

— Do Connecticut.

O eclesiástico experimentou o primeiro abalo íntimo; todavia, buscou controlar-se e continuou:

— O nome Davenport não me é estranho. Se me não engano, já ouvi um colega referir-se a um tal Samuel, que, há muitos anos, residiu em Belfast.

— Isso mesmo — confirmou o outro, satisfeito —, trata-se do pai deste Cirilo Davenport, rico negociante de fumo, de cuja residência venho neste instante. Há vinte anos, aproximadamente, a família que se empobrecera com a perseguição dos ingleses, na Irlanda do Norte, retirou-se para a América, onde adquiriu sólida fortuna. Na mocidade, porém, o Sr. Davenport trabalhou modestamente aqui em Paris...

— Ah! — disse Damiano, quase aterrado. Intensa palidez inundara-lhe o semblante vincado de rugas.

— O Samuel a que se refere — prosseguia Guilherme, loquaz —, pelo que infiro das missas celebradas em sua intenção, deve ter falecido há uns dez anos.

Justificando a expressão fisionômica, o velho sacerdote de Ávila observou:

— Este mal do peito sempre me causa torturas momentâneas.

E levantou-se para tomar um copo d'água.

— Escuta, Guilherme — continuou a dizer pausadamente —, o casal Davenport tem uma vida feliz? Naturalmente que estes assuntos me preocupam, dado que a minha pupila vai agora conviver com eles.

Assim se manifestando, visava obter por meios indiretos qualquer informação sobre o passado conjugal de Cirilo. Sem cuidar de que versava assunto delicadíssimo, o interpelado acentuou:

— O Sr. Davenport é casado em segundas núpcias. A primeira esposa, ao que estou informado, era espanhola, de Granada. Chamava-se Madalena Vilamil e morreu no surto variólico de 1663.

Damiano não sabia como dissimular a comoção. Debalde procurava um meio de parecer despreocupado. O amigo, porém, tudo atribuía ao seu precário estado de saúde.

— A falecida foi sepultada no Cemitério dos Inocentes. Já lhe visitei o túmulo em companhia dos senhores Jaques e Cirilo.

— Quem é esse Sr. Jaques? — inquiriu Damiano, apesar da emoção.

— É sogro do Sr. Davenport e, ao mesmo tempo, seu tio, pois o negociante de fumo é casado com uma prima, em segundas núpcias. Aliás, o bom velhinho que se encontra hoje beirando o sepulcro, pelos muitos achaques da senectude, foi por muitos anos professor aqui na França.

— Em Paris?

— Não, em Blois.

Damiano estava satisfeito, não poderia ter mais dúvidas.

— Deus abençoe Alcíone para que saiba servir nessa casa com amor cristão — concluiu serenamente —, não desejo outra coisa.

Muito habilmente desviou depois a palestra noutros rumos, de maneira a não se trair pela intensa emoção. Mas quando Guilherme se retirou, reiterando-lhe agradecimentos, entregou-se à profunda e dolorosa meditação. Acabava de palpar o enigma sem poder atinar com a chave. Naturalmente, o drama sinistro que adivinhava por trás da situação fora urdido por alguma inteligência perversa. Recordava as mínimas revelações e confidências da senhora Vilamil, nas longas conversações de Ávila, e não podia duvidar da inveracidade dos acontecimentos que Madalena aceitara como verdade inconcussa. Sempre lhe parecera estranho o fato de haver Cirilo Davenport desaparecido sem qualquer notícia direta da América para a esposa distante. Considerava, também, que, se Madalena o havia por morto, o mesmo se dava com o marido que lhe venerava a suposta sepultura. Quem havia tramado, assim, contra a felicidade de dois corações? Rememorou as confidências que a filha de D. Inácio lhe fizera a respeito da personalidade de Antero de Oviedo. Seria ele o autor do nefando delito? Depois de laboriosas reflexões, concluía que, se não fora ele o único criminoso, devia ter sido cúmplice ativo do feito abominável. Em seguida, mente cansada, passava a refletir nos estranhos, insondáveis desígnios da Providência Divina, que haviam conduzido Alcíone ao segundo lar paterno. Experimentava profunda ansiedade por se dirigir, mesmo doente, à residência do Sr. Davenport, mas a tarde começava a cair, muito fria, e recebia os acessos de tosse. Não descansaria, porém, enquanto não se avistasse com a jovem, de modo a ouvir-lhe as primeiras impressões. Para isso, deu ordens ao criado que mandasse um carro a São Marcelo, para que a menina Vilamil o visitasse nas primeiras horas da noite, depois de regressar ao lar.

Quando a moça entrou em casa, cerca de dezenove horas, já encontrou a viatura que a esperava, recomendando-lhe a genitora não se demorasse em seguir para São Jaques do Passo Alto, porquanto o chamado de Damiano lhe dava muito que pensar. Receava que o velho amigo tivesse piorado. A jovem atendeu com presteza. Depois de responder às primeiras arguições maternas sobre o novo cargo, declarando-se muito satisfeita e bem impressionada, dirigiu-se ao bairro próximo, assaz preocupada.

O velho sacerdote de Ávila abraçou-a comovido.

— Como foste de serviço, minha filha?

— Primeiramente, fale-me da sua pessoa. Como vai? Ficamos aflitas com a ida do carro. A saúde piorou?

— Nada. Vou muito bem. Chamei-te tão somente para saber como te deste com o novo emprego.

A moça tranquilizou-se, exclamando:

— Ora, graças a Deus!

— O padre Guilherme — prosseguiu Damiano, solícito — aqui esteve e deu-me informações, mas preciso falar-te seriamente, em particular. Tiveste boa impressão da casa e da gente?

— É muito interessante o que pude observar, porquanto o Sr. Davenport e a esposa não me eram de todo desconhecidos.

— Como assim? — indagou Damiano, intrigado.

— É que assistiram ao concerto lá no adro de Nossa Senhora e, por sinal, foi o Sr. Cirilo quem me deu os 300 francos que eu lhe trouxe.

— Como tudo isso é significativo! — exclamou o sacerdote, muito emocionado. — E como te receberam?

— O Sr. Davenport e o tio, bem como a pequena Beatriz, de quem vou cuidar, trataram-me com excepcional carinho. A meninota parece nervosa e acabrunhada, mas tem muito bom coração. Como primícias da tarefa, conversamos quase todo o dia, valendo-me eu da ocasião para falar-lhe dos ensinamentos do Cristo como verdadeiro e legítimo remédio para todas as necessidades da vida e do coração. Ela está mocinha e creio que me compreenderá. Infelizmente, não posso dizer o mesmo da senhora Susana. Esta, quando voltou de uma visita elegante, encontrando-me em casa, não disfarçou a contrariedade. Não sorriu quando o marido lhe falou que eu era a cantora da noite em que haviam estacionado na praça da igreja, afirmando que essa circunstância depunha contra mim. Acrescentou que o padre Guilherme estava, por certo, enganado na escolha, pois solicitara uma governanta mais velha, com maior experiência da vida. Quando me disse que meus serviços não lhe convinham, a pequena Beatriz fez grande bulha, afiançando o contrário. A enferma abraçou-se comigo, a gritar, provocando a intervenção do pai e do avô, que acorreram pressurosos. Esclarecido o motivo de suas lágrimas, o Sr. Davenport cravou na esposa um olhar muito austero e decidiu que eu ficasse de qualquer maneira. Vendo, porém, o enfado da senhora, pedi permissão para desistir, mas não fui atendida. O Sr. Jaques foi a meu favor, recriminando a conduta da filha. Reconhecendo-se isolada no seu ponto de vista, a senhora Susana passou então a tratar-me com brandura, concordando com a minha permanência ao lado da filha.

Damiano, que a escutava com atenção, valeu-se da pausa e interrogou:

— E os nomes nessa família irlandesa não te preocuparam?

— Sem dúvida que me ocorreram pensamentos estranhos em contato com as pessoas da casa. Cirilo Davenport é o nome de meu pai, e os nomes de Jaques e Susana parecem muito ligados às recordações da mamãe.

— Porventura não te perguntaram pelo teu nome de família?

— Sim, mas deu-se um fato muito interessante, que me compeliu a permanecer um tanto retraída. Quando cheguei, o Sr. Jaques me contemplou muito admirado e disse ao sobrinho: "É o retrato de Madalena Vilamil". Tive um grande susto ao ouvir essa inesperada referência ao nome de mamãe, mas suponho que tratavam de pessoa importante de suas relações. Dentro em pouco, soube que a família é Davenport. E fiquei atrapalhada para responder ao Sr. Cirilo quando procurou saber meu nome. Se dissesse Vilamil ou Davenport, poderiam supor que estava querendo insinuar-me e classificar-me como parente da casa; vendo a senhora Susana tão agastada com a minha presença e para não lhe parecer petulante, disse, então, que me chamo "Alcíone da Chácara". Essa resposta foi boa porque me tranquilizou a consciência, visto ser esse o nome com que me tratavam lá em Ávila, na intimidade. Assim, padre, creio que não ofendi à dona da casa, nem faltei à verdade.

Damiano fez um gesto de quem se tranquilizava e sentenciou:

— Procedeste muito bem. A prudência salva sempre.

E depois de consultar o coração aflito e receoso das amargurosas revelações, disse à interlocutora com inflexão de carinho:

— Agora, vamos aos motivos da inquietação que me obrigou a chamar-te.

Voz pausada, evidenciando forte emoção, iniciou as confidências, reportando-se às afirmativas de Madalena e confrontando-as com as do padre Guilherme.

A filha de Cirilo tudo ouvia com penoso assombro. Estupefata, não conseguia responder. Quando ele se referiu ao que se passara junto do túmulo da genitora, no Cemitério dos Inocentes, as lágrimas lhe rolaram dos olhos.

Sumariando as suas conclusões, Damiano acentuava:

— Não podemos ter qualquer dúvida, mas eu espero que te mantenhas sobranceira à prova que nos visita e precisamos enfrentar. Sei quão amargas devem ser tuas lágrimas, mas estou certo de que Deus te amparará o coração afetuoso.

— Não choro por mim, padre Damiano, e sim pela mamãe, cujos padecimentos me cortam o coração.

Impressionado com o acento comovedor dessas palavras, o velho amigo considerou:

— Se vês que não podes continuar na casa dos teus parentes irlandeses, poderemos arranjar uma desculpa que justifique a tua desistência. Se quiseres, dada a complexidade e gravidade do caso que nos defronta, poderemos aconselhar tua mãe a voltar para Castela. Estou doente, é verdade, mas isso não é motivo para deixar de acompanhá-las. E assim guardaríamos lá o doloroso segredo, para sempre!

Alcíone recordou a figura do genitor quando lhe pôs nas mãos uma bolsa recheada, lembrou o acolhimento que lhe dispensara no ambiente doméstico e ponderou:

— Não podemos fugir. Não seria Deus que me conduziu à casa paterna para que eu aprendesse alguma virtude das que se ligam à divina humildade? Não creio que meus parentes precisem de mim para alguma coisa, mas sinto que necessito deles para acendrar meu coração.

O velho sacerdote acolhia, profundamente comovido, aquela preciosa lição de renúncia. Observar a atitude angélica de Alcíone representava enorme conforto para o seu espírito cansado. Por isso mesmo, calara-se para que ela, nobre e humildemente, continuasse a derramar-lhe na alma exausta as sublimes consolações da discípula de Jesus.

— Além disso — prosseguiu Alcíone depois de uma pausa —, se meu pai estendeu-me a carinhosa mão na via pública, proporcionando-me tanta alegria sem saber que eu era sua filha, como poderei abandoná-lo agora, ciente de que me deu a vida? Não seria renegar os ensinamentos do Cristo? O Sr. Cirilo Davenport me conquistou pela sua generosidade. A partir de hoje, confiou-me a filhinha como se me conhecesse de há longos anos, obrigou-me a sentar à mesa da família, ordenou que seu carro particular me trouxesse a São Marcelo. Não posso admitir que meu pai procedesse conscientemente contra minha mãe. Atrás de tudo isso deve existir uma trama criminosa.

Muito sensibilizado, o eclesiástico replicou:

— Tuas razões são sagradas e concordo com o teu parecer de que Jesus te conduziu ao lar paterno com algum objetivo, mas se sugeri o retorno à Espanha foi pensando nos teus padecimentos morais, bem como na hipótese de Madalena ter agravados, algum dia, os seus sofrimentos já quase intoleráveis.

Alcíone meditou um minuto e redarguiu serenamente:

— Sim, por minha mãe todos os sacrifícios serão poucos, mas buscarei ocultar com os meus beijos a realidade dolorosa. Jesus me auxiliará para que ela saia deste mundo desconhecendo as verdades amargas... Amará meu pai até o fim, como símbolo da ventura que a espera no Céu, e será, para mim, como a santa de um altar, ligada a Deus, mas, estando meu pai ainda no mundo, não será razoável cooperar para que ambos se unam para sempre na eternidade?

— Mas e o teu esforço penoso? E os sacrifícios diários por desenvolver dignamente a tarefa em tal situação?

— Cinjo-me às próprias lições que me destes desde a infância. Será que Jesus peregrinou pela Terra somente para que o admirássemos? Teria sido escrito o Evangelho apenas para que os homens encontrassem nas suas páginas motivos de apologias brilhantes? Sua palavra, padre, não me inculcou, sempre, que permanecemos no mundo com o santo objetivo de purificar o coração? Deus quer que nos amemos uns aos outros. Sua misericórdia, de quando em quando, reúne fortuitamente os próprios inimigos para verificar se já estão prontos à tarefa sacrossanta do amor. Se a Providência Divina me conduz agora aos braços paternos, por que e como contrariar seus insondáveis desígnios?!

— Deus te abençoe os propósitos sublimes — murmurou o sacerdote, sensibilizado até as lágrimas —; amanhã ou depois, farei uma visita aos Davenports, não obstante o meu precário estado de saúde. Preciso observar de perto as personagens do nosso drama, a fim de legitimar as minhas ilações. Irei como teu tutor, ratificar a apresentação do padre Guilherme e, então, estudarei fisionomias e sondarei corações. Recomendo-te, porém, muita cautela, para que tua mãe permaneça alheia a esta nova amargura do seu caminho. Será mesmo de alta prudência não desceres do carro de teu pai à porta de casa, mas distante e de maneira a evitarmos qualquer surpresa dolorosa.

Ela concordou e conversaram ainda alguns minutos, até que se despediu com as novas recomendações de prudência e votos de tranquilidade do velho sacerdote.

Decorridos dois dias, com enorme dificuldade Damiano tomou um carro em companhia de Guilherme, a fim de vingar seus propósitos no elegante palacete das cercanias de São Landry. Prevenida de véspera, a família Davenport aguardava-o com homenagens afetuosas, recebendo-o com excepcional carinho.

Logo às primeiras palavras, notou que Alcíone gozava da simpatia geral, embora as atitudes de Susana indiciassem preocupações indefiníveis. De pronto a conversa generalizou-se animada. O professor de Blois, agora ancião venerando pelos cabelos de neve, comentava o concurso da Igreja nos planos educacionais da época, destacando a cooperação preciosa dos padres integrados no conhecimento de sua missão divina. Damiano surpreendia-se com a vivacidade intelectual do velho educador. Cirilo, de quando em vez, intervinha com alguma observação, dando impressão de homem ativo e trabalhador, mas de alma envelhecida, em virtude do véu de tristeza inalterável que lhe ensombrava o rosto. A esposa parecia amável, embora pouco expansiva. A um canto da sala, a filha de Madalena descansava num divã ao lado da jovem Beatriz, em atitude humilde.

Debalde o sacerdote procurara, de início, um meio de provocar as recordações do passado e lê-lo na fisionomia de cada um. Depois das primeiras impressões, acentuou intencionalmente:

— Pois que estou com um pé na sepultura, folgo em ver que Alcíone ingressa numa casa nobre, que lhe proporcionará o bem-estar que desejo.

— Que é isso, reverendo Damiano? — atalhou Jaques, generoso. — Se revigorado, qual o vejo, nos fala em morrer, que não direi eu com os meus achaques sem remédio? A velhice é uma escola rigorosa de meditação, mas eu ainda me recuso a pensar na morte.

— Sou, porém, muito mais velho que o senhor.

— Vê-se logo que é gentileza sua; olhe que a bondade é um dom precioso, mas não pode excluir a verdade.

E, mudando o rumo da assertiva, continuava:

— Quanto à sua pupila, pode ficar descansado. Padre Guilherme andou muito bem inspirado trazendo-nos esta amiguinha para Beatriz e para nós mesmos. Ela não será aqui uma serva, e sim uma filha. Pode estar certo disso.

— Sem dúvida — confirmou Cirilo com um gesto franco.

— O que mais nos impressionou, desde a chegada — continuou carinhosamente o velhinho —, foi a extraordinária parecença com a primeira mulher de meu sobrinho, a quem eu considerava como própria filha. Creio que, se a senhorita fosse filha de Madalena, talvez não se parecesse tanto com a finada. Os caprichos da Natureza são profundos, porque, na verdade, nunca esquecemos a falecida.

Nesse instante, o olhar do sacerdote de Ávila cruzou casualmente com o da dona da casa, e teve a impressão de que ela se perturbava, assaltada por algum pensamento menos digno. O amigo da senhora Vilamil desejou sinceramente conhecer certos detalhes referentes à presumida morta, mas não se sentia com ânimo de abordar de chofre tão delicado assunto. Poderia parecer imprudente e atrevido aos Davenports, que o recebiam com tanta cordialidade e apreço. Nessa altura da palestra, o visitante notou que o velho Jaques tinha sinais antigos de varíola, nas rugas do rosto. Não esperou outra inspiração e perguntou com delicadeza:

— Pelo que estou vendo, Sr. Jaques, a "bexiga" também não o poupou, noutros tempos...

— Ah! sim, na varíola de 1663, nossos padecimentos foram terríveis.

— Eu também muito sofri nessa época, aqui em Paris, onde viera a convite de alguns colegas. E estive tão mal — acrescentava, sorrindo — que quase me sepultaram vivo, num dos cemitérios improvisados.

A filha de Jaques recordou fortemente o minuto em que livrara a rival de semelhante destino e fez um gesto instintivo de espanto.

— Nessa ocasião — explicou o professor — residíamos em Blois, mas Susana teve oportunidade de observar muita coisa triste nesta cidade, pois aqui chegou no dia imediato ao da morte de Madalena.

— Ah! por favor, senhora Davenport — exclamou Damiano, mostrando-se muito impressionado —, conte-nos a sua experiência. Não poderei esquecer o pavoroso instante em que me ameaçavam com o sepultamento, apesar de me sentir no gozo de todas as faculdades... Foi um minuto terrível...

— São recordações muito amargas, padre — retrucou Susana, aparentemente tranquila. — Como não ignora, meu marido era casado em primeiras núpcias, aqui em Paris, e, tendo ele seguido para a América, a família ficou em dificuldades, quando irrompeu a pavorosa epidemia. Madalena Vilamil era como se fosse uma irmã. A carta que escreveu a meu pai, para Blois, era um apelo que não podia ficar sem resposta. Logo que pude, vim até cá, por trazer-lhe os meus préstimos. A pobrezinha, porém, havia sido sepultada na véspera. Todavia, ainda pude encontrar seu pai com vida, assistindo-lhe os últimos momentos. D. Inácio, velho fidalgo espanhol, tinha em sua companhia um sobrinho chamado Antero de Oviedo, que foi um arrimo para todos, naqueles dias tão amargos! Ajudei-o a providenciar o enterramento do tio ao lado da sepultura da filha, no Cemitério dos Inocentes, e, nos poucos dias de minha estada em Paris, pude testemunhar a brutalidade dos carregadores desalmados, que farejavam cadáveres todas as manhãs, nas casas contaminadas.

O sacerdote de Ávila já conhecia o bastante para inferir a conivência de Susana no drama que negrejava o destino de Madalena e acrescentou:

— A senhora deve ter sofrido muito.

— Foram dias tormentosos, efetivamente; voltei a Blois tão impressionada que só melhorei quando me vi no mar, a caminho da colônia. O mesmo deve ter acontecido a Oviedo Vilamil, que nos escreveu de Versalhes comunicando a resolução de partir para a América espanhola.

Damiano não tinha mais dúvidas. A resolução sinistra só poderia caber a Antero e Susana, enquanto Madalena estava no leito, entre a vida e a morte. O plano perverso obedecera à complicada urdidura. Dificilmente disfarçando a emoção, entrou a falar de outros assuntos, a fim de tornar o ambiente menos pesado.

*

Regressando ao seu quarto de enfermo, em vão excogitava um meio de aclarar a situação, concluindo, por fim, que toda tentativa, nesse particular, acarretaria mais graves problemas. Que adiantaria restabelecer a verdade com o aniquilamento de toda uma família? Pensou na pequena Beatriz, na atitude confiante de Jaques, no semblante grave e triste de Cirilo, e firmou o propósito de não intervir na marcha dos acontecimentos, para só confiar na Providência Divina.

Daí a quatro dias, quando Alcíone foi visitá-lo, indagou carinhosamente das suas impressões.

— Vou bem — disse ela, resignada —, estou começando a compreender que, dia a dia, Deus nos chama a determinada situação para que lhe executemos a vontade santa.

Damiano sorriu, como que desencantado do mundo, e ponderou:

— Tenho quase certeza de haver descoberto a trama que destruiu a felicidade de tua mãe, mas julgo que nada se pode fazer por deslindá-la. Como discípulos do Evangelho, devemos compreender que não se deve abandonar o combate ao mal, em hipótese alguma; entretanto, neste nosso caso, a batalha deve desenrolar-se em campo de silencioso sacrifício.

— Compreendo e estou pronta para a batalha, como sempre.

— Não te agastes com o dizer que a senhora Susana participou, a meu ver, da tragédia que infelicitou tua mãe.

— Posso lamentar, mas devo reconhecer que, se Deus me pôs no seu caminho, é que tenho de aprender alguma coisa em contato com ela. Que será? Não sei. De qualquer modo, porém, rogo a Jesus não me abandone. Reconheço que minha mãe tem provado infinitos martírios, mas os criminosos, padre, são mais desventurados que os sofredores. Mamãe, no leito da enfermidade pertinaz, goza de mais tranquilidade que a senhora Susana no seu palácio. Enquanto Robbie nos alegra com o seu afeto, Beatriz parece detestar a genitora, trazendo-a em constante acabrunhamento. Tenho, hoje, grandiosas lições diante do meu espírito. Antes mil vezes padecer a calúnia e o abandono que tisnar a consciência com a nódoa do crime. Este, padre Damiano, o quadro permanente que tenho diante dos olhos.

— Lembraste bem — murmurou o sacerdote, meneando a cabeça encanecida.

— Meu pai e a segunda esposa — prosseguiu a jovem — são profundamente infelizes na vida conjugal. Por vezes, longamente altercam sobre ninharias da vida social. Não raro, ele se afasta exasperado, enquanto ela se desfaz em lágrimas. Tenho a impressão de que Beatriz é o único elo que os mantém presos aos compromissos contraídos. Tudo isso não será uma lição bem amarga?

O sacerdote considerou a exposição judiciosa e concordou:

— Tens razão. Contudo, minha filha, não fossem as circunstâncias imperiosas que nos impõem silêncio, haveria que denunciar o crime, para que os autores não ficassem impunes.

— Pode crer, porém — exclamou Alcíone, depois de refletir um instante —, que a senhora Davenport está sendo punida todos os dias. Não poderemos, por certo, conhecer o grau da sua conivência no delito, mas tenho podido observar a sua luta expiatória. As meditações destes dias têm me ensinado que devemos tratar os pecadores não como criaturas perversas ou indesejáveis, mas como doentes necessitados de medicação constante. Não foi assim que Jesus nos tratou em sua missão divina? Tenho, agora, a convicção de que o Mestre encarou os romanos como pessoas atacadas pela moléstia da ambição e da tirania; os judeus, como enfermos da vaidade e do egoísmo destruidores; e, decerto, terá visto em Judas um companheiro dementado, tanto quanto em Pilatos um irmão perseguido pela doença do medo.

O sacerdote estava comovidíssimo. Tais interpretações lhe valiam como bálsamo confortador. E mal se recobrava do assombro, quando Alcíone continuou:

— Suponho legítima esta presunção, porque a identificamos com a bondade do Cristo, em todos os atos de sua vida e até nos derradeiros instantes da cruz. Conduzido ao madeiro entre dois ladrões, nos quais devemos enxergar dois doentes do mundo, bastou que um deles mostrasse o desejo sincero de melhorar-se, recobrando a saúde, e o Senhor lhe prometeu o paraíso.

— Sim — disse o religioso emocionado —, estas ideias devem fluir do Céu para o teu coração purificado. Deus te proteja nos caminhos longos e escabrosos, porque as almas nobres, qual a tua, surgem na Terra como partícipes das aflições do Cristo. O mundo prepara sempre um calvário para as vidas cristãs, mas o Mestre te reservará a coroa da vida...

— Não diga isso, o senhor me atribui a bondade que lhe pertence. Estou muito longe de compreender verdadeiramente o Cristo, mas, não obstante, certa de não ter vindo a este mundo para descanso e gozo fictícios. Aliás, nosso raciocínio deve ser claro: se o Salvador veio à Terra provar os testemunhos mais ásperos, vertendo sangue e lágrimas, por que darmos tanta importância a algumas gotas de suor vertidas em benefício próprio?

Damiano agradeceu com um olhar de júbilo íntimo.

E, dividindo a mocidade entre o palacete paterno e a humilde casinha materna, Alcíone Vilamil, em árdua tarefa, rogava a Jesus não a abandonasse na dolorosa missão.

III
Testemunhos de fé

Impressionado com a argumentação do velho Gordon e cedendo à insistência da família, Cirilo Davenport havia desposado a prima, em segundas núpcias, entre cariciosas alegrias dos amigos e afeiçoados da Nova Irlanda, passando a residir em companhia de Jaques, que assim o exigira, visando a alguma consolação no deserto da sua viuvez. Breve, o nascimento de Beatriz vinha trazer um laço mais forte ao casal, mas o filho de Samuel jamais encontrara a emoção de ventura haurida no primeiro matrimônio. Parecia-lhe ter a alma mutilada, que o lugar de Madalena era impreenchível. Fugia instintivamente do lar, entregando-se a trabalho incessante. Por vezes, singular estranheza se apossava dele, ao atentar nas atitudes afetivas de Susana, sem eco no seu espírito. O coração palpitava-lhe de sentimentalismo ardente, reconhecia que nada perdera quanto à possibilidade de amar e, contudo, parecia que somente a primeira esposa era a dona da chave de penetração no seu mundo íntimo. O ambiente doméstico, por mais que ela se esforçasse, reservava-lhe sempre penosas surpresas. A disposição dos objetos provocava censuras, os pratos nunca estavam a seu gosto. Continuamente insaciado, insatisfeito, de quando em quando impunha-se a intervenção conciliadora de Jaques, para que os atritos não degenerassem em conflito. Depois de longas e acrimoniosas altercações, Susana recolhia-se ao quarto, chorosa e desesperada, enquanto o marido se retirava a um canto da varanda, distraindo-se com a fumaça de grande cachimbo e pensando consigo mesmo: "No tempo de Madalena, não era assim...". Dada a sua constante aplicação ao trabalho, conseguira angariar fortuna sólida e invejável situação na colônia; no entanto, intraduzível tristeza lhe pairava invariavelmente no semblante. Apenas a filha, pela profunda afinidade espiritual manifestada, conseguira atenuar os sofrimentos que o atormentavam. Desde que Beatriz atingira os 5 anos, estabelecera-se entre pai e filha um apego cada vez mais forte. A menina parecia singularmente distanciada da genitora, que, em vão, se esforçava por insinuar-se à sua estima. As ansiedades e dedicações de Susana se tornavam inúteis. A atitude paternal de Cirilo plasmando a alma da filhinha, absolutamente de acordo com os seus pensamentos, dificultava a atuação materna. Sem jamais conseguir uma harmonia perfeita com a segunda esposa, o filho de Samuel parecia vingar-se do destino, subtraindo a pequenina à sua influência e dando ensejo a que Beatriz se desenvolvesse entre caprichos de toda sorte. Em breve tempo Susana não tinha nenhuma autoridade sobre a filha, que só obedecia ao pai. No íntimo, a prima de Cirilo sentia-se qual ré que, não obstante resguardada da justiça humana, resgatava duramente o crime praticado. Não encontrara a felicidade esperada em seu criminoso sonho. Os momentos raros de alegria conjugal eram pagos multiplicadamente em angústias martirizantes, pelo que costumava comparar sua ventura a uma gota de vinho numa taça de fel. Além do mais, os remorsos perseguiam-na, implacáveis. Se encontrava um doente, recordava-se de Madalena; se entrava num cemitério, surgia-lhe o espectro da vítima. Quando alguém se referia a júbilos domésticos, ela sentia o amargor das suas experiências; se as amigas comentavam as esperanças da prole, lembrava a filha de D. Inácio e sentia mais vivo o aguilhão da consciência.

Tamanha era a desdita do casal que um padre da colônia lhe recomendou mais atenção para o culto doméstico do Evangelho. Duas vezes por semana, reunia-se a pequena família para leitura e comentário das lições do Cristo. Jaques, porém, era talvez o único que se aproveitava legitimamente dos ensinos de cada noite. Susana via em cada palavra uma acusação, furtando-se ao aproveitamento. Cirilo considerava as sentenças evangélicas como simples fórmulas convencionais da Religião, sem sentido lógico para a vida prática, e a pequena Beatriz ouvia a leitura e interpretação do avô com o devido respeito, sem nada assimilar ao espírito infantil. O velho professor de Blois, todavia, não desanimava.

Quando a pequena manifestou os primeiros sintomas da enfermidade nervosa que a acabrunhava, os pais, como loucos, deliberaram transferir-se temporariamente ao Velho Mundo, em busca de recursos médicos. Debalde Susana insistiu para se fixarem na Inglaterra. Cirilo foi inflexível. Ficariam em França. Uma vez forçado a viver na Europa, preferia Paris, onde se sentia identificado com as suas antigas recordações. Aí poderia cuidar da saúde da filha e orar no túmulo da primeira esposa. E não houve como demovê-lo dessa resolução.

Assim, regressou ao Velho Continente o reduzido grupo familiar, sem prazo prefixado de regresso, sendo que Cirilo, aproveitando a oportunidade, poderia centralizar a representação de vasta zona do Connecticut, para o comércio do fumo, florentíssimo então.

Perdurava a mesma angustiosa situação para os Davenports, em Paris, quando Alcíone lhes entrou em casa. Casa rica de recursos financeiros, mas pobre de alegria e de paz.

Jaques e o sobrinho exultavam com a chegada da jovem, tão parecida com a morta inesquecível e pelas suas maneiras carinhosas e cativantes. Beatriz parecia encontrar em sua companhia o medicamento indispensável. As longas conversações com a governanta desvelada pouco a pouco lhe modificavam as atitudes. Susana, entretanto, teve agravado o seu íntimo mal-estar com a presença de Alcíone. Não conseguia sofrear a onda de ciúme e egoísmo que a empolgava. Muitas circunstâncias cooperavam para isso. Não tolerava a menina simples e amável, pelos seus traços idênticos aos da rival que eliminara do seu caminho. Além de tudo, aquelas atenções que Cirilo lhe dispensava doíam-lhe penosamente no coração inculto. Complicando a questão, o velho pai, bem como a filhinha, adoravam a jovem serva, manifestando-lhe extremo carinho. Debalde procurava um pretexto para despedi-la. A moça estava sempre calma e disposta a ceder aos seus caprichos. Aquela suave humildade causava-lhe irritação. Por mais que elevasse a voz, em ordens intempestivas, Alcíone tratava-a respeitosamente, em atitude de nobre serenidade. A princípio, acrescentou-lhe outras ocupações, além dos deveres de governanta e preceptora. A jovem era obrigada a tratar de todos os demais serviços leves da casa, inclusive a costura. Observando, todavia, que a moça a tudo atendia primorosamente, Susana chamou-a certa vez:

— Alcíone!

— Senhora!

— Hoje é necessário que substituas a lavadeira, que se encontra doente.

— Sim, senhora.

E num momento desdobrava-se em atividades no tanque espaçoso, esforçando-se por cumprir perfeitamente a tarefa insólita. Entretanto, vendo-a entregue a tal mister, não se conformou a pequena Beatriz, que, depois de um olhar reprovativo à genitora, correu ao pai, pedindo-lhe providências.

Cirilo atendeu de pronto. Vendo a governanta da filhinha azafamada na lavandaria, começou a altercar com a esposa, recriminando-a com aspereza. Beatriz, agarrada a ele, reforçava-lhe a censura. Susana justificava-se. Não poderia atender ao ritmo doméstico, exautorada[50] nas suas determinações. O marido, porém, não lhe aceitava as alegações, secundado por Beatriz, que acusava a genitora de perseguir Alcíone com os serviços mais grosseiros. A filha de Madalena trabalhava cabisbaixa e humilde, mas, quando viu a dona da casa em pranto convulsivo, exasperada com as censuras que lhe eram dirigidas acremente, adiantou-se com delicadeza e acentuou:

— Sr. Davenport, espero que me desculpe a intromissão na conversa, mas pode crer que a pequena Beatriz está enganada. D. Susana não me mandou substituir a lavadeira, fui eu mesma que, sabendo que a lavadeira adoeceu, ofereci minha cooperação no tanque, para aliviar os muitos serviços domésticos.

— Ah! sim — disse Cirilo, algo desapontado.

— O senhor não se preocupe — concluiu Alcíone —, eu estou bastante habituada a estes trabalhos.

Essas palavras eram ditas com tanta sinceridade e boa vontade que o chefe da família regressou tranquilamente às suas atividades, enquanto a esposa olhou para a governanta sem disfarçar a surpresa. Beatriz, muito modificada em sua primeira atitude de revolta contra a decisão materna, aproximou-se da jovem, tentando ajudá-la. Muito afetuosamente, contemplava Alcíone, seduzida pela sua bondade, como a lhe pedir explicações. A filha de Madalena percebeu-lhe o desejo e falou:

---

[50] N.E.: Sem autoridade.

— Então, Beatriz, consideras a limpeza da roupa como serviço pesado? Não penses assim. Deve ser muito sagrado, para nós todos, o asseio das coisas caseiras.

— Mas há criadas para isso — explicou a menina, procurando justificar-se.

— No entanto, devemos estar habilitadas para qualquer trabalho digno. Se todas as servas adoecessem, haveríamos de vestir roupa suja? Não admitirás isso, por certo. Além do mais, cuidar da roupa que nos faz tanto bem deve constituir motivo de satisfação sincera.

A menina, muito sensível, estimava deveras a governanta, mas objetou:

— No entanto, sempre ouvi dizer que cada serviçal deve estar no seu lugar.

— E não erras pensando assim, mas essa verdade não impede o dever de ampliarmos nossas experiências em todo e qualquer trabalho honesto. Não estimas tanto as lições de Jesus? Pois no Cristo encontramos o verdadeiro ânimo de trabalho. O Mestre Divino nunca se ausentou do lugar sublime que lhe compete na Criação; no entanto, carpintejou na modesta oficina de Nazaré; exegeta da Lei, perante os doutores de Jerusalém, serviu o vinho da amizade nas bodas de Caná; médico da sogra de São Pedro, enfermeiro dos paralíticos, guia dos cegos, amigo das crianças, mas também lacaio dos discípulos, quando lhes lavou os pés no cenáculo. E nada obstante o contraste e a diversidade de tantas tarefas, Jesus não deixou de ser o nosso Salvador, em todos os momentos.

A filhinha de Susana, entre admirada e comovida, observou:

— Tudo isso é verdade... Como não pude compreender antes?

E começou a ajudar no trabalho do tanque.

Esses pequeninos incidentes domésticos começaram a impressionar profundamente a segunda esposa de Cirilo. De que fonte poderia Alcíone haurir tanta compreensão e tamanha força? Alcíone estava sempre pronta a lhe atender as menores exigências, sem modificar a atitude de serenidade e dedicação. Chamada aos próprios misteres da cozinha, desincumbiu-se dos deveres que lhe eram confiados, a contento geral.

Decorrido quase um ano, Susana adoeceu gravemente. A filha de Madalena consagrou-lhe o máximo de seus carinhos. Nessa ocasião, justamente em face dos sofrimentos que a martirizavam, foi que ela se rendeu à bondade da serva, tornando-se-lhe desvelada amiga. A residência de Cirilo experimentava profundas transformações. O chefe da família, bem como Jaques, insistiam para que a jovem se transferisse definitivamente para o palacete da Cité, mas Alcíone alegava que a mãe era paralítica, que tinha um irmão adotivo necessitado da sua assistência e um tutor muito amigo que se abeirava da morte.

Inúmeras vezes, a filha de Madalena Vilamil era obrigada a desviar, delicadamente, o desejo de Susana e da filha de lhe visitarem a genitora enferma.

— Mais tarde, senhora Davenport, estaremos preparados para recebê-la; por enquanto, sou eu quem lhe pede para não ir. Quero ter a satisfação de apresentá-la à mamãe quando ela puder sentir o prazer de melhoras mais positivas.

E Susana justificava-lhe a solicitação.

A modificação de Beatriz trouxera grande paz ao coração paterno; Cirilo não cabia em si de contentamento, observando-lhe a jovialidade e a saúde. Nunca poderia explicar o fenômeno afetivo que com ele se passava, mas era tal a estima e admiração que tinha pela moça que, no íntimo, não sabia a qual das duas queria com mais ternura. Jamais confiara a quem quer que fosse as suas recônditas impressões, mas, desde que Alcíone lhe entrou em casa, começara a sentir uma serenidade desconhecida. Ela lhe parecia assim como alguma coisa da morta inolvidável. Por vezes, quando a governanta acompanhava a família ao Cemitério dos Inocentes, tinha ímpetos de afagá-la paternalmente, enxugando-lhe as lágrimas copiosas. Em tais ocasiões, ela recordava os sofrimentos de cada uma das personagens do drama doloroso e desfazia-se em lágrimas. A família Davenport levava tudo à conta de sentimentalismo, temperamento hipersensível, e as suas atitudes passavam despercebidas, sem mais comentários.

Às quartas e domingos, praticavam, na intimidade, o culto doméstico do Evangelho.

Num sábado, à refeição, foi Jaques a lembrar:

— Alcíone, amanhã faremos nosso estudo e meditação do Novo Testamento e receberíamos, com prazer, a sua cooperação.

— Ganharei muito em vos ouvir — acentuou placidamente.

O alvitre do amorável velhinho mereceu aplauso geral. Cirilo fez ver que seria muito interessante ouvir a governanta de Beatriz no comentário das lições de Jesus. Alcíone esquivava-se às provas de apreço, com extrema humildade. Viria, a fim de aprender, exclamava bondosamente.

Na tarde seguinte, reunidos em torno da grande mesa aristocrática, o pai de Susana explicou atencioso:

— Há algum tempo, minha filha — dirigia-se a Alcíone com muito carinho —, aconselhados por um sacerdote americano, deliberamos fundar nossa igreja lareira, por considerar que a família é o nosso primeiro santuário.

— Resolução louvável — disse a filha de Madalena, entre a ternura e o respeito. — Minha mãe também sempre me disse que o lar é o nosso templo divino.

Magnetizado pela doçura das suas palavras, Cirilo Davenport, ansioso de alcançar a fé que lhe suavizasse as lutas da vida, perguntou:

— Não discordo, Alcíone, desse conceito, mas já o tenho discutido muitas vezes com meu tio. Por que entreter o culto evangélico no lar, quando temos numerosas igrejas? Só aqui no centro contamos mais de vinte. E os outros bairros de Paris? E as instituições religiosas? Por que esta diversidade de cultos se os fins são os mesmos? Não seria mais justo reservar as possibilidades da devoção para os ofícios religiosos de caráter público?

O filho de Samuel assim se manifestava porque nunca pudera compreender a utilidade prática da igreja doméstica. A seu ver, os textos evangélicos constituíam material de análise privativa dos padres, e chegava quase a considerar inútil a leitura isolada das anotações apostólicas. Alcíone, atenta e prazerosa, respondeu:

— Neste assunto, Sr. Davenport, como não se trata de opinião nossa, pessoal, mas de ensinos do Mestre, peço-vos relevar a minha franqueza. Tenho a convicção de que, em toda parte, estamos na casa de nosso Pai e estou certa de que virá o dia em que tomaremos por templo de Deus o mundo inteiro. Mas, em nossa atual condição, não nos custa reconhecer o proveito das igrejas e o caráter sagrado do culto doméstico, no que concerne aos ensinos de Jesus. Também no conforto de nossas casas há sempre ótima disposição para atender aos nossos familiares enfermos, mas isso não proscreve a necessidade dos hospitais. Os pais amorosos ensinam sempre os filhinhos, mas nem por isso deixam de ser úteis as escolas. Em matéria de fé, nossa estranheza radica na viciação dos deveres religiosos. Costumamos atribuir ao sacerdote o que nos compete realizar. Um padre poderá funcionar como excelente preceptor, indicando os caminhos retos, mas nós transitamos para Deus: é imprescindível não parar. O ministro da fé atenderá ao conjunto, mas, para que as alegrias cristãs vibrem perfeitamente em nossa alma, não há que olvidar a necessidade de estabelecer o culto do Senhor dentro de nós mesmos. Assim entrevisto, o lar é o templo mais nobre, porque oferece oportunidade diária de esforço e adoração. Cada criatura de nossa convivência, sob o mesmo teto, representa um altar para o culto da bondade, do carinho, da compreensão. Cada borrasca doméstica é um ensejo para a distribuição de esperança e fé. Cada dia afanoso enseja possibilidades de testemunhar confiança em Deus. Enquanto isso ocorre na intimidade, as instituições religiosas podem funcionar como hospitais dos espíritos combalidos, como celeiros de esfomeados, como fontes de informações sublimes aos ignorantes. Qualquer doente esperará a volta da saúde, mas colimando reintegrar-se no plano de esforço diuturno; o faminto se alimentará de modo a prosseguir no seu caminho; e o ignorante será instruído para que se habilite a aplicar o que aprendeu. Por esse prisma, podemos aquilatar o valor das pequenas realizações domésticas. Acredito que o lar seja o ninho onde o espírito humano cria em si mesmo, com o auxílio do Pai Celestial, as asas da sabedoria e do amor, com que há de conhecer, mais tarde, as sendas divinas do Universo.

A reduzida assembleia não podia ocultar a enorme expressão de assombro. Os Davenports estavam longe de presumir, naquela jovem de atitudes tão tímidas, tais provas de conhecimento espiritual. Pela primeira vez, Cirilo ouvia um argumento que o satisfazia plenamente. Com estupefação geral, Beatriz quebrou o silêncio, dirigindo-se ao avô nestes termos:

— Não te disse, vovô, que ela sabe muita coisa nova sobre Jesus?

— Não diga isso, Beatriz — murmurou Alcíone toda humilde —; eu sou apenas uma curiosa das lições evangélicas. Como tínhamos em Ávila a nossa pequena igreja doméstica, a funcionar quase todas as noites, familiarizei-me com o assunto.

— Sem dúvida — replicou Cirilo, impressionado — as tuas explicações, Alcíone, falam profundamente à alma. Os negócios materiais da minha vida sempre me criaram certa atmosfera de incompreensão para as lições do Cristo. Sempre considerei o lar fortaleza da nossa felicidade na Terra, mas nunca como base para enriquecimento de dons espirituais.

— Isso é natural — prosseguiu a moça enternecida —, as forças que nos encarceram o coração nas grades de uns tantos problemas temporais costumam ser violentas e rudes. Entretanto, Deus não se cansa de nos atrair aos seus braços misericordiosos. As circunstâncias mínimas da existência humana induzem a pensar nisso. Logo que abrimos os olhos neste mundo, encontramos pais carinhosos que nos encaminham para o bem; nossa infância, quase sempre, está cercada de sábias advertências dos preceptores, que nos orientam para a verdade. Uma ideia lógica surge, fatalmente, em nosso cérebro: tantos mensageiros de bondade viriam à nossa estrada tão só para informar-nos o coração, sem utilidades práticas para a nossa própria edificação? Muita gente, nos mais variados credos, depõe nas mãos de seus ministros o que lhes cumpre fazer, mas isso é um erro grave. Deus nos chama pela maneira como Jesus procurou os discípulos. Para realizar a união divina é preciso marchar, na "terra" de nós mesmos, não obstante os maus dias e as noites tenebrosas!...

Cirilo não podia disfarçar a admiração. Agora, sentia descortinar-se aos olhos da alma um mundo deslumbrante, que até então não conseguira surpreender. As palavras da jovem modificavam-lhe, num minuto, todas as presunções exegéticas. Começava a sentir que a vida, sob qualquer de seus aspectos, revestia-se da mais profunda significação. No seu conceito, o homem deixava de ser um exilado em míseras trevas, que se encontraria mais tarde com Deus ou com a punição eterna. A Terra figurava-se-lhe escola onde cada homem recebia uma divina oportunidade, entre milhões de possibilidades sublimes e infinitas.

— No templo de pregações públicas — concluía a filha de Madalena, sem afetação — poderemos receber as inspirações externas, ao passo que no culto íntimo entramos em contato com o próprio eu, recebendo divinas mensagens na consciência. Os diversos ministros religiosos têm fórmulas convencionais; nós, como sacerdotes da própria iluminação, temos as expressões espontâneas da vida.

Jaques engolfara-se em prolongado silêncio, como se estivesse chegando a um mundo novo de preciosas revelações. E Susana, vendo o companheiro quase extático, considerou, eminentemente comovida:

— Em verdade, Alcíone, teus raciocínios abrem novos horizontes ao nosso espírito. Sempre estudamos o Evangelho, mas, de minha parte, devo confessar a dificuldade em me adaptar aos ensinamentos... Sinto-me tão pecadora, tão humana, que cada lição me soa como rigorosa censura. Por que experimento, assim, as santas narrativas como dilacerantes acusações?

A jovem fitou-a com olhos muito lúcidos e esclareceu:

— Tais impressões devem ser passageiras. O Evangelho é mensagem de salvação, nunca de tormento. Na realidade, conhecemos a extensão da nossa indigência e o grau das nossas fraquezas, mas a Misericórdia Divina restaria imota[51] sem as nossas quedas e dolorosas necessidades. O Cristianismo jamais será doutrina de regras implacáveis, mas sim a história e a exemplificação das almas transformadas com Jesus, para glória de Deus. Se as lições do Mestre apenas nos oferecessem motivos de condenação, onde estariam as grandes figuras evangélicas de Maria Madalena, Paulo de Tarso e tantas outras? No entanto, a pecadora transformada foi a mensageira da ressurreição; o inflexível e cruel perseguidor convertido recebeu de Jesus a missão de iluminar o gentilismo.

Susana seguia a exposição, de olhos muito brilhantes. Nunca sentira tamanha impressão de bem-estar no trato das leituras santas. Nas confissões, que nunca chegara a conjugar com a grande falta da sua vida, nada recebia dos sacerdotes senão amargas recriminações. Os padres lhe ministravam penitências, mas nunca lhe ofereciam roteiro seguro. Sempre dera ao altar valiosas contribuições monetárias, mas agora chegava à conclusão de que era indispensável cooperar, com todas as energias espirituais, para o próprio aperfeiçoamento.

— Tuas interpretações — asseverou a senhora Davenport — são altamente consoladoras. De uns tempos para cá, venho refletindo amargurada na inutilidade de muitos ensinamentos recebidos na infância. Por que terei aprendido a virtude e não a cultivo a rigor? E, com tais dúvidas íntimas, passo a analisar as criaturas com profundo pessimismo, chegando a crer que a Humanidade, de modo geral, vive negando Jesus a cada momento.

Alcíone, que prestava especial atenção aos conceitos expendidos, obtemperou:

— Por infelicidade nossa é, de fato, enorme a bagagem das nossas fraquezas neste mundo, mas, se o Pai não desanimou e nos oferece, diariamente, ensejo de nos levantarmos para o seu amor, por que haveremos de viver em descrença contumaz? Viver sem esperança é o pior de todos os males. Quando nos preocupamos sinceramente com a iluminação espiritual, compreendemos a significação de todas as coisas. A própria miséria humana tem o seu lugar e a sua expressão educativa. Antes de tudo, é essencial refletirmos na extensão da bondade do Mestre. Lembremos que

---

[51] N.E.: Imóvel.

Pedro o negou três vezes, na hora mais cruel; que Tomé duvidou da sua sabedoria e misericordioso poder, e nem um nem outro foi jamais expulso da sua divina presença. O mundo tem inúmeros criminosos, exploradores, ociosos e devassos, mas tudo isso deve ser examinado por um prisma diferente. O pecado é moléstia do espírito. No excesso da alimentação, na falta de higiene, no desregramento dos sentidos, o corpo sofre desequilíbrios que podem ser fatais. O mesmo se dá com a alma, quando não sabemos nortear os desejos, santificar as aspirações, vigiar os pensamentos. Sempre acreditei que as enfermidades dessa natureza são as mais perigosas, porque exigem remédio de mais dolorosa aplicação.

Susana estava eminentemente surpreendida. Aquelas explicações, tão simples, tocavam-lhe o coração nas fibras mais sensíveis. Somente agora identificava a sua moléstia espiritual. Nos dias mais tristes da vida conjugal, entre remorsos e revoltas, muita vez indagara de si mesma os motivos que a levaram a desventurar a filha de D. Inácio. Nas horas acerbas, chegava à penosa conclusão de que um verdadeiro amor jamais sacrifica alguém nos seus impulsos. Em troca da sua violência, nada adquirira senão remorsos para si e insaciedade para o companheiro. Não teria sido melhor cooperar para a felicidade inalterável do primo com Madalena? Se lhe não fosse possível a edificação do lar, alcançaria, pelo menos, a tranquilidade de consciência. Entretanto, como dizia Alcíone, deixara-se empolgar pelo desregramento dos desejos, desviara-se dos sentimentos justos e caíra em terrível enfermidade espiritual. Enfim, comovera-se em demasia, fora de seus hábitos, tinha os olhos molhados de pranto.

Cirilo, por sua vez, muitíssimo impressionado com os esclarecimentos, imitava o velho tio, parecendo mergulhado em profundo cismar.

Rompendo o forçado silêncio, o velho educador de Blois tomou a palavra e disse com brandura:

— As interpretações da menina são novas e confortadoras para nós. Pelo visto, muito nos poderá ela auxiliar no referente aos sagrados ensinos. Não será melhor que todos nós a ouçamos, hoje, no culto? Dessarte, saberemos como funcionava a sua igreja doméstica, em Ávila, e poderemos enriquecer as nossas experiências.

Alcíone, sempre humilde e sincera, tentou esquivar-se, mas Cirilo e Susana reforçaram a proposta do bondoso ancião e não houve como eximir-se à delicada incumbência.

Jaques entregou-lhe o volume do Novo Testamento, mas, antes de o abrir, ela explicou:

— Em nosso grupo familiar de Castela-a-Velha, meu tutor dizia que o estudo das letras santas é comparável a uma pesca de luzes celestiais. O rio da vida, afirmava, está sempre correndo e é indispensável energia serena e vontade ardente, a fim de mergulharmos na coleta dos valores divinos. Enquanto o homem se mantiver tíbio, desencantado, indiferente ou pessimista, dificilmente poderá encontrar no Evangelho algo mais que os sublimes apelos do Senhor. Em tais condições negativas, recebemos os convites do Cristo, mas frequentemente ficamos ignorando a tarefa; somos chamados ao banquete da verdade e da luz, mas compareceremos como comensais bisonhos, mal sabendo como iniciar o suculento repasto. O ensinamento de Jesus é vibração e vida, e como o estudo mais simples demanda o esforço de comparação, não podemos versar o Evangelho sem esse esforço. Muitos procuram, nestas páginas, somente motivos de consolação, esquecendo a essência do ensino. Mas seria um contrassenso vir o Mestre a nós, dos espaços gloriosos da imortalidade, apenas para nos adoçar o coração onusto de perversidades e fraquezas humanas. Jesus é a fonte do conforto e da doçura supremos. Isso é inegável. No entanto, reconhecemos que uma criança, que somente receba consolações e mimos paternos, arrisca-se a envenenar o coração para sempre, na sede insaciável dos caprichos. Não, não devemos acreditar que o Cristo só haja trazido ao mundo a palavra revigoradora e afetuosa, senão também um roteiro de trabalho, que é preciso conhecer e seguir, em que pesem às maiores dificuldades. Para isso, é indispensável tomar os nossos sentimentos e raciocínios como campo de observação e experiência, trabalhando diariamente com Jesus na construção da arca íntima da nossa fé. Naturalmente que essa edificação não prescinde do material adequado, constituído pelas virtudes e conhecimentos nobres que adquirimos no curso da vida. São esses os elementos que procuramos, em nossa pesca das luzes celestiais, para que, recebendo as consolações de Jesus, sejamos igualmente operosos trabalhadores.

A pequena assembleia entreolhava-se grandemente surpresa. Cada qual parecia mais deslumbrado com o comentário da jovem intérprete.

— Em Ávila — continuou ela com a maior simplicidade — nunca nos reunimos no culto doméstico sem suplicar o socorro da inspiração divina. Padre Damiano esclarecia sempre que Deus não poderia ter enviado as "línguas de fogo" da sua sabedoria apenas aos 12 discípulos de Jesus. As chamas do seu amor infinito aquecem a Humanidade inteira. Basta lembrar que se os sinais do Céu foram vistos somente sobre os Apóstolos, no dia inolvidável do Pentecostes, ninguém poderá contestar a extensão dos benefícios à multidão que os ouvia, exultante de júbilo. A revelação dirigia-se a todos, o contentamento celestial foi distribuído sem exclusividade. Baseado nisso, meu tutor asseverava que devemos fazer o estudo evangélico não apenas com as nossas malícias e necessidades humanas, mas com o auxílio silencioso e invisível do Céu!...

Após estas considerações, que despertaram fundo enternecimento nos ouvintes, orou em voz alta, suplicando a Jesus lhes concedesse o benefício de suas inspirações sacrossantas, para que se integrassem no conhecimento da sua vontade. Feita a prece comovedora, tomou do livro e perguntou:

— Sr. Jaques, gostaria me dissésseis qual o método aqui adotado para a leitura.

— Costumamos ler cinco a dez versículos de cada vez, comentando-os em seguida. Presentemente estamos na *Segunda Epístola de Paulo a Timóteo*, tendo ficado, na última reunião, no segundo capítulo, versículo dez.

— Lá na Espanha — explicou a jovem delicadamente — líamos apenas um versículo de cada vez e esse mesmo, não raro, fornecia cabedal de exame e iluminação para outras noites de estudo. Chegamos à conclusão de que o Evangelho, em sua expressão total, é um vasto caminho ascensional, cujo fim não poderemos atingir, legitimamente, sem conhecimento e aplicação de todos os detalhes. Muitos estudiosos presumem haver alcançado o termo da lição do Mestre com uma simples leitura vagamente raciocinada. Isso, contudo, é erro grave. A mensagem do Cristo precisa ser conhecida, meditada, sentida e vivida. Nesta ordem de aquisições, não basta estar informado. Um preceptor do mundo nos ensinará a ler; o Mestre, porém, nos ensina a proceder, tornando-se-nos, portanto, indispensável a cada passo da existência. Eis por que, excetuados os versículos de saudação apostólica, qualquer dos demais conterá ensinamentos grandiosos e imorredouros, que impende conhecer e empregar em benefício próprio.

— Será então mais útil — advertiu Cirilo sumamente interessado — assim também procedermos.

Alcíone procurou a epístola indicada e leu o versículo 11 do segundo capítulo:

— *Palavra fiel é esta: que se morrermos com Ele, também com Ele viveremos.*

Franca a palavra, todos, exceto a pequena Beatriz, que se mantinha calada, opinavam que os homens apegados a Jesus, no fim da vida, podiam morrer em paz, certos de que o Senhor lhes abriria, Além-Túmulo, as portas gloriosas da redenção.

Depois de ouvir a opinião de cada um em particular, Alcíone explanou:

— Certo, a esperança em Cristo será sempre um refúgio indispensável na hora da partida, mas a advertência apostólica nos convoca a ilações mais graves. Lembremos os perversos que aceitam Jesus na hora extrema. Muita gente portadora de crimes inomináveis faz ato de fé no leito de morte. Enquanto têm saúde e mocidade, vivem ao léu, entre caprichos e desregramentos, mas tanto que o corpo quebrantado lhes dá ideias de morte, alarmam-se e desfazem-se em rogativas a Deus. Podem, criaturas que tais, esperar de pronto, imediata, a glória do Cristo? E os que se sacrificam nas aras do dever enquanto lhes resta uma partícula de forças? Claudicaria a justiça, em suma, se afinal a virtude se confundisse com o crime, a verdade com a mentira, o labor com a ociosidade. Certo que será sempre útil recorrer à misericórdia do Senhor, ainda que manchados até os cabelos, bem como acreditar que, para toda enfermidade, haverá remédio adequado. Penso, porém, que a assertiva de Paulo não se refere ao termo da vida corporal, fenômeno natural e apanágio de justos e de injustos, de piedosos e de ímpios. Bafejado pela divina inspiração, o amigo do gentilismo aludiu, por certo, à morte da "criatura velha", que está dentro de todos nós. É a personalidade egoística e má que trazemos conosco e precisamos combater a cada dia, para que possamos viver em Cristo. A existência terrestre é um aprendizado em que nos consumimos devagarinho, de modo a atingir a plenitude do Mestre. No plano da própria materialidade, poderemos observar esse imperativo da lei. A infância, a mocidade e a decrepitude, em seu aspecto de transitoriedade, não podem representar a vida. São fases de luta, demonstrações da sagrada oportunidade concedida por Deus para nos expurgarmos da grosseria dos sentimentos, da crosta de imperfeição. Costuma-se dizer que a velhice é um ataúde de fantasias mortas, mas isso apenas se verifica com os que não souberam ou não quiseram "morrer" com o Cristo para alcançar a fonte eterna da sua vida gloriosa. Quem se valeu da possibilidade divina tão somente para cultivar ilusões balofas não poderá encontrar mais que o fantasma dos seus enganos caprichosos. A criatura, porém, que caminhou de olhos fixos em Jesus, em todos os pormenores da tarefa, essa, naturalmente, conquistou o segredo de viver triunfante acima de quaisquer circunstâncias adversas. Jesus palpita em seus atos, palavras e pensamentos. Seu coração, na pobreza ou na abastança, será como flor de luz, aberta ao sol da vida eterna!

Cada qual dos ouvintes revelava jubiloso interesse. A explanação de Alcíone lhes tocara o coração. Quando a filha de Madalena fez uma pausa mais longa, Cirilo Davenport acentuou:

— Agora, sim! Encontrei um modo prático de compreender. O tesouro evangélico, interpretado desta maneira, dá ideia de preciosa mina de valores espirituais. Quanto mais nos aprofundamos em meditação, esforço e boa vontade, mais filões auríferos irão surgindo aos nossos olhos.

Alcíone sorriu satisfeita. Ninguém, ali, poderia entender a vibração do seu contentamento, mas a verdade é que, considerando a confissão paterna, transbordava de alegria íntima.

— O senhor comparou muito bem — disse. — As palavras do Mestre estão cheias de apelos maravilhosos, de socorros divinos, de mensagens do Céu. Basta que nos esforcemos por lhe ouvir a voz e receber os dons.

Jaques continuava muito impressionado.

— Senhorita — indagou —, vê-se que a sua educação religiosa é muito diferente da que conhecíamos até agora. Encontro-me a termo de uma existência consagrada ao ensino e, apesar da minha paixão pelos autores antigos, nunca pude sair do círculo do meu tempo, circunscrevendo o serviço da fé aos atos de adoração. Jamais pude compreender a igreja como oficina de trabalho ativo, nem o culto doméstico do Evangelho como escola de preparação para o esforço terrestre; no entanto, por suas observações, sinto que há métodos de interpretação que não conheço, e posso declarar, pelo que ouvi da sua inteligência moça, que estes processos de aprendizado são sedutores. Desejaria saber se isso é comum nas escolas e lares de Espanha.

A jovem sorriu agradecida e esclareceu:

— Estas luzes, Sr. Jaques, eu as recebi do meu tutor, em nossas reuniões familiares de Ávila, mas devo acrescentar que esta orientação não está generalizada na pátria de minha mãe, mormente em Castela-a-Velha, onde o padre Damiano foi ameaçado duas vezes pelas perseguições do Santo Ofício, por haver tentado chamar a atenção do povo para este sistema de estudo e exegese.

— Que horror! — exclamou Cirilo, num gesto significativo. — É quase inacreditável que a Igreja mantenha tal instituição.

— Não podemos inculpar a Igreja — retificou Alcíone, carinhosamente —; o Cristianismo, em tempo algum, autorizaria institutos dessa natureza. Devemo-los aos maus padres, cujo coração ainda não pôde compreender a suprema grandeza do Cristo.

O velho educador, sinceramente impressionado com as definições ouvidas, tornou a perguntar:

— Onde poderei avistar-me, mais amiúde, com o padre Damiano?

Alcíone esboçou um sorriso melancólico e respondeu:

— Nosso velho amigo está à morte, na paróquia de São Jaques do Passo Alto. Quase diariamente, à noite, vou recolher seus últimos pensamentos. Não obstante o combate há muitos meses travado com a terrível enfermidade, vê-se que ele está nas últimas. Com a sua morte próxima, perderei neste mundo um segundo pai.

A notícia ecoou lugubremente na sala. Observando a nuvem de tristeza que sombreava o semblante de Alcíone, todos entraram em profundo silêncio. Foi aí que a jovem lembrou:

— Agora, agradeçamos a Deus o socorro que nos foi enviado por meio da inspiração. As mais das vezes, temos a certeza de que devemos, em grande parte, o pão material ao próprio esforço, mas o mesmo não se dá com relação ao alimento espiritual. Este nos vem sempre de Deus, do seu paterno coração, que nos cumula de infinitos recursos. Temos na Terra a lei da necessidade, mas o Senhor tem a do suprimento. Agradeçamos a sua misericórdia e apliquemos as dádivas recebidas, porque novos elementos fluirão, para nossa alma, dos seus inexauríveis celeiros de sabedoria e abundância.

Encerrada a reunião familiar com uma prece de reconhecimento, Alcíone retirou-se, deixando à família Davenport singulares impressões.

Ela parecia fortemente inspirada quando dizia que Damiano estava às portas da morte. Logo que chegou à casinha do burgo de São Marcelo, encontrou a notícia alarmante. Um portador ali estivera para comunicar à família Vilamil que o velho sacerdote agonizava. As frequentes hemoptises[52] da noite lhe haviam aniquilado as últimas forças. Madalena, não obstante a atrofia dolorosa das pernas, suplicou à filha que a levasse em sua companhia, num carro mais espaçoso, a fim de ver o abnegado amigo pela última vez. A filha ouviu-a angustiada, e dentro de poucos minutos, à boca da noite, um carro vagaroso saía de São Marcelo para a residência do padre Amâncio. Alcíone recomendara muito cuidado ao cocheiro. Chegando ao destino, Madalena Vilamil conseguiu descer com grande sacrifício. Dois homens trouxeram larga poltrona para conduzir a enferma ao quarto do moribundo. Alcíone auxiliava o transporte da genitora, com infinito carinho.

Lá chegadas, o agonizante pareceu reanimar-se.

Robbie e a irmã adotiva aproximaram-se respeitosos e pediram-lhe a bênção, enquanto a senhora Vilamil, pedindo que a poltrona fosse deposta à cabeceira do moribundo, tomou-lhe a destra, muito pálida, em confortadora saudação fraternal.

Damiano tinha os olhos profundamente lúcidos e brilhantes, mas na feição cadavérica pairava uma expressão de agonia dolorosa.

— Que é isso, padre? — murmurou acabrunhada.

Ele fixou nela o olhar enternecido e respondeu, com voz quase sussurrante:

— A moléstia incurável, Madalena, é um escoadouro bendito de nossas imperfeições. Que seria de minha alma se a moléstia do peito não me ajudasse a expungir os maus pensamentos? Quantos bens ficarei devendo à solidão e ao sofrimento? O Senhor, que mos deu, lhes conhece o inestimável valor. Eu, que não chorava há muitos anos, alcancei novamente o benefício das lágrimas... Muitas vezes ensinei do púlpito, mas o leito me reservava lições muito maiores que as dos livros...

A filha de D. Inácio quis responder, testemunhar seu reconhecimento imorredouro, dizer dos votos que fazia a Deus pelo seu restabelecimento, mas, na sua angústia, não encontrava palavras com que traduzir o seu pesar. Não conseguia, porém, reter as lágrimas que lhe rolavam, abundantes, dos olhos.

O moribundo prosseguiu após uma pausa mais longa:

— O catre amigo e silencioso me trouxe a recordação de todos os júbilos e dores que ficaram no passado distante... Sem conseguir adaptar-me

---

[52] N.E.: Expectoração de sangue proveniente dos pulmões, traqueia e brônquios, mais comumente observável na tuberculose pulmonar.

a esta vida de Paris, tenho vivido quase que absolutamente das nossas velhas lembranças da Espanha. Tenho grande saudade da nossa vida tranquila em Ávila; dos fraternos serões da Chácara; dos colegas da igreja de São Vicente... mas estou certo, Madalena, de que a vida não acaba com o corpo e convencido de que Deus nos reunirá, em outra parte, onde não haja prantos nem morte... Há diversas noites que sou visitado pela sombra dos entes amados que me antecederam no túmulo... Ainda hoje, depois da última hemorragia, enxerguei o vulto de minha mãe a dizer-me palavras de consolação e coragem... Algumas crianças amadas, lá da nossa igreja antiga de Castela, falecidas há muito tempo, me vieram ver à noite passada e me abraçaram com carinho... Amâncio pensa que estou sendo vítima de pesadelos, dado o meu esgotamento físico, mas eu não posso concordar...

A senhora Vilamil, aproveitando uma pausa, fez um esforço e obtemperou carinhosamente:

— Não deveis pensar nisso. Lembrai-vos de que precisamos do vosso amparo paternal. Deus vos restituirá a saúde para que nossa alegria não desapareça para sempre. Recordai nossa viagem à América...

Damiano procurou, a custo, o olhar de Alcíone, dando-lhe a entender o cuidado com que se deviam conduzir naquelas circunstâncias, e acentuou:

— Pede a Deus pela minha saúde espiritual, porque seria impossível restaurar a do corpo, minha filha! A morte não é uma separação eterna. Estou certo de que Jesus me permitirá voltar a teu lado, se minha vinda for útil... Quanto à viagem ao Novo Continente, não te preocupes. Alcíone está muito jovem e Robbie quase que ainda não passa de um menino... Poderás ser muito feliz na companhia deles, aqui mesmo...

Madalena enxugou as lágrimas, murmurando:

— Tendes razão, padre! Também eu estou chumbada ao leito para meditações necessárias. Minhas pernas paralíticas nunca me permitirão tão longa viagem!...

— Não te lastimes, porém, pensando nesses obstáculos, certa de que a misericórdia do Todo-Poderoso nunca andou atrasada. Quando nos parece tarda, é que algum motivo existe, que não podemos compreender de pronto...

A filha de D. Inácio continuava chorando enternecidamente. Em seguida, o velho sacerdote, dando a perceber que desejava mudar de assunto, fez um sinal chamando Robbie à cabeceira. O menino atendeu compungido.

— Por que não trouxeste o violino? — indagou com interesse.

— Alcíone me disse que o senhor estava mais doente — esclareceu respeitoso.

— Isso quer dizer, meu filho, que preciso mais de te ouvir.

A irmã adotiva aproximou-se e interrogou com ternura filial:

— Desejáveis ouvir alguma coisa, padre?

— Sim, Alcíone. Se fosse possível, a Ladainha de Nossa Senhora, que cantaste na primeira missa de Carlos, na igreja de São Vicente. Recordas? Desse modo lembraríamos o amigo distante, bem como o recanto de Castela, onde fomos tão felizes!

— Poderei pedir a padre Amâncio que nos empreste o violino do coro de São Jaques — exclamou a jovem, esforçando-se por conter as lágrimas.

— Seria um grande consolo!

Ouvido um dos três clérigos que se conservavam no quarto, prontificou-se a buscar o instrumento.

Daí a minutos, a voz cristalina de Alcíone enchia o aposento, arrebatando os ouvintes a um plano de misteriosa luz espiritual. Robbie acompanhava o canto com extrema felicidade em cada nota de sublime harmonia. O moribundo parecia extático. A ladainha, muito antiga, abria-lhe novos horizontes de claridade maravilhosa. Madalena tinha um lenço colado aos olhos, enquanto o lacaio e os religiosos choravam comovidos.

Quando terminou, o agonizante chamou a jovem e lhe falou debilmente:

— Alcíone, Deus te abençoe por esta alegria...

Depois, contemplou a senhora Vilamil demoradamente, e, trocando com a moça significativos olhares, voltou a dizer:

— Faze pela paz espiritual de tua mãe tudo que possas! E se tiveres, algum dia, qualquer necessidade mais forte, uma dificuldade mais premente, lembra-te de Carlos, minha filha! Sei que não te encontras sozinha no mundo, mas não posso esquecer que acima de tudo devemos considerá-lo teu irmão!

Surgindo a dispneia das horas derradeiras, Damiano não mais podia conversar senão por monossílabos. Após entendimento com a genitora, a jovem Vilamil acercou-se do moribundo, murmurando:

— Padre, levarei mamãe e Robbie de volta a São Marcelo, mas estarei novamente aqui, dentro em pouco, para ficar convosco.

— Não te incomodes, nem deixes Madalena... por minha causa...

Mas, acompanhando os seus ao lar, Alcíone regressou sem demora, a fim de assistir o velho amigo até o fim.

As restantes horas da noite ele as passou em coma, assistido pelo afeto da filha de Cirilo, que lhe enxugava o suor álgido com extrema dedicação.

Quando a aurora se fazia anunciar em clarões muito rubros, o velho Damiano verteu a última lágrima e entregou a alma ao Criador.

Um emissário chegava, pela manhã, ao palacete da Cité, entregando uma carta da governanta de Beatriz endereçada a Susana, em cujas linhas explicava a sua ausência ao trabalho.

A família Davenport comoveu-se. À tarde, uma carruagem elegante parava à porta do presbitério de São Jaques do Passo Alto. Dela desceram Jaques e Cirilo, que iam prestar afetuosa homenagem ao morto.

Impressionados com o abatimento da jovem, ambos se desdobraram em gentilezas e expressões confortadoras. Cirilo procurou o padre Amâncio e fez questão de pagar as despesas do enterramento, acrescentando generosa dádiva destinada ao lacaio que servira ao tutor de Alcíone.

A jovem agradeceu com lágrimas. Depois de uma hora consoladora, despediram-se atenciosos.

Ao crepúsculo, a filha de Madalena assistiu ao modesto funeral, de coração confrangido. Por muito tempo deixou-se ficar na silenciosa mansão dos mortos, em prece comovedora ao Altíssimo. Só tarde da noite, passos vacilantes, regressou ao lar, experimentando indefinível amargura.

IV
Reencontro

Um ano depois da morte de Damiano, houve na casa humilde do burgo de São Marcelo grande e desconcertante surpresa.

Orientado pela paróquia de São Jaques, Carlos Clenaghan, ansioso e comovido, bate à porta de Madalena Vilamil. Nos primeiros meses que se seguiram à morte do tio, resolvera abandonar a batina, apesar do ressentimento dos colegas. Jamais pudera esquecer Alcíone, jamais conseguira manter um equilíbrio entre o dever e os impulsos da mocidade. Enquanto recebia as longas cartas de Damiano, a palavra amorosa do tutor lhe sofreava as preocupações tormentosas, mas, tão logo se viu sem o preservativo dos seus conselhos, entrou a meditar resoluto na mudança de situação. Anelava um lar ardentemente, jamais renunciaria à afeição de Alcíone, não conseguia sopitar o desejo de ser pai e esposo feliz. Após algumas lutas em Ávila, desprezara o apelo dos superiores hierárquicos e, sem dar qualquer satisfação do feito aos parentes irlandeses, desligara-se do voto sacerdotal, cheio de esperança no futuro. Seu primeiro cuidado foi correr a Paris, por buscar a noiva amada. Como o receberia ela? Conhecia-lhe a pureza dos princípios e a formosura do caráter cristão. Suspeitava que lhe não sancionaria a decisão, atento o conceito que fazia da fé, mas faria o possível por demonstrar-lhe o seu amor imenso, convencê-la-ia com instâncias afetuosas, tanto mais quanto ela, agora, já não poderia contar com a assistência paternal de Damiano, que a morte arrebatara, e no lar, pelas notícias que recebia frequentemente em Castela-a-Velha, arcava com muitas dificuldades, em vista da moléstia incurável da genitora. Talvez os trabalhos do mundo lhe houvessem modificado a opinião relativamente ao enlace para uma vida tranquila e risonha. Oferecer-lhe-ia o braço protetor, voltariam à Espanha, onde pretendia continuar, em Ávila ou Valladolid, dedicando-se ao comércio. Ébrio de esperanças, Clenaghan erguia castelos maravilhosos na mente exaltada. Edificariam um lar venturoso, Madalena Vilamil seria também uma segunda mãe, aprimorariam a educação de Robbie e teriam filhinhos amados. Impossível que ela relutasse, quando não desejava senão a suprema felicidade de ambos, diante de Deus e dos homens.

Enlevado nestes sublimes projetos, esperou que alguém viesse atender à porta. Depois de alguns instantes de espera em que o coração lhe palpitava descompassado, surgiu a figura de Robbie, que lhe caiu nos braços afetuosamente. Conduzido ao interior, foi enorme a alegria da filha de D. Inácio ao receber as carinhosas saudações do amigo, e não menor a surpresa quando ele falou da sua renúncia eclesiástica.

Depois de longa troca de ideias e impressões afetuosas, referentes à vida em Castela e à enfermidade que aniquilara Damiano, o ex-padre aproveitou certas observações mais íntimas e sentenciou:

— Como bem pode avaliar, D. Madalena, eu nunca poderia esquecer Alcíone e, ciente de que o seu coração de mãe carinhosa compreende e justifica os meus propósitos, devo dizer que aqui estou para reconduzi-las aos caros penates...[53] A senhora não gostaria de regressar a Castela para revivermos nossos tempos mais venturosos?

Aquelas palavras eram pronunciadas com tanto carinho que a senhora Vilamil sentiu lágrimas de reconhecimento a lhe aflorarem dos olhos.

— Não sei se Alcíone me perdoará haver procedido em desacordo com o seu ponto de vista, mas tenho para mim que procedi nobremente. Fui lógico, sincero, coerente, creia. De que me valeria continuar, sem a vocação imprescindível? Desde que a senhora saiu de Ávila, debalde procurei repouso para o espírito atormentado. A ânsia de construir um

---

[53] N.E.: Em sentido figurado, famílias, lares.

lar tornou-se-me obsessão permanente. Às vezes, quando erguia a hóstia consagrada, assustava-me com as sugestões da Natureza... Enquanto o padre Damiano me escrevia as suas exortações, eu me sentia fortalecido para prosseguir na batalha silenciosa, mas verifiquei, depois, que seria inútil combater o impossível...

A pobre enferma recebia a confissão com tristeza inexplicável e, tendo o rapaz notado que o coração maternal se encontrava embaraçado para responder, prosseguiu:

— Se lhe for possível, ajude-me neste passo... Quem sabe recuperará a saúde, regressando comigo? Se lhe prouver, poderemos residir nas cercanias de Ávila, organizaremos uma chácara como aquela onde a senhora viveu longos anos e que está sempre em suas recordações.

Falava como filho afetuoso, pondo no olhar e na voz toda a ternura do coração bem formado. Depois de ligeira meditação, a senhora Vilamil ponderou, com acento triste:

— Sou muito grata à tua lembrança! Ah! Quem me dera voltar para esperar a morte, contemplando o céu da Espanha! A paisagem da Guadarrama nunca sairá de minha alma...

E, depois de enxugar o pranto da evocação amarga, voltava a dizer:

— Esta cidade parece marcar as horas mais terríveis do meu destino. Aqui em Paris conheci, na mocidade, a pobreza mais dura, experimentei a ironia e a crueldade de pessoas ingratas, perdi meus pais carinhosos, abracei meu esposo pela última vez! Agora, neste mesmo lugar, encontrei a paralisia completa, vi morrer o padre Damiano em situação quase miserável!... Desde que aqui cheguei, jamais pude arredar-me do leito para uma visita ao túmulo dos meus inesquecíveis genitores. Não sei se estarei condenada a exalar, também aqui, o derradeiro suspiro... Por meu gosto, devo confessar francamente, estou ansiosa por voltar à Espanha; entretanto, preciso ouvir Alcíone, que me tem sido verdadeiro anjo guardião nos dias amargos de necessidade e sofrimento. Como mãe, não me sinto com ânimo para induzi-la a casar-se. Minha filha, antes de tudo, tem sido para mim uma conselheira respeitável. Não seria justo obrigá-la a aceitar minhas ideias, mas podes crer que eu receberia o assentimento dela com o maior contentamento. Voltei à França no propósito de conseguir recursos para demandar as plagas americanas, mas, logo que o padre Damiano apresentou os primeiros sintomas da enfermidade do peito, perdi as esperanças.

Clenaghan estava mais esperançado. Sentia-se plenamente garantido no tocante às concessões maternas. O sincero desabafo de Madalena encorajava-lhe as pretensões. A pobre senhora, extremamente abatida, inspirava-lhe simpatia e enternecimento filiais. Tal qual acontecera à genitora, a filha de D. Inácio viu chegar, devagarinho, o mal do coração. Suas noites estavam agora povoadas de aflições repetidas. Além das pernas inchadas pela continuidade da mesma posição no leito, sentia-se presa de outros sintomas alarmantes. Debalde, Alcíone e Luísa preparavam tisanas e aplicavam fomentações, em cansativas vigílias. A senhora Vilamil piorava sempre. Esse o motivo pelo qual as observações de Carlos lhe falavam tão fortemente ao coração.

— Pois bem — acrescentou o sobrinho de Damiano, mais animado —, Deus há de permitir que a senhora encontre a meu lado a tranquilidade merecida.

— Alcíone decidirá — acentuou a enferma resignada. — Até que minha filha se pronuncie, nada poderei dizer em caráter definitivo.

A conversação continuou afetuosa, permanecendo Clenaghan em São Marcelo, à espera de Alcíone, que regressava habitualmente à noitinha.

Mal começavam a brilhar no céu os primeiros astros, a filha de Cirilo voltou da sua faina diária.

A surpresa foi demasiado chocante para sua alma sensível. Cumprimentou o rapaz, muito pálida, na atitude de íntima e penosa expectativa. Naquela hora, o pupilo de Damiano, entestando com a sua superioridade moral, sentia-se acovardado para as explicações indispensáveis. A princípio, a moça julgou que ele tivesse vindo a Paris no só intuito de visitar o sepulcro do tio querido, prestando-lhe a derradeira homenagem e valendo-se de alguma autorização especial para levar a efeito tão longa excursão, sem a batina comum. Mas, em breves minutos, Carlos, não sem enleio, notificava-lhe a verdade. Estupefata, Alcíone indagou:

— Como pudeste cometer semelhante desvario?

O rapaz, algo confuso, tentava esclarecer:

— Supus que seria melhor assim... Era impossível continuar. O coração inquieto, desde que vieste, nunca me permitiu reaver a paz interior. Pedi a Deus me inspirasse a melhor solução, supliquei ardentemente do Céu um recurso, até que o propósito de renunciar ao compromisso eclesiástico de todo me empolgou.

No íntimo, a filha de Cirilo estava profundamente comovida com aquela espontânea confissão de fraqueza, mas, certa de que o dever espiritual deve ser cumprido até o fim, alcançou energias para observar:

— Pediste, mas não oraste. Como te sentiste forte para esquecer as obrigações assumidas, sem considerar a questão do proveito próprio? Será isso a renúncia cristã? Não creio. Declaras que imploraste uma inspiração do Céu e resolveste o problema distanciando-te do compromisso, mas eu não posso admitir, em nenhuma hipótese, que Deus nos dispense dos seus trabalhos; nós é que por vezes ouvimos o apelo da natureza inferior e abandonamos o serviço divino, em prejuízo de nós mesmos...

— Não desconheço, Alcíone — aventou humilde —, que minha atitude inesperada desagradaria muito ao teu bondoso coração. Entretanto, o que aconteceu é humano e peço me perdoes pelo muito bem que te desejo... Esquece esta falta, dize que me compreendes e serei feliz!

A nobre criatura, pelo tom carinhoso com que Clenaghan falava, compreendeu que ele desejava reatar os antigos laços afetivos. Experimentou sincero desejo de lhe tomar as mãos, ternamente, confessando os seus anseios e saudades. Ele agora estava livre. Observando-o naquela atitude amorosa, recordou as jovens da sua idade, que se apresentavam a cada passo, em Paris, exibindo os seus eleitos. Muitas vezes, quando acompanhava Susana a certas festividades públicas, vinha-lhe à mente Clenaghan, ao contemplar os pares venturosos que perambulavam nas praças e jardins. E sentia, então, frio no coração. A própria Beatriz, aos 15 anos, começava a receber as visitas afetuosas do noivo. A filha de Madalena fitou o rapaz, demoradamente, e teve ímpetos de ceder ao primeiro impulso, mas a consciência lhe dizia que resistisse, que era indispensável atender a Deus acima de quaisquer contingências mundanas e que ainda não havia cumprido todos os deveres para que pudesse pensar na sua felicidade pessoal.

Muito sensibilizada pela atitude humilde, penitencial do bem-amado, retrucou:

— Não me suponhas capaz de condenar-te por coisa alguma desta vida. Apenas lamento o que sucedeu, porque é razoável te deseje no caminho da fidelidade a Jesus, até o fim.

Sinceramente embaraçado, o ex-eclesiástico não sabia como reatar a explanação dos seus projetos. A senhora Vilamil, no entanto, acudiu a socorrê-lo, advertindo:

— Carlos, minha filha, faculta-nos o ensejo de regressarmos à Espanha.

— Sim — prosseguiu o rapaz —, agora estou liberto e apto para reorganizar a vida, mas nada quero fazer sem te ouvir. Desde que nos vimos, compreendi que Deus não me poderia destinar outro coração feminino além do teu. Tomo, portanto, tua mãe como testemunha da minha afeição pura e devo dizer que vim a Paris só para buscar-te. Estou certo de que acreditas no meu devotamento e de que nos uniremos para sempre, eternamente felizes sob as bênçãos de Deus.

A jovem contemplou-o ofegante, e, como se sentisse em hora das mais difíceis de toda a sua vida, implorou a inspiração de Jesus e silabou:

— É impossível!

Clenaghan empalidecera. Adivinhava nos olhos da escolhida que a sentença não lhe provinha do coração.

— Por quê? — indagou exaltado. — O que poderá impedir nossa ventura na Terra? Serei assim tão detestável? Desde que te ausentaste, tenho vivido como louco. A saudade e a inquietação começaram a nevar-me os cabelos. Voltemos a Castela, Alcíone! Levaremos tua mãezinha por dar-lhe uma vida tranquila e feliz.

Tais palavras ecoavam nos ouvidos da jovem como doce harmonia de uma felicidade inatingível. Contemplou a genitora, que parecia aguardar sua decisão ansiosamente, mas recordou também o palacete da Cité, onde seu pai não era menos doente da alma, arrostando absconsos[54] pesares. Lembrou as reuniões evangélicas em que Cirilo Davenport ouvia as lições de Jesus e as suas explicações como se estivesse a receber suaves mensagens do Céu; considerou as transformações de Susana, a mudança de Beatriz, o enternecido carinho do velho Jaques... Seu coração estava sufocado. Fitou o escolhido, longamente, e esclareceu em voz pausada:

— Não posso, Carlos! A felicidade tem base no dever cumprido. Ainda não terminei minha tarefa de filha, como queres que assuma novas obrigações?!

Isto, ela o dizia desfeita em lágrimas. O pupilo de Damiano, todavia, longe de conhecer todas as angústias e sacrifícios daquela alma heroica, tomou as suas palavras alusivas ao dever cumprido como acusatórias da sua renúncia eclesiástica e objurgou:

---
[54] N.E.: Ocultos.

— Queres dizer que ainda não concluí minhas tarefas sacerdotais e desejo assaltar novo plano de obrigações?

Acabrunhada por se ver incompreendida, Alcíone reviu mentalmente a figura do padre Damiano, relembrou a sua franqueza, que chegava a ser quase áspera, e certificou-se de que necessitava de muita energia para defender-se dignamente naquele lance. Recobrando a serenidade íntima, em virtude da poderosa confiança em Cristo, explicou-se com bondade sincera:

— Que não terminaste o serviço começado, é inegável, mas semelhante circunstância, Carlos, já entrou no domínio de minha compreensão. Somos agora como duas criaturas às quais se reservou uma herança de ventura imortal, sob a condição de executarem determinadas tarefas. Infelizmente, não pudeste chegar à conclusão da tua. Toda vez que fugimos ao desígnio sagrado de Deus, erramos no labirinto da indecisão e da amargura. Não te doerá o coração arrebatar-me aos deveres que o Pai me destinou? Consideras, então, o amor como coisa tão frágil que se despedace num momento, apenas porque não nos foi dada a satisfação passageira de um capricho sentimental? Onde colocas a divina união das almas? Nossa concepção deve ir muito além da alucinada impressão dos sentidos...

O sobrinho de Damiano e a enferma ouviam-na profundamente admirados. Alcíone fizera-se de uma palidez transfiguradora, parecendo haurir as palavras em fonte estranha à esfera material. Ouvindo tantas alusões a compromissos, o ex-padre supôs que suas obrigações espirituais não ultrapassavam o acanhado círculo familiar do burgo de São Marcelo e objetou humildemente:

— Curvo-me às tuas exortações, mas podes crer que não abandonei a batina tão só pela inquietude dos desejos humanos. É verdade que sou um homem carregado de fraquezas, mas também tenho um coração. Se é inegável que encareço ardentemente a tua companhia, não é menos certo que te desejo tomar sob os meus cuidados afetuosos. Que te prenderá em Paris, se te vejo sobrecarregada de trabalhos mortificantes? De um lado, vejo D. Madalena presa a um leito de dor, de ti segregada durante o dia e, ademais, carecida de outros ares; de outro lado, o nosso Robbie necessitando de educação. Entre os dois, tu, abatida e inquieta para dar conta exata dos teus encargos. Não será mais justo atenderes aos meus apelos? Tua genitora confugiria aos teus constantes e diretos cuidados, e Robbie tomaria o lugar de primeiro filho em nosso lar. É impossível que Jesus nos negue a bênção a propósitos tão elevados. Sairias então do labirinto de vicissitudes e responsabilidades de governanta, não precisarias pensar nas viagens diárias a Cité nos dias de chuva, nem te atribulares em casa alheia por tua mãe distante, quando a tempestade se forma no céu! Se puderes, esquece o meu passado de sacerdote e pensa, ao invés, que, com tua inspiração permanente, alcançarei novas forças para ser um homem digno nas lutas da vida. Esquece o mal que eu tenha praticado pelo muito de bem que poderei fazer com o teu auxílio constante. Medita na tranquilidade futura de D. Madalena, que está definhando a olhos vistos!... Será que nenhum dos meus argumentos te poderá convencer?

Tocada novamente pela doce humildade do querido postulante, Alcíone chorava. Ele jamais poderia aquilatar a intensidade da sua angústia. Ela não poderia afastar-se de Paris sem lacerar a consciência. Jesus não a conduziria, sem uma finalidade, à casa paterna, onde era tratada como filha, não obstante o título de serva com que se apresentava. Em profundas reflexões, lobrigou no olhar da genitora sincero desejo de se afastar de Paris para sempre. Adivinhava-lhe os pensamentos mais secretos. Longos instantes passaram, em que se sentia atormentada por terríveis indecisões. Reportou-se às últimas palavras de Damiano, quando lhe recomendara procurasse o socorro de Clenaghan nos transes mais difíceis. Firme, porém, no propósito de manter ilibada a consciência até o fim das lutas humanas, enxugou as lágrimas e reafirmou:

— Não posso... Sei o que mamãe tem sofrido em tão longos anos de martírio, físico e moral, e espero que Deus nos estenda a mão para que suas dores sejam aliviadas; no entanto, agora, não me é possível deixar Paris.

A filha de D. Inácio esboçou um gesto de resignação, respeitando, sem discutir, a decisão da filha. Não assim, o pupilo de Damiano, que deixou transparecer no olhar uma profunda desconfiança.

— Ah! Compreendo agora — disse desapontado —, não podes sair de Paris! Louco que fui, presumindo que a vida aqui seria a mesma de Ávila. As atrações parisienses modificam as criaturas...

Notando-lhe a profunda tristeza, a jovem Vilamil experimentou indefinível aflição por se declarar abertamente, revelar a natureza dos sagrados deveres que a escravizavam prisioneira, mas a verdade dolorosa lhe morria no coração. Ferida nos mais nobres sentimentos, encontrou forças para murmurar:

— Não deves fazer semelhante juízo a meu respeito.

E, muito enleada sob o olhar indagador do rapaz, que a envolvia em atmosfera de humilhação, concluiu:

— Ouve, Carlos! Quando houver cumprido meus deveres, quando minha consciência permitir que pense em mim, irei procurar-te onde estiveres! Guardaremos, eu e mamãe, toda a nossa gratidão e confiança em ti. Não importa hajas renunciado ao ministério sacerdotal, porque, então, quando me sinta livre, poderemos iniciar nova e venturosa tarefa.

Clenaghan, entretanto, ouviu-a quase friamente, com o ciúme que lhe envenenava o coração. Conturbado pelas sugestões inferiores, cada afirmativa de Alcíone, agora, lhe parecia diferente. Teve a impressão de que ela se deixara levar em Paris pelas promessas de algum homem criminoso e inconsciente. As palavras "quando me sinta livre" toavam-lhe dolorosamente. Sentia-se estranho a tudo e não pôde murmurar senão evasivas ligeiras, até o momento em que se despediu para voltar ao hotel.

Alcíone compreendeu o que se passava com ele, mas, ainda que amargurada, chamou Luísa para os serviços da noite, relativos ao tratamento de sua mãe, e cumpriu, rigorosamente, o programa do lar. Madalena Vilamil se envolvera num véu de tristeza silenciosa. Então, fazendo o possível por dissimular as amarguras íntimas, a jovem procurou desfazer o ambiente pesado, pedindo a Robbie para tocar alguma coisa, enquanto lia à enferma certas páginas de sua predileção.

No dia seguinte, pela manhã, saiu de casa como de costume, a fim de esperar o carro do Sr. Davenport, na pequena praça, defronte da igreja mais próxima. Um carro ia-lhe no encalço discretamente, sem que ela o suspeitasse. Era Carlos que, informado na véspera, por Madalena, das regalias e atenções que a filha desfrutava na casa onde servia, resolvera não deixar Paris sem uma prova da singular transformação que injustamente atribuía à criatura eleita. Cada pormenor da conversa com a senhora Vilamil, no dia anterior, gravara-se-lhe indelével no coração. Por que motivo ela não esperava o carro à porta de casa? Não havia necessidade de caminhar quase um quilômetro para encontrar a viatura. Preocupado com essa primeira observação, reparou a carruagem garbosa que Alcíone tomou a breve trecho. A suntuosidade do veículo pareceu-lhe excessivamente inadequada para a jovem humilde dos idos tempos de Ávila. Seguiu-a, mais ou menos de perto, até que chegou ao destino. Viu-a descer e receber com evidentes mostras de satisfação o abraço acolhedor de um homem que a esperava junto do rico portão de acesso ao jardim. Considerou o palacete de linhas nobres, poucos passos distante do seu carro de aluguel, e, dando ouvidos ao despeito venenoso, concluiu que Alcíone não era mais aquela criança meiga e carinhosa que entregava costuras nas ruas empedradas da cidade onde se haviam encontrado e embebido de sublime e santo idealismo. Perplexo, alimentando mil ideias errôneas, deliberou fugir, no mesmo dia, da capital francesa, demandando o Havre, onde não lhe seria difícil o retorno à Espanha.

Mandando tocar de volta ao burgo de São Marcelo, procurou despedir-se de Madalena.

Quando anunciou a intenção de regressar, a pobre senhora não ocultou a surpresa amarga:

— Não posso crer que volte tão depressa — afirmou com bondade.

— Não se preocupe por isso — exclamou o rapaz, fingindo-se tranquilo —, não vim com a intenção de demorar-me. Tenho alguns amigos que me esperam no Havre, por estes dias.

A resignação da enferma, aliada ao seu profundo abatimento, inspirava-lhe sincera preocupação, mas não podia suportar o ludíbrio de que se julgava vítima.

— Alcíone vai sentir muito a tua partida súbita.

Carlos sentiu que o coração se lhe descompassara no peito e respondeu:

— Pode ser que não. De qualquer modo, porém, vejo-a satisfeita e isto me conforta o espírito. Muito desejava reconduzi-las à nossa céspede[55] distante, mas reconheci que a providência não é mais possível, por importuna.

Madalena esboçou um gesto triste, murmurando:

— Tenho desejado ardentemente sair de Paris, mas minha filha discorda e eu creio que terá razões ponderosas para isso.

— Mas que razões seriam essas? — perguntou Clenaghan exaltado.

— Desconfio que o meu médico desaconselha a medida, porquanto, há muito, venho apresentando sintomas de grave afecção cardíaca... Vejo que Alcíone me oculta esse detalhe, carinhosamente, mas, devo dizer, isso nada me assusta. Tenho sofrido demais para disputar uma longevidade improdutiva.

---

[55] N.E.: Pedaço de terra.

Carlos não concordou, intimamente atribuindo as palavras da pobre senhora a simples fruto do carinho maternal. Depois de longa pausa, desejando reforçar a nociva atitude mental, perguntou:

— Alcíone foi sempre bem tratada na casa onde trabalha?

— Sim — confirmou Madalena, convicta. — Lutamos terrivelmente nos primeiros dias de Paris, visto haver adoecido o padre Damiano, mas, desde que minha filha se empregou na Cité, nunca mais sofremos qualquer necessidade. Com o seu salário não somente foram atendidas as despesas domésticas, como também tivemos a alegria de saber que nada faltou ao nosso velho amigo.

— E a senhora está informada a respeito dessa família que lhe contratou os serviços de governanta?

— Trata-se de um rico negociante de fumo — informou a interpelada, atenciosa.[56]

— E a senhora nunca visitou essa gente?

— Nunca, até agora. De há muito venho desejando visitar a casa que acolheu Alcíone como filha; entretanto, estou à espera de melhoras que me permitam fazê-lo.

O rapaz calou-se. Quis manifestar à enferma a venenosa desconfiança que o consumia, exteriorizar todo o rancor que lhe afluía ao espírito despeitado, mas a doce resignação de Madalena Vilamil, presa ao leito naquele estado, inspirava-lhe respeito sagrado. Era preciso ter um coração bem cruel para tirar a derradeira partícula de esperança e tranquilidade daquela alma sofredora de mãe sacrificada.

Com estranho brilho nos olhos, o sobrinho de Damiano voltou a dizer:

— Onde está Robbie? Quero abraçá-lo antes de partir.

A filha de D. Inácio percebeu nessas palavras a funda contrariedade que absorvia o interlocutor, compreendeu quanto lhe magoava a atitude firme de Alcíone com relação ao desejado regresso à Espanha e esclareceu conformada:

— A esta hora Robbie deve estar na igreja de São Jaques de Passo Alto, em trabalhos de limpeza que padre Amâncio lhe confiou.

E, como notasse que Clenaghan se dispunha a partir em deplorável estado de espírito, a pobre senhora aduziu:

---

[56] Nota de Emmanuel: Compelida pelas circunstâncias, a jovem Vilamil nunca forneceu à genitora o nome exato da família a que servia.

— Não te vás querendo mal a Alcíone, Carlos! Podes crer que minha filha nunca te esqueceu a bondade fraternal e a sublime afeição. É bem possível que, intimamente, ela deseje partir em busca da felicidade, junto do teu coração, mas talvez por minha causa sacrificasse os mais caros desejos. Conheço-lhe o espírito de sacrifício. Sou testemunha silenciosa das suas lutas nesta casa, onde sua dedicação é o nosso manancial de bênçãos!

O ex-sacerdote, porém, estava obcecado pelo ciúme. Trazia óculos negros nos olhos exacerbados da imaginação e não prestou atenção maior ao que lhe fora dito, continuando inalteradas as próprias suspeitas. Olhos fixos, como que alheio ao ambiente, despediu-se de Madalena, que o recomendou à proteção divina. Horas depois, abraçava Robbie, pela última vez, tomando rumo norte, de regresso a Ávila, profundamente desditoso.

À noite, Alcíone foi informada da precipitada deliberação do rapaz.

— Carlos pareceu-me bastante abatido e desesperado — afirmava a genitora —, e lastimei sinceramente vê-lo em tão penosa conjuntura.

A jovem, com expressão de indefinível tristeza, acentuou:

— Jesus há de proporcionar-lhe ao coração aquilo que presentemente não lhe podemos dar.

— Qual será o motivo — perguntou a enferma com interesse — que leva o pobre Clenaghan a sofrer tanto? Ele é moço, talentoso, cheio de possibilidades; no entanto, daqui saiu como se fora um pária da sorte.

— A senhora não presume — aventou Alcíone com um gesto significativo — seja isso a primeira consequência da sua renúncia ao voto contraído? Clenaghan, para nós, é criatura muito amada, mas nem por isso podemos isentá-lo da rede de amarguras e tentações que constringe a criatura quando se evade ao mais sagrado dos deveres. Continuo a pensar que uma consciência pura é o melhor tesouro do mundo. Nas melhores posições terrenas o homem será positivamente um desventurado, sem o refúgio desse santuário interior, onde Deus nos fala, consolando e esclarecendo, em sua infinita misericórdia!

A doente pôs-se a meditar nessas verdades sublimes, enquanto a filha, adivinhando a onda de preocupações acerbas que afogava o ser amado, retirou-se para orar em silêncio, de modo a diminuir as próprias amarguras.

Dentro das vibrações poderosas da sua fé, Alcíone pareceu consolada, buscando nas tarefas ingentes de cada dia o olvido das penas amargas.

Não se haviam passado muitos dias do incidente, quando Madalena Vilamil começou a apresentar sintomas de acentuada fraqueza. A moléstia do coração não se limitava, agora, a sintomas vagos e intermitentes. Surgiram as dispneias noturnas, que lhe reavivavam a lembrança dos derradeiros dias de sua mãe, na velha casa de Santo Honorato. Face macilenta, angustiada, contemplava demoradamente a filha, como a lhe anunciar o fim próximo. Passava as noites a falar das experiências da vida, das necessidades de Robbie, da gratidão devida à boa serva, dando a entender que se preparava corajosamente para a grande jornada. Alcíone tudo ouvia recalcando as lágrimas de amor filial. Compreendia a gravidade do mal e dissimulava o prognóstico médico, revelando-se confiante em melhoras futuras. Ainda assim, não conseguia arrebatar a carinhosa genitora à invariável tristeza que lhe ensombrava a fronte.

Uma noite em que as tisanas caseiras não atenuavam a aflição dolorosa, Madalena chamou a filha e falou francamente:

— Alcíone, algo me diz ao coração que me reunirei a teu pai, muito breve...

— Ora, mamãe — exclamou a jovem, solícita —, combatamos a tristeza! Sejamos confiantes, Deus ouvirá nossas preces.

E, dosando cada palavra com o mel das consolações carinhosas, continuava:

— Logo que a senhora puder viajar, voltaremos à Espanha. Notei que a senhora entristeceu-se quando recusei a proposta de Carlos, mas, tratando-se da sua saúde, a coisa é outra. Pense que teremos novamente um clima restaurador e não se preocupe com os desgostos que aqui passou. A mão de Jesus nos traçará o roteiro.

Ouvindo-lhe tais palavras de conforto e piedade filial, tomou a mimosa mão da filha e selou-a com um beijo, acrescentando:

— Não te mortifiques, filhinha! Jamais duvidarei ou perderei a confiança em Deus; antes continuarei tudo esperando do Pai misericordioso que nos acompanha lá dos Céus, mas julgo, também, que a resistência física, após mais de vinte anos de enfermidade, vai chegando a termo... Estas dispneias não podem enganar.

Depois, fixando o olhar enternecido nos olhos da filha afetuosa, prosseguia melancólica:

— Não ficarás zangada comigo se te disser que estou muito saudosa. Desde que Cirilo se foi, nunca mais senti o prazer da vida... Reconheço, contudo, que o Senhor tem sido magnânimo, concedendo-me socorros inesperados. Basta lembrar que meu pobre esposo morreu no mar, enquanto eu me vi socorrida num oceano de lágrimas, por teu amor. Tua afeição tem sido meu santo consolo, iluminado refúgio sobre a Terra... Jesus te concederá tudo o que te não pude dar na minha pobreza de mãe...

A moça ouvia-lhe os conceitos carinhosos, de coração sufocado. Nunca sua mãe lhe parecera tão triste, jamais se queixara assim, em qualquer outra circunstância passada. Então, começou a soluçar, mas a enferma, afagando-a com ternura, prosseguiu:

— Não chores... Para esta hora nos temos preparado desde a tua infância. Não sei em que dia o relógio da eternidade terá marcado meu derradeiro alento neste corpo, mas nós ambas estamos cientes de que a veste carnal é também uma ilusão. Estou certa de que Jesus me restituirá a companhia de Cirilo, para sempre. Cercar-te-emos, então, do nosso afeto e te esperaremos num mundo mais feliz, onde não haja lágrimas nem morte. Se pudesse, ficaria contigo, a fim de partirmos juntas, mas algo me diz que não poderei realizar este desejo. Não fossem tua afeição e as necessidades de Robbie, creio que partiria sem qualquer outro laço... Tenho, no entanto, a consciência tranquila, embora não me possa furtar a estas preocupações! Se morrer de um instante para outro, confio o nosso Robbie aos teus cuidados. Ele é uma criatura caprichosa, difícil de educar, mas não cabe repetir recomendações que bem conheces.

Diante de tanta resignação, Alcíone sentia certa dificuldade para iludir a triste realidade, no intuito de confortar o coração materno, mas, ainda assim, lidando por mostrar-se esperançada, falou com brandura:

— Confiemos em Deus, acima de tudo! A senhora, mamãe, tem estado muito sozinha, tem se entregado em excesso aos pensamentos de morte. Sinto que nossa casa necessita de alegria. Reanime-se para nós. Vou pedir uma licença temporária para ficar a seu lado e, com um saldo de vencimentos do que tenho a receber, vamos comprar um cravo. Quem sabe a música, que a senhora sempre cultivou, não virá melhorar nosso ambiente?

A senhora Vilamil tentou um sorriso apagado, obtemperando:

— Teus sacrifícios já são muitos.

— Amanhã mesmo, pedirei aos pais de Beatriz que me ajudem na aquisição. Não há de ser difícil. Recordaremos nosso antigo repertório espanhol e creio que irá sentir muita satisfação em reviver essas lembranças.

— Sim, certamente que nos sentiremos transportadas a Castela, onde, tantas vezes, encontramos a felicidade nas coisas mais simples...

Observando a consolação que o assunto produzia, a cândida Alcíone prosseguiu:

— Ah! Como estou satisfeita por vê-la confortada com este projeto. Teremos muitas vantagens com essa compra. A senhora vai experimentar novo ânimo, e Robbie, por sua vez, poderá ter minha cooperação, novamente, nos seus estudos domésticos. E depois, quando as suas melhoras se positivarem, pensaremos seriamente na mudança, à procura de melhor clima, onde a senhora possa ficar boa.

A enferma mostrou-se mais consolada com as palavras carinhosas da filha e considerou:

— Teu plano me reconforta pela ternura que traduz e rogo a Deus te abençoe tanta bondade. Agora, porém, quero fazer-te dois pedidos, dadas as minhas preocupações.

A filha demorou nela o olhar inteligente e respondeu comovida:

— A senhora não deve pedir-me coisa alguma, e sim mandar sempre.

— Pois desejaria — disse algo hesitante — que me conduzisses ao cemitério, a fim de orar no túmulo de meus pais, assim satisfazendo uma velha aspiração de minha alma. Não poderei ajoelhar-me junto dos sepulcros, mas talvez consiga chegar até lá, carregada na poltrona, tal como quando visitei o padre Damiano pela última vez.

A moça não conseguia ocultar a impressão de penosa surpresa.

— A outra coisa que desejo — continuou, confiante — é que tragas até aqui a senhora a quem serves e que tem sido tão generosa contigo, isso para que lhe peça maternal amparo à tua mocidade, caso eu morra mais cedo, como aliás pressinto.

Alcíone procurou não trair na face a estranha emoção que experimentava. Madalena pleiteava duas coisas inadmissíveis. Mas, longe de quebrar o padrão de tranquilidade da querida enferma, concordou nestes termos:

— Tão logo se encontre mais forte para viajar de carro, iremos ao túmulo de meus avós, mas penso que mamãe não deve afligir-se por isso. Que é, mamãe, a sepultura senão um monte de cinzas? Quanto à genitora de Beatriz, hei de trazê-la a São Marcelo na primeira oportunidade. Espero, porém, que a senhora esteja descansada na fé em Deus. Repousemos a mente na inesgotável Bondade Divina. É certo que temos muitas e grandes necessidades, mas o Altíssimo tem tudo para nos dar e somente espera saibamos compreender a sua misericórdia.

A enferma calou-se conformada. A moça, no entanto, confiava-se a Jesus em preces fervorosas. Como solucionar o delicado problema? Não encontrava recursos para atender mentalmente à questão obscura, mas contava com o socorro do Cristo no momento oportuno.

No dia seguinte, um tanto acanhada, dirigiu-se a Cirilo, falando-lhe receosa:

— Sr. Davenport, espero não me leve a mal se lhe pedir um grande obséquio...

— Dize confiante, minha filha! — respondeu o chefe da casa com inflexão afetuosa. — Poderá dispor de mim em qualquer circunstância.

Ela esboçou um gesto de reconhecimento e continuou:

— É que minha mãe, apesar de doente, gosta muitíssimo de música e, de tempos a esta parte, noto-a excessivamente tristonha. Pensei, então, em pedir-lhe um adiantamento sobre os meus ordenados, a fim de comprar um cravo de segunda mão. Creio que isso reavivará o ânimo da pobre enferma.

Cirilo Davenport ouviu-a comovidíssimo.

— Com muito prazer — respondeu solícito — e, se quiseres, eu próprio me incumbirei da compra.

— Não, não — atalhou a jovem, temendo a informação do endereço —, o senhor não precisará ter esse incômodo. Padre Amâncio, em São Jaques, me fará esse favor. É pessoa entendida e não fará uma aquisição muito cara.

Cirilo contemplou-a, edificado com aquelas reiteradas provas de humildade, e concluiu:

— Esperarei, então, a conta das despesas e podes estar certa de que tenho nisso grande satisfação.

Ela ia referir-se ao plano do resgate, mas o interlocutor antecipou-se dizendo:

— Não penses em pagamento. Há muito que Beatriz me pediu um instrumento desses para que o guardasses em penhor de nossa amizade. Não será esta a ocasião de satisfazê-la?

Alcíone rejubilava-se de encontrar tamanha generosidade.

Não se passaram muitos dias e a casinha pobre, de São Marcelo, todas as noites se impregnava de melodias maravilhosas. A doente amada submergia-se em ondas de sonoridade divina, encontrando ternas consolações às penas diuturnas. Robbie também percebeu que sua mãe adotiva não estava longe do termo fatal. Nessa angustiosa perspectiva, imprimia ao violino acordes de profunda beleza, traduzindo saudade e sofrimento indefiníveis. Alcíone, a seu turno, mostrava-se incansável no carinho dispensado à enferma idolatrada. Cada noite eram recordadas velhas árias castelhanas, antigas músicas da juventude de sua mãe, que a filha de D. Inácio escutava entre lágrimas de profunda emoção. Para Madalena, a ternura dos filhos era uma gloriosa compensação do mundo aos seus martírios inomináveis de esposa e mãe.

— Tenho a impressão, minha filha — dizia com um sorriso de sincera conformação — que nossa casinha se transformou num templo. Estou quase convencida de que disponho, agora, da estação religiosa, da qual poderei partir para a vida espiritual.

A filha multiplicava as expressões confortadoras e as melodias cariciosas vibravam no ar, transportando a enferma a sublimes estâncias de puro gozo espiritual.

Semanas se passaram assim, contemporizadoras, até que um dia Madalena acusou astenia geral. Grandemente assustada, Luísa esperava por Alcíone com angustiosa ansiedade. Robbie, porém, logo que chegou do trabalho, resolveu procurar o socorro do médico assistente. A enferma estivera desacordada alguns minutos e, em seguida, sucessivas aflições lhe causavam verdadeiro tormento.

À tarde, como de costume, Alcíone voltou ao lar, experimentando dolorosa surpresa com a gravidade do caso. Abraçou a mãezinha, mal podendo conter as lágrimas.

— Que foi isso, mamãe?

Percebendo a aflição que lhe transparecia do olhar afetuoso, a doente buscou tranquilizá-la:

— Creio que não estou pior... Talvez seja alguma perturbação do estômago. Aliás, nunca me senti tão bem como nas últimas semanas.

O coração filial, porém, adivinhava naqueles olhos túmidos um esforço supremo para tranquilizá-lo. Ambas estavam convictas de que o fim se avizinhava. A jovem fez o possível para renovar-lhe as forças com palavras encorajadoras, murmurando em seguida:

— Suponho que, por estes dias, poderemos ir ao cemitério visitar o túmulo dos nossos entes caros, como a senhora deseja. Reanime-se, mamãe! Pense nos passeios que gostaria de fazer, pense na saúde e verá que as dores desaparecem.

Entretanto, naquele momento, era a genitora quem se esforçava por consolar a filha ansiosa.

— Ora, filhinha — objetava com um sorriso forçado —, que iria fazer ao cemitério? Não sei onde tinha a cabeça quando pensei e desejei conhecer a sepultura de papai, visitando igualmente a de mamãe!... Com o correr dos dias, fui ponderando melhor e acabei compreendendo que era mesmo um capricho extravagante. Nossos amados não devem mesmo lá estar, envoltos em montes de lodo. Cheguei mesmo a sonhar com mamãe a elucidar-me da impropriedade do meu desejo, afirmando que seu coração está comigo, junto de mim, fortalecendo-me nas provações em curso...

Alcíone ouvia confortada e surpreendida. A senhora Vilamil fez uma pausa mais longa, devido à dispneia, e prosseguiu ofegante:

— Espero, porém, que Deus me ajude a realizar o outro desejo. Quando pensas que vamos ter a visita dos teus patrões?

Alcíone esboçou um gesto indefinível e asseverou:

— Os pais de Beatriz, segundo creio, não tardarão a vir.

— Ainda bem que assim é, pois quero agradecer-lhes o bem que nos têm feito no desdobramento de nossas lutas em Paris.

A chegada do médico, em companhia de Robbie, interrompeu o diálogo.

O facultativo examinou a doente com minuciosa atenção, formulando conceitos otimistas que Madalena acolhia com melancólico sorriso, mas, ao retirar-se, chamou Alcíone em particular, afiançando-lhe gravemente:

— Apesar de nossos esforços e da tua valiosa dedicação, minha boa menina, tua mãe está chegando a termo de vida.

A moça não conseguia articular palavra, sufocada pela dolorosa surpresa, enquanto o velho esculápio prosseguia:

— Qualquer medicação não passará de paliativo destinado a manter-lhe uns restos de vitalidade. Pelos meus conhecimentos e longa prática, digo que ela poderá expirar de um momento para outro, mas, na melhor das hipóteses, não irá além de um mês.

Enquanto a desolada Alcíone enxugava as lágrimas discretamente, o médico procurava confortá-la, exclamando:

— Procura entregar o caso a Deus. Não te martirizes com a ideia de perdê-la, porque a paralisia de tua mãe é um dos casos mais angustiosos que conheço, há muitos anos, na minha clínica. D. Madalena tem sofrido heroicamente, não seria justo perturbar-lhe o coração nestes dias em que se prenuncia o termo de longos padecimentos...

Alcíone fitou-o reconhecidamente, murmurando:

— O senhor tem razão.

No dia seguinte, a jovem Vilamil chegou ao palacete da Cité, assomada de profunda tristeza. Olhos encovados, muito pálida, esperou que Susana se levantasse e, quando a atividade doméstica entrou no ritmo habitual, chamou-a por obséquio, em particular, assim falando:

— Senhora Davenport, infelizmente a situação em que me encontro obriga-me a importuná-la com um pedido de licença por alguns dias. Creio que minha mãe não terá mais que um mês de vida... Ontem sofreu a primeira crise cardíaca mais grave, e o médico me declarou que suas horas estão contadas.

A filha de Jaques condoeu-se sinceramente da governanta de Beatriz, pela comoção e humildade com que lhe confiava a amargura do seu lar, e respondeu com interesse amistoso:

— Sem dúvida. Faço questão de que permaneças ao lado de tua mãe, pelo tempo que for preciso. Não tens somente um irmão adotivo?

— Sim — disse a moça, desejando conhecer a intenção da pergunta.

— Neste caso, poderei combinar com Cirilo, e tua mãezinha, se julgares conveniente e útil, virá para nossa casa. Como sabes, temos muitas dependências desocupadas. Com isto não estou considerando a pausa das tuas obrigações, mesmo porque, há muito, pretendia oferecer-te alguma oportunidade de repouso no que concerne ao tratamento da enferma. De antemão, estou convencida de que a providência daria a Cirilo muito prazer. Aqui, na Cité, os recursos são mais fáceis e tua mãe seria uma doente também nossa...

A filha de Madalena confortou-se com tamanha afabilidade, verificando o poder regenerador do Evangelho sobre aquela alma, e respondeu comovida:

— Pode crer, senhora Davenport, que minha mãe e eu lhe seremos eternamente reconhecidas pela lembrança amável; no entanto, minha genitora não poderia deixar nossa casinha. Seria impossível transportá-la.

— Já que assim é — explicou Susana atenciosa —, levarás contigo uma de nossas criadas para ajudar no trabalho necessariamente aumentado nestes transes.

— Agradeço muito, senhora, mas nós temos uma velha criada de confiança, que se incumbe de todos os serviços. A senhora pode estar descansada.

Susana, porém, desejando externar, de qualquer modo, o desejo de ser útil, buscou uma centena de escudos, colocando-os nas mãos da governanta, a murmurar:

— Então, leve este dinheiro. Talvez sobrevenha alguma despesa imprevista.

Alcíone aceitou, emocionada, e, quando pretendia retirar-se, a dona da casa perguntou solícita:

— E o teu endereço? Antes que te vás, desejo sabê-lo, para que Beatriz lá chegue de vez em quando e nos traga notícias.

— Nossa casinha — esclareceu a filha de Madalena, dissimulando o embaraço — não tem uma característica com que se possa identificar, mas a senhora pode ficar tranquila que eu aqui virei sempre que for possível e, no caso de qualquer ocorrência mais grave, não deixarei de mandar um portador.

Mais uma vez, Susana preocupou-se com as evasivas da moça nesse particular, mas não fez qualquer objeção. Todos os familiares se interessaram pelo caso e procuraram expressar votos sinceros de solidariedade e feliz desfecho.

Alcíone afastou-se apressadamente para o arrabalde de São Marcelo, toda entregue a penosas cogitações. Observara em Susana sincero desejo de aproximar-se. Que aconteceria se os Davenports lhe descobrissem a residência? Infelizmente, o estado da genitora não lhe permitia ponderar a possibilidade de se retirarem para alguma aldeia distante. Rogava a Deus o socorro de sua bondade nas inquietantes expectativas que lhe assaltavam o espírito. Prometia a si própria voltar sempre à Cité para desviar da segunda esposa de seu pai a ideia de uma visita a São Marcelo, cujas consequências seriam demasiadamente dolorosas para todos. De volta ao lar, verificara que a doente querida não obtivera qualquer melhora. Fez o possível para dissipar os pensamentos que a torturavam, entregando-se à tarefa de enfermeira carinhosa, com todos os desvelos do coração.

Os dias escoavam-se com expectativas atrozes. A senhora Vilamil alcançava apenas rápidos minutos de repouso para voltar logo às dispneias angustiantes. De quando em quando, vinha o médico e esperançava a enferma com palavras amigas, meneando, porém, tristonhamente a cabeça, tão logo se via a sós com a filha, a comentar a situação.

A pobre moça não sabia como atender à complexidade dos problemas torturantes. De três em três dias, corria à Cité, onde, exibindo olhos fundos e considerável abatimento, procurava tranquilizar os Davenports. Ante as interrogações afetuosas de Cirilo, ou de Susana, alegava que a enferma estava melhor e mais forte, ansiosa por lhes desvanecer a intenção da visita.

A situação, porém, era outra. A filha de D. Inácio, ao fim de três semanas, apresentou os sintomas inequívocos da morte. O facultativo recomendou o derradeiro socorro da Religião. Desfeita em lágrimas, seguida de Robbie, que não sabia como disfarçar a imensa dor, Alcíone pediu a assistência do padre Amâncio, dadas as relações de amizade. Madalena Vilamil confessou-se, recebeu religiosamente as bênçãos da extrema-unção. O velho pároco de São Jaques do Passo Alto dirigiu-lhe palavras de fé e consolação, que a nobre senhora recebeu com serenidade.

Mas, nada obstante a firmeza dos seus princípios religiosos, não conseguia eximir-se à mágoa da separação da filha e de Robbie, as duas afeições que lhe haviam sustentado a alma sofredora por longos anos de provações atrozes. Naquela noite que se seguira às últimas providências religiosas, a agonizante parecia mais lúcida. Seus olhos haviam adquirido brilho diferente. Dizia entrever paisagens extraterrestres, que a criada tomava à conta de alucinações.

Enquanto Robbie soluçava baixinho no quintal, Alcíone aproximou-se do leito e perguntou, como costumava fazer todas as noites:

— Mamãe, a senhora prefere agora a leitura?

A agonizante tinha as faces banhadas de suor. E, enquanto a filha lhe enxugava a fronte, respondia na sua aflição:

— Hoje, minha filha, gostaria que lesses o Novo Testamento, o capítulo da Paixão.

Sufocando as impressões dolorosas, a jovem tomou o livro e o leu vagarosamente, observando o profundo interesse maternal pela triste narrativa da passagem de Jesus pelo Horto.

Nessa noite, por mais que se esforçasse, Alcíone não conseguiu fazer o comentário. Com inaudita dificuldade, continha as lágrimas que lhe bailavam à flor dos olhos. A enferma interrogou-a com o olhar muito lúcido, e ela respondeu, beijando-a:

— A senhora hoje está fatigada. Minhas palavras poderiam incomodá-la... Além disso, quero preparar-lhe umas gotas calmantes para o sono necessário.

A agonizante pareceu conformar-se e perguntou:

— Onde está Robbie?

A jovem foi buscá-lo imediatamente. Instado por ela, o rapazinho enxugou o pranto, compôs a fisionomia como pôde e acorreu à cabeceira da mãezinha adotiva. Madalena deu-lhe a destra muito branca, que ele beijou enternecido, mas, notando-lhe o abatimento extremo, o nariz afilado pela dor da agonia, as unhas roxeadas, os olhos fulgurantes dos últimos lampejos, não pôde atender aos rogos da irmã e rojou-se de joelhos, a soluçar convulsivo. A senhora Vilamil deitou à filha um olhar de quem roga cooperação e, passando a mão descarnada e trêmula pela cabeça do menino, perguntou:

— Por que choras assim, meu filho?

Alcíone procurava erguê-lo com delicadeza, mas Robbie, como que desejando desabafar com a enferma, que sempre o tratara com ternuras de mãe, murmurou em pranto:

— Ah! Que será de mim se a senhora morrer?

— Que é isso, Robbie? — falou Alcíone com afetuosa energia. — Pois mamãe está doente e cansada e tu não tens pena de vê-la com tanta necessidade de dormir?!

Madalena sorriu tristemente, mostrando que desejava consolá-lo, e disse com esforço:

— Deus é Pai, meu filho, e nunca nos separará em espírito... A morte aniquila o corpo, mas a alma é indestrutível... Não chores assim, porque essa atitude demonstra falta de confiança no Todo-Poderoso...

— Sei que a senhora não me esquecerá — disse o rapaz comovedoramente — e que, se partir, pedirá por mim, lá no Céu... Mas por que não morro em seu lugar, se vivo tão escarnecido neste mundo? Sem a senhora, como suportarei as ironias da rua e as sátiras ferinas daqueles próprios meninos confiados aos meus cuidados para os serviços da música na igreja?

E, vendo que Madalena olhava para a filha, como a inculcá-la sua substituta para o futuro, Robbie reclamava em tom de lástima:

— Alcíone trabalha fora o dia inteiro, nunca terá tempo de ouvir-me! Luísa não me pode compreender. Se a senhora se for, a casa para mim fica vazia, sem ninguém...

A filha de D. Inácio deixou escapar uma lágrima.

— Se Deus me chamar, Robbie, lembra que aqui estarei guardando-te em Espírito... Seguirei teus trabalhos com o mesmo interesse, cuidarei da tua saúde, dar-te-ei forças para ouvir os ditos ingratos do mundo, enquanto o Todo-Poderoso for servido...

Alcíone avaliou a angústia materna e, abraçando-se com o irmão adotivo, observou:

— Vamos, Robbie! Estás muito nervoso. Luísa te levará um cordial, logo que te deites. Quem te disse que mamãe vai morrer? Não achas que é ingratidão atormentá-la com estes pensamentos lúgubres?

O rapaz atendeu e retirou-se amparado pela irmã, a esfregar nervosamente os olhos.

Alcíone regressou ao quarto da enferma para desmanchar-se em carinhos. De minuto a minuto, passava-lhe na fronte um fino lenço, enxugando o suor abundante. Em dado instante, Madalena Vilamil pareceu sossegar. À dispneia sucedia uma relativa serenidade. Em preces fervorosas, a filha observou, porém, que os olhos estavam demudados, qual se apresentam nas febres intensivas. A agonizante parecia delirar de alegria. Começara um período de perturbação, natural em muitos casos de desprendimento, no qual a senhora Vilamil não sabia se estava na Terra ou noutra região.

— Por que vos demorastes tanto, padre? — insistia em perguntar, dando a entender que falava a uma sombra.

— A quem se refere, mamãe? — inquiriu Alcíone, impressionada.

— Padre Damiano aqui está... Não o vês?

E, olhando, ansiosa, para um canto do aposento, a agonizante perguntava:

— Ah! Quem sois vós?

Mas, quase no mesmo instante, olhos desmesuradamente abertos, rematava:

— Minha mãe!... Minha mãe!

Alcíone acompanhava-lhe o pranto natural, rogando a Jesus lhes enviasse o socorro da sua misericórdia.

Depois de um minuto, a filha de D. Inácio voltava a dizer:

— Minha mãe veio interpretar, para nós, a leitura evangélica... Sim, todos nós temos um horto de agonias, que atravessaremos a sós, no esforço valoroso da fé... todos teremos um caminho doloroso e um calvário... mas, além de tudo isso... a criatura de Deus encontrará a ressurreição e a vida eterna...

A moça, que a ouvia entre lágrimas, não duvidou da visita espiritual de que era testemunha. Decorridos alguns instantes, sempre dando a entender que recebia a voz do Invisível, a agonizante voltou a interpelar as sombras:

— E Cirilo, minha mãe? Por que não veio em sua companhia?

Os traços de Madalena iluminaram-se de contentamento.

— Amanhã? — bradou a enferma desvairada de júbilo.

Em seguida, misturando as impressões espirituais com as do plano físico, dizia à filha, surpresa:

— Teu pai chegará amanhã! Como me sinto melhor, minha filha! Nosso quarto está cheio de luzes! Minha mãe diz que chegou o tempo da minha cura e que partirei com ela, amanhã, ao entardecer...

A moça estremeceu. Seu pai viria no dia seguinte? Como interpretar semelhante afirmativa? Tratar-se-ia de uma expressão confortadora ou de promessa justa do plano espiritual? Fundamente espantada, pedia a Deus lhe iluminasse a razão para o entendimento de sua divina vontade.

Desde essa hora, Madalena, semi-inconsciente, dava a impressão de preparar-se para o amanhã jubiloso.

— Vai, minha filha — dizia inquieta —, abre a grande mala e traze os dois grandes cadernos de anotações de teu pai, a velha *Bíblia*, o livro de orações...

Alcíone sentia-se compelida a obedecer maquinalmente. Minutos depois, as pequenas lembranças de Cirilo estavam alinhadas sobre a mesa rústica, ao lado das drogas medicamentosas. Só então, quando as viu todas, envolvendo uma a uma em delicioso olhar, conseguiu entrar em branda sonolência, como quem repousa após cumprir um sagrado dever. Alcíone, porém, continuou vigilante, certa de que a mãezinha amada vivia na Terra os minutos derradeiros. Pela madrugada, voltaram as crises. Madalena abandonava o corpo, devagarinho, entre dispneias dolorosas e visões do mundo espiritual, que lhe deixavam o espírito meio confuso. Pela manhã, duas vizinhas solícitas vieram ajudar nos afazeres domésticos. Alcíone, sempre colada à cabeceira da mãe, que continuava a falar em voz alta, prosseguia em oração silenciosa, imprecando a intervenção de Jesus no lutuoso transe.

*

Voltemos agora ao palacete da Cité, onde, não obstante as informações tranquilizadoras da governanta de Beatriz, reinava certa inquietude pela sua ausência prolongada. Todos sentiam a sua falta não no trabalho propriamente dito, mas na assistência que seu coração dedicado sabia proporcionar a cada um. O culto doméstico sem a sua presença parecia desprovido das luzes ardentes que caíam sobre os textos aparentemente obscuros, dilatando confortadoras e divinas inspirações.

Na véspera daquele mesmo dia em que a jovem aguardava o traspasse da genitora, os Davenports comentavam, durante o almoço, a sua demora, quando Susana obtemperou:

— Alcíone cá esteve há cinco dias. Tranquilizou-nos sobre o estado da enferma, mas eu tenho necessidade de visitá-la, de qualquer modo.

— Muito bem — respondeu Cirilo com atenção —, também acordei hoje com a ideia de fazer o mesmo. Poderemos então fazê-lo amanhã.

— E o endereço? — objetou a senhora. — Até hoje, por mais que me esforçasse, não consegui obtê-lo. Quando o solicito, Alcíone perturba-se e há muito, por isso, deixei de lhe exprimir o sincero desejo de me aproximar dos seus.

— É o acanhamento natural — justificou o chefe da casa, com bonomia.

O velho professor de Blois interveio, murmurando:

— O endereço? É muito fácil. Sabemos que Alcíone tem relações afetivas com o pessoal da igreja de São Jaques do Passo Alto. Basta recordar que ali visitamos os despojos do seu tutor...

— É verdade — concordou Cirilo —, como não me havia lembrado antes! Mandaremos o cocheiro tomar informações ainda hoje.

Susana, que se interessara vivamente pela lembrança paterna, tomou as primeiras providências, chamando o servo para a incumbência.

— Então, Cirilo — disse a dona da casa —, podemos ir amanhã cedo a São Marcelo, caso tenhas tempo disponível.

— Eu também vou — disse Beatriz, resolutamente.

Observando a atitude da neta, o velho Jaques lembrou:

— Será melhor irmos todos. Além de atender a uma obrigação agradável, creio que faremos belo passeio, em arrabalde que pouco conhecemos.

O chefe da família concordou alegremente, apesar da objeção que a esposa fazia com o olhar.

No dia imediato, por volta das dez horas, elegante carruagem entrava na ruazinha modesta em que Madalena curtia a sua pobreza. Muitos moradores entreolhavam-se espantados.

Arrancada por Luísa da cabeceira da enferma, cuja agonia se prolongava dolorosamente, Alcíone foi à porta atender a quem a chamava com tanta insistência. Reconhecendo que os Davenports se aproximavam sorridentes, seu primeiro impulso foi recuar, tal o assombro. Nunca encontrara na vida momento tão amargo. Quis caminhar, sorrir, mostrar-se calma e, no entanto, seus lábios se prenderam, enquanto estranho palor[57] lhe cobriu a face num ricto de espanto. O coração batia-lhe descompassado. Que iria suceder em tais circunstâncias? A agonizante, desde a madrugada, falava em voz alta da chegada do esposo. Impossível evitar que os Davenports a ouvissem. Num ápice, porém, lembrou-se do seu contato com as lições de Jesus e procurou dominar-se. Certo, o Evangelho não seria apenas um roteiro para os momentos fáceis. Era indispensável provar-lhe o valimento em todas as situações da vida. Olhou instintivamente o céu e disse consigo mesma: "Senhor, ajudai-me a compreender vossa divina vontade!"

Seu desfalecimento durara um instante. Energias cariciosas balsamizavam-lhe o coração dorido e ansioso. Não lhes podia determinar a fonte, mas estava certa de que Jesus lhe enviava sua bênção.

Nesse comenos, os visitantes já estavam junto dela, menos risonhos, por haverem percebido na sua atitude algo de grave, que não podiam prever.

— Que foi, Alcíone? — perguntou Susana preocupada, abraçando-a. — Assim tão pálida? A doente piorou?

Mais calma, a jovem teve forças para murmurar:

— Mamãe está expirando.

Cirilo e Jaques, sinceramente compadecidos, abraçaram-na comovidamente. Beatriz, como se desejasse prestar serviço imediato, adiantou-se ao grupo, varando casa adentro. Alcíone acompanhou-os à pequena sala de visitas, que dava justamente para o quarto da agonizante, convidando-os a sentar-se, com a gentileza que lhe era inata. Percebendo o empenho que tinham em socorrê-la naquele transe, seu primeiro desejo era correr ao quarto de sua mãe e esconder as lembranças paternas, que lá estavam em cima da mesa, mas Susana e Cirilo, poderosamente atraídos para o quarto da agonizante, levantaram-se procurando lá entrar, no intuito de prestar qualquer auxílio.

A moça empalideceu e exclamou:

— Por favor, não entrem agora!

---

[57] N.E.: Palidez.

A voz timbrava um mundo de aflições que ninguém poderia perceber. Cirilo, porém, afagando-lhe a cabeça num gesto afetuoso, tentava dissipar-lhe a inquietude:

— Não te acanhes, minha filha! Tuas dores são nossas também!

Ela os acompanhou quase cambaleante.

Nesse momento, Madalena deu um grande grito, misto de emoção e júbilo.

— Cirilo! Cirilo! — bradou, julgando-se visitada por uma sombra. — Por que demoraste tanto? Ai! Que longos anos de separação, que noites de angústia! Mas, agora, me levarás contigo para o mundo onde não existem nem sorvedouros, nem mar!...

O casal dava mostras de profundo terror. Magnetizado por estranha força, o filho de Samuel colou-se à cabeceira do leito. Não podia enganar-se. Era Madalena, sim, envelhecida e semimorta. As mãos de cera, as rugas do rosto, a cabeleira maltratada de moribunda não revelavam a carinhosa e bela companheira da mocidade, mas aqueles olhos profundos e lúcidos, a voz inesquecível não podiam deixar qualquer dúvida.

— Que vejo? Que vejo eu? — murmurava o negociante de fumo, terrivelmente surpreendido.

Madalena como que alucinada de alegria e de dor, estendia-lhe as mãos cadavéricas, exclamando:

— Vê como Alcíone cresceu. Moça e bela!... Nunca contemplamos juntos a nossa filha! Ela foi o meu consolo na viuvez, o meu refúgio nos dias de saudade... Vê nossa casa como está pobrezinha! Mas Deus habita conosco em santa paz! Antes que a notícia da tua partida para o Céu me chegasse aos ouvidos, eu já havia perdido tudo da nossa felicidade de outros tempos... Fiquei só, Cirilo, mas Jesus começou a restituir-me a ventura que desaparecera... Não haverá no mundo hora mais feliz do que esta em que nos reunimos, para sempre, depois de tão longa separação...

Alcíone, revelando poderosa energia moral, aproximou-se da genitora, enxugou-lhe o suor e afagou-a murmurando:

— É preciso acalmar-se, mamãe...

— Não estou alucinada, filhinha — retrucava Madalena de olhos fulgentes —, não vês o que vejo no limiar da morte... Ainda não podes divisar as feições de teu pai, que voltou do sepulcro para me levar com ele...

— Minha mãe tem experimentado longos delírios — exclamava Alcíone timidamente.

Mas, voltando-se para os dois circunstantes, observou que Susana, lívida de mármore, ajoelhava-se, enquanto o genitor fixava a agonizante com ares de alucinado.

— Tua lembrança — continuou a dizer Madalena, dirigindo-se ao esposo — sempre andou conosco, em tudo e em cada dia. Ali estão os teus cadernos de anotações, tua *Bíblia*, o livro de contos irlandeses...

Cirilo Davenport esboçou um gesto de profundo espanto, como a registrar a confirmação da tremenda surpresa.

— Estão limpos e intactos... — prosseguia a agonizante, dando satisfações do seu cuidadoso dever. — Todas as semanas, repetíamos o trabalho de conservação e limpeza, com o pensamento em ti, para que nos visses lá do Céu!

O filho de Samuel, mudo e trêmulo, aproximou-se da mesa. Sua palidez aumentava à medida que ia reconhecendo antigas notas de trabalho em Sorbonne.

Susana, a seu turno, jamais poderia definir a angústia que lhe oprimia o coração. Via o que nunca poderia prever na sua perversidade de outrora. Madalena Vilamil ali estava à sua frente, desafiando-lhe a consciência onusta de acerados remorsos. Anos de angustiosa expiação íntima haviam passado. Quantas vezes procurara, à sombra dos altares, um bálsamo para as torturas do coração? Tudo inútil! Apenas, naqueles últimos tempos, conseguira um farrapo de esperança com o culto doméstico em que Alcíone esclarecia tão bem o problema das fraquezas humanas e da bondade de Deus. Agora, entretanto, sentia-se convocada ao testemunho pungente. Somente agora compreendia a primeira impressão de repulsa quando Alcíone lhe entrara em casa, simpatizada por todos. Era impossível que ela ignorasse o segredo terrível. Contudo, pelas palavras da agonizante, pela situação geral, compreendera que a filha de Madalena dispusera-se a um sacrifício quase sobre-humano. Filha de Cirilo, suportara o papel de serva em sua casa e vítima do seu crime, nunca levantara a voz para fazer a mínima acusação... Quem teria dado forças àquela criatura tão simples, para tolerar tamanho opróbrio do destino, sem um gesto de indignação e desespero? A filha de Jaques lembrou as magníficas inspirações no culto doméstico do Evangelho. Alcíone sempre se referira a Jesus como divino hóspede do seu coração. Do Mestre é que devia escorrer o manancial de tantas energias. E foi assim, ali, defrontando sua vítima nas vascas da morte, que a infeliz criatura experimentou sincera e dolorosa contrição. Os sofrimentos de Madalena e os heroísmos de Alcíone falavam-lhe muito alto daquele Cristo, que tantas vezes lutara por compreender, sem resultados apreciáveis. Entendia, afinal, que um exemplo, às vezes, podia substituir um milhão de palavras. Naquele momento, por certo, Jesus lhe impunha a confissão do crime nefando. Angustiosa batalha travava-se-lhe no íntimo atormentado. Onde estaria Antero de Oviedo, o comparsa da trama sombria? Não seria melhor atribuir-lhe a culpa do feito execrável? A família Davenport estava certa de que ela apenas assistira à morte de D. Inácio. Sempre afirmara ter chegado a Paris no dia seguinte ao sepultamento da rival e para comprová-lo tinha o documento do cemitério. Seu velho pai era testemunha da sua saída de Blois e podia conferir mentalmente a data da sua chegada a Paris. Ela também já havia lutado muito. O consórcio, não obstante a vida de fausto que levavam, nunca lhe dera a felicidade ardentemente esperada. Alguns fios brancos já lhe riscavam a cabeleira, traduzindo o cansaço da vida. Não seria, também, mais acertado preservar a ventura de Beatriz, isentando-a da venenosa recordação de uma mãe ignóbil? E seu venerando pai? Como receberia a confissão dolorosa? Nessa terrível batalha em que os impulsos inferiores propendiam para exibir uma falsa inocência, para que o sobrinho de D. Inácio fosse o único culpado, Susana Davenport sentia-se morrer. Daria mil vezes a vida para tomar o leito da agonizante e entregar-se à morte em seu lugar. Quando o mal estava a pique de triunfar concretizado em ato extremo, ela relembrou o vulto de Alcíone nos seus sacrifícios diários. Quanto não teria sofrido a pobre menina para suportar o serviço a que fora conduzida, talvez ignorante de que, ao procurar a subsistência, batia à porta do próprio pai? E Madalena? Quantas privações duras e amargosas não deveria ter experimentado? Acerbo sentimento de pejo empolgou-a inteiramente. Sentiu-se, depois, envolvida nas alocuções evangélicas do culto familiar. Jesus estava sempre pronto a acolher os desamparados, os falidos, os criminosos e impenitentes do mundo, mas não era lícito recalcitrar. O Mestre fornecia recursos à retificação dos erros; entretanto, o maior dos crimes deveria ser o reincidir no mal, perante o Mestre, tendo a noção de seus ensinamentos. Um vulcão de lavas ardentes rompia-lhe do peito, devorava-lhe o cérebro em cachoar de brasas vivas.

Em meio a tanta desolação íntima, dúlcida voz lhe falava à consciência dilacerada: "Confessa! Confessa e acharás o caminho para Deus...".

Nesse instante, Cirilo Davenport, aterrado com os documentos que revirava nas mãos, voltou-se para Alcíone, buscando esclarecimentos, mas, vendo-a tão calma e transparente de candura, desistiu de lhe magoar o coração tão cedo sacrificado e dirigiu-se automaticamente a Susana, que se mantinha muda e genuflexa.

Alcíone percebeu que se iniciava o penoso processo de reparação e aclaramento e sentou-se ao lado de sua mãezinha, murmurando com carinho:

— Quem sabe, mamãe, a senhora desejará um pouco d'água?

— Não... não... — dizia a agonizante, parecendo interessada em não perder de vista a silhueta de Cirilo. — Onde está Robbie? Quero apresentá-lo a Cirilo como nosso filho de criação...

Cirilo, porém, profundamente acabrunhado, retirara-se a um canto do quarto, onde Susana continuava ajoelhada.

— Que pensa de tudo isso? — inquiriu ele, extremamente pálido.

Ela teve a impressão de que aquela voz era um libelo[58] terrível. Como se despertasse de medonho pesadelo, respondeu confusa:

— É ela!

— Mas... explica-te — insistiu, transfigurado pelo sofrimento.

A filha do professor de Blois, no último esforço para vencer-se a si mesma, olhou para Alcíone como a buscar na sua efígie a energia precisa à confissão dolorosa, afirmando em seguida:

— Foi o maior crime da minha vida!

Cirilo fez um esforço inaudito para não baquear aturdido.

— Que diz? — perguntou aterrado.

Mas Susana enterrara novamente a cabeça nas mãos; e o marido, cambaleante, deu alguns passos, abriu a porta e chamou o velho Jaques. O venerando ancião, pela fisionomia estuporada do sobrinho, compreendeu de relance que algo havia de muito grave. Beatriz ficou só, folheando um livro.

— Meu tio — exclamou Cirilo amargamente, designando a agonizante —, esta é Madalena e Alcíone é minha filha!

O velho Jaques estuporou-se também. Era ela, sim! Não obstante o abatimento físico da extrema hora, identificava a filha de D. Inácio Vilamil,

---
[58] N.E.: Acusação.

detalhe por detalhe. E sentia-se estrangulado pela surpresa angustiosa. Dava a impressão de se haver petrificado pelo sofrimento. Queria amparar Cirilo, mas todo o corpo lhe tremia ao impulso da violenta comoção. Foi o próprio sobrinho quem lhe deu a mão, impedindo-o de tombar, ali mesmo, diante da agonizante. Nesse instante, porém, Jaques orou com fervor jamais sentido em toda a vida, exorando forças para atender à amarga conjuntura do momento. Passado o primeiro choque, teve forças para interrogar:

— Como se explica isso?

A filha levantou-se, em pranto convulsivo, emocionada com o testemunho inelutável, e, arrostando a angústia paterna, abraçou-se ao velho genitor, como a procurar o perdão de um espírito sempre generoso.

— Meu pai!... Meu pai! — clamava entre lágrimas.

Foi aí que Cirilo, respondendo à pergunta do tio, exclamou quase sufocado:

— Suzana deve saber tudo!... Já me afirmou que esse foi o maior crime de sua vida!

O velhinho, estupefato, recordou maquinalmente a remota noite de Blois, quando a filha se agastara com a sua adesão ao projeto do sobrinho de esposar a senhorita Vilamil. Parecia-lhe ter diante dos olhos o quadro que o tempo não conseguira esfumar, ouvindo a confissão de Susana de que também amava o rapaz. Relembrou as suas atitudes no lar, a ojeriza constante à Madalena, a insistência em desposar o primo viúvo, lá nas plagas americanas.

De pronto repassou a tela das reminiscências vivas, para fixar depois o olhar na agonizante e na filha, considerando a dolorosa jornada de ambas. De que paragens de dor chegava Madalena Vilamil até ali, com as rugas lavadas de lágrimas e coberta de cãs prematuras? Pelas informações de Alcíone, deveria ter vivido muito tempo na Espanha... Quem a teria conduzido a regiões tão distantes? A exemplificação da filha constituía, naquele momento, um atestado de glória espiritual. Somente agora compreendia o suave e irresistível magnetismo que ela exercia sobre todos os de casa. Era preciso, entretanto, ter um coração perpetuamente unido a Deus para praticar o amor qual o fazia a jovem humilde, que ali se encontrava em atitude confiante, no cumprimento de um dever tão sagrado quão doloroso. O quadro o impressionava para sempre. Ponderando tudo isso, Jaques Davenport convocou as suas possibilidades morais para conservar a serenidade imprescindível e obtemperou com afetuosa energia:

— Avalio que ação negra se mascara por detrás da nossa angústia!

E, observando que os dois se achavam incapacitados de dominar a própria emoção, lembrou sensatamente:

— Deus nos está mostrando o ígneo bulcão de amarguras em que Madalena consumiu as energias de esposa e mãe! Podemos imaginar que espécie de infâmia lhe argamassou o infortúnio. Mas penso que se a pobrezinha foi reduzida a tamanha expressão de sofrimento, em toda a vida, não devemos perturbar-lhe o sono da extrema hora. É preciso defender a paz dos mortos!

Ditas essas palavras, dirigiu-se à filha, exclamando:

— Vai-te para casa com a Beatriz. Depois falaremos.

E, voltando o olhar para o sobrinho, murmurava comovido:

— Quanto a ti, meu filho, que Deus te dê forças!

Susana contemplou, pela última vez, Madalena no seu leito de morte e encaminhou-se para a porta, vacilante. Beatriz, que esperava calmamente na sala, não dissimulou o espanto ao ver a transfiguração da genitora.

— Que foi, mamãe? — interrogou ansiosa.

— Não te assustes — esclareceu a infeliz com dificuldade —, a mãe de Alcíone está expirando... Vamos. Teu pai e teu avô ficam até mais tarde.

— Pobre Alcíone! — murmurou a mocinha ingenuamente.

Enquanto a carruagem regressava, depois do meio-dia, no quarto modesto de Madalena Vilamil a cena dolorosa continuava. Jaques identificou um por um os papéis que estavam sobre a mesa. Depois de muito lagrimar, sentou-se contemplando a agonizante, com grande amargura. Sufocado de dor, o esposo apoiava-se no leito mortuário, como querendo galvanizar as últimas manifestações da agonizante com indomável ansiedade. Jamais Cirilo conhecera pranto tão acerbo. Obedecendo às reclamações insistentes da genitora, Alcíone trouxe Robbie ao aposento.

— Este, Cirilo — dizia a agonizante, exânime —, é também nosso filho pelo coração... Criei-o amorosamente desde o dia em que nasceu... Ajudar-me-ás a pedir por ele aos pés de Jesus! Nunca o deixaremos só!

E, dando a impressão de querer consolar o rapazinho, acrescentava:

— Estás vendo, Robbie? Por que temer os padecimentos do mundo, se temos outra vida? Não dês importância aos que te escarneçam, meu filho! Tudo passa na Terra!... Por que haverás de permanecer em tristeza no mundo, quando sabes que te esperamos no Céu?

Fez uma longa pausa, que ninguém se sentia com coragem de interromper. Ao cabo de alguns instantes, acentuava com placidez inconcebível, dirigindo-se ao filho adotivo:

— Toma a bênção a teu pai, Robbie! Pede-a também ao amigo que o acompanha![59]

Então, verificou-se a cena tocante, que provocava novo contingente de lágrimas copiosas. Com sincera humildade, o pequenote atendeu, beijando a mão dos dois homens para ele desconhecidos.

O filho de Samuel contemplou-o comovido. Jamais poderia dizer por que o pequeno descendente de escravos o atraía tão fortemente. Num gesto espontâneo, abraçou-o com ternura e murmurou:

— Serás também meu filho!

Decorreram longas horas, pesadas, tristes.

À tarde, Madalena Vilamil pareceu mais serena e mais lúcida. Em dado instante, chamou a filha e declarou:

— Minha mãe e padre Damiano também chegaram... é o momento de partir...

Alcíone recordou a revelação da véspera e ajoelhou-se. Em preces silenciosas, rogou a Jesus recebesse a genitora em seu Reino de Verdade e de Amor, que lhe atenuasse as últimas amarguras. A agonizante manifestou desejos de confortar a filhinha, formulando carinhosas promessas de amor maternal; contudo, seus lábios apenas denunciavam o esforço supremo. Em profundo desespero íntimo, Cirilo estendeu-lhe a mão, que ela apertou fortemente, como a selar uma eterna aliança e, aos poucos, entregava-se ao grande sono.

Belos tons de crepúsculo invadiam a Natureza, quando Madalena partiu. Pesada angústia desabara sobre a casa de São Marcelo, onde se ouvia a voz de Robbie em dolorosos lamentos de criança inconsolável.

O velório teve a presença de numerosos vizinhos, tão pobres quanto a família Vilamil.

No entanto, Cirilo Davenport, embora taciturno e desesperado, tomou todas as providências que a situação exigia. A modesta vivenda encheu-se de servas improvisadas, proporcionando à Alcíone e à velha Luísa o repouso de que necessitavam. O cadáver foi amortalhado regiamente.

---

[59] Nota de Emmanuel: Madalena Vilamil permanecia entre as impressões de dois mundos, como acontece à maioria dos moribundos.

As pessoas presentes, que tinham relações com a morta, surpreendiam-se em face de tamanha generosidade.

O esposo de Madalena Vilamil não saberia explicar o seu estado íntimo. Mil pensamentos lhe turbilhonavam no cérebro incandescido. Tinha ânsias de conhecer todos os informes de Susana, para avaliar a natureza da sua falta e puni-la sem quartel.[60] Procurava recordar as lições do culto doméstico, concernentes à confiança em Cristo e ao perdão, mas os ensinamentos evangélicos pareciam-lhe agora envolvidos em nuvem distante. A ideia de uma reparação à esposa, ofendida e sacrificada, era a nota dominante no seu espírito. Procuraria conhecer toda a extensão do crime que reduzira a companheira a situação tão amarga, castigaria severamente os algozes. Desejava aproximar-se das recordações filiais, sentando-se junto de Alcíone com a poesia do seu coração de pai, mas era indispensável resolver primeiramente o caso da esposa traída. Depois de tranquilizar a consciência, então elevaria Alcíone ao merecido altar. Aquilatava-lhe o valor moral, a grandeza dos sentimentos. Quanto não teria sofrido antes de fazer-se simples cantora da rua, qual a encontrara pela primeira vez?! Ele ainda não sabia entregar a Jesus as situações sem remédio no mundo, desejava dar uma satisfação plena ao seu amor-próprio ofendido. A seu ver, impunha-se, antes de tudo, restabelecer a honra pessoal. Submerso em amargura sombria, passou a noite vígil, sem um momento de tréguas à mente incendiada por ideias quase sinistras. Que fizera Madalena durante tantos anos na Espanha? Quem havia forjado a burla da sua morte? Como vivera em separação tão amarga? As conjeturas atropelavam-se-lhe no cérebro, sem resposta. Depois de uma consulta ao Cemitério dos Inocentes, recebia na manhã seguinte a notícia de que era impossível abrir um túmulo na mesma zona onde se haviam sepultado os variolosos de 63. Embora não pudesse satisfazer o desejo de inumar a morta inesquecível ao lado dos despojos do fidalgo espanhol, ordenou que o funeral se fizesse com o destaque possível. Alcíone acatou-lhe os mínimos desejos, com humildade. Padre Amâncio, solícito, cuidou de todos os pormenores, sem disfarçar a surpresa que a atitude dos Davenports lhe suscitava.

Quase à noitinha, grande carro estacionou junto ao palacete da Cité. Dele apeavam-se Jaques e Cirilo, acompanhados de Robbie e

---

[60] N.E.: Sem trégua.

Alcíone. Na antiga casinha de São Marcelo, apenas ficara a velha serva, aguardando solução definitiva a seu respeito.

Cirilo demandou o ambiente doméstico, assomado de poderosa inquietação. Susana recebeu-o desfigurada, abatida, parecendo haver envelhecido vertiginosamente.

— Não temos tempo a perder — disse ele com expressão rancorosa —, precisamos ouvir-te na sala de leitura. Onde está Beatriz?

— Por piedade! — exclamou ela, desesperada. — Poupa-me a vergonha de apresentar-me à nossa filha como criminosa!

— Não posso — respondeu Cirilo inflexível —, ignoro que providências terei de tomar para desobrigar-me com a minha consciência e não quero que Beatriz mais tarde possa julgar-me injustamente.

Muito pálida, Susana encaminhou-se ao local indicado. Nesse momento, a pedido de Alcíone, Robbie era recolhido ao leito por um velho criado.

Daí a minutos, a filha de Madalena, muito constrangida, figurava ao lado dos Davenports para as investigações amargas. Depois de sentados, Cirilo dirigiu-se a Beatriz nestes termos:

— Minha filha, ontem tivemos a revelação de que Alcíone não é tua governanta, e sim irmã mais velha. A agonizante que fomos visitar, e que o túmulo recebeu hoje à tarde, era minha primeira esposa — Madalena Vilamil! Nunca pude saber o drama cruel que se formou no meu caminho, mas tua mãe, que deve ter lembranças bem nítidas do passado, vai expor certos fatos que nos poderão esclarecer.

A jovem Davenport tornou-se lívida. Jamais pudera imaginar que, por trás da felicidade doméstica, dormissem angústias como a daquela hora inesquecível.

Susana, que se assentara um tanto afastada, afigurava-se antes uma ré acabrunhada e aflita, sem saber como iniciar a confissão do seu crime.

O velho Jaques, referto das experiências da vida, contemplava a filha num misto de dor e de vergonha. Cirilo tinha os olhos fuzilantes de ansiedade. Alcíone recolhia-se em preces fervorosas no santuário do coração.

A infeliz criatura começou, dificilmente, a revelar, detalhe por detalhe, a enorme culpa da sua vida. De vez em quando, um soluço abafado a interrompia. A confissão prolongava-se por mais de uma hora, e, como se obedecesse a poderosos imperativos da consciência, Susana não omitiu a menor particularidade. Emocionadíssima, pintava os seus estados da alma na época em que estudava todas as possibilidades do plano criminoso para conquistar definitivamente o homem amado. Minudenciou as atitudes de Antero Oviedo, descrevendo os antecedentes de suas relações com ele, os passeios que faziam e nos quais o sobrinho do fidalgo espanhol dava-lhe a conhecer a imensa paixão pela prima. Por fim, em frases comovedoras, narrou as cenas da varíola de 63, a visita ao Cemitério dos Inocentes, as sugestões sinistras que um nome lido ao acaso, no velho registro de notas fúnebres, lhe suscitara.

Quando terminou, sob o olhar aterrado do genitor e do companheiro, e com os soluços abafados das duas jovens, ajoelhou-se e suplicou:

— Conheço a vileza do meu crime e Jesus, que me preparou a alma para fazer esta confissão dolorosa e horrível, é testemunha dos longos sofrimentos que tenho amargado. A paixão me levou ao desvario de comprometer para sempre a paz de minha alma. Realizei o louco intento, vali-me de todos os recursos, meus e de meus amigos, para esposar Cirilo, crente de que, aparceirada com Antero, poderia corrigir um erro do destino. Mas a verdade é que nunca encontrei um ceitil da felicidade ardentemente desejada... Os criminosos não podem lograr, nunca, a realidade do seu ideal. Aprendi cruelmente que não pode haver paz fora do dever cumprido; que não há alegria sem aprovação da consciência tranquila. É verdade que infelicitei Madalena com a minha insânia de amor, mas não o é menos que lhe invejo agora a calma espiritual, a fé sincera e confiante com que se entregou a Deus no último transe! Ai de mim! O conforto material que o mundo me concedeu é uma ironia da sorte. Para mim, que atravesso a vida taganteada[61] pelo remorso impiedoso, os palácios são túmulos dourados, tudo se resume em punhados de sombra e de miséria! Sei que perante Beatriz sou mãe desnaturada e alma mesquinha; que perante meu pai sou a imagem da ingratidão imperdoável; que perante Alcíone sou mulher sem coração! Para Cirilo não passarei de malvada e diabólica, mas, se puderem, peço de joelhos que me ajudem o espírito cansado, com o perdão da imensa falta! Não sei quantos anos me restam de vida neste mundo, mas prometo-lhes humilhar-me a todo instante, penitenciar-me como serva de todos, a fim de trabalhar pela minha salvação... Jesus, que me deu a coragem de confessar o crime, não me há de faltar com as energias necessárias ao esforço regenerador!

---

[61] N.E.: Chicoteada, açoitada.

Nesse momento, fez uma pausa mais longa. Jaques, estático, permanecia calado; Alcíone e Beatriz choravam amargamente. O marido infelicitado, porém, parecia dementado pela dor. Olhos arregalados como a fitar o passado de sombras, Cirilo Davenport transportara-se em espírito ao ano de 1663, esquecera momentaneamente todos os trabalhos e deveres das segundas núpcias. À sua frente via Madalena ultrajada, humilhada, perseguida. Sentia-se rodeado de inimigos implacáveis, que se haviam alojado em seu próprio coração. A ideia de vingança se lhe embutira no cérebro com vigor incoercível. Apesar dos conhecimentos evangélicos, não podia libertar-se da velha concepção que impunha lavar com sangue a dignidade ferida. Pela primeira vez, experimentava o supremo ultraje ao nome, à honra pessoal, ao amor-próprio ofendido.

Enquanto se perdia em dolorosas reflexões, Susana fixou nele o olhar e exclamou compungidamente:

— Perdoa-me e terei forças para me transformar!

Soluços amargos acompanharam o apelo. Mas o filho de Samuel, com feições de louco, sacou de um punhal e, cambaleando e rugindo ameaçadoramente, acercou-se da postulante, bradando:

— Não há perdão para o teu crime, Susana! As víboras hediondas devem ser esmagadas.

Entretanto, num ápice, Alcíone colocou-se entre ele e a infeliz. Observando a atitude impulsiva e resoluta do genitor, abraçou-se à filha de Jaques e, quando viu que a mão armada ia desferir o golpe, exclamou com acento inesquecível:

— E Jesus, meu pai?

O braço ultriz pendeu inerte. Era preciso recordar aquele que não desdenhara o madeiro infamante. Cirilo sentiu-se apossado de estranhas e novas sensações. Pela primeira vez, Alcíone lhe chamava "meu pai". Por que não lhe seguir a exemplificação de sofrimento e sacrifício? Madalena havia partido em paz. Quem sabe poderia acompanhá-la na mesma tranquilidade de coração? Por que arruinar o porvir com uma ação execrável? Recordava, agora que as lágrimas lhe manavam dos olhos doridos, as lições evangélicas do culto doméstico. Ninguém poderia sanar um mal com outro mal, resgatar um crime com outro crime. O pranto corria-lhe em onda volumosa, quis andar livremente, mas uma sensação de súbito mal-estar lhe anulava as forças. Não conseguiu senão arrastar-se com dificuldade e, apoiando-se em Alcíone, que acabava de acomodar Susana no divã, entregou-lhe a arma perigosa, como a dizer que renunciava a toda ideia de vingança por suas próprias mãos. Jaques e Beatriz perceberam que Cirilo sentia algo de grave e correram a ampará-lo.

— Meu pai, meu pai — dizia a filha de Susana em tom angustiado —, não te entregues assim ao sofrimento!

Ele, porém, não mais respondeu ao chamado dos circunstantes e foi conduzido ao leito, desfalecido, em deplorável situação.

Cirilo Davenport não resistira ao sofrimento que lhe causara a revelação tenebrosa. Alguns vasos cerebrais se romperam em penhor de morte. Mais de um médico foi convocado a salvar o rico negociante de fumo, mas não houve meios de o sequestrar ao coma.

Beatriz estava inconsolável. Enquanto Jaques e Susana atendiam à situação angustiosa, no quarto do enfermo, Alcíone, considerando que a mocidade é sempre mais inquieta e inconformada, dirigiu-se ao aposento da irmã, no intuito de lhe preparar o espírito em tão graves circunstâncias. Era indispensável manter-se acima do próprio sofrimento por corrigir o que fosse possível.

— Ah! Alcíone — exclamava a mocinha soluçando —, como detesto minha mãe!

— Não diga isso! — revidava a interlocutora emocionada. — Então, Beatriz, em tão poucos momentos de provação e testemunho, já esqueceste o perdão que Jesus nos ensinou? Recorda os deveres filiais que devem ser sagrados em nossa vida!

A filha de Susana, contudo, dando expansão a velhos sentimentos, não concordava, murmurando:

— Mas a mãe que Deus me deu é desleal e criminosa!

— Por que não dizer antes que D. Susana foi doente do espírito quando lhe despontaram os primeiros sonhos da mocidade? Não seria mais nobre julgar assim? Por que, Beatriz, ver tão somente o mal, quando Jesus sempre nos inclina a ver as qualidades mais preciosas da criatura? Nesta casa, há velhas servas trazidas da América, que abençoam tua mãe todos os dias, pelos benefícios dela recebidos... Nada se perde no caminho da vida... Quem encontra forças para julgar os próprios erros já recebeu do Senhor alguma luz.

E, vendo que Beatriz se lhe conchegava ao peito, com lágrimas angustiosas, continuava:

— Não te penalizou vê-la soluçante, em confissão que nos foi particularmente dolorosa? Não lhe notaste a expressão de vergonha e padecimento quando se ajoelhou a exorar perdão? Cala as tuas mágoas e procuremos compreender a mensagem que Jesus nos destinou.

— Mas quanto haverá sofrido tua mãe em consequência desse crime?

— Sim, sofreu e lutou muito, mas hoje descansa das fadigas terrenas, abençoando, talvez, as lágrimas vertidas neste mundo. E, porque tenhamos chorado muito, será justo atormentar a mãe que Deus te concedeu?

— Ouço as tuas observações carinhosas, quero guardá-las no espírito, mas não posso! A lembrança da confissão desta noite destrói minha felicidade, alguma coisa me turva o pensamento... Desejo raciocinar, esquecendo o mal, e não posso.

— É porque ousas enfrentar as penas do mundo sem o Cristo. Estamos na Terra para adquirir ou provar alguma virtude. Na realização desse escopo não podemos desafiar a luta sozinhas! É imprescindível buscar a companhia do Divino Amigo, para sermos esclarecidas a tempo! Jesus tem uma palavra luminosa para cada situação, uma energia inspiradora a cada momento mais amargo, desde que lhe busquemos o socorro divino!

A jovem Davenport sentiu profundamente o alcance sublime da advertência e acalmou-se. Daí a instantes, voltou a dizer:

— Compreendo, sim, a elevação de teus conselhos fraternos; entretanto, não me furto ao receio de que papai não resista a esta tragédia que nos aperta o coração... Esperarei que Henrique chegue para contar-lhe o que se passa. Muitas vezes tem ele falado da possibilidade de nos casarmos breve. Se o papai não escapar da morte, concordarei, pois assim, pelo menos, poderei deixar a companhia de mamãe e oferecer ao vovô tranquilidade para o resto dos seus dias.

— Não penses tal. Não poderemos desamparar tua mãe. Quanto ao mais, nada dirás ao Sr. de Saint-Pierre. Não temos o direito de confiar a ninguém a dolorosa revelação do nosso caso. É preciso lançar a rega do silêncio e da paz à fogueira das lucubrações tormentosas, para que nossa existência não se transforme em voraginoso inferno.

Beatriz concordou.

Dentro de poucas horas o noivo aparecia cheio de interesse familiar. Outras visitas se sucederam durante a noite. Fatigadíssima, Alcíone manteve-se no seu papel de serva, em que todos a conheciam. A alvorada encontrara Cirilo moribundo. Decorridas 24 horas do tremendo choque, o filho de Samuel desprendia-se do mundo para a vida espiritual.

O palacete da Cité logo se cobriu de crepes negros. Pesada atmosfera se espalhou no solar do abastado comerciante de fumo.

No dia seguinte, o velho Jaques teve forças para providenciar o enterramento do sobrinho, ao lado do túmulo de Madalena Vilamil. O amoroso casal, que vivera separado pela astúcia maliciosa do mundo, reunia-se agora para sempre.

O funeral realizou-se com muita pompa, na tarde imediata à do falecimento. Numerosos eclesiásticos acompanharam o féretro com luxuosas exéquias. A viúva, com ares de alucinada, seguiu o cortejo amparada por Alcíone, que lhe dava o braço com zelos filiais. Mas quando os padres disseram as últimas palavras do ritual para que o corpo baixasse à campa, ouviu-se estranha gargalhada no ambiente silencioso e triste.

A assistência numerosa entreolhou-se atônita e curiosa!

Susana Davenport havia enlouquecido...

V
Provas redentoras

A vida familiar no palacete da Cité tornara-se bem amarga. A viúva Davenport perambulava pelos aposentos, dementada e combalida. O velho Jaques, dominado pelos dissabores acerbos, vivia entre o leito da decrepitude e as lágrimas sem consolação. Beatriz, na sua mocidade cheia de sonhos, ainda não saíra da penosa estupefação, dando mostras de singular abatimento.

Foi aí que Alcíone fez valer as virtudes da sua fé, por maneira a satisfazer plenamente os novos deveres. Nunca abandonava Susana, de quem se fizera enfermeira dedicada e afetuosa. Robbie continuava trabalhando em São Jaques, vindo somente três vezes na semana visitar a irmã adotiva, sempre mergulhado em profunda melancolia.

Certa ocasião em que o velho professor entabulou com o rapaz uma palestra mais longa, Alcíone foi chamada pelo generoso velhinho, que a interpelou carinhosamente:

— Não posso consentir que o nosso Robbie continue ausente desta casa por motivos de serviço. Considero mais acertado que deixe a igreja de São Jaques do Passo Alto, vindo morar conosco. Não podemos esquecer que ele é teu irmão, isto é, filho adotivo da nossa querida morta.

— Sim — respondeu a jovem, solícita —, nada tenho a opor, mas olhe que seria uma falta grave privar meu irmão dos benefícios do trabalho.

— Mas Robbie, Alcíone, é muito doente para desdobrar-se em tantas ocupações.

— Mas o senhor não está de acordo comigo, relativamente às vantagens de uma vida laboriosa? Não quero parecer cruel, antes quero reconhecer a magnanimidade do seu coração, com semelhante lembrança, mas o amor ao trabalho é uma das mais nobres heranças que mamãe nos deixou. Basta lembrar que, embora paralítica, ela costurou por muitos anos para nos criar e manter. Além do mais, é sempre útil ao enfermo entreter-se com alguma coisa. A inatividade costuma induzir-nos a falsas apreciações dos desígnios de Deus, a impaciências, a desesperações e rebeldias...

Percebendo que o amoroso ancião anotava-lhe mentalmente as palavras com sincera atenção, acrescentava, dirigindo-se ao rapaz:

— Não é verdade que sempre ganhaste muito com a dedicação ao trabalho, Robbie?

— Sim, isso é incontestável.

Mas, deixando perceber que desejava umas tantas alterações de regime, acrescentou:

— Entretanto, se possível, gostaria de transferir-me de São Jaques para outra parte. As recordações de São Marcelo me acabrunham e, depois, aquelas crianças irônicas muito me atormentam com os dichotes e indiretas.

— Ora, Robbie — disse Alcíone com bondosa austeridade —, ainda te preocupas com as tolices de meninos ignorantes?

— Estão sempre a tecer comentários dos meus aleijões...

— E que tem isso? Quando cumprimos nosso dever perante Deus e a consciência, a grosseria ou a ingratidão dos outros são relegadas ao baixo plano a que pertencem.

O bondoso ancião acompanhava a neta admirado de ver como conseguia aliar tão facilmente a energia à meiguice.

— Se invocas as lembranças de São Marcelo — prosseguiu a moça ternamente —, dando-me a entender tua saudade de mamãe, recorda que ela cumpriu o seu dever até o fim, nunca nos pediu uma casa mais confortável, nunca reclamou contra as águas da chuva que invadiam nosso quarto, conservou-se de agulha na mão enquanto Deus lhe permitiu a graça de trabalhar, enriquecendo o nosso esforço... Os aleijões do corpo, Robbie, são melhores que os da alma.

O rapaz experimentou certo abalo ao ouvir as últimas palavras. Reconhecendo-lhe a estranheza, Jaques procurou intervir carinhosamente:

— Alcíone tem razão — exclamou atencioso —, o trabalho é uma bênção de Deus. Não te deves agastar, meu caro Robbie, com os obstáculos encontrados. Todos nós temos uma dificuldade a vencer na vida. O próprio Jesus não caminhou sobre flores.

E, dirigindo à neta um olhar significativo, murmurava:

— Apesar disso, minha filha, espero não te aborreças se eu pedir a Henrique a colocação do rapaz mais próximo de nós. Poderá, por exemplo, empregar-se nos serviços de São Landry.

O filho adotivo de Madalena agradecia com a expressão satisfeita, enquanto a jovem concordava:

— Não tenho objeção a fazer, desde que Robbie continue a descobrir, cada dia, a grandeza do espírito de serviço.

Daí a alguns dias, Henrique de Saint-Pierre, o noivo de Beatriz, conseguia a mudança desejada, com grande júbilo para o rapaz, que se transferiu definitivamente para a Cité, podendo assim ficar em contato diário com a irmã adotiva.

A dedicação de Alcíone à viúva Davenport era um exemplo vivo de amor, a calar fundo no coração dos familiares. A própria Beatriz parecia mais concentrada nos problemas graves da vida. Aquele ar de despreocupação, que lhe caracterizava a juventude, desaparecera. Tornara-se mais acessível aos criados, ouvia com interesse as advertências do avô, que não se sentia muito encorajado a prosseguir enfrentando as borrascas fortes do mundo. O noivo notara, satisfeitíssimo, aquela transformação. A jovem Davenport aliava, agora, à beleza juvenil, larga dose de reflexão ao cogitar dos problemas do destino e do sofrimento. A dor abrira-lhe novas possibilidades de inspiração religiosa. A perturbação mental da genitora impedia o culto doméstico, tais as condições precárias do seu organismo, mas, sempre que lhe era possível, lia e meditava longa e atentamente o Evangelho de Jesus. Sua conversação tornara-se mais rica e substanciosa. Alcíone tinha com isso grande consolo.

Havia um mês que morrera Madalena Vilamil.

O estado mental da viúva apenas se agravara. Noites inteiras passava ela em gritos alarmantes, em sinistras visões. Alquebrado pelos anos, cheio de achaques e mais pelos desgostos profundos que lhe golpearam o coração, o tio de Cirilo esperava a morte resignado. Beatriz atendia aos múltiplos encargos domésticos e apenas Alcíone velava pela doente, com as suas infinitas reservas de amor cristão.

Às vezes, alta noite, a demente sacudia-a com gestos de pavor:

— Vês, Alcíone? Satã vem chegando com as suas sentinelas perversas! Ah! que desejam de mim? Já confessei tudo... Esta casa não é lugar de demônios! Voltem para os infernos!...[62]

E rojava-se de joelhos, exclamando:

— Deus me livrará das fúrias do maligno. Porque confessei a verdade, Satanás persegue minha alma! Não a levarás, bandido!

— Não se exalte, senhora Susana — observava a moça com doçura. — Vamos orar pedindo a Deus calma e resignação. Tranquilize-se! O poder das trevas se anula ante a luz divina. Vamos fugir para os braços de Deus, como as crianças que buscam o colo materno quando uma fera se aproxima!

Suplicava a proteção de Deus, em voz alta, no que era seguida, palavra por palavra, pela infeliz demente.

Terminada a rogativa, Susana mostrava-se mais calma, agradecia com sorrisos infantis e ponderava:

— Só o teu coração compreende as minhas necessidades! Todos me dizem que estou alucinada, que não vejo senão perturbações do meu próprio espírito! Meu pai me manda reagir sem que eu possa fazê-lo; minha filha crê que eu esteja sendo vítima de ilusões! Entretanto, Alcíone, o demônio vem sempre ao meu quarto tripudiar do meu remorso intraduzível! Quando oras comigo, ele se prontifica a sair, mas faz um sinal dando a entender que voltará no primeiro ensejo.

— Acalme-se, senhora; procure pensar na magnanimidade da Providência Divina. Quando se aproximarem os maus Espíritos, ofereça-lhes um pensamento de sincera confiança no Altíssimo. Peçamos-lhes perdão pelo mal que acaso lhes tenhamos feito em outras eras, humilhemo-nos recordando Jesus, que era imaculado e aceitou a cruz imposta pelos algozes...

A enferma escutava-lhe as exortações carinhosas, de olhar desvairado, e respondia:

---

[62] Nota de Emmanuel: Todas as manifestações de Espíritos obsessores, no tempo antigo, eram tomadas à conta de aproximação de Satanás.

— Teus conselhos são justos... Sabes que meu estado não é apenas uma alucinação...

— Sim, a senhora não mente.

Ao ouvi-la, Susana Davenport, em pleno desequilíbrio das faculdades mentais, exibia olhares mais estranhos e replicava, com os seus remorsos pungentes:

— Já menti quando sacrifiquei tua mãe, mas agora desejo só a verdade. Porque deixei a falsidade, Satanás me atormenta...

— Tudo isso, porém, passará depressa! — esclarecia a jovem pacientemente.

— Sim, passará... passará... — concluía a enferma, atenuando a exaltação.

Em seguida, a filha de Madalena vigiava, em prece, até que a mãe de Beatriz conseguisse adormecer.

O ambiente doméstico continuava carregadíssimo.

Numa noite de grandes perturbações, Susana dirigiu-se à carinhosa enfermeira, em pranto convulsivo:

— Não me deixes ir para o cárcere! Já estou sendo castigada rudemente, minha santa menina! Não será melhor que a morte me colha aqui mesmo, como lição para todo o mundo? Muita gente na Cité há de evitar o pecado quando souber que estou morrendo atormentada, no seio das coisas que pertenciam a tua mãe!

— Não pense nisso! — dizia a interlocutora generosa, tranquilizando-a. — Ninguém a levará daqui. Esta casa é sua e pessoa alguma poderá atentar contra os seus direitos.

— Hoje — voltava a exclamar a louca de olhos esgazeados — vi o infame Padeiro[63] aproximar-se de meu pai e soprar-lhe alguma coisa aos ouvidos... Daí a momentos, ele e Beatriz declaravam-se resolvidos a me afastar de casa.

— A senhora ficará comigo — murmurou a jovem Vilamil, consolando-a —, não precisa inquietar-se porque, antes de tudo, Deus nunca nos abandonará.

Com efeito, no dia imediato, ao almoço, dando a impressão de que houvera pensado muitíssimo, antes de apresentar a proposta, Jaques falou muito trêmulo:

---

[63] Nota de Emmanuel: O povo de Paris dava ao Espírito das trevas a designação de Padeiro, a fim de não pronunciar a palavra "Diabo".

— Minha querida Alcíone, Beatriz e eu estivemos pensando na dilação dos teus sacrifícios e no melhor meio de atender à situação da nossa doente. Como talvez não ignores, temos estabelecimentos em Paris onde a enferma pode ser bem tratada, sem exigir tanto da tua proverbial dedicação.

— Pensam, assim, em afastá-la do convívio doméstico? — perguntou a filha de Madalena surpreendida.

— Efetivamente; as prolongadas vigílias te consomem a saúde. Por minha vez, não te posso ajudar, dado o meu grande esgotamento físico.

— Não, não — retrucou Alcíone firmemente —, não concordo. D. Susana não deve, não pode sair daqui. Estou habituada a vigílias e, além disso, a pobrezinha haveria de sofrer muito.

— Mas estaria a salvo de qualquer necessidade no estabelecimento onde tencionamos interná-la.

— Mas isso não lhe garantiria a tranquilidade nem melhoras quaisquer, pois o de que ela mais necessita é de carinho, no transe doloroso por que passa. Estou certa de que não lhe faltariam enfermeiras dedicadas, mas, ainda assim, sempre se consideraria abandonada por nós, no meio de doentes de toda espécie, quando pode perfeitamente tratar-se ao nosso lado, sem que lhe falte o conforto da ternura familiar.

Beatriz, que prestava grande atenção aos argumentos da irmã, objetou:

— Tua atitude é nobilíssima, porém nós não podemos pôr de lado a tua saúde. Além disso, as observações de minha mãe, no estado de loucura em que se encontra, são muito impressionantes para quantos nos visitam.

— Pois eu me comprometo a tê-la sob a minha guarda exclusiva. Não se preocupem comigo. Sinto-me forte. Os cuidados com a doente vêm constituindo para mim um grande consolo. A ausência de deveres imediatos nos inclina, por vezes, a reflexões indevidas. Eis por que a companhia de D. Susana tem sido de imensa utilidade para mim. Desde a partida de mamãe, sinto certo vazio na alma... Ao tocar o cravo para a enferma, recordo-me que seu espírito deve estar satisfeito. Será possível que desejem suprimir semelhante satisfação ao meu trabalho diário?

Beatriz lembrou a realização das suas aspirações de moça, sua infância confortada e a juventude feliz; comparou-a com a exemplificação de Alcíone e sentiu os olhos rasos d'água. Nem ela nem o avô se atreveram a falar mais na remoção da enferma.

Nesse ínterim, quando se levantaram da mesa, o velho Jaques valeu-se da oportunidade de estarem a sós os três e chamou a atenção da filha de Madalena para certo problema que o preocupava:

— Alcíone — disse afavelmente —, aproveitando este momento de calma, devo dizer-te que mandei buscar, por pessoa de confiança, tua certidão de batismo, em Versalhes, mas quero crer que fosses batizada na Espanha, por iniciativa de Antero de Oviedo, porquanto em Versalhes nada se encontrou.

— Ah! sim... — murmurou a moça hesitante. — Posso saber o motivo da providência?

— É a necessidade de regularizarmos a questão da herança paterna. Beatriz e eu precisamos atender a essa parte.

A jovem Vilamil fez um gesto de grande admiração e exclamou:

— Por favor! Não façam isso!... Renuncio voluntariamente em favor de Beatriz. Sua felicidade, seus bens são os meus.

— É impossível, minha filha — respondeu o avô atenciosamente —; é justo pensarmos no teu futuro. O destino dá muitas voltas e não seria razoável descuidar da tua situação, quando te assiste um direito sagrado!

— Agradeço tanta dedicação — acentuou a moça com firmeza e ternura —, mas a minha renúncia à herança material de meu pai é decisão que não posso modificar.

— Por quê? — interrogou Beatriz ansiosa de repartir com a irmã o copioso quinhão de sua fortuna.

— Já que me perguntam, devo esclarecer. Minha irmã se casará muito breve e não temos o direito de degradar D. Susana no conceito do genro, que, afinal de contas, será também seu filho... Henrique de Saint-Pierre sempre enxergou na futura sogra uma desvelada amiga. Neste amargo período de enfermidade, tem-na tratado com especial carinho. Seria justo desfazer uma atitude tão nobre tão só por uma razão de possibilidades financeiras, que passam com o tempo? Creio que não, Beatriz, por certo, receberá das mãos do Altíssimo alguns filhinhos que lhe enriqueçam o coração feminino. Que seria das pobres crianças quando se recordassem da avó, entre observações descaridosas e pouco dignas? Naturalmente que Saint-Pierre é incapaz de desfazer o noivado pela revelação do pretérito, mas nunca poderia subtrair do lar futuro o mau pensamento acerca da genitora de sua companheira. Com o tempo, semelhante recordação poderia tornar-se para a querida Beatriz um fardo bastante pesado... Nem todo o dinheiro do mundo bastaria para lhe restituir a tranquilidade. Isso posto, que motivo nos poderia induzir a tornar D. Susana mais desventurada do que é? Descermos a certas explicações num processo de herança seria enlamear sua memória para sempre. Seria um ato muito indigno de nós. Creio que meus pais, na vida espiritual em que se acham, aprovam plenamente esta conduta.

O bondoso ancião e a neta estavam profundamente surpreendidos. Nunca poderiam pensar que o desprendimento da filha de Madalena atingisse tamanha renúncia. Beatriz permanecia emocionada, sem saber manifestar a gratidão que lhe vibrava na alma. Foi o amoroso velhinho quem rompeu o silêncio, considerando:

— Gostaríamos de restabelecer a verdade, apesar de bastante dolorosa. Estou certo de que Henrique se conformaria, de bom grado, e que Beatriz não sofreria qualquer dissabor de futuro, satisfeita e feliz por se edificar no teu exemplo. Quem sabe poderias ponderar o assunto com mais vagar e modificar tuas ideias neste particular?

— Não, não creiam, minha resolução é irrevogável.

— Essa resolução, Alcíone — prosseguiu o velho educador —, não poderia parecer menosprezo a um esforço de teu pai? Se Cirilo pudesse ver-te e falar-te, certamente que te arguiria por isso.

A interpelada compreendeu que tal argumento era lançado, de maneira mais peremptória, ao seu coração afetivo no intuito de lhe modificar as disposições íntimas, e retrucou com argumento ainda mais forte:

— A consciência me diz que o nosso amado ausente me abençoa as intenções. Além de tudo, meu genitor deixou-me uma herança muito sublime, para que eu viesse a preocupar-me com dinheiro. Deu-me um avô generoso e uma irmã devotada... E acaso deixei de receber esse legado santo?

Jaques experimentou alguma coisa no coração cansado, como nunca sucedera em todo o curso de sua longa existência. Reconhecido e feliz, exclamou:

— Deus abençoe todos os teus caminhos!

— Suas bênçãos, meu avô, são para mim uma riqueza eterna...

Beatriz, sensibilizada ao extremo, beijou-a e retirou-se, enxugando uma lágrima.

E, dada a desistência completa de Alcíone, a situação no palacete dos Davenports continuou sem modificações apreciáveis.

A enferma, atendida em suas mínimas necessidades pela enfermeira afetuosa, continuava gozando a consideração de suas prestigiosas relações parisienses. Não raro, nobres damas da Corte visitavam-na, testemunhando-lhe carinhosa atenção. Retiravam-se, muitas vezes, fortemente impressionadas pelo que ouviam da pobre demente.

— Acreditas, Marcelina — dizia a enferma a uma colega da juventude —, que o demo não nos persiga diariamente? Vejo-o em luta constante, trabalhando por aniquilar minha alma... Será que tu também tens algum crime a confessar? Se cometeste alguma falta grave, liberta-te do remorso quanto antes! Satanás nos está espreitando!

E, rematando as considerações com gargalhadas sibilantes, gritava:

— Ah! Ah! Ah!... Vamos tirar as máscaras, vamos tirar as máscaras!...

As visitas quase sempre se retiravam impressionadas e admiradas com a paciência da enfermeira.

*

Um ano fazia que Cirilo e Madalena haviam falecido, quando o velho Jaques apresentou sintomas alarmantes. O velho médico da família recomendou o máximo cuidado, porque o enfermo tinha a existência por um fio, podendo morrer de um momento para outro. Enquanto Beatriz se desfazia em lágrimas, Alcíone duplicava a coragem, de modo a atender os doentes como se fazia necessário. Um portador foi enviado ao Norte, a fim de solicitar a presença de Carolina e dos seus.

Quando a senhora de Nemours chegou com os dois filhos, o genitor estava a despedir-se.

A irmã de Susana mui raramente vinha a Paris e, por ocasião da morte do cunhado e da enfermidade da irmã, limitara-se a escrever, enviando à viúva condolências e votos de pronto restabelecimento. Mas, percebendo que o velho pai estava prestes a deixar o mundo, dera-se pressa em se abeirar do seu leito, em vista da pequena fortuna do antigo educador de Blois.

Carolina encontrou a irmã em lamentável estado. Não obstante as preocupações egoísticas de um temperamento somítico,[64] não abraçou Susana sem chorar. A desventurada viúva dirigiu-lhe comovedoras exortações, que lhe calavam fundo no espírito.

---

[64] N.E.: Avarento.

— Talvez não saibas, Carolina — dizia exaltada —, que me tornei criminosa aos olhos dos homens e diante de Deus... Condenei Madalena Vilamil ao desterro e à miséria, para desposar Cirilo, na América... Fiz tudo quanto quis, mas Deus deixa agora que o Diabo me peça contas de meus atos condenáveis...

— Acalme-se... — exclamava Alcíone em atitude de serva devotada. — A senhora está se entregando a emoções muito fortes com a chegada de sua irmã.

— Quem é esta enfermeira tão adequada às nossas necessidades? — perguntava Carolina à Beatriz, com interesse.

Vendo, porém, que a irmã encontrava certa dificuldade em se explicar, a própria Alcíone esclareceu:

— Sou empregada da senhora Davenport, ainda ao tempo em que ela gozava saúde.

— Pois bem, minha menina — replicava a visitante como quem se sente bem ao reconhecer que outros tomam para si o trabalho ou a dificuldade que lhe pertencem —, Deus há de ajudá-la pelo devotamento com que cumpre os seus deveres.

Carolina permanecia ali sob forte impressão.

— A loucura de Susana é bem singular — disse espantada. — Por que se referirá a crimes que absolutamente não praticou?

— Diz o médico — esclareceu a enfermeira com serenidade — que essa perturbação é comum à maioria dos que têm o cérebro transtornado. Em vista de D. Susana haver-se casado com o primo que a ela se unia em segundas núpcias, parece sempre preocupada com o assunto, alegando situações imaginárias.

— A explicação do facultativo é muito plausível — acrescentava a tia de Beatriz —; minha irmã era muito amiga de Madalena Vilamil e, possivelmente, lembrar-se-á muito da extinta, nos delírios de sua demência.

— Acresce notar — ajuntava a filha de Madalena — que meu nome é Alcíone Vilamil e esta circunstância não deixará de influir no ânimo da enferma, sempre em minha companhia...

— Isso é muito curioso — explicava a interlocutora —, mesmo porque suas feições são muito semelhantes às da primeira esposa de Cirilo, quando moça.

— Muitos dizem isso — confirmava a moça, com humildade.

A senhora de Nemours não ocultou a simpatia que a enfermeira lhe inspirava, tecendo-lhe francos elogios junto de Beatriz.

No dia imediato ao de sua chegada, eis que o velhinho generoso, depois de longos padecimentos físicos, despede-se do mundo com grande serenidade. Alcíone resistiu a todos os embates, heroicamente, transformando-se num anjo de socorro para cada um, em particular.

Depois do funeral, foi debalde que um dos jovens, filho de Carolina, insistiu para regressarem ao Norte. A esposa do Sr. de Nemours alegava, confidencialmente, precisar conhecer o testamento paterno. O genitor deixara regular quantia em dinheiro, e Carolina queria tomar conhecimento das suas últimas disposições.

O documento, no entanto, aberto daí a três dias, reservava grande surpresa ao seu coração egoísta. Jaques Davenport deixava a pequena fortuna para Alcíone Vilamil, declarando que sua resolução obedecia ao fato de que as filhas e os netos se encontravam devidamente amparados por vastas possibilidades financeiras, e que a sua deliberação testamentária nada mais representava que um ato de gratidão para com a enfermeira amada, a cujo carinho se sentia ligado por eterno reconhecimento.

Alcíone chorou comovidamente, ouvindo a leitura, e, enquanto Beatriz não conseguia dissimular a satisfação que lhe vagava na alma, a tia mergulhava-se em contrariedade intraduzível.

Reconhecida a última vontade do morto, Carolina Davenport entrou a pensar seriamente na possibilidade de uma destituição. À noitinha, aproximou-se da filha de Susana, falando-lhe do assunto com gravidade.

— Beatriz — começou a dizer a senhora de Nemours algo irritada —, não posso calar a estranheza que me causou a disposição testamentária de papai. Francamente, estou decepcionada.

— Pois eu, titia, muito pelo contrário, penso de outro modo. Acho que vovô praticou um ato de grande justiça.

— Como assim? Não vejo razões que justifiquem esse ato. Nunca acreditei que meu pai olvidasse a prole para valorizar apenas os serviços de uma criada. Estou disposta a pleitear a anulação do testamento. Meu velho pai deve ter sido lamentavelmente enganado...

— Não diga isso! — tornou a sobrinha, revelando nobre preocupação. — Alcíone, em nossa casa, desempenha o papel de uma filha. Sou testemunha da sua extrema dedicação. Aliás, até ontem, a senhora não lhe negou os maiores elogios...

— Sim, como serva. Não podia, porém, supor que papai houvesse atingido esses extremos de consideração.

— A senhora, minha tia — esclareceu Beatriz com a delicadeza firme de quem não está disposto a ceder —, é porque tem vivido ausente, anos consecutivos. Naturalmente, não pode aquilatar as elevadas qualidades de que Alcíone é portadora. Ainda é bastante feliz neste mundo para conseguir enxergar as almas que desempenham a tarefa dos Anjos. Desde que se casou, vive tranquilamente em sua propriedade, ao lado do esposo abastado e dos filhos que participam do seu bem-estar, inalterado até hoje. Aliás, devo dizer que esta opinião era a de vovô, sempre queixoso da sua ausência. Nós, porém, não podemos partilhar com a senhora a mesma apreciação. O falecimento de meu pai nos trouxe lições muito amargas, que Alcíone nos tem ensinado a compreender com a sua bondade sem limites... Em todo o curso da moléstia de minha mãe, seu devotamento tem tocado ao heroísmo.

A interlocutora parecia ouvir superficialmente os argumentos da jovem, respondendo com certa secura:

— Não posso aceitar a opinião da tua mocidade inexperiente. A meu ver, Alcíone é criatura com muitos predicados excelentes, mas não lhe vejo outros títulos que os de serva.

E, mostrando o ciúme que lhe envenenava o espírito, em virtude da predileção paterna, rematava:

— Susana está demente, mas eu ainda não perdi a razão. Não concordo com a decisão testamentária e recorrerei à justiça.

A sobrinha, contudo, endereçando-lhe um olhar autoritário, sentenciou:

— Jamais supus que a senhora descesse a tal deliberação apenas por alguns milhares de francos, concedidos por um coração generoso a uma órfã. Saiba, porém, minha tia, que não ficarei inativa ante os juízes de Paris. Sua reclamação poderá vingar, mas eu darei à Alcíone, publicamente, um legado que possa equivaler à pequena herança deixada por vovô... Assim, nossos amigos terão ciência de que a reclamação não parte desta casa, e sim de um espírito inconformado e mesquinho.

Ante a nobre atitude de resistência, a senhora de Nemours fez um gesto de forte irritação e murmurou desolada:

— Insultas-me? És muito nova para discutir comigo. Estou a ver que tu e a serva transtornaram a cabeça do velhinho doente, induzindo-o a testamento tão singular.

— Poderá julgar como lhe ditam os sentimentos próprios.

Carolina corou, fortemente excitada, e resmungou:

— Volto hoje mesmo para casa. E ficas ciente, Beatriz, de que não precisamos do dinheiro do papai, nem do teu. Tratei do assunto da herança, porque todos somos obrigados a honrar a justiça, mas nunca precisarei dessa miséria de alguns escudos. E que Deus te proteja para que a serva intrusa não te cause sérias decepções.

A sobrinha lançou-lhe um olhar altivo e murmurou muito calma:

— Agradeço a sua decisão de partir. É melhor que o escândalo fique só entre nós e que a senhora renuncie à primeira disposição que me levaria também a público como sua adversária.

Não obstante a preocupação de abandonar o palacete da Cité, naquela mesma noite, Carolina Davenport, contida pelos filhos, esperou pela manhã, quando se retirou de Paris, despedindo-se da sobrinha secamente.

Por essa época, Henrique de Saint-Pierre começou a cooperar mais assiduamente na solução dos negócios que envolviam a antiga residência de Cirilo. No círculo de tantas dores e preocupações, somente a perspectiva do casamento próximo de Beatriz oferecia ensejo a determinadas esperanças de paz. A noiva aguardava as melhoras da genitora para marcar a data do consórcio. Desde há muito, o rapaz manifestava desejos de não adiar o enlace por mais tempo; no entanto, Beatriz não se sentia bem entregando à Alcíone o peso de todos os encargos relativamente à enferma. Susana, logo após o falecimento do velho professor, atingira um estado especial de inércia, piorando sempre, a olhos vistos. As duas filhas de Cirilo revezavam-se devotadamente no sentido de amparar a doente com todos os recursos ao seu alcance. Alcíone andava abatida; no entanto, as lutas agravavam-se cada vez mais.

Certa noite, Robbie, já quase homem feito, demorou-se mais que de costume. A filha de Madalena inquietou-se, sentindo que algo de grave sucedera, amargurando-lhe o coração. De fato, enquanto confiava à irmã os pensamentos que a atormentavam, um portador do abade Durville, clérigo de São Landry, pedia sua presença urgente.

— Senhorita — exclamou respeitosamente, dirigindo-se à moça, que o ouvia surpreendida —, o Sr. Robbie há duas horas foi vítima de um desastre, quando mal havia saído da igreja...

— Que foi? — inquiriu Alcíone, sem disfarçar a enorme aflição.

— O rapaz ia distraído quando um carro o colheu brutalmente! Os cavalos espantaram-se e o cocheiro não teve tempo de evitar o desastre lamentável.

— E como está ele?

— Muito mal. As feridas do peito sangram com abundância, mal pode falar e pediu ao abade Durville que a prevenisse com urgência.

— Não há tempo a perder — murmurou Beatriz.

Daí a minutos, o carro dos Davenports saía à pressa, conduzindo as duas irmãs.

Em um recanto da igreja de São Landry, o filho adotivo de Madalena experimentava o esgotamento rápido de suas forças. O sangue borbulhava, incessante, das feridas abertas. Debalde um médico aplicava os recursos limitados da sua ciência. O afluxo de sangue cedera em determinadas regiões, mas a incisão profunda ao longo do peito era uma fonte inestancável. Não havia mais esperanças. Durville e alguns companheiros assistiam-no, certos de que o músico estava perdido.

Percebendo a seu lado a irmã muito querida, o rapaz pareceu concentrar as energias supremas no desejo de lhe transmitir os últimos pensamentos. A voz era-lhe como um sopro. Alcíone inclinou-se, esforçando-se para não chorar; beijou-o com enternecimento fraterno e sentou-se, ali mesmo, para que a fronte dilacerada lhe repousasse no regaço fraterno. O ferido esboçou um sorriso leve que sensibilizou os assistentes.

— Então, Robbie? Como foi isso? — perguntou a irmã, quase colando os lábios aos seus ouvidos.

— Deve ser... a vontade de Deus... que se cumpriu...

Alcíone, muito comovida com a doce resignação do moribundo, voltou a dizer:

— Levar-te-ei comigo para casa. Haveremos de tratar das feridas com atenção. O carro nos espera à porta.

O ferido tentou fazer um gesto que significasse a sua impossibilidade absoluta, chegando tão somente a murmurar:

— Não posso mais...

Beatriz procurou o facultativo, que tirava o avental tinto de sangue, e pediu licença para remover o rapaz. O doutor, entretanto, não concordou, exclamando:

— É inútil! A providência apenas agravaria os padecimentos do infeliz. Seus minutos estão contados. O grande ferimento do peito, produzido pela pata do animal, é irremediável.

— O caso é assim tão grave? — indagou a filha de Susana, alarmada.

— A morte é uma questão de momentos — respondeu o médico, um tanto displicente.

Alcíone, que compreendia a situação, inclinara-se para o moribundo, como se estivesse acariciando um filhinho.

— No instante em que se verificou o desastre — esclarecia o abade Durville em voz alta —, quis prender o cocheiro culpado, a fim de puni-lo, como de justiça, mas Robbie não consentiu, dizendo-se o único culpado do incidente.

O rapaz olhou a irmã, longamente, ansioso de ler no seu rosto a aprovação de sua atitude. A filha de Madalena entendeu a sua linguagem silenciosa e disse:

— Fizeste muito bem, Robbie. É preciso não disputarmos com o mundo, a fim de encontrarmos o caminho que conduz a Deus.

O agonizante teve uma expressão de grande conforto íntimo e, reunindo as suas reduzidas possibilidades orgânicas, falou entrecortando as palavras:

— Desde que mandei os gendarmes libertar o cocheiro, por entender que me cabia a culpa... sinto que não tenho mais a pele negra, que tenho a mão e a perna... curadas... veja Alcíone...

E, fazendo um esforço ao qual não podia corresponder a mão quase hirta, continuava, murmurando:

— Minha mão tem agora cinco dedos... e tenho a impressão de que me curei dos olhos para sempre... Somente não posso levantar-me e acompanhar-te... mas depois que dormir... penso que ficarei bom.

A irmã adotiva acentuou, vertendo algumas lágrimas:

— São estas as provas redentoras, meu querido Robbie! Deus te restitui a saúde da alma, por te considerar novamente digno.

Mas o médico que conversava com Beatriz e o abade Durville, à distância de dois passos, acrescentava:

— Creio que a pobre rapariga não conhece o delírio da morte. O agonizante começa a desvairar. Deve ser o fim.

Longe de ouvir a opinião descriteriosa do mundo, Alcíone conchegava o irmão de encontro ao peito, elevando-se a Jesus em preces fervorosas.

— Sinto... muito sono... — disse Robbie num sopro débil.

A filha de Madalena afagou-o com mais ternura e o músico adormeceu para sempre, no mundo, para despertar numa vida mais alta.

*

O doloroso incidente, que arrebatara o irmão adotivo para a esfera espiritual, deixara Alcíone muito mais abatida do que fora de prever. Saint-Pierre cuidou do funeral com a maior solicitude. Terminada, porém, a cerimônia fúnebre, que se havia revestido de tocante simplicidade, a jovem Vilamil começou a experimentar penosa angústia no coração. Nunca sentira tamanha sensação de soledade no mundo. Robbie era o último traço da sua infância e da sua juventude. Amargurosa saudade empolgou-lhe o coração. A antiga chácara de Ávila ficara muito distanciada no tempo. Dolores e João de Deus, os bons amigos da meninice, jamais haviam dado sinal de vida do seu longínquo recanto; padre Damiano e sua mãe haviam partido, seu pai e o avô lhes haviam seguido os passos no caminho da morte, Carlos afastara-se pela incompreensão, Robbie descera à sepultura.

Dominada pela tristeza dos espíritos solitários, a filha de Madalena recolheu-se ao aposento particular. Aí chegando, chorou convulsivamente, em atitude contrária a todos os seus hábitos. Abraçando o velho crucifixo, junto do qual tantas vezes D. Margarida e Madalena haviam chorado, dizia sentidamente:

— Ah! meu Jesus, não me desampares!...

Foi aí que a pobre louca, dando pela sua falta, aproximou-se, depois de abrir a porta levemente cerrada, exclamando de olhos inexpressivos, num impulso maquinal:

— Alcíone!... Alcíone!

A interpelada enxugou o pranto, recolocou o crucifixo no lugar primitivo, levantou-se solícita e foi ao encontro da enferma, com ternura:

— Ah! Como me esqueci da senhora!...

E, abraçando a pobre demente, conduziu-a com muito carinho ao quarto de dormir.

VI
Solidão amarga

Susana Davenport ainda viveu pouco mais de dois anos após a morte de Robbie. A filha de Madalena passou todo esse tempo em largos sacrifícios domésticos, exemplificando o amor mais puro. A genitora de Beatriz teve agonia prolongada, recuperando a razão nas derradeiras horas. Olhos fixos na filha, tomou-lhe a mão e colocou-a nas mãos de Alcíone, dando a entender que a filhinha, em tempo algum, deveria esquecer de tomar a irmã como um símbolo.

Alcíone descansava agora de uma luta imensa, mas, afeita ao trabalho desde os mais tenros anos, chegava a estranhar o repouso.

O próximo casamento de Beatriz, com os numerosos trabalhos consequentes, foi por ela encarado como um alívio à solidão que começava a experimentar. Todas as horas do dia, em carinhosa dedicação, eram consagradas ao bordado e à costura, surpreendendo a irmã pelo gosto artístico e habilidade, em cada detalhe do serviço. Beatriz não conseguia eximir-se ao peso das recordações dolorosas, mas o consórcio com o homem amado revigorava-lhe as esperanças. O palacete da Cité, sempre envolvido num manto de saudades, dava a impressão de jardim abandonado que começasse a reflorir. Os servos evitavam referências à morte dos antigos senhores para que os rebentos de alegria nova não fossem arrancados. Se acaso via a irmã entristecida, Alcíone fazia questão de tanger as teclas de assunto confortador, para que a moça não se entregasse à tristeza e ao mal-estar. O culto doméstico do Evangelho foi restaurado. O próprio Henrique de Saint-Pierre associou-se ao movimento, partilhando das reflexões religiosas com muita satisfação. A inspiração da filha de Madalena causava-lhe surpresa cariciosa. Sua palavra penetrava problemas complexos da existência, como se já tivesse vivido numerosos séculos em contato com os homens. Para Henrique, tais reuniões tinham caráter providencial. Indiretamente, a irmã de sua noiva, sem qualquer intenção, preparava-lhe o espírito para as tarefas sagradas do lar, para os benefícios do casamento. O rapaz começou por abandonar as companhias perigosas que, não raro, tendiam a comprometer-lhe o nome e a saúde; a vida revelou-lhe profundos segredos, seu coração parecia agora aberto para o orvalho divino do sentimento superior. Incansável no trabalho, Alcíone estendeu o culto dominical aos serviçais numerosos. Todos puderam participar das bênçãos de Jesus, no vasto salão que Beatriz mandou preparar jubilosamente. O movimento familiar continuava em santas vibrações de fraternidade e alegria. A moça Vilamil organizou hinos de carinhosa devoção a Deus, que as crianças dos servidores entoavam com encanto singular. O cravo parecia falar harmoniosamente da fé, sob a pressão dos seus dedos. A filha de Susana não cabia em si de contente. A grande residência de Cirilo perdeu o aspecto sombrio, adquirido em todo o curso da moléstia da viúva Davenport. Júbilo sadio estabelecera-se entre todos. Quando alguém demonstrava indisposições súbitas, recordava-se o ensinamento do Cristo e o culto doméstico ia ganhando todos os corações.

O enlace de Beatriz e Saint-Pierre realizou-se com muita simplicidade e concorrência, apenas, das relações mais íntimas.

Alcíone acompanhou satisfeita todos os trâmites do auspicioso evento, mas, em seguida, entrou num período de grande abatimento, do qual apenas saía nas horas rápidas do culto familiar. A filha de Madalena não conseguia furtar-se à saudade dos seus inesquecíveis ausentes e, simultaneamente, experimentava a falta do trabalho ativo, que se tornara a incessante religião dos seus braços fraternos.

A irmã impressionou-se. Que fazer para arrancá-la daquela melancolia que a empolgava devagarinho? Ela esquivava-se às festas sociais, não tinha inclinação para os prazeres do seu tempo. Tendo passado dos 30 anos, seus traços fisionômicos conservavam a beleza da primeira juventude, revelando, ao mesmo tempo, a madureza do espírito. Beatriz começou a pensar seriamente em inclinar-lhe a alma sensível e afetuosa para um casamento feliz. Dominada por esses pensamentos, a esposa de Saint-Pierre aproximou-se certo dia da irmã e lhe disse com bondade:

— Tenho andado bastante cuidadosa de ti e preciso cooperar para que a tristeza seja banida do teu coração e dos teus olhos!

— Por que te afligires, minha querida? O repouso involuntário de nossas mãos costuma agravar o esforço dos pensamentos. Não estou acabrunhada, podes crer. Tenho meditado um pouco mais e essa circunstância te induz a perceber mágoas imaginárias em meu espírito.

Beatriz abraçou-a com enternecimento e falou:

— O coração me diz que não estou enganada. Consomes-te a olhos vistos. Por vezes, Alcíone, quando em passeio com Henrique, não posso evitar que meu júbilo se misture ao remorso...

— Mas como assim, querida?

— Não me conformo em ser feliz só por mim, quando mereces as bênçãos do Céu muito mais que eu.

Depois de ligeira pausa, a filha de Susana continuava:

— Quem sabe desejarias fazer alguma viagem que te distraísse? Essa providência seria mais que justa, após tantos anos de luta e sacrifício. Quando não quisesses ir a país estrangeiro, poderias descansar em alguma praia e fortalecer-te em contato direto com a natureza.

— Mas se eu estou muito bem e nada me falta?

Beatriz contemplou-a com mais carinho e, quase suplicante, tornou a dizer:

— Alcíone, desejava lembrar uma possibilidade, pelo que espero me perdoes com a tua generosidade fraternal...

A irmã comoveu-se com o acento caricioso daquelas palavras e obtemperou:

— Dize sem receio. De que se trata?

— Tenho pedido a Deus, ansiosamente, me conceda a alegria de ver-te formando igualmente um lar, onde um esposo fiel ilumine a tua estrada com as bênçãos de uma ventura sem-fim. Se te pudesse ver amada por um homem leal e puro, cercada pela ventura de filhinhos carinhosos, como seria feliz! Dá-me a satisfação de te auxiliar a refletir nesse particular.

Beatriz notou que a irmã fazia enorme esforço para reter as lágrimas. Adivinhando o seu embaraço para responder, a esposa de Henrique ganhava ânimo para prosseguir:

— Eu e meu marido vimos pensando na colônia distante, onde os nossos bens materiais são consideráveis. Henrique vem ultimando alguns negócios e creio que, daqui a alguns meses, tomaremos a nova decisão. Meus tios insistem pelo meu regresso e, além deles, temos na América velhos amigos de meu pai a nos esperarem de braços abertos. Claro que não dispensamos tua companhia e peço-te permissão para ir meditando, desde já, na tua felicidade futura. Na minha terra natal, encontrarás relações carinhosas e devotadas, e, quem sabe, talvez Jesus te reserve por lá um esposo fiel e cristão, que faça por ti tudo que te desejamos de coração.

Alcíone comoveu-se profundamente. O terno respeito de Beatriz, a delicadeza da sua exposição penetraram-lhe o espírito como um bálsamo celestial. Demonstrando o interesse de sua dedicação fraterna, respondeu reconhecidamente:

— E se te dissesse que tenho meu coração prisioneiro, desde a primeira mocidade?

A esposa de Saint-Pierre, com um franco sorriso, revelava o prazer que a declaração lhe causava. Se a filha de Madalena Vilamil já havia elegido o homem do seu afeto, não lhe seria difícil contribuir eficazmente para a sua ventura. Ansiosa e confortada, Beatriz insistia de olhos muito brilhantes:

— Ah! conta-me tudo! Certo, o feliz eleito de tua alma não estará aqui em Paris. Quem sabe é algum gentil-homem espanhol, a esperar tua resolução há longo tempo?

Reconhecendo a sinceridade da irmã, Alcíone passou a historiar a sua juventude, recordando a figura de Clenaghan com a vivacidade dos seus imensos tesouros afetivos. Longas horas estiveram ambas no divã, desfiando o rosário das lembranças queridas. A filha de Susana seguia as palavras da irmã, demonstrando enorme estupefação pela sua capacidade de sacrifício. Alcíone crescia espiritualmente, cada vez mais, no seu conceito. Ao terminar o relato de suas agridoces reminiscências, a jovem esclarecia:

— Quando nos encontramos pela última vez, aqui em Paris, notei que ele não podia compreender os meus deveres filiais. Estava taciturno, talvez irritado com as lutas da sorte. Não podia ver em mim senão a noiva que lhe atendesse ao ideal humano, mas eu ainda retinha comigo deveres sagrados para com meus pais e não pude acompanhá--lo de volta a Castela. Ele não se despediu de mim, mas o fez de mamãe, antes de se pôr a caminho do Havre; e mamãe sempre dizia que o notara bastante transformado, suspeitoso e desesperado. Sofri com isso muito mais do que se pode imaginar, mas entreguei a Jesus as minhas mágoas íntimas. Lembro-me, perfeitamente, de que, impossibilitada de lhe revelar o que ocorria entre minha mãe e meu pai, que o destino havia separado, prometi que o procuraria a qualquer tempo que as circunstâncias permitissem...

— E não terá soado essa hora de conciliação? — interrogou Beatriz, ansiosa por lhe renovar o bom ânimo.

— Tenho pensado nisso, sinceramente, nestas últimas semanas — confessou a filha de Madalena, prazerosa por sentir-se compreendida. — Estou certa de que Carlos confia na minha sinceridade e não terá desposado outra mulher. Nesta fase de minha vida, talvez lhe possa ser útil, poderia concorrer para seu retorno à vida religiosa, embora sem esperança de reintegrá-lo no ministério sacerdotal.

— Que dizes? — murmurou a esposa de Saint-Pierre com infinito carinho. — Não penses obrigá-lo a retomar um serviço contrário à sua vocação. Teu coração e o do homem amado têm direito ao banquete da vida. Hás de casar-te e conhecer a felicidade que parecia remota e irrealizável. Quero beijar teus filhinhos, num futuro risonho.

O semblante de Alcíone iluminou-se, mostrando a beleza do seu mais secreto ideal de mulher. Ruborizada e quase feliz, perguntou:

— Supões, acaso, Beatriz, que Deus ainda me concederá semelhante felicidade?

— Por que não? — voltou a dizer a interlocutora com sereno otimismo. — Estás moça e bela, como aos 20 anos. É preciso cuidarmos imediatamente do contato com Ávila.

A filha de Madalena dirigiu à irmã um olhar significativo e indagou:

— Estarias de acordo que eu fosse até lá? Tenho desejado surpreender Carlos com o exato cumprimento de minha palavra.

— Sem dúvida — respondeu Beatriz bem-humorada, ao perceber que novas esperanças brotavam daquela alma generosa e santificada —;

se fosse possível, acompanhar-te-ia. Creio não ser possível, mas tudo se arranjará de maneira a visitares Castela-a-Velha, na primeira oportunidade.

— Irei sozinha — esclareceu Alcíone, de olhos vivazes.

*

No dia seguinte, ao almoço, Henrique de Saint-Pierre partilhava do entusiasmo de ambas.

— Beatriz me fez ciente de tuas intenções — disse-lhe em tom fraternal — e podes crer que já estou à espera de Clenaghan, com justa ansiedade. Preciso de um companheiro para o desdobramento de nossos negócios. Claro que não necessitamos de capital, mas sim de um auxiliar operoso e leal, que nos ajude a zelar o patrimônio adquirido. Sinto que teu futuro esposo solucionará o nosso problema.

— Ah! sim — respondeu Alcíone risonha —, Carlos é um homem honesto e trabalhador. É verdade que faltou ao compromisso sacerdotal, falta essa que não pude aprovar, desde os primeiros tempos em que a decisão não passava de projeto, mas nada se poderá dizer contra a sua lealdade. É portador de caráter nobre e de valorosos sentimentos.

— Para nós, será um irmão — disse Beatriz satisfeita.

— Certamente — continuou Saint-Pierre, atencioso — já se entenderam sobre a nossa transferência para o Novo Mundo?

— Sim — acentuou a filha de Madalena, confortada.

— Pois bem — prosseguiu o novo chefe da casa —, Clenaghan irá conosco, como pessoa da família. Quanto a ti, Alcíone, conheço o plano de viagem à Espanha, onde cuidarás da agradável surpresa ao teu escolhido. Quisera seguir-te e mais a Beatriz, mas negócios urgentes impedem fazê-lo. Poderei, no entanto, mandar um empregado ao Havre, a fim de conhecermos o movimento das embarcações mais seguras. Se queres, poderei designar alguém que te acompanhe na viagem tão longa.

Sinceramente reconhecida, a moça obtemperou:

— Não há necessidade, Henrique. Poderei seguir só, visto conhecer o caminho. Além disso, Ávila é como se fosse minha segunda pátria. Tenho lá inúmeras amizades.

— Não temos qualquer objeção a fazer. Apenas formulo votos ao Céu para que a tua ventura se processe rapidamente. Dirás a Carlos

Clenaghan que o esperamos nesta casa com interesse e simpatia. Para mim, Alcíone — acrescentava Saint-Pierre comovidamente —, nunca foste a governanta de Beatriz, mas nossa irmã muito amada, pelos laços sacrossantos do espírito. O companheiro de tua escolha será pessoa sagrada aos nossos olhos. Chegando a Ávila, anima-o a vir em tua companhia, com presteza. Esperaremos tua volta para então marcar a viagem para a colônia.

Alcíone não sabia como traduzir sua gratidão. Em frases carinhosas, manifestou o sincero agradecimento da alma, ficando ali mesmo aprazada a viagem à Espanha.

Precisamente daí a um mês, Beatriz e o esposo acompanhavam a irmã até o Havre, onde Alcíone, corajosamente, tomou a embarcação que a levaria ao porto de Vigo.

Após as despedidas, quando o navio se afastava da costa francesa, levado por ventos favoráveis, a filha de Madalena encontrou-se a sós com as suas profundas recordações. As figuras da genitora, de Robbie e padre Damiano apresentavam-se-lhe à mente, mais vivas que nunca. Era necessário muita energia para não cair em pranto, em face da saudade que lhe pungia o coração. Aqui, era um detalhe do mar, que havia impressionado o irmão adotivo; acolá, um aspecto da costa que provocara certas explicações do velho sacerdote. Recolhida em sentimentos carinhosos, a filha de Cirilo desembarcou em terra espanhola com o peito oprimido de infinitas esperanças. Nunca mais tivera notícias de Clenaghan, era bem possível que não mais estivesse em Castela-a-Velha; no entanto, suas relações de Ávila não faltariam com os informes precisos.

A condução para a cidade da sua meninice não foi difícil. Em poucos dias, chegava ao seu destino. Embora provocasse a estranheza de muitos o fato de encontrar-se desacompanhada, Alcíone mostrava uma atitude superior aos olhares curiosos que pareciam interrogá-la. Não encontrou qualquer diferença na paisagem. O berço de Teresa de Jesus repousava na terra pobre, cioso de suas velhas tradições.

Às dez horas do dia, dava entrada em humilde hotel, naturalmente fatigada, e deliberou não procurar as amizades antigas até que se alojasse convenientemente, de maneira a não se tornar pesada a ninguém, pela sua chegada imprevista. Identificou, de pronto, velhos conhecidos da mocidade, a quem, entretanto, não se revelou por não haver bastante intimidade.

Depois de refeita da fadiga imensa, chamou um pequeno servidor da hospedaria, perguntando-lhe um tanto acanhada:

— Meu amiguinho, você poderá informar-me se reside aqui, em Ávila, um senhor chamado Carlos Clenaghan?

Após refletir um momento, o rapazote esclarecia:

— Sim, senhorita, conheço.

A viajante verificou que o coração lhe palpitava com mais força.

— Sabe se é de origem irlandesa, domiciliado em Castela há alguns anos? — voltou a interrogar atenciosamente.

— Sim, é isso mesmo, e sei mais que foi padre, noutro tempo. Hoje é comerciante abastado.

Alcíone ouviu-o comovida. Não podia enganar-se. Pensou, então, em surpreender o espírito do amado em intimidade cariciosa. Convidá-lo-ia, por um bilhete, a comparecer, à tarde, junto à nave da igreja de São Vicente. Encontrar-se-iam na casa consagrada a Deus, onde tantas vezes haviam tecido muitas redes de sonhos e esperanças, sempre desfeitos pelo vendaval das realidades dolorosas. Agora, porém, era lícito tratar do seu porvir venturoso. Escrever-lhe-ia sem se dar a conhecer no bilhete, declarando-se chegada de Paris, com notícias alvissareiras para o seu coração. Quando chegasse ao velho templo, vê-la-ia então, compreenderia a sua fidelidade e devotamento. Logo após o reencontro, visitariam juntos as antigas relações afetuosas, buscariam rever o sítio de sua infância, bem como a casa modesta em que sua mãe trabalhara tantos anos, curtindo as maiores privações.

Assim procedeu, embalada por santas expectativas do amor desvelado e confiante.

O rapaz que a esclarecera, longe de adivinhar o romance da nova hóspede, foi emissário da breve notícia ao ex-religioso, que leu o bilhete assaz intrigado. Carlos identificaria aquela letra entre mil manuscritos diversos. Mas era impossível, em seu modo de ver, que Alcíone estivesse na cidade. A autora da grafia, por mera coincidência, deveria ter o mesmo tipo de letra, que jamais conseguira esquecer, no círculo das experiências pessoais. Não conseguia concatenar outras explicações. Curiosidade febril avassalava-lhe a alma. Que notícias de Paris poderiam ser enviadas ao seu coração? De há muito considerava Alcíone perdida, no capítulo das suas aspirações mais sagradas. Dela não deveria esperar qualquer mensagem. Todavia, dilatando as ponderações, começou a imaginar que se tratasse de algum recado de Madalena Vilamil ou de Robbie, amigos dos quais não tinha notícias desde que regressara da França, onde fora na suposição de encontrar a noiva conformada aos seus caprichos de homem apaixonado. Presa de intensa sofreguidão, aguardou o crepúsculo ansiosamente.

Antes do entardecer, Alcíone dirigiu-se ao velho templo que constituía um centro de lembranças sagradas ao seu espírito sensível. Ajoelhou-se e orou à frente dos nichos, recordando, a cada passo, o velho sacerdote a quem consagrara o devotamento de filha afetuosa.

Olhar indagador, de quando em quando perscrutava o caminho, a ver se Clenaghan atendia ao convite.

Por fim, quando o céu desmaiava aos derradeiros clarões crepusculares, um homem surgiu no adro, fazendo-lhe o coração vibrar em ritmo acelerado.

O sobrinho do padre Damiano aproximava-se. Alcíone notou-o um tanto abatido, parecendo cansado das lutas da vida. Intenso desejo de proporcionar-lhe consolação e conforto aflorou-lhe na alma sensível.

Prestes a atravessar a portaria primorosa, o ex-religioso viu que alguém avançava ao seu encontro.

— Carlos!... Carlos... — disse a filha de Madalena com infinita emoção.

O recém-chegado estacou tomado de assombro. Enorme palidez cobriu-lhe a fisionomia, quis prosseguir, mas as pernas trêmulas paralisavam-lhe o impulso. A inesperada presença de Alcíone enchia-o de profunda admiração. Debalde procurava palavras com que pintasse o estado de espírito, em que o júbilo se confundia com a dor. A filha de Cirilo tomou-lhe a mão e falou com meiguice:

— Não me reconheces? Venho cumprir minha promessa.

— Alcíone! — conseguiu dizer o interlocutor, num misto de sentimentos indefiníveis.

Um abraço carinhoso seguiu-se a essas palavras. Compreendendo-lhe a perturbação natural, a moça procurou confortá-lo:

— Ah! se eu soubesse, antes, que te causaria este forte abalo, não teria feito esta surpresa! Perdoa-me...

Carlos se debatia intimamente entre ideias antagônicas. Diante dele estava a mulher amada, que as lutas da existência não fizeram esquecer. Alcíone era sempre o seu maravilhoso e único ideal. As experiências vividas, longe da sua dedicação e dos seus conselhos, eram provas amargas que, aos poucos, lhe atassalhavam o coração repleto de santas esperanças. Mas, simultaneamente, recordava com estranheza a atitude da jovem em Paris, quando não pudera apreender todo o motivo das suas elevadas preocupações filiais. No seu conceito, a eleita trocara o seu amor pelos atrativos do mundo. Jamais conseguira olvidar aquele palacete da Cité, onde a moça havia penetrado intimamente apoiada ao braço de um homem.

Mal se desembaraçava no meandro dessas reflexões, quando a interlocutora voltou a dizer:

— Vamos respirar o ar fresco da noite que desce. Deus me concede a dita de reatar os inefáveis colóquios de outros tempos, neste mesmo ambiente das nossas primeiras emoções.

O ex-sacerdote acompanhou-a maquinalmente. Antigo banco de pedra parecia esperá-los para a revivescência dos mesmos idílios.

Clenaghan perguntou pelos amigos, recebendo com dolorosa surpresa a notícia da morte de Madalena e Robbie, impressionando-se vivamente com a descrição do desastre que vitimara o músico. Alcíone o embevecia com os comentários criteriosos quanto emotivos. Tudo, na sua elocução vibrante, ressumava amor e devotamento. Ele a contemplava com paixão, dando mostras de que esperava ansiosamente aquele bálsamo divino que lhe manava dos lábios. Em dado instante, respondendo a uma observação que ela lhe fazia com mais carinho, o ex-sacerdote acentuou:

— Nunca pude forrar-me à mágoa que a tua atitude me causou. Senti que me tratavas friamente.

— Naquela ocasião, Carlos, Jesus me pedia testemunhos de filha, aos quais não poderia fugir senão pelos atalhos escusos da crueldade.

Ignorando ainda toda a extensão dos sacrifícios da eleita de sua alma, o pupilo de Damiano objetou:

— Mas se me oferecia para trazer tua mãe e Robbie em nossa companhia? Poderíamos ter sido infinitamente felizes se a isso não te opusesses...

A tonalidade impressa a essas palavras fez que a interlocutora enrubescesse, calando-se.

— Que fazias naquele palacete da Cité? Por que saías de casa a pé e ias tomar um carro discretamente? Ignoras que te segui os passos sem que me visses e que observei o homem que te abraçou, no portão, quando lá chegavas sorridente? Ah! Alcíone, não podes compreender todo o veneno que me lançaste na alma confiante. Jamais poderia imaginar que Paris te transformasse o espírito, a ponto de olvidar nossos compromissos e contrariar tua mãe enferma, cuja evidente preocupação era abandonar a capital francesa para voltar à vida simples de Ávila, onde havíamos afagado tantas esperanças e sido tão felizes!

A moça, depois de prestar muita atenção aos seus gestos e palavras, sentenciou:

— Não devias ter ido tão longe no teu julgamento. Agora que nos reencontramos para nos compreendermos de uma vez para sempre, devo tudo dizer com franqueza. Sabes quem era aquele homem que me recebeu de braços abertos naquela manhã?

Deteve-se ante a muda expectação do companheiro e prosseguiu:

— Aquele homem era meu pai!

— Teu pai! — exclamou Clenaghan, aterrado.

E ela pausadamente começou a relatar todos os acontecimentos de Paris, a partir do instante em que a enfermidade do padre Damiano lhe impusera desdobrar-se em tarefas mais práticas. À medida que se desenrolavam as revelações, o rosto de Carlos mais se anuviava. O ex-sacerdote sempre reconhecera na jovem as qualidades mais primorosas, mas não e nunca a supusera capaz de tamanha renúncia. Extremamente comovida com a evocação de suas reminiscências dolorosas, Alcíone rematava:

— Não acreditas que tenha cumprido meu dever sagrado? Não admitas que meu coração pudesse haver esquecido a tua dedicação e o teu amor. Desde o nosso primeiro encontro, venho arquitetando um meio de enriquecer-te a alma de idealismo e confiança. Sempre sonhei, para o teu caminho, um mundo de felicidades nobilitantes. Antigamente, tuas obrigações sacerdotais impuseram-nos a separação; mesmo assim, porém, vibrava na ansiedade ardente de embelezar teu roteiro de nobres aspirações. Lutei para que não abandonasses o que sempre considerei uma sublime tarefa; entretanto, hoje busco harmonizar minhas ideias com a tua decisão e sinto que a consciência pura é o melhor dote que te posso trazer para a nossa eterna aliança.

Ouvindo-a, generosa e confiante, Carlos Clenaghan sentia-se pequenino e miserável.

— Perdoa-me!... — disse, banhado em lágrimas de sincera compunção.

— Compreender-te-ei agora por toda a vida — esclarecia Alcíone de olhar muito lúcido —, mas... por que choras? Temos ainda numerosas oportunidades de servir a Deus e a nós mesmos. Prometi que te procuraria logo que Jesus me permitisse o júbilo do dever cumprido e aqui estou para cuidar da tua, da nossa felicidade. Creio que não tens qualquer necessidade material, mas o marido de minha irmã, que, aliás, desconhece o passado que te confiei em caráter confidencial, põe à tua disposição bastos recursos para grande prosperidade na América. Se quisesses, poderíamos partir talvez no ano próximo, recomeçando o destino numa terra nova. Lembro que minha mãe sempre suspirou pelo Novo Mundo... Quem sabe sua alma bondosa me inspira, agora, o caminho mais certo, acenando-nos com a possibilidade de partir?! Henrique de Saint-Pierre espera-te como a um irmão. Além disso, tenho também regular pecúlio que deposito em tuas mãos. Não tenho outra preocupação direta, presentemente, a não ser tu mesmo!

E, observando que o moço mantinha-se calado, em pranto, prosseguia com solicitude:

— Releva-me se te falo assim abertamente. A confiança de um coração não pode morrer. Dize-me, pois, se queres partir para tentar vida nova sob as bênçãos de Deus. Estou certa de que viveremos felizes, em perpétua e santa união...

— Não posso! — sussurrou Clenaghan lastimosamente.

— Por quê? — indagou Alcíone, plenamente confiante.

Ele esboçou um gesto tímido, revelando a vergonha que o assomava, e explicou com indizível tristeza:

— Estou casado há mais de dois anos.

A moça sentiu que o sangue lhe gelava nas veias. Jamais pudera admitir que o dileto do seu coração fosse capaz de olvidar antigos juramentos. O inopinado da revelação esmagava-lhe a alma toda. Lágrimas ardentes, arrancadas do íntimo, afloravam-lhe aos olhos, mas, na meia sombra da noite, buscava dissimulá-las cuidadosamente.

Vendo que tardava em manifestar-se, Clenaghan apertou-lhe a mão e perguntou com a delicadeza de uma criança:

— Poderás perdoar-me outra vez?

A filha de Madalena recuperou as energias íntimas e falou com serenidade:

— Não te preocupes comigo, Carlos. Reconheço, agora, que a vontade de Deus é outra, a nosso respeito. Não chores nem sofras.

Extremamente comovido com aquela prova de humildade e renúncia, o ex-sacerdote ponderou:

— Sou casado, Alcíone, mas não feliz... Nunca pude esquecer-te. Certamente, Deus nos criou para a união eterna. Cada coisa do lar, cada pormenor da vida doméstica lembra-me teus sentimentos nobres, porquanto minha mulher não pode substituir-te.

— Sim — disse a moça com desvelado carinho —, também creio que há um casamento de almas, que nada poderá destruir. Este deve ser o nosso caso. O mundo nos separa, mas o Altíssimo nos reservará a aliança eterna do Céu.

O pupilo de Damiano tinha o peito oprimido por indefinível angústia. Coração prisioneiro das indecisões de quantos se afastam do dever divino, voltou a dizer:

— Quem sabe, Alcíone, poderíamos repudiar as algemas terrestres e construir nossa felicidade longe daqui? Minha mulher e eu vivemos em rixas constantes, atravesso a vida sem paz, sem uma dedicação verdadeiramente sincera. Estou pronto a seguir-te, desde que aproves este recurso extremo, em detrimento de meus compromissos atuais.

— Isso nunca! — exclamou a filha de Madalena com bondade enérgica. — Amemos os trabalhos de nossa estrada, por mais duros que nos pareçam. Jamais construiríamos um ninho de ventura e de paz na árvore do crime. Deus nos dará coragem nesta fase difícil. A existência na Terra não constitui a vida em sua expressão de eternidade. Quando o Senhor desatar os laços a que te prendeste num impulso muito natural e humano, encontrarás de novo meu coração... A esperança é invencível, Carlos. Toda inquietação e toda amargura chegam e passam. A alegria e a confiança no porvir eterno permanecem. São bens do patrimônio divino no plano universal.

Ouvindo-lhe os conceitos profundos, oriundos da fé poderosa que lhe caracterizava o espírito, Clenaghan chorava num labirinto de remorso e sofrimento.

— Se for possível — prosseguia a moça com generosidade — desejaria conhecer tua companheira de lutas. Talvez pudesse inclíná-la a melhor compreensão das tuas necessidades. Às vezes, basta uma simples conversação para renovar a opinião de uma criatura. Não crês que eu possa contribuir, de algum modo, em teu favor, com semelhante aproximação?

O infortunoso Carlos sentia-se comovido nas fibras mais íntimas com o delicado oferecimento, redarguindo em tom melancólico:

— Quitéria não é digna dessa esmola da tua bondade. Basta dizer-te que, conhecendo a ligação afetiva existente entre nós, pelas minhas sucessivas referências e por informações de antigas amizades nossas em Ávila, sempre alude à tua pessoa com laivos de ironia e rancor.

A filha de Cirilo entrou em silenciosa meditação. O destino não lhe permitia nem mesmo aproximar-se do lar edificado pelo eleito de sua alma. Sua afetividade, bem como o espírito de renúncia, não poderiam ser compreendidos. Restava-lhe regressar à casa de Beatriz, conformar-se com a nova situação e esperar por Clenaghan num outro mundo, aonde fosse conduzida pela mão da morte.

Longa pausa estabelecera-se entre ambos. Foi aí que lhe nasceu a ideia de consagrar-se à solidão da vida religiosa, no intuito de trabalhar do seu elevado idealismo.

— Não ficas magoada pelas minhas confissões? — perguntou o ex-sacerdote angustiado.

— De modo algum — respondeu, esforçando-se por lhe parecer satisfeita —, tua esposa tem razão. Depois de visitar o velho sítio de minha infância e a casinha tosca onde minha mãe, tantas vezes, me exemplificou a resignação, voltarei à França sem perda de tempo.

— Quando nos veremos novamente? — interrogou ele, inquieto.

— A vontade de Deus no-lo dirá mais tarde. Até lá, meu querido Carlos, não esqueçamos a dedicação aos nossos deveres e a obediência aos divinos desígnios.

— Deixas-me em Castela, amargurado para sempre. Creio que jamais poderei apagar o remorso que tisnará minha alma doravante. Aprenderei, duramente, a não atender aos primeiros impulsos do coração. Se fosse menos precipitado no julgar, poderia oferecer-te, agora, a minha fidelidade perene. Esqueci, porém, a prudência salvadora e mergulhei num mar de angústias torturantes. Andarei, na Terra, como náufrago sem porto.

E, terminando amargamente as suas considerações, rematava:

— Pede a Jesus por mim, para que o desespero não me faça mais infeliz.

— Não te percas em semelhantes ideias — exclamou a filha de Madalena, completamente senhora de si —, estamos neste mundo, de passagem para uma esfera melhor. Por certo que a nossa felicidade não se resumiria em atender, por algum tempo, aos nossos desejos, com o olvido das mais nobres obrigações. É indispensável encarar as dificuldades com ânimo decidido. Luta contra a indecisão, pela certeza de que Deus é nosso Pai, misericordioso e justo... Se nos vemos novamente separados, é que há trabalhos convocando-nos a testemunhos mais decisivos, até que nos possamos reunir nas claridades eternas.

Clenaghan prestava acurada atenção a cada uma de suas palavras sábias e carinhosas. Em seguida a uma pausa, Alcíone prosseguia cheia de amor e compreensão:

— Não maltrates tua mulher sempre que o seu coração não te possa entender integralmente. Quando assim for, faze por ver nela uma filha. Quando não filha de tua carne, filha de Deus, seu e nosso Pai. A bondade liberta o ódio e a desesperação agrava os laços mesquinhos. A confiança em que o Pai Celestial nos ajudará, nos testemunhos diários, transforma nosso espírito para uma vida mais alta, ao passo que a revolta e a dureza nos prendem espiritualmente ao lodo das mais baixas provações. Ainda que tua companheira seja ingrata, perdoa-lhe como amigo compassivo. Nenhum de nós está sem pecado, Carlos. Por que condenar alguém ou agir precipitadamente quando também somos necessitados de amor e de perdão? Vive no otimismo de quem trabalha com alegria, confiante no Divino Poder. À nossa frente desdobra-se a eternidade luminosa! Embora separados no plano material, nenhuma força da Terra nos desligará os corações. Muitas obrigações poderão encarcerar-nos transitoriamente na Terra, mas o elo do amor espiritual vem de Deus, e contra ele não prevalecem as injunções humanas...

Ante as observações judiciosas de Alcíone, Carlos pôde reconfortar-se, de algum modo, para retomar a luta purificadora. Só muito tarde, separaram-se em penosas despedidas.

A filha de Madalena, disfarçando a dor que a empolgava, cumpriu rigorosamente a promessa. Depois de beber na taça da saudade, revendo os antigos sítios das primeiras esperanças, sem mesmo se dar a conhecer às relações de outros tempos, regressou a Vigo, onde se demorou quase um mês em meditações silenciosas e doridas. Sua permanência em Ávila poderia acarretar complicações à vida doméstica do homem escolhido. A jovem esposa de Clenaghan, possivelmente, criaria pesadelos de ciúme sem justificativa. Diariamente, à tardinha, Alcíone aproximava-se da praia, contemplando as velas pandas que se afastavam no estendal das águas movediças. Profunda saudade dominava-lhe o coração. Após longos dias, nos quais procurava rememorar, uma a uma, as velhas advertências do padre Damiano, quando na vida religiosa, resolveu retirar-se do mundo para a soledade dos grandes pensamentos. Não desejava, de nenhum modo, atirar-se ao repouso permanente da sombra, mas, sentindo-se na plenitude de suas energias orgânicas, refletia que não era lícito pensar na morte do corpo, e sim no melhor meio de atender ao trabalho, de coração voltado para Jesus. Se partisse em companhia de Beatriz, naturalmente não lhe faltariam as bênçãos da vida familiar, mas o coração não se conformava com a ideia de repouso constante. O destino não lhe dera um lar próprio, onde lhe fosse possível consagrar-se inteiramente ao homem amado e aos filhinhos do seu amor. Seus pais já haviam partido para uma vida melhor, o irmão adotivo lhes fora no encalço. Na condição de mulher, tomaria, então, o hábito religioso, a fim de atender aos trabalhos do Cristo. Não faltariam os deserdados, os doentes, os enjeitados, para quem Jesus continuava passando sempre, nas estradas do mundo, distribuindo energias e consolações. Consagrar-se-ia ao serviço de socorro às criaturas, em benefício dos que necessitassem. Iria ao encontro do Mestre, pelo aproveitamento mais nobre do tempo de sua vida.

Nessa disposição espiritual, regressou a Paris, onde a irmã a esperava ansiosa e saudosa.

Apesar de serena e confortada na fé, não podia mascarar o abatimento e a tristeza que lhe pairavam na alma sensível, e foi com lágrimas que relatou à Beatriz o resultado da longa excursão. A esposa de Saint-Pierre, visivelmente emocionada, buscava confortá-la:

— Tudo isso passará com o tempo. Na América hás de achar lenitivo ao coração sofredor.

Mas a filha de Madalena comunicou-lhe a resolução de tomar outro rumo. Vestiria o hábito religioso, dedicar-se-ia ao coração de Jesus, enquanto lhe restassem forças no mundo. A irmã tentou dissuadi-la.

— E nosso lar? — perguntava a filha de Susana, ansiosa por lhe modificar a decisão. — Como nos seria dolorosa a falta de tua companhia.

Alcíone quis dizer que se sentia quase só, distanciada das afeições primitivas, mas, para não suscetibilizar a irmã devotada, objetou solícita:

— Pedirei, mais tarde, para visitar a América e passarei contigo o tempo que for possível, mesmo porque não é justo olvidar que teus futuros filhinhos serão também meus.

E não houve como lhe modificar o intento. De nada valeram as exortações de Henrique, os rogos da irmã, os carinhosos pedidos dos servos. A filha de Cirilo tinha uma palavra amável e um sincero agradecimento para todos, mas justificava o caráter sagrado de suas intenções.

A mudança de Henrique de Saint-Pierre para o Novo Mundo já estava definitivamente aprazada, quando Alcíone assentou a data do seu ingresso num modesto recolhimento de freiras carmelitas.

Na véspera, sem que alguém o soubesse, visitou o túmulo da genitora, levando-lhe a homenagem do seu respeito filial, naquele instante grave da sua vida. Defronte do sepulcro, de alma colada às recordações afetivas, pôs-se de joelhos e monologou baixinho:

— Ah! vós que experimentastes largos anos de reclusão e sacrifício; vós, minha mãe, que fostes tão devotada e carinhosa, ajudai-me a levar a Jesus o voto silencioso de fidelidade até o fim dos meus dias! Não me desampareis nas horas escuras, quando a saudade se fizer mais amarga ao meu coração. Inspirai-me pensamentos de fé, paciência e compreensão das coisas divinas. Auxiliai-me nos trabalhos, abençoai-me nos testemunhos. Não esqueçais, no Céu, a filha a quem tanto amastes na Terra!

Em seguida à prolongada meditação, voltou ao palacete da Cité, despediu-se afetuosamente de todos os servos e, já na manhã imediata, Saint-Pierre e sua mulher abraçavam-na compungidos à porta do mosteiro.

*

Um ano de noviciado passou, no qual a filha de Madalena deu provas exuberantes de coração puro e de consciência ilibada.

No dia que precedeu a resolução definitiva, a superiora chamou-a com austeridade, num gabinete particular, e sentenciou:

— Minha filha, estás francamente decidida a abandonar o mundo e os seus gozos?

— Sim, madre — respondeu humildemente.

— Deves saber que coisa alguma do passado te poderá acompanhar até aqui.

A moça fez um gesto expressivo e rogou:

— Compreendo-vos; entretanto, pediria permissão de levar para minha cela um objeto muito caro.

— Que é?

— Um velho crucifixo que pertenceu a minha mãe.

— De acordo.

Depois de uma pausa, a madre abadessa voltou a perguntar:

— Que outros pedidos tens a fazer?

A nova professanda[65] lembrou-se de Carlos, que não poderia excluir do coração, e de Beatriz, a quem se sentia ligada por santo reconhecimento, e indagou:

— Desejava saber se poderei participar de algum trabalho na América, mais tarde, e se poderei futuramente pleitear minha transferência para algum convento de Espanha.

— Tudo isso é possível — esclareceu a superiora. — E os teus bens?

— Assinarei amanhã o título de doação do que possuo, em benefício da nossa Ordem.

— No momento crítico de tua resolução, Alcíone Vilamil deve estar morta para o mundo profano. Que nome desejas adotar na suprema união com Cristo?

— Maria de Jesus Crucificado — disse cândida e naturalmente.

Terminou o interrogatório.

No dia seguinte, pela manhã, em solene ritual, cercada pela admiração das companheiras e de numerosos clérigos, a filha de Madalena ajoelhou-se ante o altar de Jesus coroado de espinhos e, fitando o maravilhoso símbolo da cruz, de olhos brilhantes e confiantes, repetiu enternecida a frase sacramental:

"Eis aqui a serva do Senhor. Faça-se em mim segundo a sua palavra."

---

[65] N.E.: Professar – fazer votos, ao entrar para uma ordem religiosa.

VII
A despedida

    Estamos nos primeiros anos do século XVIII. Alcíone Vilamil, agora Irmã do Carmelo, é um exemplo vivo de amor cristão. Tendo passado dos 40 anos, a fisionomia conservava a beleza da madona esculturada pela virtude. Muitas vezes, na solidão de si mesma, nos primeiros dias de reclusão, refletiu se não teria sido melhor acompanhar Beatriz à América. O amor de Carlos, porém, lhe falava mais alto à consciência. Tal como outrora a genitora, em seus padecimentos, absolutamente presa à lembrança do marido, a filha de Cirilo sentia-se em perene viuvez de coração. A seu ver, não poderia seguir para a América, onde seria naturalmente convocada ao espírito de novidade, quando sabia o eleito de sua alma ligado ao solo de Espanha. Em sua luminosa compreensão da vida, via em Clenaghan um fraco, não um criminoso; e no recôndito da alma alimentava a esperança de aproximar-se um dia do seu lar, de maneira a lhe ser útil. Quando ele a visse envergando o hábito religioso, certo que a esposa lhe respeitaria a condição, abstendo-se de qualquer sentimento menos digno a seu respeito. Inconcebível, então, a tentativa de novas atividades na América, quando entrevia possibilidades de auxiliar o pupilo de Damiano em suas necessidades do coração.

    Não obstante esse poderoso magnetismo do amor, também nutria o sincero propósito de visitar a irmã, no Connecticut, plano esse que ainda não fora possível realizar, dado o nobre serviço a que se afeiçoara, para maior júbilo das companheiras.

    Depois de pronunciar o voto definitivo, não esteve em França mais que um ano e transferiu-se para a Espanha, onde trabalhou primeiramente em Granada, por mais de um lustro, em favor das crianças desvalidas e dos desventurados da sorte. Por sua dedicação e humildade, convertera-se numa orientação viva para as irmãs de apostolado. Geralmente, não faltavam as intrigas, o esforço ingrato da inveja e da maledicência, tão comuns nos conventos da época; ela, porém, sem exorbitar da sua conduta evangélica, desconhecia todas as atividades da sombra, para cogitar somente da sua tarefa espiritual com o Cristo. Por isso mesmo, sua exemplificação constituía um símbolo precioso para a comunidade. Ao seu contato, inúmeras companheiras renovavam as concepções próprias. Sua dedicação ao serviço contagiava outros corações, que se sentiam seduzidos pela grandeza dos seus atos e ideais dentro do Evangelho. Jamais conseguira efetivar o velho desejo de visitar Beatriz, mas, em compensação, criava, em torno da sua personalidade simples e poderosa, um verdadeiro colégio de irmãs pelo coração, que a admiravam e seguiam devotadamente. Depois de longo tempo, conseguiu fixar-se na comunidade carmelitana de Medina Del Campo. Antes, porém, obedecendo a secreta ansiedade do coração, visitou Ávila, lá se demorando mais de uma quinzena. No entanto, com grande surpresa, não mais encontrou Clenaghan, sendo informada de que o comerciante irlandês, após enorme infortúnio doméstico, retirara-se para a França, deixando a mulher, que lhe havia conspurcado o lar e o nome. Alguns amigos chegavam a declarar que o sobrinho de Damiano estava resolvido a retomar a batina, se conseguisse permissão das autoridades eclesiásticas. Outros opinavam que o ex-padre pretendia insular-se nalgum remoto convento, onde pudesse consagrar o tempo às meditações divinas.

    Alcíone tudo ouviu, lamentando profundamente, mas abstendo-se de qualquer comentário, com aquela discrição que lhe assinalava as atitudes. Entretanto, intimamente, examinava o assunto sem eximir-se a grande estranheza. Com que intenção viajaria Carlos para a França? Pretenderia revê-la? Essa hipótese não era plausível, pois ele estava mais que informado do seu plano de mudança para o Novo Mundo. Dolorosas considerações lhe vieram ao espírito sensível, mas, atendendo às advertências santas da fé, buscava entregar a Jesus as penas e anseios de cada dia, invocando-lhe o socorro divino.

Recolhida em Medina Del Campo, não nas sombras do claustro, mas nos trabalhos nobres do coração que se consagra a Jesus, nunca mais teve notícia de Carlos, embora os anos perpassantes lhe trouxessem renovadas esperanças em cada dia.

Na época em que nos encontramos, Maria de Jesus Crucificado desempenha no convento a tarefa de subpriora, por força da enfermidade rebelde e dolorosa que, de há muito, prende ao leito a madre superiora. A instituição de Medina é realçada pelo seu espírito de atividade. Extensa porção de terra é aproveitada em trabalhos fecundos, que aproveitam aos desvalidos. A infância desamparada ali encontra escola ativa para a educação em seus prismas essenciais. Mães sofredoras recebem esforçada cooperação das Filhas do Carmelo. Alcíone é a alma de todas as tarefas, mas, por isso mesmo, começou a ser alvo do despeito e da perseguição gratuitos. Enquanto a velha superiora repousa em tratamento, sua atividade transformadora converte a casa num templo de trabalho e de alegria.

Quando sua ação benemérita começa a dilatar o círculo de trabalhos, eis que o Padre Geral da Ordem, falsamente informado, designa um capelão de Madri para substituir o probo religioso que cooperava com a filha de Madalena em suas obras renovadoras, e a situação se modifica inteiramente.

Frei Osório chega a Medina Del Campo com a secreta recomendação de averiguar o que existe sobre a vigorosa atuação da carmelitana humilde. Seu ingresso na casa dá motivo a fortes preocupações. E, com efeito, no curto espaço de dois meses, algumas companheiras de Alcíone levavam-lhe queixas bem amargas a respeito da conduta do novo sacerdote. Osório ainda não havia atingido os 50 anos, mas, por suas atitudes exteriores, dir-se-ia um homem profundamente amadurecido nas experiências do mundo. Isso, porém, resultava tão só do velho hábito de afivelar ao rosto a máscara da santimônia. No íntimo, não passava de um ser viciado e perverso, para quem o prestígio da autoridade era válvula de escapamento para os próprios desvarios. A princípio, esforçou-se por obter algum testemunho menos digno, comprometedor da subpriora; todavia, em cada coração, Alcíone estava entronizada como em altar de amizade e gratidão puras. A instituição, porém, ao contrário de suas congêneres, dava-lhe a impressão de uma casa generosa do mundo, sem as características de monastério impenetrável, destinado ao recolhimento da piedade preguiçosa. O capelão inspetor começou a manifestar profundo desagrado por tudo quanto via. Aquele intercâmbio constante com o mundo secular tirava ao núcleo carmelita a feição freirática dos demais conventos da Ordem. As religiosas eram mais ativas e, por isso, mais habilitadas para conhecer as fraquezas humanas e dar combate às tentações. Frei Osório achava-se num ambiente para ele desconhecido até então. Outras visitas dessa natureza sempre lhe facultavam ensejo de numerosos regalos. A pobre freira afastada do mundo era, invariavelmente, um campo vasto de mesquinha exploração para os seus sentimentos lúbricos. Ali, no entanto, a coisa mudava de figura. A subpriora, nas reuniões internas, comentava os ensinamentos de Jesus, em desacordo com os teólogos; prodigalizava oportunidades de serviço a cada companheira, como lhe parecia melhor, distribuía equitativamente o trabalho, de acordo com as vocações. Era impossível desconhecer o caráter inteligente e precioso da comunidade, mas frei Osório, não encontrando a esperada vasa para as suas aventuras indignas, prometeu a si próprio modificar o espírito fundamental da instituição.

Seu esforço caviloso começou no confessionário, onde empregou os mais baixos ardis para convencer uma que outra religiosa a lhe aceitar as indecorosas propostas. As pobres criaturas, aturdidas com as maquinações diabólicas do conquistador, procuravam a nobre amiga, ansiosas dos seus conselhos. Alcíone sentia-se amargurada. Não podia conservar, sem perigo, um lobo entre as ovelhas; por outro lado, qualquer reclamação aos superiores da Ordem poderia ser interpretada como rebeldia. Depois de longas semanas de meditação, resolveu submeter o caso ao critério da venerável madre superiora. A bondosa velhinha, no seu leito de sofrimento e resignação, ouviu alarmada a confidência penosa da filha de Madalena.

— Que nos aconselhais? — dizia Alcíone comovida. — A vossa experiência, minha boa madre, é para nós outras um seguro roteiro!

A anciã doente endereçou-lhe um olhar triste e sentenciou:

— Ah! minha filha, por desejar o caminho reto, muito sofri neste mundo, desde os primeiros tempos de noviciado. O flagelo da Igreja continua sendo os sacerdotes indignos. Quem sabe poderemos chamar frei Osório à senda do Cristo?

— Não considerais razoável pedir ao Geral que nos mande outro capelão?

— Não — respondeu a enferma —, se o fizéssemos, despertaríamos suspeita imerecida e, então, talvez tivéssemos este mau religioso em nossa companhia por muitos anos... Será preferível que o chames, em particular, e lhe peças, em nome de Jesus, que não minta aos compromissos assumidos.

A filha de Cirilo quis responder que não se sentia com autoridade para admoestar ninguém, mas a noção de obediência fê-la calar-se, humilde. A priora, todavia, parecendo adivinhar-lhe os pensamentos secretos, acentuou:

— Naturalmente, minha filha, não vais exortar um sacerdote que deveria saber, muito bem, cumprir a rigor os seus deveres, mas apelar para um irmão, a fim de que nossa casa não seja perturbada. Sinto que as circunstâncias me indicam semelhante tarefa, mas encontro-me bastante debilitada para argumentar como convém. Além disso, todas reconhecemos que o Senhor te favorece com luminosas inspirações nos ensinos evangélicos. Compreendo quanto esta prova te custa, mas não vejo outra irmã que possa substituir-te.

Maria de Jesus Crucificado calou-se, sem mais dizer.

Uma semana se passou, entre reclamações das freiras assustadas e preces fervorosas com que Alcíone rogava a Jesus o poderoso socorro de sua assistência, de molde a desempenhar a incumbência que lhe fora cometida.

Depois disso, valendo-se de um momento em que o sacerdote se encontrava só, na capela, a filha de Madalena revestiu-se de coragem e lhe pediu licença para algumas palavras em particular.

— Frei Osório — começou humildemente —, sei, de antemão, que não tenho capacidade para advertir a ninguém; sou fraca e pecadora; entretanto, ouso vir à vossa presença a fim de apelar para os vossos sentimentos de irmão.

— De que se trata? — perguntou o padre abruptamente.

Ela o fixou num olhar muito significativo e acrescentou:

— Venho pedir a vossa cooperação a favor das muitas jovens que aqui se encontram sob a nossa responsabilidade.

Percebendo a natureza do caso, o interlocutor assumiu uma atitude hipócrita, como soía fazer, e replicou:

— Sou acusado de alguma falta? Desejaria conhecer a caluniadora.

— Ninguém vos acusa — esclareceu a religiosa, nobremente — temos bastante consciência de nossas próprias fraquezas, para nos arvorarmos, impensadamente, em censoras de nossos irmãos. Apenas solicitamos ao vosso coração, em nome de Jesus, que nos auxilie com o entendimento de um pai.

— Devo dizer-lhe, irmã, que considero a sua atitude como um atrevimento.

— Talvez seja — murmurou Alcíone, humilde —, mas sou a primeira a pedir-vos perdão, esperando me releveis pela intenção com que cometo esta ousadia.

— Este apelo deixa subentender graves injúrias — disse Osório, hipocritamente — e estranho muito que tivesse coragem para tanto.

— Já vos disse, padre, que não tenho autoridade para admoestar ninguém. A vós me dirijo como irmã.

Contrariado em seus propósitos inferiores, o sacerdote contemplou-a irado e redarguiu:

— Não a reconheço como irmã do Carmelo, sim como inovadora, passível de severa punição. Suas interpretações do Evangelho constituem um atestado de desobediência. Esta casa mais se assemelha a um albergue mundano e creio que toda perturbação se deve à sua influência anárquica. Esta instituição, de há muito, não vive de conformidade com as regras, mas ao sabor de seus caprichos.

A interlocutora permanecia em silêncio, amargamente emocionada. Interpretando essa atitude como sinal de pusilanimidade, o sacerdote continuou:

— Onde já se viu semelhante liberdade, qual a vemos adentro destes muros? Ainda não ouvi qualquer expressão de acatamento aos nossos teólogos; a comunidade, sempre interessada em atender ao mundo, não encontra tempo adequado ao serviço de adoração. O nosso compromisso é de obediência absoluta à autoridade!

As observações eram feitas com tanta acrimônia que Alcíone se viu constrangida a tomar a defesa do Evangelho, pelo muito amor que consagrava ao seu conteúdo divino. Por si mesma, experimentava toda a extensão da fragilidade humana e jamais se animaria a discutir; entretanto, à luz da verdade cristã, outra deveria ser a sua atitude. Não podia considerar virtude a complacência com o mal. Osório invocava o próprio Cristo, no sentido de acobertar ações mesquinhas, e ela precisava defender a lição pura e simples do Mestre, sem perder a expressão de amor que lhe vibrava na alma. Como tantas vezes lhe acontecera noutros tempos, Alcíone procurou encará-lo como a um doente e necessitado de luz. Depois de o envolver num olhar quase maternal, falou serenamente:

— Toda autoridade humana, quando inspirada na justiça, deve ser venerável a nossos olhos; todavia, padre, é preciso não esquecer que o nosso primeiro compromisso é com Jesus.

O capelão inspetor experimentou grande surpresa com aquela nova atitude da interlocutora. Falando de si mesma, a religiosa apagava-se nas afirmações humildes, mas, tratando do Cristo, parecia tocada de misterioso poder. Preparando-se para ser ainda mais cruel, frei Osório asseverou com certa dose de ironia:

— Obrigações com Jesus? Não me parece que a senhora as preze tanto assim. Noto aqui muito maior preocupação com o mundo. As filhas do Carmelo, em Medina, sob a sua atuação prejudicial, não encontram tempo para tratar da alma. O dia inteiro, grande confusão se verifica às portas desta casa. Uma falsa piedade vai estabelecendo a desordem. Será isso obrigação com Jesus?

Fitando-o com nobreza de ânimo, ela respondeu:

— Não nos consta que o Mestre se afastasse do mundo para servi-lo. O Evangelho não o apresenta enclausurado ou recolhido à ociosidade da sombra. Pelo contrário, Jesus atravessou a pé grandes extensões da Palestina, ensinando e praticando o bem. João Batista, nas anotações de Lucas,[66] no-lo revela como o trabalhador que tem a pá nas mãos. Seu apostolado foi integralmente de realização e movimento. Era impossível atender à salvação do mundo, afastando-se de suas necessidades. Por essa razão, vemos o Messias entre fariseus e publicanos, nas festividades domésticas e nos ajuntamentos da praça pública, dando cumprimento à sua missão de amor. Como poderemos servir à sua causa divina, inclinando-nos à preguiça, sob o pretexto de uma falsa adoração? Muitas de nós, religiosas, deixamos os afetos familiares para consagrar todas as energias ao serviço do Cristo. Mas de que natureza serão esses trabalhos? Acreditais, frei Osório, que Jesus necessite de mulheres ociosas? Não admitais semelhante absurdo. A atividade do Mestre, a que fomos chamadas, é a de

---

[66] Nota de Emmanuel: LUCAS, 3:17.

colaboração com o seu devotamento na causa da paz e da felicidade humana. Em torno de nossos conventos, há mães que choram sob o guante de necessidades cruéis, criancinhas abandonadas que requisitam socorros urgentes, velhos respeitáveis totalmente desamparados. Seria razoável a continuação das atitudes convencionais de falsa devoção, quando Jesus prossegue, pelos caminhos, animando e consolando? Por vezes, padre, em nossas missas solenes, quando o luxo dos altares impressiona os nossos olhos, julgo que o Mestre está às portas do Templo, confortando as viúvas descalças e rotas, que não puderam penetrar no santuário pela deficiência das vestes. Por que manter o rigor das regras humanas quando o ensinamento da caridade cristã é tão simples e tão puro? Por que repetirmos uma prece mil vezes, nas festas de Santa Cruz, e negarmos dois minutos de palestra carinhosa ao infortunado? Não seria essa nossa estranha atitude a perfeita personificação daquele sacerdote indiferente da Parábola do Bom Samaritano? Não considero a fé um meio de obter favores do Céu, ao sabor do nosso alvedrio[67] pessoal, e sim um tesouro do Céu, que a Terra está esperando, por nosso intermédio.

Profundamente despertado e surpreendido, Osório aproveitou pequena pausa e objetou:

— Suas ideias denotam exaltação doentia. No desempenho de deveres inerentes ao meu cargo, condeno-as em bloco.

— E que entendeis por vosso cargo? — perguntou Alcíone, com intenso brilho no olhar. — Todos os homens dignos têm tarefas respeitáveis, por mais simples que pareçam; um sacerdote, porém, recebeu do Céu missão divina. Um padre deveria ser um pai. Entretanto, vede, os discípulos sinceros escasseiam em todas as comunidades. O mundo está cheio de eclesiásticos, mas só pode contar com raríssimos missionários.

— Isto é um insulto à autoridade da Igreja — acrescentou o interlocutor irritado.

— Estais enganado. Minhas afirmativas podem ser uma apreciação de nossa miserabilidade neste mundo, mas não podemos esquecer que a Igreja do Cristo é inviolável. Nossas fraquezas não a atingem.

— Vejo que sua opinião é a dos que trabalham atualmente pela destruição da fé.

---

[67] N.E.: Livre vontade.

— Grande é o vosso equívoco, frei Osório. Ninguém destruirá, na Terra, a Igreja de Jesus. Ainda que todos os homens se conluiassem contra ela, o instituto cristão continuaria puro e intangível. Devemos considerar, contudo, que todos os elementos humanos, colocados a seu serviço sobre a Terra, hão de ser necessariamente modificados. Nossos templos frios e impassíveis serão transformados mais tarde em casas de amor, como lares de Deus, onde as criaturas possam encontrar o verdadeiro culto da sua inspiração e do seu amor sublime. Os conventos deixarão de ser âmbitos de sombra, para que o Mestre neles identifique tabernáculos da fé e caridade puras. Nós, monjas, teremos interpretado o serviço divino de outro modo, escalonando pelos hospitais, creches, asilos, escolas.

O capelão contemplou-a assombrado e exclamou com ironia:

— Com toda essa veia profética, que nos prediz a nós outros, os sacerdotes?

A filha de Madalena fitou-o com serenidade e, sem hesitação, redarguiu:

— Vós, por certo, compreendereis, afinal, que os interesses pecuniários deverão desaparecer das casas consagradas ao Cristo. Por essa época, talvez, vós, os padres, sereis como Paulo de Tarso repartindo a tarefa entre o tear e a pregação, para que a Igreja não seja acusada por nossos irmãos de Humanidade!... Sereis, talvez, como Simão Pedro, fiel até o fim, depois do período de negação!

Longe de esperar resposta decisiva e profunda como essa, o delegado do Geral arregalou os olhos e disse colérico:

— A senhora é uma herética!

— Se a sinceridade e a verdade são heresias, para o vosso critério pessoal, honro-me em servir ao Senhor com a minha consciência.

Tomando atitude terrível, qual se maquinasse odiosa vingança, Osório acentuou:

— Ignora que poderei processá-la e punir-lhe o atrevimento?

Sem qualquer vislumbre de receio, a filha de Cirilo respondeu:

— Estou certa de que poderão cair sobre mim todos os males do mundo; não estou menos certa de que Jesus tem todos os bens para me dar.

E, como se iniciasse o sumário dos pontos essenciais da futura sentença, frei Osório continuou:

— Pela sua desconsideração aos nossos teólogos mais eminentes, poderá ser acusada como rebelde e traidora aos princípios da fé, partidária dos diabólicos luteranos, passíveis das mais fortes represálias.

— Deus conhece o meu íntimo, e isso me basta — murmurou a filha de Madalena, com sincera humildade.

— Por suas interpretações audaciosas do Novo Testamento, a ponto de seduzir diversas companheiras para o seu cisma, a senhora deverá conhecer, naturalmente, uns tantos segredos da velha magia.

— O Mestre, por muito amar — acentuou Alcíone tranquila —, foi tido em conta de feiticeiro por muitos religiosos do Judaísmo.

O capelão inspetor dissimulava a grande surpresa que o invadia, de minuto a minuto, pela inesperada resistência, e prosseguiu:

— A senhora tem desviado, na qualidade de subpriora, inúmeras e preciosas dádivas feitas ao estabelecimento, graças a um serviço desordenado de falsa piedade pelo próximo, com descaso completo dos interesses de Deus.

— Não creio que os interesses de nosso Pai Celestial — esclareceu a interlocutora — se adstrinjam e se agitem entre algumas paredes de pedra; e enquanto estiver a meu cargo qualquer função religiosa, o dinheiro recebido atenderá não somente às nossas necessidades, mas também às de quantos possam receber os benefícios desta instituição, convicta como estou de não haver obras sem fé, nem fé sem obras.

— Mas poderá pagar muito caro essa maneira de ver. Não são raros os religiosos condenados por latrocínio.

— Compreendo até onde desejais chegar com semelhantes alegações, mas a verdade é que nada possuo além do meu hábito.

— Isso não impede que tenha comparsas fora destes muros.

Alcíone fixou nele um significativo olhar e acrescentou:

— Não posso impedir o vosso julgamento; todavia, posso afirmar que estou satisfeita com o juízo de Deus, em consciência.

Reconhecendo-lhe a inquebrantável firmeza, Osório acentuou rancorosamente:

— Denunciá-la-ei ao Santo Ofício. Disponho de poderoso amigo junto do Inquisidor-mor de Madri, que pode fazê-la expiar tão grandes delitos.

A religiosa manteve-se impassível diante da raivosa e grave ameaça, murmurando muito tranquila:

— Podeis proceder como quiserdes. Quanto a mim, intercederei por vós em minhas orações e tenho em Jesus um amigo forte, que pode absolver-vos.

Em seguida, retirava-se para os serviços internos, deixando o capelão inspetor rilhando os dentes.

No dia seguinte ao incidente, que ficara ignorado para a própria superiora, em virtude do silêncio a que se recolhera a filha de Cirilo, frei Osório viajou para Madri, arquitetando os planos mais perversos. Depois de apresentar capcioso relatório ao Geral da Ordem, procurou o seu amigo frei José do Santíssimo, um dos auxiliares do Inquisidor-mor, a quem denunciou a religiosa de Medina Del Campo, solicitando, com empenho, o emprego de sua influência para que Maria de Jesus Crucificado fosse punida por suas tendências luteranas, recebendo aprovação aos seus propósitos sinistros.

Frei José do Santíssimo era Carlos Clenaghan, transformado em jesuíta. Depois da tragédia conjugal em que sentira espezinhados os seus brios de homem, o pupilo de Damiano voltara à vida religiosa, como um derrotado da sorte, em supremo desespero. A princípio, lutara com certa dificuldade para conseguir seu intento, mas a doação de todos os seus bens à Companhia de Jesus lhe abrira as portas da famigerada comunidade dos inquisidores. Acreditava que Alcíone estivesse feliz na América, talvez casada com um homem digno de suas qualidades de santa e, deixando-se levar pela desesperação, procurou instalar-se no Santo Ofício, a fim de perseguir os que lhe haviam infelicitado o lar honesto. Coração amoroso embora, Clenaghan estava agora completamente enceguecido pelo ódio. Sentindo-se um náufrago nos planos da vida, não encontrava em sua fé forças para confiar plenamente em Cristo e dava pasto às mais venenosas disposições de vingança. Depois de alguns anos em que demonstrara hostilidade franca à sociedade humana, foi admitido à posição de relevo pelo Inquisidor-mor da capital espanhola, num cargo de confiança, em cujo desempenho conseguira realizar seu intento, perseguindo o sedutor da mulher, fazendo-o recolher a sombrio cárcere em Córdova. Pouco a pouco, esquecia os nobres ideais do pretérito. As antigas palestras de Ávila, as observações do tutor, os conselhos e a exemplificação de Alcíone dormiam-lhe no coração, meio esquecidos. Por vezes, interpelava a si mesmo se não teria sido demasiadamente sentimental no passado distante. A atmosfera pesada e sufocante dos interesses mesquinhos do mundo entorpecia-lhe o espírito.

Recebendo a queixa de frei Osório, um de seus colaboradores fiéis na perseguição movida aos desafetos de Castela-a-Velha, o auxiliar do Inquisidor prometeu-lhe integral apoio sem nenhuma hesitação.

E, por isso mesmo, o capelão inspetor, apossando-se de alguns documentos, voltou a Medina acompanhado por dois guardas incumbidos de efetuar a prisão da religiosa denunciada. Osório, entretanto, conhecendo o grau de estima que a filha de Cirilo desfrutava entre as companheiras, absteve-se de falar em medida tão grave, deliberando comunicar que a irmã do Carmelo seria levada a Madri para algumas admoestações necessárias.

Para esse fim, determinou se realizasse uma assembleia interna, à feição das que se verificavam no Capítulo,[68] e, logo que reuniu a congregação, começou a falar com acrimônia:

— Solicitei a reunião das dedicadas servas do Cristo, que se abrigam nesta casa, para comunicar que o nosso muito digno Padre Geral, de comum acordo com outras autoridades das virtuosas filhas do Carmelo, deliberou convidar a subpriora Maria de Jesus Crucificado a comparecer em Madri, para receber algumas instruções indispensáveis à administração deste convento. Como capelão inspetor, fui obrigado a expor perante os sapientíssimos diretores da Ordem as deficiências desta instituição, onde os serviços da fé têm sido grandemente sacrificados pelo contato quase incessante com o mundo profano. A longa enfermidade da superiora deu azo a que sua substituta ameaçasse esta obra por excesso de idealismo. O intercâmbio com os profanos resulta sempre em escândalo e nas cruéis tentações de contato com os impenitentes. Assumindo o compromisso de orientar as vossas atividades, tenho de agir com a prudência de um pai, a fim de que não percais a graça do Senhor. Nossa irmã, portanto, será devidamente admoestada e receberá, em breve tempo, as novas normas de serviço da instituição, esperando eu que compreendais a excelência desta medida, com o espírito de humildade que sempre foi o luminoso apanágio das servas do Carmelo. No entanto, sem trair a caridade da Igreja, a subpriora tem a palavra para qualquer explicação que considere oportuna, perante esta assembleia.

Alcíone percebeu o véu da hipocrisia a ocultar a hediondez daquela atitude. As companheiras contemplavam-na ansiosas. A maioria, conhecedora do condenável procedimento do sacerdote, aguardava com interesse a sua reação justa. Mas, num minuto, a filha de Madalena compreendeu que abrir luta seria atirar a comunidade de moças frágeis contra inimigos

---

[68] N.E.: Assembleia de autoridades da Igreja Católica para tratar de determinado assunto.

perversos e poderosos. A seu ver, devia caminhar sozinha para o sacrifício. Enquanto ouvia os conceitos fingidos do inspetor, lembrava o velho padre Damiano. À frente dos olhos da imaginação, rememorou as reuniões carinhosas do ambiente doméstico de Ávila e pareceu ouvir as respostas do religioso às suas perguntas infantis, quando lhe dissera que o circo do martírio para os cristãos sinceros era agora o mundo, e que as feras seriam os próprios homens. Deparava-se-lhe o ensejo de verificar a exatidão daquele asserto. Frei Osório, que dissimulava tão bem o verdadeiro móvel da sua animosidade mesquinha, certamente disfarçava, em admoestação, alguma pena mais dolorosa e mais cruel. Não desdenharia, porém, o testemunho que o Senhor lhe oferecia. Longe de envolver as amigas e irmãs num movimento geral de confusionismo religioso, levantou-se dignamente depois de interpelada e murmurou:

— Para mim, frei Osório, todas as humilhações serão poucas, como todos os nossos testemunhos de amor e reconhecimento a Jesus nunca serão devidamente dilatados. Estou pronta a atender às vossas ordens. Nada mais tenho a dizer.

Amarga expressão de desânimo abateu-se sobre as companheiras. Com ar de triunfo, o capelão voltou a dizer:

— Deverá, então, a subpriora estar preparada para seguir amanhã, ao romper d'alva.

A assembleia dissolveu-se sob penosas impressões. Mais tarde, Alcíone dirigiu-se à cela da veneranda superiora e, confidencialmente, cientificou-a de todos os fatos. A velha amiga abanou a cabeça, desconsolada, e sentenciou:

— Prepara-te, filha minha, para testemunhos amargurados! Assim te falo não com o fim de intimidar teu espírito carinhoso e sensível. Falo-te na qualidade de mãe espiritual, prestes a partir deste mundo e cansada de espetáculos atrozes e de experiências ingratas...

— Ajudai-me, então, minha boa madre — respondeu a filha de Cirilo com grande serenidade —, esclarecei-me para que corresponda à confiança do Senhor nos transes iminentes.

A respetável religiosa contemplou-a enternecida, abraçou-a e beijou-a com afeto, suscitando-lhe profundas reminiscências da mãezinha inesquecível, e continuou:

— Quando os capelães inspetores falam de admoestação, isso significa fome no cárcere ou suplício nas escuras salas de tormento. É possível que Jesus te poupe o martírio perante os inquisidores cruéis. Para isso, filha, rogarei incessantemente a proteção de sua misericórdia, em favor da tua alma generosa, mas não creio que te possas eximir da prisão infamante. Todavia, morrer ao abandono nas celas imundas do Santo Ofício é mil vezes melhor que suportar os olhos despudorados dos maus eclesiásticos que infligem pesadas torturas às mulheres indefesas. Sei de irmãs nossas que morreram no segundo ou no terceiro grau de tormento, em completa nudez, por imposição de homens impiedosos.

A filha de Madalena não pôde dissimular sua admiração.

— Geralmente — prosseguiu a interlocutora veneranda — é muito difícil arranjarem um processo regular contra nós, as religiosas, por considerar a Inquisição que a nossa atitude representaria, no conceito público, um atestado de rebeldia tendente a desmoralizar os princípios da fé. Quase sempre, por essa razão, os religiosos presos apodrecem no fundo dos cárceres sem que sejam visitados pela pretensa justiça da nefanda instituição, que mancha nossos caminhos neste mundo.

Alcíone meditou um momento e murmurou:

— Estou convencida de que Jesus não me abandonará, seja qual for o testemunho que me esteja reservado.

— Sim, minha boa filha — afiançou a superiora, osculando-lhe as mãos com carinho —, Ele está conosco, segue-nos de perto, tal como nos primeiros dias de perseguição nas catacumbas. Lembremos as virgens que morreram nos circos, despojadas de suas afeições, espostejadas pelas feras sanhudas; recordemos as crucificadas entre as fogueiras, servindo de pasto aos infames festins cesarianos. Tenhamos conforto em tais angústias, relembrando que o próprio Messias foi conduzido, seminu, ao madeiro de nossas crueldades. Lastimo que meu corpo alquebrado não me permita seguir-te no testemunho. Mas o Senhor me concederá forças para quebrar as algemas que me prendem ao leito da velhice e da enfermidade, a fim de louvar tua glória!

A subpriora, muitíssimo comovida com aquelas palavras sinceras e carinhosas, murmurou, enxugando os olhos:

— Não deveis falar assim, querida madre! Sou uma simples pecadora e, nessa condição, todos os sofrimentos serão escassos às minhas necessidades de aperfeiçoamento espiritual.

A bondosa enferma abraçou-a com mais ternura, dizendo em seguida:

— Lembra sempre que deixas nesta casa uma velha amiga que te consagra maternal afeição!

Alcíone Vilamil engolfou-se em graves pensamentos, e, após alguns minutos, sem trair a serenidade de sempre, pediu à interlocutora:

— Madre, caso não volte a Medina, como devo esperar, cientifico-vos, desde já, de que é possível chegue até aqui algum pedido de informações a meu respeito. Tenho ainda duas amizades muito fortes no mundo. Trata-se de minha irmã, residente na América, e de um ex-sacerdote, a quem me sinto ligada por sacrossantos laços espirituais. Caso isso aconteça, peço-vos dar notícias minhas.

A bondosa superiora fez um gesto, como quem anotava mentalmente a solicitação afetuosa, e a filha de Madalena deu-lhe o último beijo.

*

No dia seguinte, pela manhã, a subpriora, entre os dois emissários, punha-se a caminho de Madri, levando tão somente o velho crucifixo da genitora e um volume do Novo Testamento. Era toda a sua bagagem. A viagem não foi muito fácil, atentos os percalços da época; entretanto, terminou sem incidente digno de menção. A religiosa de Medina Del Campo foi recolhida, sem mais nem menos, a uma cela escura e úmida dos cárceres da Inquisição, na capital espanhola.

No momento de ser deixada a sós, um dos verdugos que a conduziram ao interior sequestrou-lhe o Evangelho, explicando:

— A senhora pode ficar com o crucifixo, mas não pode aqui ficar com o Novo Testamento, de vez que é acusada de herética e luterana.

Ela apenas esboçou um gesto de conformação.

— Frei José do Santíssimo, digno assessor de nossas autoridades — continuou o algoz, com acento hipócrita —, recomendou que a trouxéssemos até aqui, onde receberá diariamente as rações de pão, até que ele tenha tempo de ouvi-la.

Ela quis indagar o dia da audiência, mas, temendo reprimendas injustas, calou-se. O frade, porém, continuou loquaz:

— Naturalmente que lhe será concedido o tempo necessário para despertar a memória para a confissão geral de suas faltas. O Santo Ofício nunca faz admoestações sem caridade.

Ao clarão da lanterna, a prisioneira nada mais identificou no compartimento estreito e subterrâneo, além de um mísero colchão no solo úmido. E em seguida a fastidiosas considerações do verdugo, relativamente ao espírito de generosidade dos inquisidores, achou-se absolutamente só, em pesada escuridão, ajoelhada, conchegando o crucifixo ao peito opresso.

Desde então, nunca mais pôde saber quando começava o dia ou a noite, a não ser presumindo pelo canto de galos distantes. Envolvia-a uma atmosfera de sombras invariáveis. De quando em quando, o irmão carcereiro renovava, em silêncio, a provisão de pão e água, e mais nada. Algumas vezes, chegavam-lhe aos ouvidos os ecos amortecidos de gritos ou gemidos lancinantes. Não podia duvidar de que provinham das salas de tormento.

Entre a resignação e a humildade, passou a primeira semana, um, dois, seis meses.

Suas vestes estavam rotas, o corpo enfermo e mirrado. Dadas a deficiência de alimentação e a atmosfera úmida, a saúde não resistira às longas semanas de reclusão. A religiosa de Medina sentia-se rudemente atacada pela moléstia do peito. Relembrando os padecimentos de padre Damiano, reconheceu que a tísica vinha partilhar das sombras da cela. Quando seria julgada? Agora, mais que nunca, recordava as palavras da carinhosa madre sobre a crueldade que a Inquisição reservava às religiosas denunciadas como heréticas. Por certo, jamais seria ouvida. Sua atitude poderia ser levada à conta de desmoralização da Igreja, e o Santo Ofício preferia recolher o seu cadáver a exibi-la num auto de fé. Contudo, de outras vezes, a irmã do Carmelo experimentava amargurosos pesadelos, nos leves momentos de sono, entre as rudes vigílias, vendo-se à frente de algozes crudelíssimos, que a despojavam do hábito infligindo-lhe duras sevícias. Despertava aflita, banhada de álgido suor, abraçando-se à única recordação de sua mãe, em preces fervorosas. Febre alta começou a minar-lhe o organismo.

Dez meses correram sobre a crueldade de frei Osório. Entre preces cariciosas e árduas meditações, a filha de Cirilo definhava devagarinho, surpreendendo os próprios frades que montavam guarda ao cárcere, os quais, por vezes, contemplavam-na casualmente, nas visitas eventuais à sua gaiola de sombras.

Renúncia

Por essa época, a religiosa de Medina Del Campo experimentou o esgotamento quase total das energias orgânicas e, compreendendo que o fim deveria estar próximo, encomendava-se a Deus em sentidas orações. Longos dias passaram, dando-lhe a impressão de uma noite invariável... Depois da primeira grande hemoptise, Alcíone sentiu-se num plano diverso. O aposento, ordinariamente escuro, pareceu-lhe banhado de clarões cariciosos. Tanta era a luminosidade que enxergou o colchão e o crucifixo amado, tomando-se de profunda admiração. Seu assombro não ficou aí. Em poucos instantes, divisou no fundo da cela três figuras distintas. Eram seus pais e o velho Damiano, que voltavam das regiões da morte por confortá-la. A enferma, em estado pré-agônico, concluiu que estava prestes a partir. Emocionada, lembrou, na delicadeza de seus sentimentos, que lhe competia apresentar aos visitantes queridos uma atitude de carinhoso respeito e, não obstante a fraqueza, ajoelhou-se e ergueu as mãos, sentindo-se cumulada por bênçãos inefáveis. Jubilosa, observou que sua mãe estava bela como nunca, coroada por um halo de radiosa luz. Enquanto Cirilo e Damiano permaneceram à distância de alguns passos, Madalena Vilamil aproximou-se da filha, sorrindo ternamente, e, pousando-lhe a destra na fronte de alabastro, murmurou:

— Alcíone, minha querida, depois do calvário doloroso, gloriosa será a ressurreição!

A interpelada inclinou-se, osculando-lhe os pés e exclamando entre lágrimas:

— Não sou digna!... Não sou digna!...

A entidade amorosa beijou-a num transporte de imensa ternura. Foi aí que a prisioneira, alongando os braços e sob a forte impressão dos sofrimentos que percebia em torno do seu cárcere, implorou em tom angustiado:

— Minha mãe, sei que nada mereço de Deus, mas, se é possível, não me deixes morrer sob o desrespeito dos algozes impiedosos.

Em pranto convulsivo, notou que sua mãe enxugava uma lágrima. Todavia, Madalena enlaçou-a nos braços, ternamente, e asseverou:

— Não temas, minha filha! Partirás com o amparo dos Anjos!...

Nesse instante, contudo, o frade carcereiro abriu subitamente a porta a fim de ver com quem conversava a religiosa em voz tão alta. Ao clarão avermelhado da lanterna, desfez-se a sublime visão. O vigilante fitou-a espantado. Genuflexa, mostrando impressionante olhar a perquirir o desconhecido, a irmã do Carmelo tinha no hábito roto largas manchas rubras. "A perda de sangue fá-la desvairar", pensou o vigilante de si para si. E, assombrado com o que via, levou a notícia ao superior hierárquico, dizendo parecer-lhe que a prisioneira começava a experimentar os delírios da morte.

O Santo Ofício, por ironia, mantinha certo número de médicos a seu serviço, os quais muitas vezes opinavam sobre a natureza e grau de tortura a infligir aos condenados, a pretexto de que os réus deveriam ser punidos com muita caridade. Um médico foi chamado incontinente para examinar e informar o estado geral da religiosa de Medina. Após o exame, o facultativo, de autoridade a autoridade, chegou até o gabinete de frei José do Santíssimo. Feitas as saudações de praxe, afirmava solícito:

— A ré está irremediavelmente perdida.

— Não suportará sequer as disciplinas preliminares do potro? — indagou o representante do Inquisidor-mor. — Trata-se de um caso ligado a reclamações de um amigo, a cuja bondade muito devo.

— Aquele corpo já não resiste à menor tortura. Creio que ela está nas últimas.

O interlocutor fez um gesto de contrariedade e voltou a dizer:

— É um processo que espera por mim há mais de dez meses; entretanto, tenho tido necessidade de atender a repressões de maior importância.

— Afirmo-vos — esclareceu o facultativo atencioso — que qualquer providência de ordem espiritual deve ser imediata, visto que amanhã talvez seja tarde.

— Hoje estou cheio de compromissos para a noite — explicou o assessor. — Irei amanhã muito cedo tomar-lhe as declarações.

Com efeito, logo que amanheceu, José do Santíssimo, acolitado por dois outros religiosos, desceu às celas subterrâneas a fim de estabelecer o primeiro e último contato com a freira carmelita de Medina Del Campo. Ao clarão da lanterna, aproximou-se da condenada que jazia na sórdida enxerga, abraçada ao crucifixo singular. Moribunda, apenas os olhos nela falavam, vivazes. Os membros e os traços fisionômicos estavam aniquilados, num conjunto de intraduzível abatimento. O eclesiástico experimentou estranha sensação e teve ímpetos de recuar, mas procurou manter-se firme e perguntou:

— Maria de Jesus Crucificado, porventura já estará resolvida a confessar o crime de heresia para que possa receber os sacramentos da extrema-unção?

A interpelada demonstrou no olhar impressionante uma atitude mental de júbilo e murmurou:

— Carlos!... Carlos!

O jesuíta cambaleou, num ricto de terror, o livro escapou-se-lhe das mãos trêmulas, e caiu, maquinalmente, de joelhos. Aproximou a lanterna do rosto da agonizante, exclamando com indefinível angústia:

— Alcíone! Alcíone! Tu? Sonho? Ou enlouqueço?

A agonizante pareceu concentrar todas as energias para o esforço daqueles supremos momentos e retrucou:

— Sim... O Pai Celestial atendeu aos meus rogos e eu não partirei sem o conforto do teu olhar...

— Que fazias em Medina? Que quer isso dizer, Deus meu?

— Não podendo aproximar-me do teu coração com os meus sentimentos de mulher, buscava-te com os pensamentos do Cristo... Nunca pude esquecer-te! Tomei o hábito religioso, desejosa de te reencontrar, para ser irmã desvelada de tua mulher e segunda mãe de teus filhinhos... Em vão te busquei nos sítios prediletos... no entanto, tenho esperado confiantemente esta hora divina! Agora, morrerei tranquila e feliz...

Sem qualquer preocupação pela atitude de espanto dos companheiros presentes, o eclesiástico, entre soluços convulsivos, falou amargurado:

— Sou um réprobo! Não tenho esposa, nem filhos, nem ninguém. Tudo perdi perdendo-te. Sou hoje um condenado a perambular numa estrada ignominiosa. Tua lembrança ainda é o meu único raio de luz. A esposa traiu-me, os falsos amigos conspurcaram meu lar e busquei os poderes do mundo para exercer a vingança cruel! Ah! Alcíone, mal poderia supor que te assassinaria, também, nestas masmorras infectas! Por que haveria de cair sobre mim este tremendo golpe da sorte? Sou, doravante, um miserável, um bandido execrando!

A agonizante revelou no olhar, muito lúcido, grande e amorosa preocupação e perguntou:

— Que fizeste de Jesus?

— Sou réu que não merece perdão — redarguiu o jesuíta fora de si.

— Não te julgues assim — murmurou Alcíone, com esforço —, conheço tua alma, cheia de tesouros ocultos... Somente o desespero pôde cegar-te os olhos...

— Tudo me foi adverso na vida; o destino sempre me escarneceu! — soluçava Clenaghan, presa de intraduzível martírio.

— Esqueceste nossas crenças preciosas, meu querido Carlos, não mais te lembraste dos rostos pálidos daqueles meninos que nos procuravam na igreja de Ávila... Olvidaste nossos doentes, não mais refletiste na dor dos desamparados da sorte... Nunca mais atentaste para a nossa família de amigos simples e necessitados, a serviço de quem colocávamos, outrora, todo o nosso idealismo com Jesus!...

— Sinto que perdi, desgraçadamente, o meu sagrado ensejo de união com Deus! Tanto fizeste por mim, e, no entanto, esqueci os menores deveres de fraternidade, sem me lembrar de que nas trevas do ódio poderia aniquilar-te também a ti, que tudo me deste! Que tremenda lição!

— Tranquiliza-te — disse a agonizante com profunda expressão de ternura —, confia no Senhor que nos renova as oportunidades de redenção... Sua misericórdia nos aproximará novamente, seremos felizes na observância do "amai-vos uns aos outros"! Fortaleçamos o espírito, sem desalento injustificável. Não nos cansemos de recordar que o Mestre foi à cruz do martírio por amor a nós, e está à nossa espera há longos séculos! É preciso não desanimar no bem...

O sobrinho de Damiano chorava amargamente, incapaz de responder. Mas, depois de longa pausa, Alcíone prosseguia:

— Sai dos círculos de revolta e vingança!... Jesus nos oferece irmãos e tutelados em toda parte... Não permaneças nos lugares onde haja perseguições ou separatividades em seu nome... Volta, Carlos! Volta à pobreza, à simplicidade, ao esforço laborioso! Se for preciso, pede, de porta em porta, o pão do corpo, mas não odeies a ninguém... A desesperação te conservará algemado no lodaçal do mundo! Desperta novamente para o amor que o Mestre nos trouxe e perdoa o passado pelas dores que te deu...

O jesuíta não sabia como definir as emoções penosas.

— Mas sou culpado de tuas flagelações no cárcere! Sou vítima infeliz de mim mesmo!...

— Não te acuses! Tu foste, com o Cristo, meu hóspede efetivo aqui, nesta casa, como em todos os outros lugares em que vivi depois de nossa separação... A confiança em teu amor ajudou-me a dissipar as sombras de cada dia, proporcionou-me bom ânimo nas situações mais difíceis!... Nunca te amei tanto como agora, ao nos separarmos novamente... Mas eu creio, Carlos, que os mortos podem voltar aos trabalhos humanos... Logo que Deus me permita esse júbilo, voltarei outra vez... para ser-te fiel... Sofre com resignação, ama as tuas tarefas de redenção com desvelo, e, então, quem sabe, nos reencontraremos breve para construir nosso lar de felicidade infinita, na Terra ou noutros planos da eternidade!

Enquanto o eclesiástico tremia soluçante, a agonizante continuava com visível esforço:

— Nunca te esquecerei... Jesus abençoará nosso ideal de sublime união...

Não pôde continuar. As sagradas emoções daqueles momentos inesquecíveis lhe haviam aniquilado as últimas energias. Gelado suor caía-lhe em bagas da fronte palidíssima. A respiração tornara-se angustiosa e abafada. Clenaghan percebeu a aproximação do minuto derradeiro e exclamou:

— Dize, Alcíone, dize ainda uma vez que me perdoas!

A sublime criatura fez uma tentativa suprema, mas os lábios, quase imóveis, nada mais fizeram que um movimento inexpressivo. Foi aí que a filha de Madalena, no estertor da morte, alçou o crucifixo e cravou nele os olhos lúcidos, dando a entender que chamava a atenção de Carlos para a cena longínqua da igreja de Ávila; em seguida, beijou longamente a imagem do Crucificado, e, num gesto inesquecível, levou-a aos lábios do homem amado, como a dizer-lhe que nunca lhe negaria o beijo do eterno amor e da eterna aliança.

Frei José do Santíssimo debruçou-se, a soluçar, sobre os despojos sagrados, com a dor inexcedível do coração afogado nos remorsos extremos.

E ninguém da Terra, naquele compartimento úmido e escuro, poderia contemplar o quadro celeste a se desenrolar como tributo de veneração à discípula do Cristo, que soubera vencer em seu nome todas as dificuldades, vicissitudes e penas da vida humana. Hinos de beleza angélica vibravam nos ares, mensageiros generosos iam e vinham com expressão de júbilo infinito. Cirilo, Damiano e outros amigos de Alcíone conservavam-se em atitudes de prece. Numerosos beneficiários de sua dedicação fraternal ali se prosternavam, ansiosos por lhe manifestar carinho e gratidão. Daí a instantes, sob a direção de Antênio, chegavam resplandecentes entidades do Grande Lar Celeste. Madalena Vilamil, guardando a filha ao colo, beijava-a com enternecimento. As orações dos redimidos uniram-se aos sublimes pensamentos da alma santificada que partia da Terra. E, enquanto melodias suavíssimas fluíam do plano espiritual, o bondoso Antônio unia sua voz aos arpejos do Céu, repetindo as sagradas palavras do Sermão da Montanha:

— Bem-aventurados os que choram, porque serão consolados! Bem-aventurados os humildes, porque herdarão a Terra! Bem-aventurados os que sofrem perseguição por amor à justiça, porque deles é o Reino dos Céus!...

Nota da Editora:

A série *Romances de Emmanuel*, psicografada por Francisco Cândido Xavier, é composta, na sequência, pelos livros: *Há dois mil anos*, *Cinquenta anos depois*, *Paulo e Estêvão*, *Renúncia* e *Ave, Cristo!*. Convidamos o leitor a conhecê-la integralmente.

O QUE É ESPIRITISMO?

O Espiritismo é um conjunto de princípios e leis revelados por Espíritos Superiores ao educador francês Allan Kardec, que compilou o material em cinco obras que ficariam conhecidas posteriormente como a Codificação: *O livro dos espíritos*, *O livro dos médiuns*, *O evangelho segundo o espiritismo*, *O céu e o inferno* e *A gênese*.

Como uma nova ciência, o Espiritismo veio apresentar à Humanidade, com provas indiscutíveis, a existência e a natureza do Mundo Espiritual, além de suas relações com o mundo físico. A partir dessas evidências, o Mundo Espiritual deixa de ser algo sobrenatural e passa a ser considerado como inesgotável força da Natureza, fonte viva de inúmeros fenômenos até hoje incompreendidos e, por esse motivo, são tidos como fantasiosos e extraordinários.

Jesus Cristo ressaltou a relação entre homem e Espírito por várias vezes durante sua jornada na Terra, e talvez alguns de seus ensinamentos pareçam incompreensíveis ou sejam erroneamente interpretados por não se perceber essa associação. O Espiritismo surge então como uma chave, que esclarece e explica as palavras do Mestre.

A Doutrina Espírita revela novos e profundos conceitos sobre Deus, o Universo, a Humanidade, os Espíritos e as leis que regem a vida. Ela merece ser estudada, analisada e praticada todos os dias de nossa existência, pois o seu valioso conteúdo servirá de grande impulso à nossa evolução.

O EVANGELHO NO LAR

Quando o ensinamento do Mestre vibra entre quatro paredes de um templo doméstico, os pequeninos sacrifícios tecem a felicidade comum.[1]

Quando entendemos a importância do estudo do Evangelho de Jesus, como diretriz ao aprimoramento moral, compreendemos que o primeiro local para esse estudo e vivência de seus ensinos é o próprio lar.

É no reduto doméstico, assim como fazia Jesus, no lar que o acolhia, a casa de Pedro, que as primeiras lições do Evangelho devem ser lidas, sentidas e vivenciadas.

O espírita compreende que sua missão no mundo principia no reduto doméstico, em sua casa, por meio do estudo do Evangelho de Jesus no Lar.

Então, como fazer?

Converse com todos que residem com você sobre a importância desse estudo, para que, em família, possam compreender melhor os ensinamentos cristãos, a partir de um momento de união fraterna, que se desenvolverá de maneira harmônica e respeitosa. Explique que as reflexões conjuntas acerca do Evangelho permitirão manter o ambiente da casa espiritualmente saneado, por meio de sentimentos e pensamentos elevados, favorecendo a presença e a influência de Mensageiros do Bem; explique, também, que esse momento facilitará, em sua residência, a recepção do amparo espiritual, já que auxilia na manutenção de elevado padrão vibratório no ambiente e em cada um que ali vive.

Convide sua família, quem mora com você, para participar. Se mora sozinho, defina para você esse momento precioso de estudo e reflexões. Lembre-se de que, espiritualmente, sempre estamos acompanhados.

Escolha, na semana, um dia e horário em que todos possam estar presentes.

O tempo médio para a realização do Evangelho no Lar costuma ser de trinta minutos.

---

[1] XAVIER, Francisco Cândido. *Luz no lar*. Por Espíritos diversos. 12. ed. 7. imp. Brasília: FEB, 2018. Cap. 1.

As crianças são bem-vindas e, se houver visitantes em casa, eles também podem ser convidados a participar. Se não forem espíritas, apenas explique a eles a finalidade e importância daquele momento.

O seguinte roteiro pode ser utilizado como sugestão:

1. Preparação: leitura de mensagem breve, sem comentários;
2. Início: prece simples e espontânea;
3. Leitura: *O evangelho segundo o espiritismo* (um ou dois itens, por estudo, desde o prefácio);
4. Comentários: breves, com a participação dos presentes, evidenciando o ensino moral aplicado às situações do dia a dia;
5. Vibrações: pela fraternidade, paz e pelo equilíbrio entre os povos; pelos governantes; pela vivência do Evangelho de Jesus em todos os lares; pelo próprio lar...
6. Pedidos: por amigos, parentes, pessoas que estão necessitando de ajuda...
7. Encerramento: prece simples, sincera, agradecendo a Deus, a Jesus, aos amigos espirituais.

As seguintes obras podem ser utilizadas nesse momento tão especial:

- *O evangelho segundo o espiritismo*, como obra básica;
- *Caminho, verdade e vida*; *Pão nosso*; *Vinha de luz*; *Fonte viva*; *Agenda cristã*.

Esse momento no lar não se trata de reunião mediúnica e, portanto, qualquer ideia advinda pela via da intuição deve permanecer como comentário geral, a ser dito de maneira simples, no momento oportuno.

No estudo do Evangelho de Jesus no Lar, a fé e a perseverança são diretrizes ao aprimoramento moral de todos os envolvidos.

FEB editora
Livro espírita para um novo mundo
www.febeditora.com.br
@febeditoraoficial
@febeditora

Conselho Editorial:
Carlos Roberto Campetti
Cirne Ferreira de Araújo
Evandro Noleto Bezerra
Geraldo Campetti Sobrinho – Coord. Editorial
Jorge Godinho Barreto Nery – Presidente
Maria de Lourdes Pereira de Oliveira
Miriam Lúcia Herrera Masotti Dusi

Produção Editorial:
Elizabete de Jesus Moreira

Revisão:
Lígia Dib Carneiro
Mônica dos Santos

Capa e Diagramação:
Evelyn Yuri Furuta

Projeto Gráfico:
Rones José Silvano de Lima – instagram.com/bookebooks_designer

Foto de Capa:
http://www.istockphoto.com/ConstanceMcGuire

Normalização Técnica:
Biblioteca de Obras Raras e Documentos Patrimoniais do Livro

Esta edição foi impressa pela Editora Vozes Ltda., Petrópolis, RJ, com tiragem de 4 mil exemplares, todos em formato fechado de 155x230 mm e com mancha de 120x190 mm. Os papéis utilizados foram o Off White Bulk 58 g/m² para o miolo e o Cartão 250 g/m² para a capa. O texto principal foi composto em fonte Adobe Garamond Pro 12/15 e os títulos em Adobe Garamond Pro 28/30. Impresso no Brasil. *Presita en Brazilo.*